SOCIOLOGÍA DEL CONOCIMIENTO Y DE LA CULTURA

Tradiciones en la teoría social

SOCIOLOGÍA DEL CONOCIMIENTO Y DE LA CULTURA

Tradiciones en la teoría social

Xavier Costa

Profesor Titular de Universidad
Departamento de Sociología y Antropología social
Universitat de València

tirant lo blanch

Valencia, 2006

© XAVIER COSTA

© TIRANT LO BLANCH
EDITA: TIRANT LO BLANCH
C/ Artes Gráficas, 14 - 46010 - Valencia
TELFS.: 96/361 00 48 - 50
FAX: 96/369 41 51
Email:tlb@tirant.com
http://www.tirant.com
Librería virtual: http://www.tirant.es
DEPOSITO LEGAL:
I.S.B.N.: 84 - 8456 - 542 - 4
IMPRIME: GUADA IMPRESORES, S.L. - PMc Media, S.L.

A Dora

Agradecimientos

Son muchas las personas que me han dado su ayuda o enseñanza generosa en lo que respecta al contenido del presente libro. El esfuerzo de docencia e investigación de Manuel Jiménez Redondo fue esencial para mi formación, y para la de muchos otros, en la Universidad de Valencia. Nunca se valorará suficientemente la inmensa riqueza de sus conocimientos y su enseñanza. Una buena parte de los capítulos de este libro (especialmente los relativos a los clásicos, a Habermas y a Giddens) son herederos de aquel espíritu generado a partir de nuestras clases de Sociología, Teoría de la Sociedad, Sociología de la Ciencia y Ética, entre 1976 y 1981, en la Universidad de Valencia, y de nuestros seminarios y conversaciones posteriores. Margaret S. Archer supervisó mi trabajo en la Universidad de Warwick durante dos años (UK), y de ella aprendí un modo especial de hacer teoría. Su magisterio queda reflejado en algunos capítulos de este texto, especialmente en el que concierne al «realismo sociológico». James. A. Beckford ha sido mi maestro en Sociología de la Religión y de la Cultura, así como en sociología empírica, durante muchos años. Una gran parte de los capítulos relativos a la tradición cultural, a la religión y a las tradiciones festivas debe mucho a su magisterio y han sido supervisados y debatidos con él. Josep Picó López me animó a escribir el libro, lo leyó con calma y debatió conmigo su contenido, haciéndome muchas valiosas sugerencias. Sin su generosa ayuda en la aportación de ideas, en la generación de estímulos y en la corrección del material, no habría existido este libro. Paul-André Turcotte, Emilio Lamo de Espinosa, J. Rodríguez Ibáñez, Carlos Gómez Bahillo y Mª Dolores Cáceres Zapatero analizaron el texto e hicieron importantes comentarios. María Amparo García del Moral, iniciadora y pilar fundamental del psicoanálisis lacaniano en nuestras tierras, así como los compañeros de Enseñanza del Psicoanálisis de Valencia, han sido fundamentales en este aspecto de mi formación. Especialmente importante ha sido la colaboración, para las secciones de Nietzsche y de Freud de este texto, de Antonio Palao Moreno, Juan José Pérez Abril y Dora Pérez Abril. Juan José y Dora, junto con José Antonio Vila Crespo, me ayudaron a corregir el texto para las pruebas. James Nelson Novoa colaboró en la traducción de textos diversos, aportando sugerencias desde su perspectiva de académico cosmopolita. Denis y Dorothy Dandy fueron siempre un gran apoyo. Finalmente, quiero destacar la ayuda incondicional de Dora Pérez Abril, a quien va dedicado este libro, sin la cual no hubiera podido acabar este trabajo o no tendría la presente forma. Dora mecanografió la mayor parte del texto, leyendo y debatiendo conmigo los distintos capítulos casi a diario. Muchas gracias a todas estas personas.

Índice

Capítulo 3
CULTURA

Capítulo 4
**PRECURSORES: BACON, LA ILUSTRACIÓN Y LA
TRADICIÓN HISTÓRICA ALEMANA**

Capítulo 8
MAX SCHELER: UNA SOCIOLOGÍA DE LA CULTURA Y DEL SABER

Capítulo 9
KARL MANNHEIM

Capítulo 10
EL FUNCIONALISMO

Capítulo 11
LA TEORÍA CRÍTICA DE LA ESCUELA DE FRANKFURT

Capítulo 12
FENOMENOLOGÍA SOCIOLÓGICA

Capítulo 13
GIDDENS Y HABERMAS: REFLEXIVIDAD, ESFERA PÚBLICA
Y TRADICIÓN

Capítulo 17
MULTIPLICIDAD DE TRADICIONES Y DE MODERNIDADES

Capítulo 18
TRADICIONES FESTIVAS

Introducción

Este libro se ajusta a la estructura de un libro de texto, pero al mismo tiempo presenta una perspectiva singular que vertebra la articulación de los temas, haciéndose explícita a lo largo del libro. Como libro de texto, puede utilizarse en una diversidad de especialidades relacionadas con la Sociología y la Antropología Social. No obstante, de modo específico, constituye una aproximación a la Sociología del Conocimiento y de la Cultura, y se dirige a estas disciplinas, o tradiciones sociológicas, desde una perspectiva inevitablemente particular que las pone en relación.

Conviene insistir en el hecho de que se trata de dos grandes especialidades que frecuentemente se presentan separadas, aunque siempre con muchos puntos de solapamiento, dentro del contexto más amplio de la sociología. Es cierto que tanto la «Sociología del Conocimiento» como la «Sociología de la Cultura» gozan de una singularidad y de ciertas ideas o temas que se consideran generalmente como puntos obligados de referencia. Aun así, estos temas, autores y escuelas, que son característicos de cada una de estas disciplinas, se encuentran lejos de constituir un canon sacrosanto o un modelo inmutable. Muy al contrario, nos encontramos ante dos de las disciplinas sociológicas más porosas, críticas, vivas y receptivas a las nuevas ideas y a los nuevos tiempos. Por este motivo, considero que es posible presentar aquí un enfoque que ponga en relación ambas tradiciones sociológicas a partir de un horizonte particular generador de cuestiones.

Este horizonte específico descansa en mi trabajo investigador en ambas disciplinas, así como en sociología de la religión y en teoría sociológica; aunque inevitablemente intervienen condicionamientos que proceden de una gran variedad de circunstancias biográficas, de tipo académico y personal. Siguiendo la recomendación de la hermenéutica, mi objetivo consiste en intentar abrir el prejuicio del modo más consciente posible, haciéndolo así productivo para dialogar con las tradiciones de la Sociología del Conocimiento y de la Cultura a lo largo de este libro. Existen unas ideas conductoras básicas que han sido fundamentales en la generación de criterios de estructuración del marco de relevancias que permiten un modo de disponer los temas y autores discutidos. De un modo muy breve, puede decirse que esta orientación procede de un intento de reelaborar la sociología de la cultura de Mannheim, para quien es absolutamente prioritario, en esta disciplina (complementaria de la sociología del conocimiento) el estudio de la transmisión de las tradiciones en relación con las formas de asociación, principalmente estudiadas por Simmel. Sugiero, en este sentido, que el concepto de sociabilidad de Simmel, que articulo con las ideas principales de la hermenéutica, es fundamental para la transmisión de las tradiciones culturales. El capítulo 3 (secciones finales) y los capítulos 17 y 18 de este libro abordan explícitamente esta línea de investigación, pero el resto de capítulos la tienen también en cuenta, de un modo tácito en ocasiones y explícito en otras. Me he dedicado durante bastantes años al estudio teórico y empírico de la tradición y de nuestras tradiciones culturales, religiosas y festivas. Por este motivo, la presente obra da una importancia especial a todos los problemas relacionados con este tema, que estructura las relevancias y valoraciones necesarias para la composición de este trabajo. Además, una gran cantidad de los ejemplos que aparecen en este libro, y que sirven para ilustrar conceptos y argumentaciones, proceden de mis estudios empíricos sobre tradiciones festivas (especialmente Costa 1999a).

El libro queda organizado por grandes bloques o secciones, que constan de capítulos diversos. La primera sección incluye los tres primeros capítulos que constituyen una introducción a la materia. Se ocupan de definir las características y el objeto de la sociología del conocimiento y de la cultura, así como de realizar una serie de precisiones conceptuales que son necesarias para comprender el origen y evolución de estas materias y de su mutua relación. El primer capítulo se dedica específicamente a la sociología del conocimiento, el segundo discute las relaciones entre las sociología del conocimiento y las transformaciones generadas en la epistemología y la ontología. El tercer capítulo se refiere al concepto de cultura, explicando la evolución histórica de este término y la constitución de los dominios científicos de la antropología y de la sociología de la cultura. A lo largo de estos capítulos introductorios se explica brevemente la historia y los paradigmas principales existentes en la materia.

Un segundo bloque de contenidos se refiere a los precursores de la sociología del conocimiento y de la cultura y a los sociólogos clásicos. En el capítulo cuarto, que atiende a los precursores de la disciplina, se explica la importancia del trabajo de Bacon y su influencia en la Ilustración; también se discute la relevancia de Montesquieu; por otra parte se explica la evolución de la tradición histórica alemana iniciada por Haman y Herder y el modo en que la reelabora Dilthey. El capítulo quinto analiza la obra de tres autores que se encuentran en el origen de nuestra disciplina: Marx, Nietzsche y Freud. Las ideas fundamentales de éstos, por ejemplo la idea marxiana de que el pensamiento y la conciencia proceden del ser social, que el conocimiento procede de la vida (Nietzsche), así como los temas psicoanalíticos de la pulsión y el narcisismo y su relación con la cultura, fueron esenciales para la constitución de la disciplina. El capítulo VI aborda la sociología del conocimiento y de la religión de la tradición francesa de Durkheim y de Mauss. Finalmente este bloque termina con la inclusión de un capítulo dedicado a los clásicos alemanes, Simmel y Weber.

El siguiente conjunto de capítulos, el bloque C, analiza los orígenes de la constitución académica de la disciplina en la sociología clásica del conocimiento y de la cultura de Max Scheler y de Karl Mannheim. La idea del primero de que los impulsos humanos se trasfieren a las directrices que orientan la actividad y el saber de los líderes, así como el concepto de sociología de la cultura del segundo, orientada a partir de una consideración de las tradiciones generadas por los grupos, son reelaboradas a lo largo de mi trabajo, poniéndolas en relación con los conceptos de institución y de sociabilidad, con el objetivo de dar cuenta del modo en que se trasmiten las tradiciones culturales.

El conjunto siguiente de temas se refiere a los paradigmas contemporáneos. El capítulo X, dedicado al funcionalismo, explica la sociología de la cultura y del conocimiento en Parsons y Merton, así como la teoría de la tradición de Shils. El capítulo XI se ocupa de la teoría crítica de la escuela de Frankfurt, deteniéndose especialmente en los conceptos de dialéctica de la Ilustración, racionalidad instrumental e industria cultural. A continuación, en el capítulo XII, explico la fenomenología sociológica, especialmente en la versión, muy influyente para la sociología del conocimiento y generadora de un nuevo paradigma constructivista, de Berger y Luckmann en *La construcción social de la realidad*.

El capítulo XIII inicia el bloque temático de los paradigmas actuales y se ocupa especialmente de los conceptos de conocimiento y reflexividad, esfera pública, cultura y tradiciones en la obra de Giddens y de Habermas; concluyendo que estos autores no pueden dar cuenta adecuadamente de la trasmisión de la tradición. El capítulo siguiente, explica la sociología de la cultura de cuatro autores que han continuado la tradición francesa de Durkheim y de Mauss (explicada en el capítulo VI); se trata de Bataille, Foucault, Girard y Bourdieu; a lo largo de este tema se subrayan los conceptos fundamentales que incorporan el legado de la sociología francesa de lo sagrado, por lo que este capítulo debe ser leído en relación con el anterior. El capítulo XV se ocupa de la comprensión del conocimiento y de la cultura del realismo sociológico de Popper, Jarvie y Archer; concluye que el realismo no dispone de una teoría adecuada del lenguaje y de la acción para explicar la creación y trasmisión de las tradiciones culturales. Finalmente, el capítulo XVI cierra este bloque temático con la explicación de la sociología de los conceptos y autores principales de la sociología de la ciencia. Realiza una comparación entre Merton y Weber sobre el ethos de la ciencia, discute la función del reconocimiento en la organización de la ciencia y explica el papel de la obra de Kuhn para detenerse finalmente en las nuevas sociologías del conocimiento científico.

El bloque temático F tiene dos capítulos: uno dedicado a la trasmisión cultural y a la tradición, incluyendo a las tradiciones religiosas, y otro dedicado a las tradiciones festivas. El primero, capítulo XVII, aborda los debates recientes sobre la relación entre tradición y modernidad; sugiere que existe una pluralidad de modos de comprender la experiencia moderna, que está en relación con la diversidad y creatividad de las tradiciones. El concepto de sociabilidad, entendido a partir de Simmel, pero situado en la vieja tradición europea del «sentido común» (donde el concepto de «gusto» es central), constituye un mecanismo esencial para comprender la transmisión de la tradición y el modo en que ésta interactúa con la experiencia del presente. El capítulo incluye una sección final sobre sociología de las tradiciones religiosas, que pone un énfasis especial en algunos modelos teóricos propuestos y estudios empíricos existentes para dar cuenta del catolicismo. El capítulo XVIII aborda la trasmisión de las tradiciones festivas a partir de una síntesis teórica entre la ontología y teoría de la fiesta de la hermenéutica y el concepto de sociabilidad de Simmel; la sociabilidad festiva genera una reflexividad, identidad y esfera pública características de las tradiciones festivas. Estos dos capítulos reelaboran los conceptos básicos de la sociología de la cultura de Mannheim que como decía anteriormente, coloca al problema de la trasmisión de la tradición en el centro de su agenda, proponiendo a partir de aquí una complementación de la sociología del conocimiento.

En este último bloque se exponen las ideas centrales de mi aportación que constituyen los criterios vertebradores del texto en su conjunto, motivo por el cual este libro puede ser leído también «al revés», desde el final, por un especialista en la materia. No obstante, estas ideas se anticipan también en los capítulos anteriores, intentando respetar el

orden temático característico de un libro de texto. El lector dirá si estas
intenciones han tenido éxito.

Capítulo 1
La sociología del conocimiento

1. SOCIOLOGÍA DEL CONOCIMIENTO

Existen muchas definiciones de la Sociología del Conocimiento. Este hecho manifiesta que nos encontramos ante una de las tradiciones o disciplinas sociológicas más difíciles de caracterizar, de explicar su objeto y de delimitar sus relaciones con otras ramas de la sociología. De acuerdo con el profesor E. Lamo de Espinosa (1994: 70) esta dificultad genera una ambigüedad en las definiciones clásicas propuestas con el fin de dar una caracterización general a esta disciplina: «un análisis de la relaciones entre conocimiento y existencia» (Mannheim); «un análisis de la relaciones entre el conocimiento y la cognición y la existencia social» (Grünwald); un saber «que concierne primariamente a la relaciones entre el conocimiento y otros factores existenciales en la sociedad o en la cultura» (Merton).

Observemos ahora lo que se dice respecto a la definición de la disciplina en una introducción clásica, *The Sociology of Knowledge* de Werner Stark. Este autor (Stark 1991: 13) recoge al inicio del texto diversas definiciones de la disciplina, entre las cuales incluye las de Merton y de Mannheim anteriormente expuestas. Añado aquí las otras tres restantes que menciona. La primera es de Sprott: «La sociología del conocimiento... estudia el modo en que los sistemas de pensamiento, sean cognitivos o evaluativos o ambos, están condicionados por otros hechos sociales». Dahlke y Becker entienden que «la sociología del conocimiento es el análisis de las interrelaciones funcionales entre los procesos sociales y las estructuras, por una parte, y los esquemas de la vida intelectual, incluyendo los modos de conocer, por la otra, no pudiendo asignar una prioridad lógica ni a la «sociedad» ni a la «mente» (*mind*)». Finalmente, una caracterización interesante, bien concebida es para Stark la propuesta por Helmut Schoeck: «La cuestión es si, y en qué medida, la característica del ser humano como ser social puede descubrirse en sus actos mentales».

Stark señala que todas estas definiciones tienen un problema u otro. Algunas tienen distinto nivel de generalidad en los términos; otras no añaden mucho contenido informativo al que ya incluye el nombre de la disciplina, «escamoteando la cuestión». Finalmente, y en relación con la definición de Dahlke y Becker, insiste en que términos como «función» o «funcional» requerirían comentarios adicionales, lo cual podría interpretarse como una llamada de atención de Stark sobre el hecho de que estos autores incluyen, y dan por supuesta en la definición, una terminología típica de una escuela particular (el funcionalismo estructural) que debería clarificarse mejor o con la que Stark no está de acuerdo. Esto último es interesante pues subraya además otro hecho importante para la sociología del conocimiento, a saber, que muchas peculiaridades de las definiciones, y de la concepción de nuestra materia, dependen de las escuelas, grupos y tradiciones sociológicas en que se han socializado académicamente sus autores. Así pues, la sociología del conocimiento, que se ocupa de la búsqueda de una relación entre las ideas y los factores sociales, puede aplicarse a sí misma, con lo que se evidencia otra característica de nuestra disciplina, que explicaré después con detalle: su naturaleza reflexiva. De hecho, Stark (1991: 19, 99ss) propone su propia caracterización de la sociología del conocimiento, reconociéndose inspirado por una larga tradición sociológica; y así señala que nuestra materia se ocupa del análisis del modo en que los procesos de pensamiento dependen de los procesos vitales o de los procesos de la vida social. Fundamenta su propuesta en la elaboración de lo que llama una «teoría social del conocimiento» que constituye una síntesis entre la tradición neo-kantiana de Rickert-Weber y la ética de los valores de Scheler. De este modo asume, como sociólogo del conocimiento, que su propia sociología, y su definición de la disciplina, son en parte consecuencia de una influencia social y académica.

La *Enciclopedia de las Ciencias Sociales* presenta una definición de la Sociología del Conocimiento, elaborada por Lewis A. Coser, no menos ambigua que las anteriores: «es aquella rama de la sociología que estudia la relación entre pensamiento y sociedad, es decir, las condiciones sociales o existenciales del conocimiento». Estas dificultades para elaborar una definición precisa de la materia persisten en los diccionarios y manuales sociológicos existentes. Por ejemplo, el *Diccionario de Sociología* de G. Duncan Mitchel (1983: 203) sugiere que la disciplina viene regida por «la idea de que nuestro conocimiento constituye en alguna medida un producto social». Por otra parte, en el manual *Cuestiones de Sociología*, de Francesco Alberoni, Tufari (1971: 179) señala que «la

Sociología del Conocimiento estudia la conexión entre la actividad cognoscitiva y las circunstancias histórico-ambientales en que se desarrolla tal actividad».

Ahora bien, pese a las diferencias en cuanto a los términos precisos que estos autores utilizan en las definiciones anteriores, existe una coincidencia básica entre todos ellos: que la sociología del conocimiento se ocupa de analizar la relación o conexión entre dos niveles, uno de ellos tiene que ver con el conocimiento y el otro con la existencia social o mundana. Como veremos a lo largo de este trabajo, los autores discrepan sobre las características de esta relación, que pueden entender como siendo de «condicionamiento», «determinación», «construcción», etcétera. Además, si comparamos los términos principales de ambos niveles en las anteriores definiciones percibiremos otras dos dificultades de la sociología del conocimiento. Primera, la que concierne a lo que es el conocimiento mismo (cuestión en la que se solapa con la epistemología) y, segunda, el problema de trazar límites con otras disciplinas sociológicas, como la sociología de la cultura por ejemplo. Me referiré a continuación a estas dos cuestiones problemáticas.

La primera dificultad puede observarse en el hecho de que en las definiciones citadas se alternan las palabras «conocimiento», «saber», «pensamiento», «actividad cognoscitiva», «cognición», vocablos que no significan exactamente lo mismo. Algunas de las razones de esta dificultad terminológica proceden del hecho de que la sociología del conocimiento ha sostenido siempre una peculiar relación «fraternal», de proximidad y de tensión, por la singularidad del objeto de estudio (el conocimiento), con la epistemología, una disciplina que se ocupa del modo en que conocemos.

La epistemología, o la teoría del conocimiento, es una disciplina filosófica que analiza la relación entre un sujeto cognoscente y el mundo de los objetos que éste pretende conocer o percibir. En particular, pretende explicar el modo en que estos objetos pasan a formar parte de la estructura subjetiva de un modo organizado y estructurado, generando una imagen unificada del mundo. La teoría del conocimiento se ocupa además de los criterios para un conocimiento válido, objetivo, y parte de una concepción de la verdad. La sociología del conocimiento se ocupa también del conocimiento, pero lo aborda desde otra perspectiva: estudia la relación del conocimiento con la existencia o vida social. De esta manera ha criticado la comprensión del sujeto cognoscente de la epistemología clásica (especialmente en su versión kantiana), señalando principalmente que presupone un sujeto aislado, segregado de los vínculos sociales que lo sustentan y que contribuyen a generar su propio modo de conocer y de pensar. Por otra parte, reclama la posibilidad de estudiar la determinación social del conocimiento y, dado que los criterios epistemológicos son también un conocimiento, puede pensarse que estos deben tener una génesis social particular de la que dependen. En otras palabras, la sociología del conocimiento ha cuestionado la pretensión de autonomía de la epistemología, o al menos, como señala Stark (1991: 14) «aparece como un complemento o quizá como un correctivo para la aproximación epistemológica tradicional». No obstante, como explicaré en el capítulo siguiente, los sociólogos del conocimiento divergen en cuanto a su posición ante tales problemas, especialmente respecto a una cuestión fundamental: si la validez puede depender de su génesis social; esto es, si el «contexto del descubrimiento» penetra de lleno en el «contexto de la justificación».

La segunda dificultad terminológica existente en las definiciones de la sociología del conocimiento anteriormente comentadas puede observarse en el uso alternativo de palabras que se refieren al, llamémosle, «componente social» de las definiciones. Los autores divergen sobre la amplitud y características de aquello con lo que se «conecta» o «relaciona» el conocimiento: «existencia», «existencia social», «factores existenciales en la sociedad o en la cultura», «condiciones sociales o existenciales», «producción social», «circunstancias histórico-ambientales». Por ejemplo, «existencia» es un término más general que «existencia social», pudiendo entenderse como existencia mundana que incluye lo social, la existencia social, como parte de las relaciones que operan en el mundo. Las definiciones de Merton y Tufari, por otra parte, incluyen respectivamente factores culturales e histórico-ambientales, mediante los cuales insisten en los vínculos del conocimiento con la cultura (y con la sociología de la cultura), con la historia y la naturaleza y, por implicación, con una sociología histórica y ecológica. No parece haber mucho acuerdo, por tanto, en los términos principales que se usan para referirse a los dos niveles anteriormente mencionados de la definición («conocimiento», «sociedad») y eso nos muestra las dificultades del objeto de estudio de la disciplina y de sus vínculos con otras materias, como la epistemología, y con otras ramas de la sociología. Trataré esta última cuestión a lo largo de los dos capítulos siguientes de este trabajo y me referiré a continuación a lo que se entiende en general por conocimiento y a la forma específica que presenta su tratamiento en la sociología del conocimiento.

2. DEFINICIONES Y ETIMOLOGÍA

La Real Academia Española de la Lengua señala que conocer es «averiguar por el ejercicio de las facultades intelectuales la naturaleza, cualidades y relaciones de las cosas», añadiendo además que esto supone «percibir el objeto como distinto de todo lo que no es él». Se dice así que la actividad de conocer es un proceso de descubrimiento de aspectos y relaciones de las cosas existentes en el mundo y que este ejercicio implica discernir, contrastar y comparar.

El Diccionario de la Lengua Catalana de Pompeu Fabra define de un modo general el conocer (*conèixer*) como «tener una idea más o menos completa de alguien o de alguna cosa». En cuanto a ese «alguien» o persona Fabra resalta el sentido de dar el nombre, llamar la atención sobre sí y mostrar de lo que se es capaz. También insiste en la reflexividad del «conocerse a sí mismo» y en conocer a las otras personas, algo que supone haberlas visto o frecuentado con mayor o menor intensidad. Por lo que respecta a las cosas, Fabra insiste en el uso de conocer aplicado a una disciplina, autor, circunstancia, cualidad, idea, etc. Mención especial requiere aquí el derecho, donde conocer se asocia con juzgar. Para las personas y las cosas existe además el uso de conocer como «reconocer», por el ejercicio de recuerdo de la imaginación, y como «discernir». Fabra consigna otros tantos sentidos de «conocimiento» («coneixement», «coneixença») que se asocian directamente con el verbo conocer, a los que añade las acepciones de «facultad y acto de conocer» y «tener conciencia de la propia existencia».

Tanto en castellano como en catalán cabe buscar en el latín (y en el griego) la etimología del campo semántico asociado con el conocimiento. La palabra «conocimiento» (o *coneixement*) procede del verbo latino *cognosco-gnovi-gnitum*, que significan conocer, reconocer, enterarse, instruir un proceso y dictar una sentencia. Procede del verbo *nosco-novi-notum,* que significa conocer; saber, examinar, estudiar, entender; reconocer, admitir. A su vez, esta palabra latina esta emparentada con el término griego *gignosco,* que significa conocer, llegar a conocer, reconocer. Existen otras palabras latinas que han dejado su huella en el campo semántico del conocimiento, como *cognitio-onis*, que es la cognición, acción de conocer, conocimiento, deseo de conocer o de saber; concepto, noción, idea; indagación e instrucción. La palabra «concepto» procede de *conceptus-a-um*, que es el participio pasado de *concipio-cepiceptum*, que significan coger, absorber; concebir como originarse, formarse, nacer; imaginar, concebir. En asociación con ésta, la palabra

capio-cepi-ceptum es también fundamental en nuestro contexto, significando tomar, captar, apoderarse de, capturar, apropiarse por medio de
los sentidos.

En inglés, francés e italiano nos aparecen significaciones muy similares para *knowledge, conaissance* y *conoscenza*. El alemán, sin embargo, utiliza los vocablos *Erlebnis* y *Erkenntnis* para conocimiento y
Wissen para saber, de donde procede *Wissenschaft* (ciencia).

Es difícil extraer conclusiones generales a partir de estas consideraciones lingüísticas por varias razones. Una de ellas es que los diccionarios de las lenguas oscilan entre acepciones dogmáticas, que cabe
asignar al autor, y otras que se refieren al uso efectivo de las palabras.
Hay sin embargo varias cosas claras. Primera, existen habitualmente
tres vocablos consolidados para referirse al conocimiento, al saber y a la
ciencia, pero suelen presentar relaciones de etimología o prácticas
indistintas de uso al menos entre dos de los términos. Las conexiones
más frecuentes se producen entre «conocer» y «saber»; y así uno de estos
términos incluye frecuentemente acepciones del otro. También existen
en ocasiones relaciones de uso o etimología entre «ciencia», por un lado,
y «saber» o «conocer» por otro, pero estas son menos frecuentes y tampoco
son generalizables. En alemán por ejemplo «ciencia» se deriva del saber,
situándose el «conocimiento» aparte, mientras que el chino vincula
etimológicamente «conocer» y «saber», pero sitúa a la ciencia en un
territorio semántico independiente.

La comparación entre los usos y definiciones de la palabra «conocimiento» genera algunas consideraciones. La primera —y en contra de un
presupuesto filosófico racionalista largamente establecido— es que lo
más importante, en cuanto al conocimiento, no es elaborar juicios. Esta
actividad solamente aparece como relevante en las acepciones de conocimiento vinculadas con lo jurídico. Pero incluso en este campo abundan
más la significaciones relacionadas con dar testimonio y con confesar,
admitir o reconocer. Segundo, las «definiciones dogmáticas» elaboradas
por el autor resaltan el aspecto intelectual, ideacional del conocimiento
(«tener una idea», «facultades intelectuales»), que encuentra siempre un
correlato entre las acepciones de uso; sin embargo la multiplicidad y la
complejidad de éstas revela que «conocimiento» se vincula también con
otras cualidades del ser humano, por ejemplo con la capacidad para la
relación social, la destreza, la familiaridad, la imaginación, el recuerdo,
etc. Las notas asociadas a conocimiento que más se repiten pueden
agruparse en:

a) Cognitivas: discernir, de distinguir

b) Sociales: familiaridad y trato con el otro

c) Biográficas, de autoreflexión y autoexpresión: conocerse a sí mismo, consciencia existencial, darse a conocer (nombre, actividades, capacidades de uno)

d) Memorísticas: reconocer

e) Expresión de una habilidad, destreza, competencia en una ciencia, arte, disciplina, tema, autor o cualidad.

La palabra saber se presenta frecuentemente como más general, incluyendo al conocimiento. Normalmente, el saber rebasa el marco más estrictamente cognitivo, vinculado con un acto (discernir, relacionarse, expresarse, reconocer o ejercer una habilidad), contexto y circunstancia, que presenta frecuentemente la acción asociada con el conocimiento. El conocimiento suele estar situado en coordenadas espacio-temporales más delimitadas en las que el individuo ejerce un actividad. De este modo puede apreciarse con una mayor claridad si una acción ha tenido éxito para discernir, establecer una relación, reconocer, expresarse o ejercer una destreza. Al saber se le reconoce la capacidad de integrar el conocimiento en coordenadas espacio-temporales más amplias que pueden recorrer una pluralidad de facetas de la existencia humana en una comunidad: la vida moral, religiosa y artística. El sabio representa la condensación del saber cultural de la comunidad en una biografía. Esta amplitud del saber tiene criterios que van más allá del conocimiento, y del éxito o fracaso de la acción, en un marco delimitado; exigen, como en el «dào» chino, doctrina y principio, camino y método, para la existencia humana. La generalización e intensificación del conocimiento científico en las sociedades de Occidente ha teñido ya la percepción de la sabiduría de modo que el científico exitoso y el método científico tienden a sustituir al sabio y a su visión integrada de saberes y conocimientos.

La sociología del conocimiento, sin embargo, no entiende el conocimiento y el saber exactamente del mismo modo que lo hace la gente común o como se refleja en las lenguas. Nuestra disciplina indaga sobre el conocimiento, el saber y la ciencia a partir de la sociología y de los métodos que le son propios como ciencia social.

3. CONOCIMIENTO, SABER Y CIENCIA PARA EL SOCIÓLO-GO DEL CONOCIMIENTO

La sociología del conocimiento se caracteriza por ser una reflexión de segundo orden, una meta-reflexión que tiene por objeto el conocimiento, el saber y la ciencia existentes en la sociedad; esta reflexión se realiza a partir de otros conocimientos y saberes propios de la tradición sociológica. Lamo de Espinosa (1994: 18) se ha referido a está naturaleza reflexiva de la sociología del conocimiento. Como consecuencia de esta reflexividad, la sociología del conocimiento genera nuevos conocimientos sociológicos sobre el conocimiento previamente existente en la sociedad que han sido producidos por los individuos o grupos que la componen. De este modo la sociología del conocimiento genera un nuevo saber sobre cómo se relaciona el conocimiento con otras variables existentes en la sociedad, con los grupos e instituciones que la componen. Así puede mostrar, por ejemplo, que tal o cual conjunto de conocimientos o saberes se ha originado a partir de la actividad de individuos situados en una o varias instituciones, clases o grupos; también puede operar al revés, yendo de las ideas a la sociedad, para explicar que tal o cual idea moral, religiosa o científica tiene consecuencias sociales.

Un claro ejemplo de ejercicio de sociología del conocimiento que señala el condicionamiento social de las ideas nos lo proporciona Marx. A lo largo del desarrollo histórico de la Modernidad social se ha producido un discurso relacionado con la propiedad privada y con unas leyes del mercado capitalista que se presentaban como «naturales». Se presuponía una ley natural al señalar que si se dejaba al mercado actuar siguiendo sus propias leyes y respetando la libre competencia, los resultados económicos serían óptimos. Además se entendía al individuo como dotado naturalmente de una racionalidad económica y de un sentido de la utilidad (un «egoísta racional») que lo disponían espontáneamente para competir en el mercado. Marx, sin embargo, tomó este discurso, cuyas ideas principales habían sido elaboradas por los economistas burgueses, como un conocimiento de primer orden que debe ser objeto de análisis de la ciencia social. De este modo, generó un nuevo conocimiento, más reflexivo (de segundo orden) sobre estas ideas pre-existente de propiedad privada, leyes de mercado, etc. Este nuevo «conocimiento sobre el conocimiento» era más reflexivo y procedía de las ciencias sociales. Así, por ejemplo, Marx mostró que estas ideas sobre la propiedad privada, el mercado y el individuo no eran «naturales», sino que habían sido generadas por una nueva clase social, la burguesía. Por otra parte, Marx indicó que estas ideas contribuían a oscurecer los intereses reales de la burguesía, la clase dominante que había configurado tal «ideología»; un conjunto de ideas que servía, entre otras cosas, para legitimar el orden social capitalista, caracterizado por formas de explotación originadas en una asimetría de poder que tenía que ver con el hecho de que unos poseían los medios de producción y otros tenían que vender su fuerza de trabajo en el mercado laboral.

Otro ejercicio de sociología del conocimiento fue realizado por Durkheim en su *Formas Elementales de la Vida Religiosa* cuando mostró que las categorías del pensamiento, vinculadas a la religión, se generaban en última instancia, en el contexto de la estructura social originada por el grupo o comunidad, y más tarde K. Mannheim, que es considerado el máximo exponente de la Sociología clásica del conocimiento, realizó estudios empíricos sobre el transfondo social de grupos e instituciones que subyacían a las ideas dominantes del «pensamiento conservador».

La relaciones entre conocimiento y sociedad pueden ir en una sola dirección, como en los ejemplos anteriores en que se averigua el origen social de las ideas, o ser recíprocas. Van en una sola dirección cuando se señala que el conocimiento depende de la sociedad, que tal o cual grupo o institución lo genera; también van en una sola dirección cuando se opera al revés: cuando se dice que tal conjunto de ideas influye o tiene tales consecuencias en tal grupo o sociedad. La relaciones entre conocimiento y sociedad son recíprocas cuando se acepta una mutua influencia entre lo social y las ideas. Los autores difieren acerca de la intensidad de este condicionamiento o influencia, así como sobre la cualidad de los niveles, contenidos ideacionales o aspectos que alcanza. Algunos de ellos, como por ejemplo Max Scheler, que reconocen el condicionamiento social de las ideas, señalan sin embargo que unas ideas son más socialmente dependientes que otras y que existen contenidos últimos de las ideas que no están condicionados, conservando su validez independientemente de la causación social.

Anteriormente he señalado la variedad (y mutuas relaciones) de los significados asociados al conocimiento, al saber y a la ciencia en diversas lenguas y culturas. Esta complejidad en cuanto al significado ha dificultado evidentemente la caracterización precisa del objeto de estudio de la disciplina. De hecho los autores difieren en función de la amplitud que asignan al objeto de estudio y del énfasis que ponen en un aspecto u otro del conocimiento, de la ciencia y del saber cultural, para subrayar lo más esencial de la disciplina. Estoy de acuerdo con Tufari (1971: 179) en que en general cabe establecer una primera división entre (a) los autores que optan por estudiar el conocimiento en un sentido estricto, enfatizando la dimensión cognitiva, y (b) los que optan por una concepción amplia del conocimiento que incluye el saber cultural, incorporando además la moral, la religión, el arte y el conocimiento tácito del sentido común. La primera opción puede radicalizarse al vincular la sociología del conocimiento con la sociología de la ciencia, y adquiere una expresión muy clara en Merton y en la sociología de la ciencia contemporánea. La segunda opción tiende a identificar o a aproximar conocimiento y cultura, con lo que la sociología del conocimiento se hace difícilmente distinguible de la sociología de la cultura y de la sociología de la religión o de los «universos simbólicos. Para defender una u otra propuesta los autores suelen aducir principalmente criterios de orden epistemológico y antropológico que les sirven para redefinir y elaborar sociológicamente la conceptos de conocimiento, saber, ciencia y cultura, así como las formas de sus mutuas relaciones. A continuación pondré ejemplos representativos de estos dos modos de comprender la palabra «conocimiento».

A) *Significado restringido de «conocimiento»*

Lamo de Espinosa (1994: 21 ss, 69 ss, 79) pasa revista por un lado o la ontogénesis, a la filogénesis y al proceso de hominización y, por otro, prosigue el debate epistemológico para elaborar después las diferencias entre el «conocer» y el «saber». Opta por entender el conocimiento en el sentido restringido que anteriormente he vinculado con la ciencia, enfatizando su carácter consciente, reflexivo y de producción de «verdades». Al definir el conocimiento en este sentido más cognitivo, necesita distinguir entre conocimiento y saber para asignar al «saber» otras características que hubiera sido posible situar como parte de una definición más amplia, digamos «culturalista», del conocimiento. La estrategia consiste aquí en situar esas otras características del conocimiento en el terreno del saber y de la cultura. El saber se relaciona con la cultura y con una sociología de la cultura. La distinción entre conocimiento y saber corre en paralelo pues con una diferenciación entre, por un lado, (a) una sociología del conocimiento (en sentido estricto) que se ocupa de la dimensión social del conocimiento en Occidente, en las «sociedades del conocimiento», (dado que en Occidente conocimiento y saber se separan, y el conocimiento tiende a ser cada vez más conocimiento validado por las ciencias) y, por otro lado, (b) una sociología de la cultura (o sociología del conocimiento en sentido amplio) que se proyecta sobre la cultura, los universos simbólicos existentes fuera de Occidente, en las «Sociedades de Cultura».

Las características del conocer y del saber son:

Conocer	Saber
conocimiento consciente	conocimiento no consciente
conocimiento reflexivo	conocimiento no reflexivo
conocimiento dudado	conocimiento no dudado
conocimiento activo	conocimiento pasivo
conocimiento como flujo	conocimiento como stock
sociología del conocimiento	Sociología de los universos simbólicos
ciencia	realidad

Esta vía de aproximar la sociología del conocimiento a la sociología de la ciencia, entendiendo que la ciencia constituye el corazón de la sociología del conocimiento, se establece no obstante a condición de considerar la sociología de la ciencia en un sentido amplio y de tener en cuenta algunas condiciones que resumo y considero a continuación.

1) El uso de conocimiento como equivalente a ciencia únicamente debe hacerse en el contexto de la cultura Occidental, donde se han separado conocer y saber, y la ciencia se constituye en criterio de demarcación del conocimiento verdadero. No obstante, al salir de Occidente la sociología del conocimiento debe proyectarse hacia la sabiduría, incorporando el ámbito de los universos simbólicos en toda su amplitud, que incluye el saber mítico, religioso, ético y del sentido común.

2) Existe un área de solapamiento entre la sociología del conocimiento y la sociología de la religión. Uno de los temas centrales de esta área es el de las categorías fundamentales del conocimiento: hay una relación entre las categorías, la estructura social y el pensamiento religioso (Durkheim-Mauss). Además, la propia ciencia occidental, como mostró Merton, retiene elementos de carácter religioso. Por otra parte, cabe añadir a lo dicho aquí que incluso el propio proceso de «naturalización del hombre» (el hombre social por naturaleza) que da origen a la ciencia social y a la sociología del conocimiento descansa, como ha mostrado el propio Lamo de Espinosa (1994: 62-65), en una previa «divinización de la naturaleza» que aparece tanto con la traslación protestante del orden divino al natural como en el concepto católico de naturaleza humana de los teóricos de la Escuela de Salamanca.

3) En esta concepción amplia de la ciencia se incluyen tanto las ciencia naturales como las sociales, así como otros conocimientos que requieren un «aprendizaje especial», como la crítica literaria, la ética y la filosofía.

4) Como parte central de la sociología del conocimiento se incluyen tanto la ciencia como lo que es tenido por ciencia. Es fundamental el análisis de la interacción entre ciencia y etnociencia, considerando tanto la etnociencia característica de las comunidades científicas (prejuicios, estereotipos compartidos, etc.) como la propia de la persona de la calle.

Señala Lamo de Espinosa (1994: 81) que esta consideración de la sociología del conocimiento, que tiene como núcleo central a la sociología de la ciencia, se basa en el criterio primordial de cómo y por qué se genera y acepta la verdad, pero permite una integración en el proyecto de la disciplina de otros temas próximos, por ejemplo de la sociología de la religión o del conocimiento del sentido común. Esta propuesta me parece adecuada en líneas generales para clarificar el objeto de nuestra disciplina y como punto de partida para integrar la sociología del conocimiento con la sociología de la cultura. Realizaré no obstante tres matizaciones:

a) *Sociología del conocimiento científico y/o de los universos simbólicos*

En relación con los aspectos anteriores, cabe señalar que hay dificultades para separar una sociología del conocimiento que actúa en Occidente, tomando como criterios fundamentales los de la ciencia, y otra sociología del conocimiento que se proyectara fuera de Occidente y que enfrentara la entera globalidad de los universos simbólicos. Daré únicamente tres razones.

En primer lugar, dentro de Occidente existen saberes míticos, religiosos, éticos y del sentido común que coexisten con las líneas de evolución de la ciencia. Algunos de estos saberes han contribuido al desarrollo de la ciencia misma, como señala el propio Lamo de Espinosa. Por este motivo, la dilucidación del papel de la ciencia en Occidente exige también un tratamiento de la cultura occidental desde una sociología del conocimiento que enfrente no únicamente la ciencia, sino también los universos simbólicos de Occidente con los que se vincula. De hecho, como he señalado, Lamo de Espinosa realiza este análisis de la ciencia moderna con una amplia perspectiva que incluye, entre otras cosas, elementos del ámbito religioso. Así pues, la sociología del conocimiento en términos de ciencia depende de un análisis previo de la sociología del conocimiento en términos de universos simbólicos, incluso dentro de Occidente.

En segundo lugar, en algunos países europeos como España, donde predomina la tradición católica, otras formas ancestrales de lo sagrado (normalmente vinculadas con un politeísmo anterior y asociadas con festividades) persisten y se transforman en interacción con formas de reflexividad típicas de la modernidad, sin excluir el conocimiento científico. Pues bien, para analizar las formas de interacción entre esas formas de lo sagrado (y la sociabilidad festiva) y el conocimiento (científico) es necesario también un análisis previo de la sociología del conocimiento en términos de universos simbólicos.

Finalmente, en las actuales condiciones de globalización existen espacios multiculturales dentro de Occidente, lo cual demanda una sociología del conocimiento que atienda a los universos simbólicos implicados y a cómo se relacionan entre sí. No podemos escapar por tanto de una consideración de la sociología del conocimiento en términos de universos simbólicos dentro de Occidente. Evidentemente, esto significa explicar cómo sería esta consideración y cómo se articularía con la sociología del conocimiento científico.

b) El conocimiento del «sentido común»

La consideración del conocimiento del sentido común, por parte de la sociología del conocimiento (incluso orientada a partir de una concepción amplia de la ciencia) se restringe en Occidente a la etnociencia. Sin embargo, existe una larga tradición europea del «sentido común» (caracterizada en un capítulo posterior de este trabajo) que valora la importancia del sentido común para el conocimiento, la moralidad y la política. Como es sabido, un ejemplo de esta consideración del sentido común, situado en un mundo vital de experiencias, se encuentra en la sociología del conocimiento de Schütz y de Berger y Luckmann.

c) Verdad

Al hacer depender la verdad de la consideración del conocimiento científico, nos falta una consideración de la verdad que pueda vincularse con lo normativo y lo expresivo. Existe probablemente un conocimiento

consistente en conocer y seguir las normas y un conocimiento (y auto-
conocimiento) relacionado con la expresividad y las artes ¿Cuáles serían
sus criterios de éxito, de validez o de verdad? Habermas, por ejemplo,
propuso su teoría de la verdad como ejercicio discursivo de pretensiones
de validez susceptibles de crítica, donde existe también un lugar para las
pretensiones vinculadas con lo normativo y lo expresivo. Sin estar
totalmente de acuerdo con esta solución de Habermas, únicamente
quiero sugerir por medio de él que existe este problema y que, si no lo
atendemos, corremos el riesgo de caer en el cientificismo.

Finalmente, Lamo de Espinosa (1994: 81) indica los temas principales de la sociología del conocimiento, orientada a partir del amplio
concepto de ciencia explicado anteriormente:

1. Las categorías (solapamiento con la sociología de la religión).

2. Los criterios de validez.

3. La sociología de la ciencia propiamente dicha:

   3.1. Génesis histórica de la ciencia en relación con la religión
   (solapamiento con la sociología de la religión).

   3.2. La ciencia como institución.

   3.3. La ciencia como *stock* de conocimiento.

   3.4. La distribución de los conocimientos; la etnociencia.

   3.5. Las consecuencias de la distribución de los conocimientos
   sobre la percepción y las conductas.

Es necesario recordar que en esta propuesta la sociología del conocimiento se solapa con la sociología de la religión y que sería necesario
elaborar en qué consistiría esa sociología del conocimiento que se
proyectará sobre la globalidad del saber en los universos simbólicos
(religión, moralidad, sentido común) tanto en las «sociedades de cultura»
como dentro de Occidente en las «sociedades del conocimiento». Me
parece, no obstante, que los temas principales de esa sociología del
conocimiento que se ocuparía de los universos simbólicos coincidiría en
gran medida, en cuanto a su objeto y temas fundamentales, con lo que
entendemos por sociología de la cultura. Podemos convenir pues que lo
que es necesario hacer explícito es la relación entre la sociología del
conocimiento y la sociología de la cultura, una relación que atenderé en
un próximo capítulo.

B) Conocimiento en sentido amplio: Conocimiento y cultura

En la sociología del conocimiento existen también, junto a aquellos autores que optan por un significado restringido del conocimiento, otros sociólogos que parten de un significado amplio, señalando además que existe una diversidad de modos de conocer y distintas clases de conocimientos. Como conocimiento figuran en este caso, junto a las formas estrictamente cognitivas y más próximas al conocimiento científico, otras formas del conocer y del saber, como el sentido común o las que cabe asociar con las áreas culturales de la moralidad, el arte, la religión. De este modo, utilizando un sentido amplio de conocimiento, la sociología del conocimiento se aproxima más a una sociología de la cultura y la religión.

Pero esta opción por una perspectiva amplia del conocimiento no disminuye las dificultades para fundamentar estas disciplinas y para caracterizar su objeto y mutuas relaciones; más bien crea nuevos problemas. Por ejemplo, se hace necesaria una sólida base ontológica, epistemológica y antropológica, aparte de nuevas elaboraciones conceptuales procedentes de la teoría social. Por otra parte, al partir de un marco más amplio de realidad social que hay que caracterizar conceptualmente, se hacen necesarias ulteriores particiones de ésta y otras sucesivas nuevas conceptualizaciones para poder pasar a la realización de investigaciones empíricas. Max Scheler constituye un ejemplo de autor empeñado en esta forma de proceder en su sociología del saber. Como señala Gurvitch (1969: 14), Scheler tuvo la virtud de destacar una pluralidad de conocimientos cuyas acentuaciones y combinaciones variaban según los marcos sociales. Pero sus compromisos filosóficos previos le condujeron a admitir una jerarquía estable de clases de conocimiento en función de una escala inmóvil de valores que se les atribuye *a priori*. Esto exigía también una estructura axiológica *a priori* en el ser humano, una capacidad general subjetiva para valorar que fuera independiente de toda experiencia. De este modo, concluye Gurvitch (1969: 15), «el platonismo, el agustinismo de Scheler limitan su sociología del conocimiento». Scheler acaba postulando entidades metafísicas y *a priori* que no pueden justificarse a partir de la experiencia social y vital, poniéndose así en contra del espíritu de la propia sociología del conocimiento.

Werner Stark (1991) intentó también una sociología del conocimiento que incluyera, junto a los aspectos estrictamente cognitivos asociados con la ciencia, las esferas de la moralidad, del arte, de la religión y del sentido común. Una buena parte de los ejemplos con que ilustra los conceptos fundamentales de la disciplina en su *The Sociology of Knowledge* proceden del campo de la música, e insiste especialmente (Stark 1991: 123ss) en que las artes constituyen una forma de conocimiento que debe ser investigada por la sociología del conocimiento. Su desarrollo de la teoría neokantiana de los valores, no obstante, en combinación con su inclusión del «a priori axiológico subjetivo» procedente de Max Scheler conduce a Stark (1991: 121ss) a postular un «*a priori*» subjetivo que incluye tiempo, espacio, categorías y el «*a priori* de los valores» (o factor social). De este modo, Stark da marcha atrás en el recorrido avanzado por la sociología del conocimiento en la línea de disolver sociológicamente los «*a priori*» de una conciencia transcendental. Esta línea de cuestionamiento de los «*a priori*» constituye una parte esencial de la sociología del conocimiento. Así, por ejemplo la sociología de Durkheim explicaba que las categorías del pensamiento se generaban a partir de la estructura y vida social del grupo; y también Mannheim (1963: 83) señalaba que no puede postularse un dualismo ontológico entre una realidad social y otra meta-social.

Los ejemplos de Scheler y de Stark muestran que la elección de un concepto amplio de conocimiento exige una mayor complejidad teorética, pero ésta frecuentemente se ha alejado de las premisas básicas de la disciplina al presuponer ideas filosóficas (por ejemplo, categorías *a priori*, sujeto trascendental) que la propia sociología del conocimiento intenta habitualmente superar. No obstante, existen casos en que esto no ha sido así. Los intentos más fructíferos, aunque tampoco exentos de dificultades, para incluir en nuestra disciplina una mayor variedad de clases y formas de conocimiento me parecen los de Georges Gurvitch (1969 [1966]) y Berger y Luckmann (1968).

Gurvitch (1969: 47) entiende el conocimiento como «una combinación dialéctica de experiencia y de juicios». Resumiendo la larga definición que Gurvitch (1969: 25-26) da para la sociología del conocimiento, podemos decir que ésta estudia la correlación entre conocimientos y marcos sociales. Se propone el estudio de las correlaciones funcionales entre, por un lado, las clases de conocimiento, la acentuación que las formas de conocimiento dan a las clases de conocimiento y los sistemas o jerarquías de estas clases y, por otro, los marcos sociales: sociedades globales, clases sociales, grupos particulares y manifestaciones diversas de la sociabilidad.

Gurvitch (1969: 31ss) elabora un modelo con siete clases sociales de conocimiento y cinco dicotomías (o polaridades) que acentúan matices de la forma de cada clase de conocimiento. Las clases de conocimiento son: 1) perceptivo del mundo exterior, 2) de los otros, 3) del sentido común, 4) técnico, 5) político, 6) científico y 7) filosófico. Las dicotomías de las formas de conocimiento constan de las siguientes polaridades de conocimientos: 1) místico-racional, 2) empírico-conceptual, 3) positivo-especulativo, 4) simbólico-adecuado y 5) colectivo-individual.

Cada uno de los marcos sociales analizados presenta una jerarquía particular de clases de conocimiento que es matizada, y particularizada aún más, por el modo en que se presentan las acentuaciones de las polaridades de las dicotomías formales.

No puedo detenerme aquí en resumir la caracterización que Gurvitch realiza de una gran diversidad de marcos sociales. El modelo incluye con éxito clases y formas de conocimientos muy distintas en estos marcos. Encuentro, sin embargo, una dificultad: no hay una presencia explícita del área moral y, especialmente, artística en su modelo. ¿Cabría derivar en todo caso estas áreas de las anteriores clases y formas de conocimiento? Estas ausencias tienen consecuencias para caracterizar algunos de los marcos sociales que propone; en concreto, para marcar las diferencias entre ellos en lo que concierne a estos aspectos éticos, estéticos, especialmente relevantes en algunos marcos sociales que este autor caracteriza. Por ejemplo, al establecer diferencias entre la iglesia protestante y las iglesias católica y ortodoxa no hay referencias a la presencia de las expresiones artístico-religiosas, que son muy distintas en cada caso. Esta dificultad procede probablemente de su concepción inicial del conocimiento, entendido como combinación dialéctica de juicio y experiencia, una concepción que obviamente se plasma en el modelo anteriormente expuesto de clases y formas del conocimiento. Como ha mostrado Heidegger en *El Origen de la Obra de Arte*, la experiencia artística rebasa las concepciones tradicionales que intentan subsumir la experiencia en un juicio (aunque éste sea dialéctico), pues la experiencia del arte se origina en un estadio previo al de enjuiciar: se trata de la experiencia de desvelamiento del ser.

Berger y Luckmann (1968) parten de una comprensión del conocimiento que realza la dimensión tácita del conocimiento del sentido común. A partir de aquí establecen una ontología social donde coexisten una multiplicidad de realidades mundanas (Schütz). Entre estas la más importante es la realidad «suprema» de la vida cotidiana, pero existen otras realidades llamadas «zonas limitadas de significado» (el sueño, las artes, el teatro, lo sagrado) que se caracterizan por trascender las rutinas de la vida cotidiana, al exigir procesos de transición (de entrada y salida) para acceder a ellas. Como explicaré con detalle en un capítulo posterior, en este planteamiento se atiende una diversidad de áreas singulares del mundo donde hay conocimientos distintos, pero, en vez de explicar la singularidad del conocimiento en cada área (por ejemplo, qué especificidad tiene allí el lenguaje en relación con la experiencia, lo cual es algo especialmente importante en las zonas transcendentes «limitadas de significado») se sobrevalora la dimensión tácita del conocimiento del sentido común en todas ellas. El conocimiento reflexivo no se contempla apenas en cuanto a su capacidad constructora de realidad; el saber inconsciente de la personalidad tampoco interviene claramente para explicar esa realidad social que se construye. Así, el conocimiento tácito del sentido común adquiere una primacía casi absoluta con respecto a los otros. En conclusión, *La construcción social de la realidad* aborda una multiplicidad de realidades mundanas donde existe conocimiento, pero no caracteriza bien la singularidad del conocimiento existente en cada una de ellas.

Esta breve revisión de algunos de los autores que han intentado entender la sociología del conocimiento en relación con una diversidad de formas o áreas de conocimiento es instructiva para comprobar algunas de las dificultades que conllevan las estrategias teóricas que optan por ir más allá de la dimensión estrictamente cognitiva y vinculada con el conocimiento científico. No estoy sugiriendo aquí que no exista tal conocimiento en sentido amplio; al contrario estoy convencido de que existe. Afirmo simplemente que éste es más difícil de teorizar. De aquí que quizá sea más útil optar provisionalmente por la estrategia teórica, ejemplificada anteriormente, consistente en partir en el momento presente de una definición restringida de conocimiento, lo cual nos permite acotar mejor el concepto de la disciplina, dotándola de conceptos más ajustados a la realidad empírica y de límites más precisos con respecto a otras áreas de la sociología. Obviamente, esta estrategia supone necesariamente el desarrollo paralelo de una sociología de la cultura, asociada con el saber, que entienda como parte de éste aquellas clases de conocimiento que hayan sido segregadas de la sociología del conocimiento (entendida en un sentido restringido de conocimiento). Me refiero especialmente al conocimiento del sentido común y al conocimiento vinculado con las artes, la moralidad y la religión.

En esta sección he abordado los conceptos de conocimiento, de saber y de ciencia en la formulación específica que les da la sociología del conocimiento. En la sección siguiente voy a referirme a la naturaleza especial de la relación que los sociólogos del conocimiento han establecido entre «conocimiento» y «sociedad».

4. LA NATURALEZA DE LA RELACIÓN ENTRE CONOCIMIENTO Y SOCIEDAD

Antes me he referido a la variedad de expresiones con que los autores intentan caracterizar la peculiaridad de la relación entre sociedad y conocimiento. Pese a esta variedad, han predominado dos modos fundamentales de entender esta relación que, a grosso modo, resumen las problemáticas esenciales de los dos paradigmas más influyentes en la disciplina: el de la «determinación» y el de la «construcción». A continuación voy a referirme a ellos.

El primero de estos paradigmas insiste en la problemática de la «determinación» y, como veremos después, se presenta frecuentemente en las primeras formulaciones de la disciplina y en la sociología clásica del conocimiento. Evidentemente no siempre se utiliza la palabra «determinación» para caracterizar la conexión entre sociedad y conocimiento. Otras expresiones, como «condicionamiento» o «causa», «dependencia», «variable independiente», así como las asociadas al campo semántico visual del «reflejo», aparecen también. Por otra parte, el sentido de la dirección de la determinación no es unívoco, aunque es cierto que probablemente han ejercido una mayor influencia las perspectivas que han insistido en la determinación social del conocimiento. En este sentido, es típica la formulación marxista que insiste en que la «superestructura» ideológica, cultural y de formas de conciencia depende en última instancia de la base o estructura, caracterizada por la relaciones económicas necesarias para sustentar la «vida material» de los individuos. Dicho de otro modo, con palabras que resumen una idea de Marx: la conciencia depende del ser social.

El sentido de la determinación puede ser, no obstante, exactamente el contrario para otros autores que insisten en la preponderancia de las formas culturales, de mentalidades o de un espíritu al que caracterizan como la matriz de una sociedad o grupo. Un ejemplo de esta manera idealista de comprender la relación entre conocimiento y sociedad puede encontrarse en los trabajos sobre dinámica cultural de Pitirim Sorokin. Pero esta clara oposición de sentidos en cuanto a la dirección del condicionamiento o dependencia —que he simplificado mediante el ejemplo de Marx y de Sorokin— no agota la problemática del paradigma de la determinación para caracterizar la relaciones entre sociedad y conocimiento.

Otros autores, sin escapar a la problemática y los debates relacionados con la determinación social, han rebajado la intensidad o la amplitud de ésta o intentan mostrar que un factor u otro «determina más», que es «más claramente causa» que otros o que también debe contar en el proceso de imputación causal. En este sentido, Max Weber se preocupó de explicar el alcance motivacional para la acción que tienen las ideas religiosas y, en los estudios que vinculan la ética puritana y el sentido del trabajo con el desarrollo de capitalismo moderno de organización racional, mostró la relevancia de los «factores ideales» para explicar la conducta económica. Con esto, señaló que su estudio no debería entenderse exactamente como una explicación, opuesta a la de Marx, que insistiera ahora en la preponderancia de los factores ideales frente a los materiales, sino que pretendía únicamente realzar la importancia de esta dimensión religiosa sin menospreciar las otras variables, entre las cuales figuraban, junto a las propiamente económicas, otras que debían estudiarse mejor, como es el caso de la ciencia o de la política[1].

La problemática de la determinación está presente también en otros autores fundamentales de la sociología del conocimiento, como es el caso de Durkheim. Como veremos después, el sociólogo francés da a lo social el papel de variable independiente a partir de la cual surgen las categorías del pensamiento y la religión. La novedad de Durkheim consiste en mostrar que ese mismo proceso social de generación de las ideas y categorías incluye dos tipos de dinámicas que es posible diferenciar analíticamente. Por una parte, existe una dinámica que genera lo ideal a partir de la base social; la actividad grupal produce una serie de ideas, categorías y símbolos ideales que constituyen las señas de identidad de los grupos. Por otra parte, esas mismas entidades ideales (ya generadas y consolidadas) vuelven a incidir en la base existencial, en la vida social de los grupos, al ser tenidas en cuenta constantemente para la acción y ser sancionadas de nuevo mediante las reuniones grupales y los rituales. Para explicar este círculo entre lo social y lo ideacional Durkheim elaboró el concepto fundamental que recorre toda su obra, y

---

[1]   Max Weber, no obstante, abrió una vía para salir del paradigma de la determinación mediante su concepto de «afinidades electivas».

que será explicado con detalle en un capítulo posterior: el concepto de «ideal social de un grupo»[2].

El paradigma de la determinación, no obstante, cuajó definitivamente en la sociología clásica del conocimiento de Scheler y Mannheim. Para Scheler (1973: 67) los objetos de las formas del saber están condicionados por la sociedad, aunque no lo están ni el contenido ni la validez objetiva de dicho saber[3]. Por otra parte, en Mannheim el factor social, entendido como un grupo que actúa estando situado en la sociedad, es la variable independiente, siendo el pensamiento una variable dependiente de la actividad grupal. De aquí que uno de los objetivos de su obra capital, *Ideología y Utopía*, consista en «aislar los distintos estilos de pensamiento y coordinarlos con los grupos con los que se corresponden» (Mannheim 1987: 79). En consonancia con la tradición marxista, existe en Mannheim una preocupación por la ideología, que además se hace todavía más intensa como consecuencia de la crítica situación socio-política asociada al clima de entreguerras en Alemania. De este modo, la fundación de la sociología clásica del conocimiento viene marcada por una problemática política que orientó prioritariamente la materia hacia la consideración de las ideas, y en particular de las ideologías, como tema central de la recién fundada sociología del conocimiento. Asimismo, y en relación con esta preocupación por clarificar las ideologías y prejuicios, Mannheim continúa las discusiones epistemológicas que ya encontrábamos en Max Weber, por ejemplo a propósito del relativismo. Tienen razón, por tanto, Berger y Luckmann (1968: 29-30) cuando afirman que la sociología clásica del conocimiento, al menos en el caso de Mannheim, ha puesto el énfasis en las ideas, y especialmente en el tema de la ideología, así como en las cuestiones epistemológicas.

El paradigma de la determinación, no obstante, siguió ejerciendo una gran influencia hasta mediados de los años sesenta, momento en que aparece de nuevo con vigor en la influyente antología de Irving Louis Horowitz (1974), *Historia y elementos de la sociología del conocimiento*.

---

[2]   Habermas (1987) ha visto la afinidad de esta conceptuación de Durkheim con la empleada en la obra de George H. Mead al explicar la relación entre el «otro generalizado» y la dinámica concreta de las situaciones sociales. En Mead, no obstante, se abre una vía para la interacción y la innovación mediante la indeterminación relativa que supone la actividad impredecible que es resultado del choque entre el *I* y el *me* en la interacción social y, también, mediante el concurso de la «inteligencia reflexiva».

[3]   Max Scheler, *Sociología del Saber*, Buenos Aires, Siglo Veinte, 1973: 67.

En esta obra las partes relacionadas con la religión y la ciencia se titulan significativamente «Determinación social de las ideas religiosas» y «Determinación social de las ideas científicas». Existe en esta obra, por otra parte, un hecho curioso. Se trata de que entre los autores contemporáneos antologados es paradójicamente un marxista, Tom B. Bottomore, quien expresa mayores reservas hacia algunos presupuestos del paradigma de la determinación. Sugiere que hay que acabar con la unilateralidad de explicar el conocimiento a partir de la estructura social. Propone, en cambio, estudiar la especificidad de la interacción entre ambos niveles (conocimiento y estructura social) en relación a casos particulares y tipos particulares de conocimientos, pues señala que también existe una selección social de las ideas (Bottomore y Rubel, 1964: 62).

Berger y Luckmann (1968) proponen un nuevo paradigma constructivista para la disciplina en *La Construcción Social de la Realidad. Un Tratado de Sociología del Conocimiento*. En este libro, que comentaré más adelante, los autores defienden la tesis de que la realidad se construye socialmente y que la sociología del conocimiento debe ocuparse de los mecanismos mediante los cuales se produce la construcción social de la realidad. Este nuevo planteamiento ha ejercido una gran influencia en la disciplina, constituyendo una perspectiva constructivista que —junto a otras que se originan también en la fenomenología (como la etnometodología), la hermenéutica, el análisis del lenguaje ordinario y el interaccionismo simbólico— ha generado en gran medida una sustitución de la vieja problemática de la «determinación» por una problemática nueva asociada a la «construcción».

Por otra parte, dentro del paradigma «constructivista» suele utilizarse el concepto de «mundo de la vida» como ámbito caracterizado por la interacción lingüística a partir de la cual se construye el conocimiento. Pero existen dos conceptos de «mundo», dentro de este paradigma, que dan especificidad a dos caminos diferentes para comprender la sociología del conocimiento.

El primer concepto de «mundo de la vida» entiende este mundo vital de experiencias como eminentemente social, lo cual permite una lectura inmediata para la sociología del conocimiento. Como explicaré después, este concepto de mundo de la vida social recorre el camino que va de Husserl y Schütz hasta Berger y Luckmann en *La Construcción social de la realidad*. El segundo concepto de mundo procede de la tradición hermenéutica de Heidegger y de Gadamer, los cuales insisten más en la dimensión vital y existencial mundana. Además, la ontología de la hermenéutica no reduce el mundo a su dimensión social, pues el mundo está compuesto por una Cuaternidad de elementos en mutua relación: la tierra y el cielo (la naturaleza), la comunidad social y lo sagrado.

A lo largo de este trabajo intentaré dar razones para explicar la necesidad de tener en cuenta este concepto de mundo de la hermenéutica con el objetivo de dar respuesta a los problemas existenciales (y a los debates actuales) que ha de afrontar hoy en día la sociología del conocimiento. Mi intención puede resumirse aquí señalando que debemos atender a la constitución de la configuración mundana del conocimiento. Con esta expresión quiero señalar que el conocimiento se constituye como una configuración a partir de las relaciones mutuas que se producen entre los cuatro elementos que forman el Mundo. No pretendo con esto restar importancia a lo social para el conocimiento, algo que sería por otra parte muy ingenuo en el contexto de la sociología de conocimiento; pero intento dar un lugar a la naturaleza y a lo sagrado en nuestra disciplina, de modo que estos componentes del mundo dispongan teóricamente de una autonomía explicativa parcial que permita también observar cómo el conocimiento se construye mediante el concurso de —aspectos religiosos y naturales que interactúan con la comunidad social—.

5. SUMARIO Y CONCLUSIÓN

Este capítulo ha caracterizado de un modo general la sociología del conocimiento, señalando que se ocupa de las relaciones entre dos niveles: el conocimiento y la existencia social o mundana. La sociología del conocimiento estudia por tanto el conocimiento de un modo distinto a como lo hace la especialidad filosófica de la epistemología o teoría del conocimiento, una materia con la que nuestra disciplina sostiene una peculiar relación de «tensión en la proximidad». La sociología del conocimiento tiene en cuenta los usos lingüísticos comunes de la palabra «conocimiento» que son formalizados en los diccionarios de las lenguas; pero, como ciencia, ha de precisar teóricamente su objeto y consiguientemente ha de especificar su propio modo de comprender el conocimiento.

Los sociólogos del conocimiento suelen posicionarse entre dos polos a la hora de caracterizar teóricamente el significado de conocimiento. Unos escogen frecuentemente un significado restringido, más cognitivo y vinculado con la ciencia, y otros optan por un sentido amplio, más general e inclusivo de una diversidad de clases de conocimiento. Esto tiene consecuencias respecto a la caracterización del objeto de la disciplina y de sus fronteras con otras, especialmente difíciles de trazar respecto a la epistemología y la sociología de la cultura. Al elegir una opción u otra los autores han de encarar estrategias teóricamente distintas para especificar las relaciones con la epistemología y, especialmente, con la sociología de la cultura. Pero ambas estrategias tienen tantas ventajas como dificultades. La estrategia «cognitivista» gana en precisión para delimitar el objeto y las fronteras de la disciplina, pero tiene dificultades para explicar socialmente aquellas clases de conocimiento mas «elusivas» y «etéreas» existentes en las áreas del sentido común, de la mística, la moralidad y del arte. Puede solucionar esto mediante un expediente que las saca fuera de la disciplina y las pasa al archivo de otra (la sociología de la religión o, principalmente, la sociología de la cultura). En cambio, los autores que optan por una perspectiva amplia e inclusiva del conocimiento pueden referirse a una mayor diversidad de tipos de conocimiento en su relación con los marcos sociales en que están insertos, pero de entrada tienen la necesidad (y el riesgo) de realizar un mayor número de presupuestos filosóficos y de organizar un elevado y complejo conjunto de conceptos interrelacionados, especialmente necesarios cuando hay que realizar ulteriores investigaciones empíricas. Por otra parte, esta opción tiene más dificultades para deslindarse con independencia de otras especialidades y áreas de la sociología, como la sociología de la cultura por ejemplo.

La historia de la sociología del conocimiento, que se explicará con más detalle a lo largo de este trabajo, puede interpretarse en términos de lo que considero que han sido los dos «paradigmas» predominantes que han estructurado sus principales debates: el paradigma de la «determinación social» y el paradigma de la «construcción social». Sugiero que el modelo constructivista puede dar más de sí a condición de ampliar en términos hermenéuticos el concepto fundamental de «mundo social» del que parte.

Pero la constitución de la sociología del conocimiento está vinculada a un conjunto de problemas que envuelven tanto las transformaciones de las ideas como las modificaciones experimentadas por la sociedad. El capítulo siguiente se ocupa de la evolución de la epistemología y de la ontología en relación con la peculiar situación social que da origen al nacimiento de la sociología clásica del conocimiento en Alemania. También confronta una serie de debates (objetividad, validez, neutralidad valorativa y relativismo) que contribuyen a clarificar las relaciones entre nuestra disciplina y la epistemología, mostrando por otra parte la pluralidad de opciones existente dentro de la sociología del conocimiento.

Capítulo 2
Epistemología, ontología y sociología del conocimiento

1. MULTIPLICIDAD DE PERSPECTIVAS PARA LA EPISTE-MOLOGÍA Y LA ONTOLOGÍA

La sociología del conocimiento surge tras un considerable aumento de la conciencia epistemológica y ontológica. La epistemología estudia qué y cómo conocemos y la ontología averigua cómo está constituido el mundo, los seres y las cosas que lo habitan. A lo largo de este capítulo voy a señalar los hitos más importantes de naturaleza epistemológica y ontológica hasta llegar a la situación de debate, en un contexto de conflicto entre perspectivas diferentes de la realidad, que hace posible el surgimiento de la sociología clásica del conocimiento en Alemania de la mano de Max Scheler y K. Mannheim.

A pesar de sus diferencias y del uso de distintos vocabularios, Scheler y Mannheim coinciden en agrupar en dos temas principales, mutuamente implicados, las redes de problemas y debates que constituyen puntos de referencia para comprender la génesis de la sociología del conocimiento. El primero es el problema del sujeto de conocimiento (epistemología) y el segundo el problema de la jerarquía entre los distintos órdenes de la realidad (ontología). Mannheim insistirá en un tercera condición necesaria para el surgimiento de la sociología del conocimiento: la búsqueda de una «guía científica» para la política que contribuya a disminuir la radicalización política en la crispada sociedad de su época, caracterizada por un agudo conflicto entre una multiplicidad de perspectivas que competían para explicar la realidad. Introduciré ahora breve-mente estos tres temas, que serán desarrollados más ampliamente después a lo largo de este capítulo.

A) *Epistemología: reflexividad sociológica del sujeto de conocimiento*

La sociología del conocimiento solamente puede constituirse a partir de la epistemología moderna, que instituye al sujeto como fuente de conocimiento. Ahora bien, el sujeto aislado moderno es condición necesaria pero no suficiente para la sociología del conocimiento, y será objeto de una crítica por parte de esta disciplina: el sujeto debe de concebirse como un ser social cuyo pensamiento se genera a partir de la actividad de un grupo que está situado histórico-socialmente. Pero todo este largo proceso teórico, cuyos hitos más importantes explicaré después, depende también de transformaciones en la esfera ontológica, y únicamente puede iniciarse cuando pierden legitimidad las ontologías objetivas, impuestas por la Iglesia o el Estado absoluto, en las que existe un conocimiento y verdad preexistentes de las que depende el propio sujeto.

Además, la propia sociología del conocimiento da cuenta de nuevos procesos históricos y formas de conocimiento que fuerzan a romper los estrechos límites de la epistemología moderna. Como explicaré en otro apartado de esta sección, Mannheim propondrá nuevas ideas para una nueva epistemología que pueda incluir los conocimientos generados a partir de las ciencias particulares, incluyendo la sociología del conocimiento, para volver a pensar reflexivamente sus criterios de verdad y objetividad. En este apartado, no obstante, hay diferencias entre Mannheim y Scheler, pues este último separa la validez del contenido de los valores de su génesis social.

B) *Ontología: inversión del «idealismo» y vindicación de los órdenes «bajos» de realidad*

La ontología idealista, que incluye una teología, continuará siendo objetivo de crítica por parte de nuestra disciplina. No obstante, tanto Scheler como Mannheim incorporarán aquí lo que consideran una nueva versión: la historia «idealista» de las ideas, de la cual Hegel forma también parte. La sociología del conocimiento constituye la crítica sociológica de un conjunto de teorías, metafísicas y teológicas, que presuponen una ontología organizada mediante una jerarquía de órdenes de la realidad donde los niveles superiores del ser se entienden como ideas, pensamientos, creencias, figuras religiosas, a las que se dota de autarquía, de una gran fuerza y actividad generadora de consecuencias para los otros órdenes de la realidad considerados «bajos», «inferiores» y dependientes. Frecuentemente las ideas (y entidades) incondicionadas de los órdenes superiores de realidad tienen gran fuerza causal: rigen teleológicamente la totalidad del universo. En correspondencia con esta ontología que jerarquiza la realidad a partir del poder independiente de las ideas se privilegia también el componente intelectual o «espiritual» del sujeto de conocimiento a nivel epistemológico; y así se lo separa de su base orgánica, de sus pulsiones y de su socialidad. La concepción del conocimiento y de la verdad resultantes queda así condicionada respecto a esta prioridad de las ideas o de la conciencia individual.

Scheler y Mannheim coinciden en señalar que la sociología del conocimiento constituye una crítica de esta ontología y epistemología que eleva las ideas y la conciencia a un orden superior del que todo depende. Mannheim dice criticar una concepción «idealista» y Scheler pretende deslegitimar la epistemología y ontología que agrupa bajo la rúbrica de «teoría clásica del hombre», pero la intención de ambos es la misma. En los dos autores hay una insistencia en que los órdenes «bajos» de la realidad, como los impulsos o la socialidad, están en la génesis de los habitualmente considerados «altos», como el pensamiento, la conciencia o el espíritu. De aquí que tanto Scheler (1974: 85) como Mannheim (1987: 281) digan que Marx es el primero que apunta con claridad hacia el sentido de la sociología del conocimiento que pretenden desarrollar y que, además, coincidan en señalar un mismo conjunto de autores que presentan planteamientos concurrentes, afines o complementarios, como es el caso de Freud o del vitalismo de Nietzsche entre otros.

C) Democracia, crisis político-social y multiplicidad de perspectivas

Mannheim asocia el surgimiento de la sociología del conocimiento con un proceso de individualización y psicologización que generaliza la reforma protestante. Una vez caídos los órdenes objetivos garantizados por la Iglesia, el Estado absoluto sostiene por un tiempo otras formas objetivas; pero con el desarrollo de la Ilustración se inicia también un proceso de democratización progresiva que hará posible la aparición de una variedad de opciones políticas y perspectivas teóricas en relaciones de coexistencia y tensión. No obstante, el orden liberal entra en una crisis profunda que acabará haciéndose sentir de un modo muy intenso en el contexto social y político de la República de Weimar. De este modo, los teóricos alemanes, como hizo antes Weber y después Mannheim, tendrán que atender prioritariamente los problemas de las relaciones entre la política y la ciencia social.

Esta variedad de perspectivas de pensamiento se articula con otros tantos grupos sociales y con opciones políticas que emplean para defender su causa frente a otras que se trata de deslegitimar, apareciendo así conflictos radicalizados de orden político y teórico. Mannheim describe este clima de crispación social caracterizado por la anarquía y la fragmentación social. De este modo la sociología del conocimiento se constituye como disciplina sociológica que puede proporcionar una guía científica para la clarificación social y política. De aquí que los conceptos de ideología y utopía, así como la discusión de los problemas epistemológicos en relación con la sociología del conocimiento (objetividad, validez, relativismo/relacionismo), ocupen un lugar central en su trabajo.

En este capítulo me referiré en primer lugar a cómo han evolucionado históricamente los problemas relacionados con el sujeto de conocimiento y los órdenes de realidad. Distinguiré entre a) una aproximación «mundano-natural», característica de los griegos arcaicos; b) la concepción metafísica y teológica, característica de la «teoría clásica del hombre» (objetivo de la crítica de la sociología del conocimiento), que se origina en Platón y Aristóteles y llega hasta la síntesis cristiana realizada por la metafísica y la teología de la escolástica tardía y de Santo Tomás; c) el cuestionamiento de esta teoría, así como de la epistemología individualista moderna, por parte de la sociología del conocimiento, en coexistencia con otras perspectivas afines que critican igualmente la hipostatización de los órdenes ideales de la realidad, como el psicoanálisis y el vitalismo. La sociología del conocimiento se sitúa así como la crítica sociológica de esta «teoría clásica del hombre» y de cualquier otra teoría idealista que no aprecie los orígenes sociales del pensamiento y de la conciencia. A continuación explicaré la importancia de la situación política en Alemania para comprender la génesis de la sociología del conocimiento en Alemania, así como la insistencia de Mannheim en discutir una serie de temas relacionados con las implicaciones de que exista una multiplicidad de perspectivas en una sociedad democrática. Finalmente, discutiré los problemas relacionados con la objetividad, la neutralidad valorativa y el relativismo, utilizando como hilo conductor el trabajo de Weber y de Mannheim.

2. LAS TRANSFORMACIONES DE LA EPISTEMOLOGÍA Y LA ONTOLOGÍA

A) *Concepción mundano-natural: el conocimiento como desvelamiento del ser*

Los Presocráticos, llamados físicos por Aristóteles, entienden el mundo de modo naturalista. Con la excepción de Parménides, los principios que organizan el cosmos son fuerzas naturales, como el fuego o el agua. Por otra parte, los atomistas anticipan intuiciones sobre las partículas elementales de la materia que acabarán siendo desarrolladas por la física contemporánea y, además, proporcionan a Marx (que como es sabido hizo su tesis doctoral sobre este tema) un precedente de interpretación del mundo que pone el énfasis en los órdenes «bajos» de la realidad.

En la Grecia Antigua, y de modo especialmente claro para los Presocráticos, el conocimiento no aparece como algo especialmente producido por el sujeto. Más bien, el conocimiento (y el saber) se encuentra ya de antemano en el medio mundano que habita el individuo, el cual conoce por ser parte de este mundo. Para el griego el conocimiento se asocia con un proceso de desvelamiento del ser, como aparecer de una verdad ya preexistente en el ser. De aquí que la verdad se entienda como *Aletheia*, un término negativo (*A-letheia*) donde el prefijo «A» niega tanto el olvido como el no-ser de lo que permanece oculto. Se trata por tanto de un ejercicio de recuerdo producido al aparecer el ser, de modo que lo que aparece como presencia no está desconectado de aquello que aún no ha hecho presencia, que se entiende como ausencia y se relaciona con lo olvidado y con lo que está sometido todavía al misterio. Esta concepción de la verdad no coincide con la que se impone más tarde: la verdad como adecuación entre las representaciones de la mente y los objetos. En el mundo arcaico, además, el saber depende de este ejercicio de desvelamiento, de la verdad misma. Como ha señalado Felipe Martínez Marzoa (1973: 121), «para la noción arcaica de saber... éste es siempre pertenecer a la verdad». Los saberes particulares, como el artístico o el técnico, surgen también a partir de este proceso de desvelamiento del ser, cuya expresión paradigmática era artística y podía ejemplificarse mediante la destreza del artesano en sacar elementos de la tierra para realizar una figura o construcción. Una vez configurados los conocimientos como conjunto de saberes específicos, los griegos hablaban de ciencia, *episteme*.

Cabe interpretar estos conceptos de saber y *episteme* mediante la distinción que Lamo de Espinosa (1994: 77-79) ha establecido entre conocimiento como flujo o como *stock*. El primero es una actividad relacionada con el proceso de obtención del saber que remite al método; el segundo se refiere a un depósito de saberes ya aceptados. En este sentido podemos decir que el proceso de desvelamiento y aparición de la verdad es un movimiento, actividad, flujo. La *episteme*, la ciencia, organiza los saberes válidos resultantes. No obstante, como he dicho, el concepto griego de verdad es más amplio que el que ha predominado después: la verdad como adecuación «*intelectus et res*», la concordancia entre representación y cosa establecida mediante un juicio. Heidegger mostró en *Ser y Tiempo* que es el proceso previo de desvelamiento, *Aletheia*, que incluye entre otras cosas una habilidad para proponer cuestiones y decidir qué preguntas son las relevantes, el que hace posible que después pueda analizarse la vinculación entre la representación y la cosa mediante el juicio. Es decir que, la teoría de la verdad como adecuación presupone un proceso más amplio de manifestación de la verdad como *Aletheia*, el desvelamiento del ser.

Los griegos tienen, por otra parte, un concepto de teoría muy distinto al que predomina hoy. Para ellos el teórico es el delegado de una ciudad que hace un viaje hacia otra para asistir a una celebración y contemplar los rituales, siendo este viaje objeto de una narración. Este concepto de teoría, no obstante, ha sido rescatado por la hermenéutica de Heidegger y de Gadamer para el pensamiento de hoy. En estos autores el concepto de teoría es igualmente procesual e interpretativo, entendiéndose el camino del teórico, el método, como «círculo hermenéutico» que aún conserva el viejo sentido griego de viaje hacia la celebración, pues el círculo hermenéutico se entiende al modo festivo, como la «fiesta de pensar» en palabras de Heidegger. Los griegos cuentan así con un amplio concepto de conocimiento, de verdad y de método, que produce una multiplicidad de saberes organizados como *episteme*.

B) *La interpretación metafísico-teológica de la «teoría clásica del hombre»*

La primera transformación del concepto arcaico de conocimiento y de verdad aparece en Platón. Anteriormente, para los Presocráticos, en el propio proceso de aparición de la verdad existía una tensión entre lo ya aparecido y aquello que aún no había surgido presencialmente. En Platón, sin embargo, aunque se conserva el sentido originario de recuerdo, el ser se manifiesta en la visión de un aspecto que se presenta como forma o idea (*eidós*) y se ha perdido la tensión entre esta forma (que ya ha aparecido y, por tanto, ya «es», tiene «ser») y su proceso de generación y desvelamiento a partir del no-ser, entendiendo este «no-ser» como lo no presente ante los ojos y que aún está encubierto por el misterio. Además estas formas (o ideas) son autónomas: constituyen entes ideales auto-subsistentes, situados en un mundo ideal independiente del sensible, de los cuales dependen otros seres del mundo sensible que son representaciones o copias imperfectas de aquellos y pueden ayudar a recordarlos. Podemos decir que en Platón asistimos a una primera expresión de la «metafísica de la presencia». A pesar de esto, en el caso de Platón, el conocimiento, entendido como recuerdo de las formas del mundo ideal, se produce a través de cuestiones generadas en el mundo sensible; además, como ha señalado Gadamer (1975: 365) estas cuestiones y respuestas se producen en una dialéctica en la que participan interlocutores que son parte del mundo. Precisamente, los diálogos socráticos ejemplifican para Gadamer la prioridad de la cuestión, de la pregunta, en el conocimiento. Decidir la cuestión es el camino del conocimiento, y no existe un método para decidir cuestiones; pero una vez decididas, el conocimiento significa siempre la consideración de formas de oposiciones y de contrastes.

En Aristóteles, como también ocurre en Platón, nos encontramos ante formas de ontología y epistemología que Scheler asoció con lo que llamaba la «concepción clásica del hombre», que ordena y jerarquiza el mundo y el sujeto de conocimiento privilegiando los niveles «altos» del ser y las funciones intelectuales. Mostraré no obstante que, aunque Scheler tiene razón al situar a Aristóteles dentro de esta concepción clásica del hombre dado que su filosofía hace depender todas las causas de una primera causa (Dios) y da una prioridad a las virtudes intelectuales, existe también en su ética una defensa de que las virtudes intelectuales proceden de «abajo», de hábitos generados a través de actos cotidianos, con lo que de algún modo se relativiza un tanto su posición en el contexto de aquella «concepción clásica del hombre». En este último sentido, como explicaré a continuación, la obra de Aristóteles incluye aspectos que pueden ser de interés para el sociólogo del conocimiento.

La importancia de Aristóteles para la sociología ha sido comprendida por la tradición francesa, cuyos máximos representantes (Durkheim, Mauss y hoy Bourdieu) han reelaborado sociológicamente conceptos aristotélicos fundamentales, como el de *habitus*. Por otra parte, esta conexión aristotélica entre comunidad político-moral y conocimiento encuentra eco en la filosofía alemana de finales del siglo XVIII y comienzos del XIX (así como en Hegel y en cierto «comunitarismo» actual), donde se observa la vinculación entre una comunidad o pueblo histórico y su producción intelectual o «espiritual».

En Aristóteles encontramos intuiciones que anticipan algunos aspectos de la futura comprensión sociológica del conocimiento. En su obra se atienden conexiones entre la política y la moral, por un lado, y el conocimiento por otro. Las leyes y costumbres generadas en la comunidad política inciden en la educación moral de los ciudadanos, puesto que pueden promover los hábitos que configuran las virtudes intelectuales de los individuos. Hay cinco virtudes intelectuales: la ciencia, el arte, la sabiduría, la intuición y la prudencia. Desde la actividad política puede contribuirse a la educación de la virtud: como el conocimiento procede de las virtudes intelectuales, pueden generarse individuos más capaces intelectualmente si hay buenas leyes. Dado que las virtudes intelectuales son hábitos de elección, existe una relación entre la dimensión sociopolítica (ley), la moral (la práctica de la virtud conduce a la felicidad) y la cognitiva.

Aristóteles (1972: 12-13) caracteriza en su *Metafísica* a los seres humanos como seres que se diferencian de los animales porque tienen experiencia, arte y razonamiento. La experiencia es condición necesaria para conocer y se origina en la memoria del hombre; gracias a ella progresan el arte y la ciencia. Pero la experiencia únicamente no es suficiente para caracterizar el conocimiento, puesto que por la experiencia sólo se obtiene conocimiento de las cosas particulares. El arte incluye la experiencia, pero va más allá pues generaliza a partir de ésta: el arte comienza cuando a partir de un gran número de nociones procedentes de la experiencia se forma «una concepción general que se aplica a todos los casos semejantes». Así pues, el conocimiento y la inteligencia son algo más propio del arte que de la experiencia. El hombre de experiencia sabe que tal cosa existe, pero no conoce sus causas, el por qué existe; sin embargo el hombre de arte conoce la causa. De aquí que sea mucho más difícil llegar a los conocimientos más generales.

Como la ciencia y el arte tienen que ver con el estudio de las causas, existirán tantas ciencias como tipos de causas. No obstante, en su jerarquía epistemológica, las ciencias que tienen que ver con aspectos «altos» del orden del ser e intelectuales, se sitúan primero. Así, por ejemplo, la filosofía atiende las «causas primeras», los primeros principios y la metafísica aborda los niveles más generales de conocimiento del «ser en cuanto ser». La causa primera es Dios, el primer motor inmóvil que sin embargo mueve el resto de órdenes jerarquizados del ser y al cual puede acceder el ser humano mediante el ejercicio contemplativo de la inteligencia (*nous*). Pero, ¿en qué consisten esa inteligencia humana y cómo se vincula a la ciencia?

En la *Metafísica* Aristóteles no diferencia claramente entre arte y ciencia, y parece incluir esta última en el amplio ámbito del primero (como era habitual en el mundo griego). No obstante, aquí nos remite a las distinciones más sutiles que establece en su *Ética Nicomaquea* para comprender con detalle sus diferencias específicas, así como las características de otras capacidades intelectuales del ser humano. En la obra ética de Aristóteles, el conocimiento y la ciencia dependen de la moralidad. Explicaré a continuación las razones de esto.

En Aristóteles las facultades relacionadas con el conocer se originan en la práctica de las virtudes. Las virtudes se ejercitan constantemente mediante actos que generan los hábitos en que se sostienen (1976:18). Las virtudes intelectuales corresponden a la inteligencia, a la parte racional del ser humano (1976: 74). Existen cinco virtudes intelectuales por las cuales, afirmando o negando, mediante un hábito selectivo, la inteligencia alcanza la verdad: el arte, la ciencia, la prudencia, la sabiduría y la intuición (1976: 75). Me referiré brevemente a cada una de ellas.

Nos dice Aristóteles (1976: 75-78) que lo que es objeto de ciencia existe por necesidad puesto que «no admite ser de otra manera». La ciencia opera mediante inducción y por silogismo, siendo un hábito demostrativo: «cuando alguno tiene una convicción de cualquier modo y le son conocidos los principios, sabe con ciencia». A diferencia de la ciencia, el objeto del arte «admite ser de otra manera», y su ejercicio se asocia con el hacer y la producción. Así el arte es «cierto hábito productivo acompañado de razón verdadera». La prudencia es un «hábito práctico verdadero, acompañado de razón, con relación a los bienes mundanos». La intuición es el «hábito de los principios»; su objeto es el conocimiento de la verdad de los principios. La sabiduría combina la ciencia y la intuición, pues el sabio conoce tanto las conclusiones de los principios como la verdad acerca de los principios. La sabiduría no debe confundirse con la prudencia puesto que ésta atiende también a lo particular que admite ser de otra manera; esto es, la prudencia escapa a la necesidad característica de la sabiduría, de la ciencia y de la intuición.

El objetivo del conocimiento es la consecución de la felicidad, que es un actividad del alma conforme a la virtud. Pero el conocimiento no depende únicamente de la moralidad; también está condicionado por la política, pues hay una unidad entre ambas: la práctica de la virtud, su aprendizaje a través de actos, se realiza mejor bajo unas leyes adecuadas en una comunidad política que facilita la educación en la virtud (1976: 144).

La máxima felicidad se encuentra en la actitud contemplativa. Para Aristóteles (1976: 141-143) la excelencia en la práctica de las virtudes intelectuales aproximan a la inteligencia humana y a la divina, acercan al hombre a la comprensión de Dios, el primer motor inmóvil que es la causa última de todo lo existente. De este modo la inteligencia se diviniza mediante la actitud contemplativa que caracteriza la actividad teórica del filósofo.

En Aristóteles por tanto se da una ambivalencia entre una concepción que va de abajo a arriba, de los actos a los hábitos virtuosos de conocimiento en la ética, y otra más metafísica y teológica que antepone los órdenes «superiores» del ser y la divinidad en la jerarquía ontológica. Evidentemente, la reinterpretación cristiana de este filósofo va a radicalizar esta última opción para constituir el paradigma más acabado de «teoría clásica del hombre» de la escolástica tardía y de Santo Tomás.

Existirán dos temas aristotélicos de difícil inclusión en la doctrina cristiana oficial: a) el hecho de que la felicidad se consigue en este mundo (y no en otro celestial) mediante la práctica de la virtud a través de actos realizados en el mundo y b) la concepción aristotélica de Dios (en la *Metafísica*) o de los dioses (en la *Ética Nicomaquea*). Además, en 1270 el obispo de París condenó 15 tesis averroistas, entre las cuales se encontraba una que es fundamental para la sociología del conocimiento, pues concierne al sujeto del conocimiento: «que el entendimiento agente es uno para todos los hombres» (Martínez Marzoa 1973: 434). Resulta de interés comprobar pues que las propuestas teóricas que en la Edad Media pueden considerarse como antecedentes del sujeto universal de conocimiento kantiano (la apercepción trascendental) provengan de la interpretación averroista de Aristóteles y de la concepción de la naturaleza humana de los estoicos.

No me es posible atender aquí el modo en que los llamados grandes padres de la Iglesia, como Santo Tomás, enfrentarán estas y otras paradojas entre el legado del pensamiento greco-romano y la doctrina cristiana para continuar poniendo el «saber profano» en situación de dependencia de las verdades teológicas. Pero es claro que con ellos se consolida definitivamente lo que Max Scheler denominó «teoría clásica del hombre» en una versión fuerte que radicalizaba la supremacía de la teología como ciencia que se ocupa de la entidad suprema, divina, dotada de fuerza y actividad para generar una acción causal que impulsa la teleología del universo. En este sentido se produce una jerarquización del ser, y de las habilidades y capacidades del sujeto de conocimiento, que sitúa en lo alto de la escala ontológica una idea de Dios y del «alma», colocando en los órdenes ontológicos inferiores, y en dependencia, el resto de entidades mundanas.

3. SOCIALIDAD DEL SUJETO REFLEXIVO Y CRÍTICA DE LA TEORÍA CLÁSICA DEL HOMBRE

A) *Socialidad del sujeto reflexivo*

La construcción teórica del sujeto social y reflexivo tiene tres fases: primera, la generación del propio sujeto (Descartes); segunda, el hallazgo de su naturaleza transcendental, reflexiva y crítica (Kant) y, finalmente, la sociologización de ese sujeto transcendental mediante la inclusión de su dimensión social e histórica (sociología del conocimiento). Desarrollaré estas tres fases a continuación.

(i) El recorrido anterior por la Estoa y por la filosofía medieval nos ha servido además para observar que en la tradición filosófica se generaron ideas que Descartes continuó presuponiendo en su *Cogito*, pese a afirmar que pretendía pensar todo de nuevo; por ejemplo, la oposición óntica entre materia y espíritu (también cuerpo y alma, *ens rationis* y *ens reale*) presupuesta en la concepción de que hay una unidad del sujeto del conocimiento que se entiende como algo «que piensa» en oposición al propio cuerpo y al mundo exterior (material y extenso). Para Descartes los sentidos y la materialidad del cuerpo inducen al engaño. En este sentido, Descartes continua lo que con Scheler he llamado «teoría clásica del hombre», pues otorga la supremacía al pensar sobre otras capacidades y realidades que (exceptuando a Dios) se consideran inferiores o dependientes. Pese a estas dificultades, Descartes realizó un gran giro epistemológico que consistió en hacer del *Cogito* el fundamento del conocimiento, operando un desplazamiento de énfasis sobre aquello que origina el conocimiento: el conocimiento ya no está en el medio mundano ni viene directamente de Dios (para que luego, en segunda instancia, sea accesible al sujeto), sino que parte en primera instancia de la conciencia del sujeto cognoscente.

La teoría de Descartes tiene pues todas las dificultades propias de considerar un sujeto intelectualizado al que se le han segregado muchas capacidades, emociones, imaginación y especialmente vínculos sociales; pero al menos por primera vez supone una fundamentación del conocimiento en términos del sujeto[1].

Esta teorización moderna del sujeto es condición necesaria para el desarrollo futuro de la sociología del conocimiento, pero no es condición suficiente pues debe situarse en el contexto más amplio de la crítica que la sociología del conocimiento realiza del «sujeto aislado» (que presupone aquella teorización) cuyo pensamiento no se vincula con un grupo o situación histórico- social.

(ii) El paso siguiente en la construcción teórica de un sujeto de conocimiento reflexivo, pero aún desvinculado de su génesis social, lo da Kant. Para este filósofo, la actividad cognoscitiva y las facultades de la razón del ser humano descansan en un sujeto trascendental de naturaleza universal e intemporal que garantizará, como presupuesto, la posibilidad del conocimiento, la aprehensión de la experiencia por parte de las categorías a priori de la razón. Esta propuesta supone un giro fundamental respecto a la concepción de las relaciones entre sujeto, conocimiento, mundo y divinidad. Anteriormente, el conocimiento se encontraba fuera del sujeto —bien en la naturaleza (o en las leyes naturales), en Dios o en el mundo— y los sujetos accedían o participaban de este conocimiento. Con Kant, el conocimiento se genera a partir de la actividad del sujeto, concreto, empírico, que sintetiza la experiencia con categorías a priori gracias al presupuesto de universalidad e intemporalidad en la especie humana de un «sujeto trascendental» (la apercepción trascendental) que garantiza la elaboración y categorización de la experiencia del mismo modo. La existencia de estos dos tipos de sujetos, uno empírico que conoce activamente y otro transcendental que se presupone para garantizar el conocimiento, constituye un esquema que ha ejercido gran influencia hasta el momento presente.

(iii) Esta concepción de Kant (y su cuestionamiento o reelaboración) es uno de los puntos de referencia ineludibles para comprender los debates epistemológicos y ontológicos subsiguientes sobre el sujeto que

---

[1]   No obstante, en Descartes aún se reservó un lugar a Dios como última instancia aseguradora de la actividad del sujeto y de su vinculación con el mundo (entendido como extenso).

darán lugar a la sociología del conocimiento. El segundo punto de referencia, para comprender la génesis de la sociología clásica del conocimiento de Scheler y de Mannheim es, como señalé anteriormente, que nuestra disciplina se autoentiende como crítica sociológica de la «teoría clásica del hombre», tanto de su versión metafísica como teológica. Discutiré en este apartado el primer punto y me referiré al segundo en la sección siguiente.

La primera crítica de la perspectiva kantiana comienza en Alemania mientras Kant escribe. Procede de la tradición historicista y lingüístico-comparativa que inician Hamman, Herder y Humboldt, que examinaré con más detalle en otro capítulo. Estos autores critican el formalismo de las categorías Kant y de su moralidad, señalando además que al existir una singularidad en la comunidad histórica, cuyo «espíritu» se expresa en el lenguaje, hay motivos para dudar de la universalidad y formalismo del sujeto trascendental kantiano. De aquí que busquen otras fórmulas, como el lenguaje en Humboldt y la interpretación en la primera hermenéutica alemana de Schleiermacher, para encontrar características generales en el ser humano. Una línea de esta tradición alemana pondrá énfasis también en el ámbito del conocimiento del sentido común.

En Humboldt el pensamiento se configura a partir de lenguaje, que es una expresión viva de la vida de un una comunidad. La única posibilidad de encontrar un denominador común que vaya más allá de la diferencias lingüísticas (y del relativismo) es la reflexión sobre el lenguaje que se genera a partir de los estudios empíricos de lingüística comparada. En cualquier caso, en esta tradición alemana existe una propuesta que puede considerarse de sociología del conocimiento: la vinculación entre el pueblo histórico o comunidad, las estructuras de la personalidad individual, el lenguaje y el pensamiento. En este sentido enfatiza la singularidad de cada comunidad, frente al universalismo abstracto ilustrado. No muy lejos de esta tradición se encuentran otras teorías más recientes que insisten en la conexión entre comunidad, cultura y lenguaje. Sin agotar el número de este conjunto de teorías, puede decirse que unas apuntan hacia el relativismo (hipótesis de Sapir-Whorf), otras derivan hacia la fenomenología sociológica y la hermenéutica, y otras hacia la búsqueda de un nuevo universalismo generado a través del lenguaje (Habermas).

Hegel, no obstante, capitaliza la crítica al formalismo y a la ausencia de dimensión histórico-social de la propuesta de Kant. El sujeto en Hegel es el propio espíritu en su despliegue, desgarro y vuelta a sí a través de la historia. Este macro-sujeto tiene una naturaleza evolutiva, unilineal, teleológica, cuya universalidad y unicidad (ahora llena de contenidos histórico-sociales) siguen recordando a las del sujeto trascendental de la razón kantiana, pues sigue habiendo «una» única forma presupuesta en la historia como condición de posibilidad de la experiencia. Al fin y al cabo lo que encontramos en Hegel es una historización con contenidos del trascendental de Kant. Por otra parte, como señaló Max Scheler (1974: 80 ss), la propuesta de Hegel constituye una nueva versión fuerte de la «teoría clásica del hombre», al privilegiar el despliegue de la Idea y situar el resto de entidades en función de su movimiento histórico.

Marx conserva de modo invertido la historización idealista del sujeto de Hegel. El nuevo macro-sujeto, el proletariado, evolucionando desde «abajo» de modo también unilineal y teleológico hacia una emancipación que es una clarificación universal y reabsorción de las potencialidades socio-vitales, un saberse en sí y para sí, como lo hacía la Idea de Hegel. No obstante, la inversión marxiana, y su preocupación por encontrar las bases sociales y existenciales de la conciencia y las formas ideológicas, es considerada como el primer punto de referencia claro para la sociología del conocimiento por Scheler (1974: 85) y Mannheim (1987: 281). No obstante, la tradición marxista, incluyendo a Lukáks, sigue conservando las características de este macro-sujeto, que únicamente se rompe en esta tradición con la llegada del pensamiento de Mannheim a través de un reconocimiento de la pluralidad de perspectivas, y formas de pensamiento, que aparecen en función de una variedad de grupos generadores de formas diferentes de personalidad. Conviene señalar, no obstante, que su propuesta de un grupo de «intelectuales», distanciados de las pasiones políticas o de perspectivas específicas pero comprometidos con el solapamiento progresivo de perspectivas y la búsqueda de una mayor síntesis y formalización por ampliación de las bases sociales del conocimiento (afín a la propuesta del pragmatismo de una «comunidad científica» reflexiva y autocrítica) constituye una nueva búsqueda de un referente —un nuevo sujeto empírico que cuenta con la nueva reflexividad aportada por la sociología del conocimiento— para desarrollar criterios (epistemológicos, de guía científica de los procesos sociales y políticos, etc) que sustituirían a los que anteriormente proporcionaba el sujeto trascendental universal.

Finalmente, la nueva reelaboración del pensamiento de Kant que realizan las escuelas neokantianas se hallan tras la epistemología de los grandes «Padres de la sociología», Durkheim y Weber. En la sociología del conocimiento de Durkheim (principalmente en *Las formas elementales de la vida religiosa*) se produce una sociologización de las categorías a priori de Kant y además se sitúa el desarrollo de las formas de la personalidad (identidad social) en el contexto de la evolución de los ideales sociales generados a partir de la vida social de los grupos. Esta idea acompañó a Durkheim desde el principio, en su estudio sobre las «formas de clasificación», realizado con M. Mauss, pero también en otras obras fundamentales. Así, por ejemplo, Durkheim muestra en *La división del trabajo social* que el tipo de sujeto presupuesto por Kant, y dotado de una reflexividad y capacidad para la abstracción, es un producto histórico de la civilización cristiana occidental. Otro tanto cabe decir de Max Weber, cuando explicó que el ascetismo protestante produce una forma generalizada de personalidad (un «carácter popular») y unas formas de racionalidad que restringen la espontaneidad vital del ser humano (el «hombre natural»). Por eso Durkheim y Weber siguen teniendo dificultades para desembarazarse del presupuesto kantiano de un sujeto trascendental, universal y formal, que asegure (como presupuesto de las condiciones de posibilidad del conocimiento) en última instancia el conocimiento, incluyendo el producido por sus propias teorías. Como ha señalado Gillian Rose (1981:13) el neokantismo intenta superar el círculo del transcendental kantiano[2] mediante la introducción del método y la lógica de la investigación que implica una separación a priori entre valores y validez. En Durkheim el trascendental quedará redefinido en términos de lo social, pues existe un modo de generar hechos sociales y una forma de desarrollo de un ideal social grupal. En Max Weber, el presupuesto del sujeto trascendental de la

---

[2] El círculo consiste en que aquello que es necesario presuponer a nivel de las condiciones de posibilidad del conocimiento vuelve a aparecer en términos de las condiciones del objeto de la experiencia. El neokantismo intenta superarlo diferenciando ontológicamente y a priori entre dos niveles de realidad, valores y validez, pero entonces ha de sostener siempre un componente ideal (y «neutro»), no reducible a lo empírico, para la lógica de la validación. Mannheim, como Heidegger hiciera ya en *Ser y Tiempo*, rompe con esta estrategia al señalar que no hay dos niveles ontológicos distintos, sino que todo pertenece al orden factual y existencial mundano. Por eso cuando se acusa a Mannheim de relativismo, se olvida que éste trabaja con otras categorías. La acusación de relativismo surge a partir de teorías que ya han prejuzgado, como incuestionable, un orden ideal (por ejemplo, la racionalidad entendida de un modo particular) que sirve como criterio para juzgar las diferencias empíricas. De este modo, y dado que para Manneim los ideales se originan en la existencia social, los acusadores de relativismo frecuentemente absolutizan la correlación entre su propio ideal y las formas vitales existenciales en que se origina. Como señala Mannheim (1987:274), el relativismo aparece cuando se ha presupuesto un criterio ideal como autosubsistente.

razón queda redefinido con criterios aportados por «relaciones de valor» (para Weber, en última instancia una fe, la creencia en la razón) a partir de los cuales podemos generar «tipos ideales» para la imputación causal. Pero el neokantismo de Durkheim y de Weber será objeto de un desarrollo más pormenorizado en sucesivos capítulos.

La sociología del conocimiento es también parte sustancial de este proceso crítico de transformación y sustitución de las categorías a priori del sujeto trascendental kantiano. La sociología del conocimiento, no obstante, como explicaré después a propósito de la epistemología de Mannheim, es un intento más radical por avanzar en la «disolución» del transcendental kantiano. Intenta superar la separación apriorística neokantiana entre valores y validez mediante la invención de otros conceptos que se ajustan a referentes empíricos histórico-sociales, sin presuponer ningún ideal a priori y sin separar en dos niveles distintos de realidad los valores y la validez. En la sociología del conocimiento las categorías y el sujeto, la verdad y la validez, se generan a partir de la «situación social», de la vida grupal y de circunstancias históricas. Esto equivale a decir que la sociología del conocimiento participa de un proceso que conduce al cuestionamiento o relativización de la oposición entre lo a priori y la experiencia, entre lo trascendental y la empírico. En todo caso, la sociología del conocimiento muestra que cualquier distinción de este tipo no podía ya establecerse únicamente a partir de la epistemología con independencia de los hallazgos empíricos de las nuevas ciencia sociales y de la sociología del conocimiento en particular. Como dijo Mannheim (1987: 264), la sociología del conocimiento evidencia que las categorías y criterios de la epistemología moderna no son autónomas respecto al desarrollo histórico y a los nuevos conocimientos aportados por las ciencias especiales, entre las que se incluye la sociología del conocimiento. Esto hace nuevamente problemáticas la relaciones entre la sociología del conocimiento y las categorías de la epistemología (verdad, objetividad, universalismo-relativismo, etc), como explicaré en una sección posterior.

Pero otras ciencias especiales participan de esta problemática del sujeto y de la necesidad de observar críticamente la «epistemología moderna». No hay que olvidar que una de las ciencias más determinantes para clarificar el debate anterior fue la antropología, en cualquiera de sus variantes (social, cultural, filosófica). La antropología puede iluminar en términos empíricos aquello que es universal para la especie humana como universales culturales; y puede por tanto ofrecer un nuevo sustituto empírico que herede los trazos universales de un sujeto trascendental. No es una casualidad que Scheler escogiera la vía de una fundamentación antropológica del conocimiento (y de la sociología del conocimiento) en su libro *El puesto del hombre en el cosmos* para ampliar el horizonte del problema e ir más allá de los estrechos límites de la epistemología moderna. Además, como explicaré más adelante, la influencia de la antropología de Scheler ha sido fundamental en autores como H. Plesner y A. Gehlen, cuyas ideas han sido importantes para explicar el proceso de hominización, la cultura y la génesis institucional en la sociología del conocimiento y de la cultura (por ejemplo, en Berger y Luckmann).

Otras ciencias especiales se han ocupado también de la génesis del sujeto de conocimiento, particularmente la psicología social. Así, Mead establece su teoría de la persona en su obra *Mind, Self and Society*, (*Espíritu Persona y Sociedad*), tras una primera parte que incluye una perspectiva de «psicología social» y el análisis de fundamentos antropológicos.

Los resultados de estas (y otras) investigaciones antropológicas, de psicología social y, especialmente, del psicoanálisis, conducen a un nuevo estadio en la concepción del sujeto que podemos llamar de «partición del sujeto en niveles». Los más claros exponentes de esta estrategia, hoy predominante, son Mead (*I, me, self*) y Freud (inconsciente, preconsciente, consciente). La diferencia respecto a las anteriores teorías del sujeto (por ejemplo la del «alma sustancial» en Santo Tomás o la del sujeto transcendental en Kant) es que ahora todos los niveles tienen referentes empíricos y, además, los niveles «bajos» (lo orgánico, las pulsiones, la existencia social, etc) tienen una gran relevancia para producir los «altos» (el pensamiento, el consciente, el «espíritu», etc). Como vamos a ver a continuación, este hecho contribuye a evidenciar nuevos límites en lo que Scheler llamó «teoría clásica del hombre», que asignaba una autonomía a los órdenes intelectuales o espirituales del sujeto y de la realidad.

B) La crítica de la «teoría clásica del hombre»

En el apartado anterior he mostrado que la sociología clásica del conocimiento aparece a lo largo de un debate donde se discute la problemática del sujeto de conocimiento, proponiendo una salida (al menos en Mannheim) que rompe la separación ontológica, de niveles de realidad, entre lo existencial y lo «ideal», lo empírico y lo transcendental y a priori. Las abstracciones ideales, incluso las de los criterios epistemológicos, proceden de la existencia social y son un constructo humano; es decir, son todas empíricas y factuales, mundanas. En este apartado me voy a referir a otra de sus problemáticas fundamentales: el cuestionamiento de la «teoría clásica del hombre», que proponía una prioridad del alma, de la conciencia, de las ideas, y de los niveles «espirituales» de realidad, sobre el resto de órdenes ontológicos y de capacidades del ser humano. Otros aspectos de la personalidad y de la realidad, anteriormente considerados «inferiores» y «dependientes» (cuerpo, energía de las pulsiones, situación social, etc), pasan ahora a revalorizarse y ocupan el lugar «motor», donde la energía de los impulsos o las condiciones socio-vitales y existenciales configuran la base a partir de la cual se originan las ideas y el conocimiento. La sociología del conocimiento constituye la crítica específicamente sociológica de aquella teoría idealista, pero se encuentra acompañada de otras ciencias especiales en esta tarea de cuestionamiento. En ese contexto la antropología ocupa un lugar relevante.

Señalaba anteriormente que la antropología constituye una de esas ciencias especiales que, junto con la sociología del conocimiento, van a contribuir al cuestionamiento de la teoría clásica del hombre. Ambas ciencias encuentran un punto de encuentro en Scheler, que desarrolla una antropología, en *El puesto del hombre en el cosmos,* que sirve para fundamentar su sociología de la cultura, dentro de la cual a su vez se encuentra la sociología del saber como parte esencial. El hombre se diferencia del animal por el hecho de que puede retener, poner freno a los impulsos, y transformarlos mediante su capacidad de objetivación de la realidad, lo cual constituye el proceso de ideación. Además, el hombre es capaz de vivir estos impulsos reflexivamente como suyos gracias a otra característica propia: la conciencia de sí. Dice Scheler (1974:59): «En el ser humano el recogimiento, la conciencia de sí y la facultad de convertir en objeto la resistencia primitiva al impulso, forman una sola estructura que es exclusiva del hombre».

Scheler (1974:72) comparte la idea básica de Freud de que el hombre edifica un mundo ideal de pensamiento a partir de la canalización de la energía latente en los impulsos reprimidos hacia su sublimación en su propio espíritu. La facultad de ideación del espíritu humano procede pues de una energía más básica. Igualmente, menciona a Schopenhauer y a Nietzsche para insistir en que el conocimiento parte de necesidades vitales de los humanos (Scheler 1974:103). No obstante, Scheler (1974: 102-103) no está de acuerdo totalmente con estas teorías naturalistas y vitalistas. Por una parte, cree que estas teorías están en lo cierto al señalar que las potencias impulsivas generan la actividad necesaria para vigorizar el espíritu, sus ideas y valores; por otra parte, Scheler piensa que se equivocan al derivar también de estas fuerzas «el contenido y sentido de estas mismas ideas y las leyes del desarrollo íntimo del espíritu».

A partir de esta posición Scheler se opone fundamentalmente a dos teorías: (a) la teoría de Descartes, por el hecho de no observar que la conciencia del sujeto no está aislada ni es independiente, sino que además depende en última instancia de una energía procedente de pulsiones; y (b) lo que llama «teoría clásica del hombre», una concepción que dota a las ideas de autarquía y energía independiente para iniciar la causación de un proceso teleológico que abarca la totalidad del universo. Igualmente, como explicaré después, Mannheim coincide en criticar tanto la concepción cartesiana como el «idealismo» o concepción que defiende la inmanencia de las ideas. El siguiente texto de Mannheim (1987: 44) incluye de modo sintético ambas críticas:

> La sociología del conocimiento no parte intencionadamente del individuo y de su pensamiento para pasar después directamente, como hacen los filósofos, a las alturas más abstractas del «pensamiento en sí». La sociología del conocimiento ensaya más bien la comprensión del pensamiento en el contexto concreto de una situación histórico-social... No son, por tanto, los hombres como tales los que piensan, y los individuos aislados los que forjan el pensamiento, sino los hombres en grupos determinados, los cuales han desarrollado un estilo de pensar específico en una serie infinita de reacciones a determinadas situaciones típicas, características de su posición común.

Además, Mannheim (1987: 281-282) realiza un esbozo histórico de los principales autores y escuelas que han sido fundamentales para la sociología del conocimiento que coincide esencialmente con los que Scheler propone. La sociología del conocimiento se concibe así como instrumento para desautorizar la citada teoría clásica del hombre y para mostrar la imposibilidad de sostener una conciencia, un sujeto, segregado de los otros ordenes vitales y sociales. De aquí que tanto Scheler como Mannhein observen que fue Marx el primero que planteó el propósito fundamental de la sociología del conocimiento. Según Scheler (1974:85) la crítica de Marx a Hegel, insistiendo en los aspectos relacionados con la esfera vital y de intereses del ser humano, es un ejemplo sobre la estrategia y sobre el objeto de la sociología del conocimiento, un modelo que él mismo reconoce haber seguido en su *Sociología del Saber*:

> Seguramente no es válida tampoco aquí la tesis de Hegel, según la cual la historia descansa en un despliegue de meras ideas, nacidas unas de otras; sino que, como he

mostrado ampliamente en mi *Sociología del saber*, debe aplicarse la tesis de Carlos Marx de que las ideas que no tienen tras de sí intereses y pasiones —esto es, fuerzas procedentes de la esfera vital e impulsiva del hombre— suelen «ponerse en ridículo» inevitablemente en la historia.

Mannheim (1987: 281) al enfatizar que la existencia social es la que determina el pensamiento, insiste igualmente en que la sociología del conocimiento nació con Marx, quien tuvo las intuiciones más «profundamente sugerentes que acertaban de lleno con la cuestión». Además, realiza aquí un comentario crítico con respecto a Marx que nos ayuda a comprender, tras señalar el acierto fundamental de Marx, qué es lo esencial en su sociología del conocimiento. Señala que lamentablemente en Marx estas intuiciones sobre la sociología del conocimiento se confunden con el desenmascaramiento de las ideologías, y que en Marx no aparece una teoría de la ideología de un modo consistente y elaborado. Este comentario de Mannheim nos ayuda a comprender que lo esencial es el análisis de la relación entre existencia y pensamiento, y que la teoría de la ideología, incluso en su propio caso, ha de situarse en el contexto de aquella preocupación más fundamental por establecer la relación entre el conocimiento y su génesis en una situación social.

Finalmente, quisiera señalar que tanto Scheler como Mannheim coinciden en los autores que se encuentran próximos o que han sido fundamentales para la sociología del conocimiento. En ambos casos se trata de autores que han realizado críticas importantes tanto a la teoría de Descartes como a la teoría clásica del hombre, lo cual indica que los dos temas fundamentales de la sociología del conocimiento indicados anteriormente (el sujeto y la crítica de la ontología idealista) son parte de un debate en el que participan una variedad de autores. Como señalé anteriormente, en la crítica de la «teoría clásica del hombre» (Scheler) o en la concepción idealista (Mannheim) la sociología del conocimiento no se encuentra sola, pues hay una variedad de autores y disciplinas especiales que apuntan en la misma dirección desde otras perspectivas. Además, como ya he señalado, Scheler incluye aquí a Marx como figura capital, pero también a un conjunto de teorías que denomina vitalistas, naturalistas y mecanicistas, entre cuyos representantes destaca a Freud y a Nietzsche. Mannheim (1987: 281-282), no obstante, aparte de los casos ya citados en los que coincide con Scheler, incluye también a otros autores más en su «Breve panorámica de la historia de la sociología del conocimiento»: Pareto, Dilthey, Lukáks y varios representantes de la corriente positivista-mecanicista (Ratzenhofer, Oppenheimer, Gumplowicz y Jerusalem).

4. CONFLICTO SOCIO-POLÍTICO EN ALEMANIA Y SOCIO-LOGÍA CLÁSICA DEL CONOCIMIENTO

En la sección anterior he mostrado que la sociología clásica del conocimiento se desarrolla en relación con dos debates, el del sujeto y el del cuestionamiento de la teoría clásica del hombre. No obstante, el propio desarrollo histórico-social acompaña estos debates intelectuales y es fundamental para generar la situaciones sociales que los determinan o que explican su génesis. Mannheim es muy explícito en el prólogo de la edición inglesa de *Ideología y Utopía*, donde explica que la situación de conflicto existente en Alemania, que hace necesaria y da impulso a la sociología del conocimiento, se ha trasladado después también a otros países occidentales.

De la particular circunstancia de crisis social y política que vive la Alemania de entreguerras surge un tercer impulso sociológico, particularmente importante en Mannheim, que constituye un aspecto a relacionar con los dos grandes temas de historia intelectual anteriormente mencionados: se trata de la voluntad de la sociología del conocimiento de ser un ejercicio reflexivo y científico de clarificación de los procesos sociales con vistas a la intervención reguladora del proceso social y político. Este es de hecho el objetivo principal de *Ideología y Utopía* tal como señala Mannheim (1987: 44,46) al comienzo y al final de la primera sección del capítulo introductorio del texto: «La importancia de las ciencias sociales crece proporcionalmente con la necesidad de intervenciones reguladoras del proceso social» y con lo que la sociología del conocimiento entiende como método de análisis e intervención de las ciencias sociales para «dar respuesta a la cuestión de la posibilidad de una guía científica de la vida política».

Evidentemente, este papel de guía y clarificación de la sociología del conocimiento implica una atención hacia las ideologías y propuestas utópicas de los grupos sociales, algo que se hacía necesario en el crispado clima político alemán de la época. Sin embargo, cabe encontrar esta misma propuesta de un papel orientador, clarificador y organizador para las ciencias sociales en otros autores anteriores, como es el caso del impulso regulador y organizador de las teorías de Saint-Simon o la voluntad de clarificación y transformación social de Marx, sin olvidar a Bacon y su propuesta de uso de la ciencia para conocer y mejorar el mundo, así como su teoría de los *Idola*. Por tanto, Mannheim continúa en este punto un impulso que está detrás de las ciencias sociales.

Así pues, en la génesis de la sociología del conocimiento clásica hay también impulsos típicamente sociológicos que proceden de una maduración en la consideración del papel de las ciencias sociales como instrumento orientador y reflexivo respecto a la sociedad. En este sentido, la sociología del conocimiento sería la especialidad sociológica que ejercitaría metódicamente, y de un modo altamente reflexivo, este potencial de la sociología para clarificar y orientar los procesos sociales y políticos. Estos procesos adquieren una complejidad y densidad cada vez mayor con el desarrollo de la modernidad social y con la coexistencia de una multiplicidad de perspectivas en las sociedades democráticas.

5. OBJETIVIDAD, NEUTRALIDAD VALORATIVA Y RELATIVISMO

Mannheim (1987: 52 ss) describe el contexto histórico en que cabe situar el origen del debate epistemológico sobre la objetividad y el relativismo en que él va a participar y contribuirá a intensificar. La moderna epistemología aparece con el desarrollo del protestantismo, tras el derrumbe de la visión objetiva del mundo que presentaba la Iglesia. A partir de aquí el conocimiento y las directrices vitales radican en el individuo. La epistemología moderna dará por supuesto este individualismo y, además, con Descartes entenderá al individuo como aislado y separado de sus funciones vitales y corporales. Para Mannheim el nuevo paso que da la epistemología moderna con Kant supone privilegiar el ideal de las ciencias naturales para todo conocimiento. Estos problemas fueron heredados por las escuelas neokantianas, que intentaron hacer justicia a la naturaleza idiográfica de las ciencias de la cultura y desarrollaron una metodología que las caracterizara con independencia de la que utilizaban las ciencias nomotéticas. En este contexto cabe situar la perspectiva epistemológica de Max Weber, que había crecido intelectualmente en el seno de la tradición neokantiana de Windelband y Rickert, los cuales intentaron superar los problemas epistemológicos generados por el kantismo perfeccionando la distinción entre relaciones de valor y validez.

Max Weber fue el primer sociólogo que enfrentó las dificultades que presentaba la epistemología moderna, que no podía atender adecuadamente los problemas generados por las «ciencias de la cultura», unas ciencias que atendían un significado cultural que estaba teñido de ideas y valores, y se caracterizaba por una acción intencional que se vinculaba con la comprensión de lo significado subjetivamente por el individuo. Por otra parte, y en el terreno de la lucha política, existía una diversidad irresoluble de valores e ideologías que caracterizaban una pluralidad de opciones políticas, haciendo difícil la separación entre la actividad del científico y la del político. La cuestión consistía consiguientemente en encontrar una relación entre ciencia y valores que garantizara la objetividad y la neutralidad valorativa.

La solución de Weber consistió en diferenciar, siguiendo la estrategia neokantiana, entre las «relaciones de valor» y los «juicios de valor». La cultura incluía una pluralidad de valores que podían aislarse y reconocerse al ser «dignos de ser reconocidos», según la típica expresión neokantiana que ya utilizaba Lotze. Para Weber, no había más remedio que decidir entre los valores y, como en la religión, no existía posibilidad de mediación: eran irreductibles. Una vez decidido por unos valores, el científico social debía de saber construir «tipos ideales» que se inspiraban en ellos y que guiarían la estrategia de imputación causal, dirigida a generar una «posibilidad objetiva» en el terreno histórico-social, empírico. En la metodología de Weber era así necesario partir de las relaciones de valor para poder tener una perspectiva de cara a la realización de la investigación empírica.

Ahora bien —y aquí entra en escena el concepto de juicios de valor de Weber—, una vez dentro del proceso empírico de imputación Weber insistía de que el científico social no debía hacer juicios categóricos desde valores, «juicios valorativos». En todo caso, si los hacía, debía hacerlo expreso y debía procurar que no se solaparan con los juicios sobre los hechos. Si se actuaba así se garantizaba la objetividad en las ciencias, y los resultados deberían gozar de universalidad. La «neutralidad valorativa» consistía pues en atender este conjunto de recomendaciones metodológicas, tanto para decidir y usar «relaciones de valor» que informan la perspectiva particular del investigador como para tener cuidado con hacer juicios de valor no expresos y/o solapados con juicios de hecho durante la investigación.

Tiene por tanto razón Lamo de Espinosa (1994: 87ss) cuando señala que la idea de neutralidad valorativa ha sido frecuentemente malinterpretada, especialmente por el neopositivismo, como una necesidad de asepsia valorativa que excluye a los valores de la investigación. Estoy de acuerdo también en la crítica que realiza a Weber consistente en que es difícil trazar la distinción entre «relaciones de valor» y «juicios de valor». El ejemplo más claro de esta dificultad lo pone el propio Lamo de Espinosa: al ser decididas categóricamente las propias relaciones de valor presuponen un juicio de valor previo sobre estas misma relaciones de valor. La dificultad de realizar esta distinción fue también explicada por Heidegger (1989:174, 237ss) cuando criticó el neokantismo, con especial referencia a Lotze, mostrando que es imposible establecer esta distinción. Más recientemente Gillian Rose (1981:2-21) ha producido una crítica de la distinción entre validez y valores a partir de su lectura de Hegel.

Estoy de acuerdo con Rose (1981:22-23) cuando incluye a Mannheim (junto a Dilthey, Heidegger y Gadamer) entre los críticos del neokantismo que cuestionan esta diferenciación previa, como necesaria y a priori, entre los valores y la validez. Considero que Mannheim critica este a priori que asume una independencia del orden de la validez con respecto al orden de la génesis en una situación social donde hay valores. Cabe interpretar que Mannheim está cuestionando, de un modo similar a Heidegger, que exista una separación ontológica entre «lo ideal» y «lo real». Se resiste a separar, de un lado una «validez» que participa de elementos «ideales» y, de otro, la «existencia», la situación social, el ámbito de lo fáctico. Para Mannheim (1987:272) la epistemología moderna conserva todavía el legado de una ontología dualista al no darse cuenta de que la esfera de validez ideal, supratemporal, sobrehumana, el ideal de verdad en el que cree, no es más que una de las posibles abstracciones originadas a partir de una concepción del mundo propia que cabe entender como un «dato» y requisito previo para interpretar el fenómeno del pensamiento.

Estas abstracciones del pensamiento que generan el ideal de verdad, como el conocimiento mismo, no son para Mannheim mas que instrumentos para afrontar situaciones vitales de los individuos en determinadas condiciones de vida. De aquí que la generación del ideal de verdad no provenga tampoco de impulsos meramente contemplativos y teóricos, sino prácticos y relacionados con la vida. Mannheim señala tres factores que influyen en la generación del pensamiento y condicionan el ideal de verdad: 1) la naturaleza y estructura de este proceso de afrontar situaciones vitales, 2) la constitución biológica e histórico-social de los sujetos y 3) la particularidad de las condiciones de vida, especialmente del lugar y posición de los pensadores.

La vieja epistemología (moderna) se asocia pues con una manera de pensar particular que genera su ideal de verdad. Se basa en una orientación individualista y competitiva y, sin embargo, se pretende contemplativa, neutral y orientada estrictamente a partir de intereses teóricos. Además, según Mannheim, está muy condicionada por la justificación de Kant de la ciencia moderna, presuponiendo como canon ideal el modelo de las ciencias naturales. Frente a esta epistemología, Mannheim propone una nueva epistemología que, como expliqué antes, entienda la naturaleza activa e intencional, vital, del conocimiento y que, además, asuma su dependencia respecto al conocimiento aportado por las otras ciencias especiales y por la propia sociología del conocimiento.

La cuestión existencial, y por tanto la sociología del conocimiento, penetra en la epistemología por varios motivos: 1) recibe los conceptos de conocimiento históricamente a partir de otras ciencias, 2) los criterios de crítica del conocimiento están socialmente condicionados, por lo que su aplicación debe realizarse sólo en ciertos períodos históricos y 3) los cambios en la epistemología dependen también de los procedimientos nuevos para recoger datos. La epistemología pierde así su autonomía, y no puede reclamar para sí un ámbito supratemporal donde residan sus criterios ideales de validez y verdad.

Es importante señalar, no obstante, como ha indicado Lamo de Espinosa (1994: 129) que Mannheim es ambiguo a la hora de especificar el grado de determinación social que sufre la esfera de la validez; incluso no queda claro si lo que queda determinado socialmente es la esfera (o ámbito) de la validez o la validez misma. Respecto a las matemáticas y las ciencias naturales, Mannheim fue igualmente ambiguo. Por un lado, parece aceptar la naturaleza incondicionada de las proposiciones matemáticas (2+2 = 4), pero, por otro, respecto a las ciencias naturales Mannheim (1987: 278) realiza una interpretación muy peculiar del principio de indeterminación de Heisenberg. Esta interpretación sugiere la prioridad de la existencia y la posibilidad de una determinación social. Mannheim señala que los instrumentos de medida, como el reloj, están basados en última instancia en el conocimiento cotidiano del sentido común y, como estos instrumentos (según el principio de indeterminación) condicionan la presentación de lo medido (forma y movimiento de las partículas elementales), el conocimiento obtenido está determinado socialmente. No deja de ser graciosa la insistencia de Mannheim en encontrar determinaciones incluso para un principio de indeterminación.

Sugiero que una posible salida para alguna de estas ambigüedades de Mannheim respecto a la validez consistiría en interpretar, de un modo especial que explicaré a continuación, este asunto de la validez en relación con su idea de la objetividad, del «relacionismo» y de la ampliación progresiva de las bases sociales del conocimiento para comprender la

naturaleza activa y «constructora» que Mannheim reivindica para su
nueva epistemología. Recordemos que esta epistemología activa debe
construir sus justificaciones, criterios de verdad y de exactitud, a partir
de una yuxtaposición y de un progresivo solapamiento de perspectivas.
Dice Mannheim (1987: 271):

> El problema no es cómo llegar a una imagen sin perspectiva, sino cómo,
> yuxtaponiendo los diversos puntos de vista, puede reconocerse cada perspectiva como
> tal y conseguir así un nuevo nivel de objetividad. Así llegaremos al punto de sustituir el
> falso ideal de un punto de vista independiente, impersonal, por el ideal de un punto de
> vista esencialmente humano, dentro de los límites de una perspectiva humana que
> intenta ampliarse constantemente.

Mannheim no está diciendo por tanto que deja de haber un problema
de validez y de verdad como consecuencia de la «determinación social»,
de encontrar la génesis social de una afirmación. Al contrario, lo que
intenta es deslegitimar un «ideal de verdad en sí» independiente de la
experiencia humana para señalar que los criterios de validez y de verdad
deben construirse progresivamente ampliando la base del conocimiento
mediante la inclusión de nuevas perspectivas. A partir de aquí se explica
el relacionismo de Mannheim: las afirmaciones que se establecen
únicamente pueden ser formuladas en relación a una perspectiva o,
cabría decir también, a un proceso progresivo de solapamiento de
perspectivas que apunta hacia un ideal humano de verdad y validez
construido activamente y fácticamente con la intención de incluir
nuevas perspectivas.

La objetividad parte por tanto de un proceso de búsqueda de un
solapamiento entre perspectivas; puede conseguirse mediante un denominador común que facilite un proceso de traducción entre perspectivas
diferentes. Mannheim (1987: 275) sugiere que esta tendencia intelectual se corresponde con una situación histórica de hecho: existen nuevos
procesos de contacto e interpenetración de grupos que conducen, primero, a no absolutizar la propia perspectiva y, segundo, a crear una base
social del conocimiento más amplia que genere niveles de abstracción y
formalización más altos como consecuencia de la fusión entre grupos.

Mannheim (1987: 274ss) insiste en que no cabe entender su sociología
del conocimiento como relativista, sino como relacionista. El relacionismo
sitúa una afirmación en relación a una perspectiva (o, cabría interpretar
también, al nivel del solapamiento alcanzado entre perspectivas). En el
caso de perspectivas distintas, aún no solapadas, tiene la primacía
aquella que demuestre el mayor grado de captación y la más alta
productividad para tratar los materiales empíricos.

Con esta idea del solapamiento entre perspectivas, inseparable de un proceso de interpenetración entre grupos, Mannheim está señalando que el ámbito de validez debe construirse a partir de la actividad concreta de seres humanos. De este modo cualquier ideal de validez o de verdad resultante es también algo fáctico existencial, pese a ser un ideal. Pero ahora ese ideal no tiene una realidad ontológica distinta a la que tiene la propia existencia social y empírica de las personas. De este modo Mannheim supera los problemas que encontraban los neokantianos (y Max Weber) al tener que proponer a priori un ideal de validez que se plasma en un modo de realizar juicios de valor, un ámbito ontológicamente distinto de la realidad fáctica. Consiguientemente, Mannheim forma parte de una variada nómina de autores que intentan relativizar la distinción entre lo trascendental y lo empírico, lo *a priori* y lo *a posteriori*. A partir de aquí puede comprenderse el comentario de Mannheim consistente en subrayar que el relativismo únicamente aparece cuando se juzgan las afirmaciones en función de un criterio absoluto y autosubsistente, independiente del ámbito terrenal en que surgen las afirmaciones, y por lo tanto necesariamente ajeno al otro ámbito ideal e intemporal. En realidad Mannheim se aproxima a las posiciones pragmatistas que intentan generar los criterios de verdad y validez a partir de una comunidad de científicos progresivamente inclusiva, con la diferencia de que Mannheim, como sociólogo del conocimiento, vinculaba esta posibilidad intelectual con una ampliación más generalizada de las bases sociales del conocimiento: señalaba que se estaba produciendo en el mundo una progresiva aproximación entre los grupos sociales. Esto último probablemente no dejaba de ser sino una esperanza en un contexto sociopolítico que probablemente se caracterizaba más por el conflicto y la tensión.

Capítulo 3
Cultura

---

1. ETIMOLOGÍA Y EVOLUCIÓN HISTÓRICA DE «CULTURA»

La palabra cultura procede del latín *cultura*, que se deriva del verbo *colere*, el cual significa cultivar, cuidar, practicar, honrar. Fundamentalmente este cultivo tenía que ver con la labranza, significando el cultivo de la tierra realizado mediante la agricultura. A partir de este significado de cultura como cultivo de la tierra los romanos produjeron un significado metafórico de cultura aplicado al ser humano, como cultivo de la persona, la *cultura animi* que aparece explicitada en los escritos de Cicerón. Este era el modo romano de interpretar el proceso de la educación que los griegos entendían como *Paideia* (Picó 1999: 29-30). Esta manera de comprender la cultura como formación subjetiva continuó durante la Edad Media hasta el Renacimiento, particularmente el Renacimiento italiano, donde la cultura significaba la formación de las cualidades personales. Igualmente este significado de cultura como formación intelectual y moral queda reflejado en la expresión germana *bildung,* que sin embargo tiene otros orígenes lingüísticos.

Los romanos tenían otra expresión, «*cultus vitae*» (asociada con cultura) que, según Picó (1999: 31), se entiende en términos de «la medida en que el pueblo regula culturalmente sus formas de vida, a través de las cuales alcanza una originalidad que lo distingue de otras sociedades». Consiguientemente, *cultus* es un concepto más amplio que incluye un conjunto de usos y costumbres, de formas organizativas y productivas, mientras que *cultura* es un término restringido a la vida del espíritu. Según Picó (1999: 34) este sentido de *cultus vitae* va a persistir durante el Renacimiento y la Edad Moderna. En este sentido, la expresión *cultus vitae* supone a mi entender un precedente de un modo sociológico de comprender la cultura. Además, el término incluye sentidos que pueden vincularse con otros conceptos más modernos asociados con la «cultura», como son los de «espíritu objetivo» y «forma de vida».

En el siglo XVIII, en Francia se produce un cambio semántico que da origen al moderno sentido de cultura. La antigua concepción romana de *cultura animi* se aplica ahora al cultivo en artes particulares, sustantivándose el término y acompañándose de un complemento de objeto. Así en el primer Diccionario de la Academia francesa se habla de la «cultura de las artes», de la «cultura de las letras», de la «cultura de las ciencias». En este sentido ya no es la tierra lo que se cultiva sino que se cultiva un saber o un arte. Un nuevo movimiento de significado se produce al desplazarse el sentido de cultura como acción, acción de instruir, a cultura como estado, el estado de un espíritu cultivado por la instrucción, de alguien que «tiene la cultura». En el diccionario de la Academia de 1798 se opone conceptualmente la naturaleza a la cultura, estigmatizando al «espíritu natural y sin cultura». A partir de aquí los pensadores ilustrados entienden la cultura como suma de los saberes acumulados y transmitidos por la humanidad, asociándose a las ideas de progreso de la razón y de evolución. Este concepto de cultura de la Ilustración se extenderá rápidamente por las grandes metrópolis de Europa (Cuche 1996: 9).

En este contexto ilustrado existe otra palabra, «civilización», que recoge las mismas concepciones fundamentales que la palabra cultura, aunque civilización tiende a incluir más los progresos colectivos, mientras que cultura se usa todavía aún en su sentido subjetivo, comentado anteriormente, entendido en términos de progreso, como el avance individual en la formación, en la educación, en la razón.

La civilización se comprende además como un proceso de mejoramiento de las instituciones sociales, de la legislación, de la educación. De este modo se opone a lo considerado como «salvaje», primitivo. El concepto de civilización se remite entonces a una concepción progresiva de la evolución histórica y constituye, junto con el concepto de cultura, un modo de desacralizar la Historia, que hasta entonces estaba presidida por la explicación teológica. Así estos conceptos dan pie a una nueva filosofía progresista de la Historia. Este concepto de civilización se encuentra detrás del término, tan usado en la antropología francesa, de etnología. En 1787 Alexandre de Chavannes crea el término etnología, que define como la disciplina que estudia «la historia del progreso de los pueblos hacia la civilización» (Cuche 1996: 10).

En el contexto francés por tanto, el paso del concepto subjetivo de cultura como *cultura animi*, a un concepto objetivo e histórico de cultura se realiza en el siglo XVIII durante la Ilustración y, en ese contexto, la palabra cultura se asimila a la civilización. Ambas ideas constituyen la posibilidad de realizar una «ciencia del hombre» tal como había señalado Diderot en 1755 en su artículo «Enciclopedia» de la *Enciclopedia* (Cuche 1996: 10).

La burguesía alemana adopta el término cultura como parte de un sistema de ideas que se opone a la aristocracia. En esta concepción alemana, sin embargo, la cultura no se asimila a la civilización. La cultura tiene que ver con un sistema de valores que contribuye a la autenticidad y al enriquecimiento intelectual y espiritual, mientras que la civilización se asocia con formas externas superficiales que otorgan una brillantez únicamente aparente. En todo caso, la civilización para los alemanes se vinculará con aspectos económicos y tecnológicos pero no con los aspectos esenciales del «espíritu» (Cuche 1996: 10).

Una serie de acontecimientos políticos van a hacer estas diferencias más pronunciadas. Los alemanes están interesados en rehabilitar la lengua alemana en el marco de una regeneración del «espíritu» específicamente alemán. Existe una voluntad por parte de la intelligentsia alemana de buscar una misión «nacional» que tiene que ver con los componentes culturales y espirituales, hasta el punto de que en el siglo XIX una característica distintiva de la nación alemana será la cultura. La intelligentsia construirá la justificación ideológica, en el marco de su función de intelectuales orgánicos de la burguesía, de la unificación alemana llevada a cabo durante la segunda mitad del siglo XIX. De esta forma, en el proceso hacia la creación del Estado-Nación alemán, la intelectualidad legitimará el movimiento social subyacente con la teorización de vínculos espirituales y culturales entre los estados germanos (Kocka 2000: 21-83)[1].

En el contexto de este largo proceso histórico alemán, que recorre los siglos XVII y XIX, va a formarse un concepto específico de cultura que se vincula con lo particular. La primera expresión de este concepto aparecerá en Herder, donde se refiere al «genio nacional» y al «espíritu» de cada pueblo, a la diversidad de las culturas, para enfrentarla al universalismo uniformador de la Ilustración. A partir de aquí, Herder

---

[1]   KOCKA, JÜRGEN, «Burguesía y sociedad burguesa en el siglo XIX. Modelos europeos y peculiaridades alemanas» en FRADERA, J. M. Y MILLÁN (eds), *Las burguesías europeas del siglo XIX*, Biblioteca Nueva-Universidad de Valencia, Madrid, 2000.

ha sido considerado por muchos como el precursor del relativismo cultural (Cuche 1996:12).

La consecuencia de este debate sobre el concepto de cultura y civilización es que, por una parte, en Francia predominará el componente universalista de comunidad del género humano, mientras que en Alemania se afirmará una idea de cultura que enfatiza el alma profunda de los pueblos. Mientras que en Francia cultura tiende a hacerse sinónimo de civilización, en Alemania se produce una división entre cultura, que se interpreta como parte del concepto de espíritu, y, por otra parte, civilización, que se asocia con el progreso material, económico y técnico, pero que no refleja la profundidad del genio cultural y espiritual de los pueblos. Evidentemente esta idea alemana, generada por la burguesía, tiene que ver con el hecho de que este grupo social estaba, por un lado, en situación de inferioridad con respecto a la aristocracia, y por otro lado, observaba que en países como Francia e Inglaterra el desarrollo económico y social era muy superior al alemán, con lo cual la burguesía alemana se afirmaba en el contexto europeo de un modo que podemos llamar culturalista o espiritualista. Esta identificación de la burguesía alemana con la cultura, en relación con la rivalidad entre estas naciones que culminó con la Primera Guerra Mundial, va a tener consecuencias para la comprensión del concepto en Francia[2]. Curiosamente, el término objetivo de cultura que aparece en Francia, tiende a ser cada vez más identificado con la palabra civilización y la palabra cultura experimenta a comienzos del siglo XX un declive en su acepción colectiva. Este hecho se manifestará, como observaremos después, en el uso de los vocablos «social» o «civilización», en vez de cultura, por parte de la etnología francesa, algo que también ocurre en gran parte en el contexto inglés, donde la cultura se estudia también como parte de la antropología social (y no sólo de la antropología cultural, término preferido no obstante en Norteamérica) (Cuche 1996:13-14). En conclusión, podemos decir que nos queda un concepto de cultura, entendido como civilización, que se asocia a la nación francesa y atiende la generalidad de la cultura humana y, por otro lado, un concepto de cultura que por parte de los teóricos alemanes se intenta asimilar al concepto, previamente existente, de «geist». Por este motivo autores alemanes, como A. Weber, identifican cultura con la religión subjetiva,

---

[2]   Peter Wagner (2000) ha subrayado la importancia de la percepción mutua de las imágenes de los Estados para la construcción de la identidad nacional.

con la filosofía y con el arte, mientras que usan civilización para designar los objetivos tecnológicos y las actividades relacionadas con la información en la sociedad. A partir de aquí serán los alemanes a través de un largo proceso histórico los que desarrollen de un modo filosófico el concepto objetivo de cultura. En la sección siguiente me ocuparé de este significado filosófico del concepto de cultura en el contexto alemán, donde cultura entra en relación con *geist*.

2. USO LINGÜÍSTICO COMÚN Y CIENTÍFICO DE «CULTU-RA»

A) *Uso común*

La palabra cultura encuentra expresiones análogas en prácticamente todas las lenguas de Europa: *culture* en francés; *cultura* en italiano; *culture* en inglés; *kultur* en alemán; en ruso, *kultura*. En castellano, como en algunas de estas otras lenguas, el significado original de cultura, como cultivo de la tierra, está aún presente en los comienzos de la Edad Moderna. Así por ejemplo, en inglés cultura, significando *husbandry*, que significa agricultura, labranza, y también en sentido figurado como buen gobierno, manejo y prudencia, aparece aproximadamente en 1420 (Gould y Kolb 1963: 165)[3]. En francés la palabra cultura, significando el cuidado dedicado a los campos o al ganado, aparecerá a finales del siglo XIII. (Cuche 1996: 8). En castellano el primer uso de esta palabra se encuentra en Fr. Luis de León (1583-5), que, por ejemplo, dice: «la cultura del campo primero arranca el labrador las hierbas de años has y luego planta las buenas»[4].

Gómez Arboleya (1959: 63 ss) estudia las principales acepciones de cultura existentes en los diccionarios de la lengua española y las divide en cuatro apartados que resumo y comento aquí: 1)Acción y efecto de cultivar, especialmente referido a la agricultura (significado latino original); 2)Reverencia u homenaje que se tributa a algo en razón de su excelencia (una acepción ya anticuada hoy en día); 3)Resultado o efecto

---

[3]   Gould, J. & Kolb, W. L. (1963); *A Dictionary of the Social Sciences* (UNESCO). Tavistock, London 1963.
[4]   Corominas, *Diccionario Crítico Etimológico de la lengua castellana*, Madrid, 1954, volumen I, p.980, citado por E. Gómez Arboleya en *Terminología de las Ciencias Sociales*, Revista de estudios políticos, Madrid, 1959.

de cultivar los conocimiento humanos y de afinarse las facultades del hombre por medio del ejercicio (se trata de la anterior dimensión subjetiva de formación de la cultura a la que nos hemos referido, la *cultura animi*); 4)El estado intelectual o material de un pueblo o nación (se trata aquí de una aproximación a lo que cabría entender como definición un tanto relacionada con el concepto de «espíritu objetivo»).

Pero la cultura ha sido abordada por una gran diversidad de disciplinas, especialmente por la antropología y sociología de la cultura, que han proporcionado una gran cantidad de definiciones científicas de la misma.

B) Origen del concepto científico de cultura

El interés por otras culturas, aunque no se dispusiera de una noción científica de cultura, ya se manifestó en los antiguos: Herodoto, Platón, Aristóteles, Jenofonte y Tácito. Como expliqué antes, el termino «cultura» como cultivo de las capacidades del ser humano, como formación o educación, tiene su origen en la acuñación del termino *«cultura animi»* de Cicerón. Sin embargo, la eclosión de un gran número de informes sobre otras culturas se produjo a partir de los siglos XV y XVI y en relación con el descubrimiento europeo de otras tierras. Los viajeros, los misioneros y finalmente en el siglo XVIII, los estudiosos que protagonizaban expediciones científicas, fueron las primeras fuentes de un numeroso material etnográfico, aunque de calidad muy desigual (Llinares 1996; Mair 1970: 30; Picó 1996: 117 ss).

Durante el siglo XIX, como señalé antes, hay un proceso que conduce a la generación de conceptos cada vez más precisos relacionados con la cultura y con el espíritu (*geist*). Según algunos estudiosos, la noción de cultura como cultura objetiva, esto es como todo complejo de instituciones, tiene su origen en los pensadores ilustrados: Vico, Montesquieu, Condorcet, Voltaire. Sin embargo, según otros, su auténtico origen se encuentra en pensadores pertenecientes al Idealismo alemán tales como Herder, Fitche y Hegel. Este esfuerzo va a expresarse en definiciones cada vez más descriptivas y científicas de la cultura.

Ahora bien, sólo se independiza la noción de cultura de su vínculo con la filosofía a partir de los antropólogos, Morgan y Tylor. A este último debemos la definición clásica y numerosas veces comentada de «cultura»: «La cultura o civilización, entendida en su amplio sentido etnográfico, es aquel conjunto complejo que incluye el conocimiento, las creencias, el arte, la moral, el derecho, las costumbres y cualquier otra capacidad o hábito adquirido por el hombre como miembro de la sociedad» (cit. en Duncan Mitchel 1968: 45)[5]. Podemos destacar tres rasgos de esta definición. Primero, la cultura es una totalidad objetiva: es un hecho objetivo que puede estudiarse como un todo. Segundo, la cultura está compuesta de conductas: hábitos y capacidades adquiridas por aprendizaje, no innatas. Tercero, la cultura es transmitida a los individuos y a los grupos que pertenecen a una comunidad o a una sociedad dada.

Entre las definiciones recientes de cultura que más influencia han tenido se encuentran las de Kroeber y Kluckhohn en antropología y la de T. Parsons en sociología. Los primeros enfatizan los aspectos ideacionales de una herencia social en su definición:

> La cultura consiste en modelos, explícitos e implícitos, de y para la conducta adquirida y transmitida mediante símbolos, que constituyen los resultados distintivos conseguidos por los grupos humanos, incluyendo sus encarnaciones materiales en artefactos; el núcleo central de la cultura consiste en las ideas tradicionales (históricamente derivadas y seleccionadas) y especialmente en sus valores asociados; los sistemas culturales pueden, por una parte, ser considerados como productos de la acción, y, por otra parte, como elementos condicionantes de nuevas acciones (Kluckhohn 1964: 165)[6].

Parsons (1979: 15) resalta tres características comunes de la cultura que, pese al desacuerdo existente sobre el concepto de cultura, observa en las definiciones más usuales: 1º) es *transmitida* mediante una tradición social; 2º) es *aprendida* y 3º) es *compartida*. Además, la cultura es tanto un producto como un determinante de los sistemas de la interacción social. En *El Sistema Social* Parsons caracteriza mejor los objetos culturales señalando que son elementos simbólicos de la tradición cultural, ideas, creencias, símbolos expresivos o esquemas de valor. Parsons (1979: 327) da la siguiente definición: «La cultura... consiste en sistemas de símbolos ordenados y configurados que son objetos para la orientación de la acción, componentes internalizados de la personalidad de los actores sociales y patrones institucionalizados de los sistemas sociales.»

---

5   G. Duncan Mitchel, «Culture», *A new Dictionary of the Social Sciences*, Aldine Publishing Company, New York, 1968, p. 45.

6   Kluckhohn (1964); El trabajo original, muy difícil de encontrar, es A. L. Kroeber and Clyde Kluckhohn, «Culture: A Critical Review of Concepts and Definitions», Papers of the Peabody Museum of American Archeology and Ethnology, Vol. 47, nº 1, 1952, p. 181).

Estas definiciones anteriores nos dan dos claves para observar algunas diferencias entre la antropología y la sociología en el tratamiento de la cultura. En primer lugar, en cuanto a la amplitud del contenido, las definiciones sociológicas de cultura suelen destacar el componente ideacional, simbólico o de valores, mientras que las definiciones antropológicas suelen añadir una mayor variedad de elementos en su contenido que recogen los usos comunes, costumbres tradicionales, modos habituales de hacer las cosas y, especialmente, los aspectos materiales y artefactos creados, todo ello situado en una forma de vida. En segundo lugar, en cuanto a la relación de la cultura con la modernidad, la comprensión sociológica de la cultura tiende a situar a ésta en el contexto de la génesis y desarrollo de las instituciones específicamente modernas, mientras que la comprensión antropológica opta, al menos tras el evolucionismo, por abordar de un modo específico una mayor diversidad de culturas y formas institucionales en sociedades muy distintas.

C) Contenido de las definiciones científicas de «cultura»

El término cultura es un término polisémico y recoge una multiplicidad de dimensiones de la experiencia humana. Consiguientemente ha sido objeto de un gran número de definiciones por parte de una diversidad de disciplinas, como la sociología, la antropología, la psicología, la arqueología, la historia, etc. Han existido muchos intentos de sistematizar las definiciones científicas de cultura. La mas influyente de estas propuestas de análisis es la de A. L. Kroeber y C. Kluckhohn, que incluye definiciones procedentes de una gran diversidad de disciplinas y áreas del saber. Estos autores han analizado ciento sesenta definiciones de cultura en su obra *Culture:A critical Review of Concepts and Definitions*. Dividen estas acepciones en seis grupos: (1) las descripciones enumerativas, (2) las históricas, (3) las normativas, (4) las psicológicas, (5) las estructurales, (6) las genéticas. Siguiendo esta tipología, escojo algunos de los ejemplos seleccionados por Kluckhohn (1964: 165-167)[7]:

1º) Entre las definiciones que hacen una *descripción enumerativa*; esto es, las que entienden la cultura como una totalidad comprensiva

---

[7]   Kluckhohn (1964), «Culture», en Gould & Kolb (eds), A Dictionary of the Social Sciences (UNESCO), Tavistock, London.

cuyos aspectos se enumeran como contenidos fundamentales, estos autores recogen la de F. Boas: «la cultura comprende todas las manifestaciones de los hábitos sociales de una comunidad, las reacciones del individuo al ser afectado por los hábitos de un grupo en el que vive, y los productos de las actividades humanas tal y como son determinados por estos hábitos» (F. Boas, «Anthropology», en E. Seligman (ed.) Encyclopedia of the Social Sciencies, New York: The Macmillan Co., 1930, vol.2, p. 79).

2º) Las definiciones *históricas* no pretenden definir de un modo sustantivo la cultura, sino que seleccionan una característica de la cultura, perteneciente a la herencia o la tradición social. Así por ejemplo la definición de Linton: «... la herencia social es llamada cultura. Como un término general, cultura significa la herencia social total de la humanidad, mientras que como término específico una cultura significa una línea particular de esta herencia social» (R. Linton, *The Study of Man*, New York: D. Appleton-Century, 1936, p.78).

3º) El tercer tipo de definiciones, el *normativo*, insiste en la cultura como un modo de vida o forma de vida específico que tiene un conjunto normativo de ideas. Aquí se recoge la definición de cultura de P. Sorokin: «los aspectos culturales de los universos supraorgánicos consisten en significados, valores, normas, su interacción como relaciones, sus grupos integrados y desintegrados... tal como son objetificados a través de sus acciones y de otros vehículos en el universo empírico socio-cultural» (*Society, Culture and Personality*, New York: Harper & Brothers, 1947, p.313).

4º) El cuarto grupo, el *psicológico*, se remite a procesos de ajuste, aprendizaje y hábitos. La cultura se identifica aquí como una serie de técnicas para satisfacer necesidades, para resolver problemas y para ajustarse tanto al medio externo como al social. La definición de C. S. Ford, por ejemplo, señala que: «la cultura consiste en los modos tradicionales de resolver problemas.... la cultura... está compuesta de respuestas que han sido aceptadas porque han tenido éxito; resumiendo, la cultura consiste en soluciones para problemas que han sido aprendidas» («Culture and Human Behavior», *Scientific Monthly*, vol. 55, 1942, pp. 555, 557).

5º) Las definiciones *estructurales* enfatizan la naturaleza sistemática de cada cultura, el hecho de que sus aspectos no están aislados sino que constituyen un todo interrelacionado. La cultura aquí no es la conducta misma, sino conducta interpretada. Una definición que recoge este sentido es la de C. Kluckhohn y W. H. Kelly: «una cultura es un sistema históricamente generado de diseños (*designs*) explícitos e implícitos para vivir, que tiende a ser compartido por todos o especialmente por un grupo de miembros designados» («The Concept of Culture», en R. Linton (ed.), *The Science of Man in the World Crisis*, New York: Columbia University Press, 1945, p. 98).

6º) Finalmente, el tipo *genético* de definiciones se concentra en cuestiones como: ¿Cuál es el origen de la cultura? ¿Cuáles son los factores que han hecho posible la cultura? Una definición característica de este tipo es la de L. J. Carr: «los resultados transmisibles acumulados de la conducta pasada en asociación» («Situational Psychology», American Journal of Sociology, vol. LI, 1945, p. 137).

Los autores señalan que es importante entender que cada uno de estos modelos no se corresponde necesariamente con definiciones procedentes únicamente de una ciencia o disciplina; para cada disciplina existen definiciones repartidas entre los seis modelos de la tipología.

3. TEORÍAS ANTROPOLÓGICAS DE LA CULTURA

La antropología es probablemente la ciencia que más ha estudiado las distintas culturas y habitualmente ha aportado ideas y ejemplos para los sociólogos de la cultura. Y a la inversa, muchas ideas antropológicas sobre la cultura han surgido del trabajo de los sociólogos de la cultura. La sociología de la cultura, no obstante, ha estado presidida por aproximaciones que no siempre han dotado a la cultura de una gran diversidad de contenidos y, además, frecuentemente se ha quedado circunscrita a las expresiones culturales de Occidente. De aquí que los que pensamos que existen diversos caminos hacia la modernidad (o «modernidades») estemos interesados en enriquecer nuestros conceptos de cultura. En este sentido, es muy importante en el momento presente la cooperación entre la sociología de la cultura y la antropología. Por este motivo, esta sección aborda los conceptos de cultura que han caracterizado a las principales teorías antropológicas, y lo hace observando su relación con la sociología. La sección se divide en los siguientes apartados:

1. El nacimiento de la antropología científica: el Evolucionismo antropológico;

2. La aportación del pensamiento marxista;

3. El particularismo histórico de Franz Boas;

4. Cultura y personalidad: El configuracionismo de Ruth Benedict. La aportación freudiana;

5. El difusionismo cultural;

6. El funcionalismo británico: Malinowsky, Radcliffe Brown;

7. El estructuralismo francés: Lévi-Strauss;

8. Etnociencia y antropología simbólica;

9. Materialismo cultural: White, Steward y Harris;

A) *El nacimiento de la antropología científica: evolucionismo antropológico*

El primer enfoque científico y académico de las culturas lo encontramos en los antropólogos llamados evolucionistas, sobre todo en Lewis Henry Morgan (1818-1881) y Edward Burnett Tylor (1832-1917). Este último es considerado como el fundador del método comparativo. La corriente evolucionista, que abarca a numerosos autores del siglo XIX, pretende establecer, mediante el empleo del método comparativo, secuencias evolutivas fijas —y en la mayoría de casos unilineales— por las que han ido pasando obligatoriamente las distintas culturas y sociedades hasta la actualidad. Como ha señalado Cuche (1996: 16-17), el evolucionismo tiene una «concepción universalista de la cultura». No existe una diferencia entre los seres humanos en términos de naturaleza, pero sí hay un grado distinto de avance en cuanto a cultura. En este sentido tenemos la secuencia establecida por Morgan que determina como fases obligatorias de la evolución cultural las siguientes: salvajismo, barbarie y civilización.

Sabemos que el pensamiento evolucionista en la antropología cultural y el predominio del método comparativo en esta corriente proceden de una clara influencia de los estudios arqueológicos, la lingüística comparativa y la biología evolucionista de Lamark-Darwin (Malinowski 1970: 10 ss, 22; Harris 1979: 156). Pero el evolucionismo antropológico dispuso de fuentes defectuosas, apenas realizó trabajos de campo, y como consecuencia de ello, sus generalizaciones y leyes evolutivas resultaron falsas o ridículas, cosa que los posteriores antropólogos (por ejemplo, Boas) emplearon en su contra.

Las doctrinas evolucionistas ofrecieron el primer tratamiento científico de fenómenos como el parentesco, el totemismo y el animismo. Sin embargo, estos estudios resultaron ser enormemente eurocentristas. Los evolucionistas solían creer que una enorme distancia evolutiva separaba la civilización que ellos disfrutaban de los salvajes y bárbaros, de ahí la justificación que ofrecían a las empresas coloniales. Sir James Frazer incluso legitimó esta evolución en términos religiosos en *La Rama Dorada* (Harris 1982: 179).

El evolucionismo se convirtió en credo antropológico en la antigua URSS, y fue también revitalizado por algunos antropólogos americanos, como A. Lesser y L. White, de un modo que Malinowski (1970: 23) calificó de «más racional». En la actualidad el «materialismo cultural» (Harris 1979) ha continuado el programa evolucionista de búsqueda de leyes y regularidades históricas, pero evitando tanto el eurocentrismo como el racismo e incluyendo el materialismo (en parte de origen marxiano), elemento este último ausente en el evolucionismo antropológico clásico.

B) *La aportación del pensamiento marxista*

La contribución a la antropología cultural del marxismo (Harris 1979: 214 ss) no reside tanto en aportar nuevos estudios sobre sociedades preestatales (en ello son deudores, sobre todo Engels, de los estudios de Morgan) como en aportar un nuevo método de estudio de todo tipo de sociedades y culturas: el materialismo histórico.

El materialismo histórico tiene como base la idea de producción social del ser humano. Lo propio del ser humano, a diferencia de otras especies, reside en producir socialmente sus propios medios de subsistencia, individual o colectiva. En este sentido la sociedad humana se levanta sobre la base de la economía, la infraestructura económica. La estructura social y política y la superestructura ideológica dependen en último extremo de cómo esté constituida la base económica.

Influido en parte por el historicismo hegeliano y en parte por el evolucionismo antropológico, el materialismo histórico comporta una doctrina evolutiva de las fases históricas o la sucesión de los distintos modos de producción (antiguo, asiático, esclavista, feudal...) que en definitiva es un modelo de evolución de la cultura[8]. En este sentido fue objeto de posteriores críticas de la antropología boasiana y funcionalista,

---

[8]　　Harris (1979: 196 ss) defiende que el evolucionismo de Marx es multilineal.

pues la distribución evolutiva supone la asunción del método comparativo. El marxismo, en sus diversos teóricos, ha oscilado entre situar la cultura en la superestructura o en el conjunto de la estructuración social. Así por ejemplo, el «materialismo cultural» (Harris 1979) considera la totalidad de los tres sistemas (base, estructura y superestructura) como componente de la cultura.

C) El particularismo histórico de Franz Boas

Podemos considerar la antropología cultural de Franz Boas (1858-1942) como una reacción a los excesos del evolucionismo antropológico y a los abusos del método comparativo realizados por algunos antropólogos. Esta posición se origina por la influencia del movimiento neo-kantiano, de Windelband y Rickert, y también de Wilhelm Dilthey en el Boas (Harris 1979: 232 ss). Puede decirse en este sentido que existe cierto paralelismo entre Franz Boas en antropología cultural y Max Weber en la sociología de la cultura, y no únicamente en términos de las posiciones epistemológicas en gran medida compartidas por ambos (como es sabido Weber recibió también las influencias del neo-kantismo y del historicismo), sino también por lo que respecta a su papel fundacional de una buena parte de la antropología cultural y de la sociología de la cultura respectivamente.

Al comienzo de su obra antropológica, Boas no renunció al proyecto de establecer generalizaciones y leyes de la evolución cultural, pero exigió que todo ello fuese fruto de un cuidadoso y concienzudo trabajo de campo. Como ha señalado Cuche (1996: 18), Boas puede ser llamado el inventor de la etnografía. Por este motivo Boas criticó el uso indiscriminado del método comparativo y propuso la noción de evolución convergente de las culturas: las culturas pueden llegar al mismo resultado, partiendo de distintas situaciones de origen; la igualdad de los resultados culturales no garantiza ningún tipo de evolución en paralelo. En este sentido Boas desestimó el empleo del método comparativo como método primero de la antropología y propuso sustituirlo por un método histórico en el que lo particular, lo idiográfico, no quedase sepultado por rápidas generalizaciones, la búsqueda de leyes o investigación nomotética.

La relevancia dada al método histórico y a lo peculiar y distintivo de las culturas ha hecho que la corriente iniciada por Boas reciba el título de «particularismo histórico» en el estudio de las culturas. El énfasis en el estudio de lo particular y en el trabajo de campo fue, al comienzo de la obra antropológica de Boas, un correctivo para las especulaciones evolucionistas, pero, finalmente, constituyó una posición firme de rechazo de todo tipo de generalización intercultural —muy en la línea de la concepción alemana contemporánea de las *Geisteswissenschaften* frente a las *Naturwissenschaften* (Ciencias del Espíritu-Ciencias de la Naturaleza)—. Según Lévi-Strauss (1996: 127 ss), Boas intenta «determinar los procesos psíquicos que permitieron a cada pueblo realizar una síntesis original». Boas concibe cada cultura como un conjunto complejo de rasgos culturales que interactúan contingentemente en cada lugar y del cual puede encontrarse una unidad. Así rechaza cualquier materialismo que haga depender el conjunto de la cultura de cierta base económica, y propone considerar la dominancia de un rasgo u otro según la cultura concreta.

Boas ha sido criticado por antropólogos posteriores (principalmente White) a causa de la enorme dispersión de datos ofrecida y la fobia a cualquier generalización. Pero, como ha señalado Lévy-Strauss (1996: 129): «Siguiendo a L. White (1963), se ha hecho habitual reprochar a Boas una falta de espíritu de sistema, una antipatía por las generalizaciones, un sentido crítico hipertrofiado. Su obra titánica merece ser tratada con más respeto. Sobre todo, los críticos no reconocen la originalidad y la fecundidad de un pensamiento del que, cuando alcanzó su cumbre, surgió toda la antropología americana».

D) Cultura y personalidad: El configuracionismo de Ruth Benedict. La aportación freudiana

El antimaterialismo boasiano tuvo como consecuencia un claro mentalismo en la explicación de la naturaleza de la cultura. Además, el hecho de que pudieran producirse series evolutivas convergentes en las culturas alentó en Boas y sus discípulos el desarrollo de teorías sobre la cultura que vinculaban estrechamente cultura y personalidad, esto es que concebían la cultura de una determinada sociedad como un producto mental en el que destacan ciertos rasgos de personalidad. Tal es el caso de Ruth Benedict, que en su obra *Patterns of culture* (1934) («Patrones/ pautas de la cultura»), propuso entender diferentes culturas según los rasgos dominantes de culturas dionisiacas y apolíneas (Devos 1981: 10-11). Desde el punto de vista de Benedict cada cultura tiende a configurarse en torno a rasgos o pautas dominantes, imprimiendo así al conjunto de las instituciones sociales una cierta personalidad. Por ello esta forma de entender la cultura recibe el titulo de configuracionista.

El configuracionismo tuvo otra importante representante en la antropóloga Margaret Mead, estudiosa como es sabido de las relaciones entre la cultura y la adolescencia, con especial referencia a la sexualidad. Esta autora concluyó que la naturaleza humana estaba moldeada en formas que dependían de cada cultura particular (Devos 1981: 11). Mead ha desarrollado por otra parte una antropología que establece un diálogo con la sociología a través del estudio de una variedad de temas donde se entrelazan ambas disciplinas, como en el caso de las instituciones, en *Cómo piensan las instituciones* (1996), o de la educación y la cultura, a través de su colaboración con Basil Bernstein. Por otra parte, con Mead el configuracionismo escapa definitivamente a los riesgos de un sustancialismo cultural (o «culturalismo»). Como ha señalado Cuche (1996: 41), Mead ha insistido en que la cultura es una abstracción conceptual y que son los propios individuos los que crean, transmiten y transforman la cultura: los individuos son la cultura.

Si bien R. Benedict y M. Mead establecieron estrechos lazos entre la personalidad de los individuos y la cultura a la que pertenecían, ignoraron o desestimaron la aportación de Freud (Devos 1981: 12). En gran parte el evolucionismo, materialismo y determinismo freudianos chocaban con el programa mentalista boasiano. Freud[9] no cree que la cultura determine íntegramente el carácter o la personalidad humana. Considera que hay impulsos previos a la cultura (y conflictivos), a los que denomina Eros y Thanatos, impulso a la unión e integración e impulso a la disgregación y dispersión, con los que la cultura tiene que vérselas y que son universales y preculturales.

Freud, en su obra *El malestar en la Cultura* (1930), concibe la cultura como un instrumento al servicio de impulsos eróticos y de las necesidades biológicas y, en este sentido, como instrumento al servicio de las pulsiones de vida. Los impulsos destructivos son los elementos que la cultura trata de domeñar en su labor civilizadora, esto supone una carga de represión en los individuos de los impulsos antisociales que a duras penas pueden soportar y que engendran un claro malestar. La visión de la historia de esta lucha —cultura versus impulsos destructivos— por parte de Freud no es muy optimista, aunque espere el predominio de la primera.

---

9   La aportación de Freud se explica con más detalle en un capítulo posterior.

Finalmente un tema freudiano que ha ocupado muchas páginas de la antropología cultural es el relativo a la universalidad del Complejo de Edipo, vinculado con el tabú del incesto y el totemismo. Este es el tema central de *Totem y tabú*, que presenta una clara influencia del evolucionismo de Tylor, de Frazer y de Robertson-Smith.

E) El difusionismo cultural

Otro de los derivados del legado boasiano es, al menos en EEUU, el difusionismo. En EEUU Kroeber empleó la noción de difusión para explicar las semejanzas culturales, de diferentes rasgos o complejos de rasgos, sin recurrir al evolucionismo que postula evoluciones paralelas (Harris 1979: 276 ss). Sin embargo, con anterioridad al difusionismo americano, podemos encontrar difusionistas en Europa (Malinowski 1970: 37-40; Harris 1979: 328 ss), como William James Perry (1887-1949) y Grafton Elliot Smith (1871-1937). Estos antropólogos estaban empeñados en demostrar que la mayor parte de los elementos civilizadores se dieron originariamente en Egipto y luego se difundieron. En Alemania F. Graebner (1877-1934) y Wilhelm Schmidt (1864-1954) también defendieron el difusionismo y supusieron que las culturas procedían de determinados círculos culturales escasos y se difundieron posteriormente, trasladando complejos de rasgos. Schmidt, sacerdote católico, trató de usar el difusionismo para defender que la primitiva idea de Dios era la más pura y antigua y que, luego, el proceso de difusión produjo su degeneración.

F) El funcionalismo británico: Malinowsky, Radcliffe Brown

La escuela británica denominada «funcionalismo» tiene como representantes más relevantes a Bronislaw Kaspar Malinowski (1884-1942) y a A. R. Radcliffe Brown (1881 -1955). En ambos podemos encontrar la clara influencia del sociólogo francés E. Durkheim. Puede simplificarse aquí la aportación de Durkheim[10], en términos del funcionalismo, diciendo que destacó la objetividad de los hechos sociales (y los hechos culturales) y concibió el conjunto de la sociedad como un organismo en el que las diferentes instituciones desempeñaban distintas funciones y

---

[10]   No incluyo aquí detalles sobre la escuela durkheiniana, tan importante para la antropología, la cual será explicada después en su capítulo correspondiente.

que modela a los individuos según el imperativo de integración y estabilidad social.

Malinowski (1970: 74 ss) entendió de forma semejante la cultura, como un todo funcional en el que cada civilización, costumbre y objeto, cumplía su misión. Malinowski es conocido por sus interesantes estudios sobre el intercambio de dones en el Pacífico oriental, un intercambio puramente simbólico gracias al cual se mantenía otros lazos sociales fundamentales. Malinowski (1970: 41) intentó fundamentar una teoría científica de la cultura; por este motivo fue muy crítico con el difusionismo, al cual achacaba que aislaba rasgos culturales sin criterios científicos precisos, en vez de observar las relaciones o formas de la cultura que hay realmente en la acción. Por lo que respecta a Radcliffe Brown, podemos ver que en su concepto de cultura predominan a tal punto la integración funcional que llega a concebirla claramente como una estructura orgánica, independiente de las necesidades de los individuos, en claro contraste con Malinowski que juzga que la cultura se encuentra al servicio de estas necesidades (Harris 1979: 445 ss).

El trabajo de Radcliffe Brown encuentra una continuación en Lucy Mair. Esta autora (Mair 1970: 16) clarifica las diferencias entre la antropología cultural y la antropología social al señalar que por detrás existe una alianza intelectual entre la tradición durkheimiana y la escuela funcionalista inglesa: «Unos cuantos antropólogos de Gran Bretaña y muchos norteamericanos se denominan a sí mismos antropólogos culturales y afirman que su interés principal reside en la cultura. Estos científicos se hallan en línea de descendencia directa de Tylor y Boas. Los que se autodenominan estudiosos de la sociedad son los descendientes intelectuales de Durkheim y Radcliffe-Brown». Esta explicación de Mair nos ayuda a comprender la importancia de esta conexión (entre la antropología inglesa y la obra de Durkheim) para explicar la génesis y las peculiaridades de la variante sociológica del funcionalismo estructural (y de su concepto de cultura) en la obra de Talcott Parsons.

G) *El estructuralismo francés: Levi-Strauss*

Como el propio Levi-Strauss (1965: 59 ss) reconoce, las influencias fundamentales que determinan su posición antropológica son la lingüística estructural (Saussure), Marx, Freud y, además, la ciencia de la geología. Estas aportaciones confluyen en la convicción de que son las estructuras inconscientes subyacentes las que determinan la conducta humana, y estas estructuras, siguiendo la lingüística, son códigos que permiten el intercambio de mensajes entre los individuos. No obstante, la tradición antropológica y sociológica francesa se encuentra también en la raíz del trabajo de este antropólogo. Levi-Strauss interpreta esta tradición de Comte, E. Durkheim y H. Mauss (Dosse 1991: 30-32) en la dirección específica anterior, y así concibe la sociedad fundamentalmente como un sistema de intercambio (de mujeres, de bienes, de palabras) regido por códigos simbólicos, que constituyen la cultura común de los grupos.

La corriente de pensamiento antropológico iniciada por Levi-Strauss recibe la denominación de «estructuralista» debido a que los códigos simbólicos inconscientes se encuentran estructurados de forma semejante al lenguaje, y determinan las posiciones de individuos y grupos en el conjunto de la sociedad, esto es, determinan la estructura social. Dicho en otros términos: la estructura universal de la mente humana determina la estructura de la sociedad. Son fundamentales las investigaciones realizadas por Levi-Strauss sobre los sistemas de parentesco en *Estructuras elementales del parentesco*, las clasificaciones de pueblos ágrafos en *El pensamiento salvaje* y de los mitos en *Mitológicas* (Dosse 1991: 27 ss).

H) Etnociencia y antropología simbólica

En clara concordancia con las posiciones de Levi-Strauss podemos encontrar las corrientes denominadas Etnociencia, con representantes como Berlin, Kay, Conklin, etc, y la Antropología Simbólica, con autores como Clifford Geertz, David Schneider, Víctor Turner (todos ellos en EEUU).

Según los primeros el cometido fundamental del etnólogo es describir pacientemente los códigos, las gramáticas culturales propias de cada pueblo en la confianza de alcanzar a descubrir las operaciones mentales básicas del psiquismo humano. Los segundos conciben las culturas como sistemas de símbolos y significados compartidos, aunque difieren en la forma de concebir la noción de símbolo. Entre estos últimos, cabe destacar la teoría interpretativa de la cultura de Geertz (1987) y los nuevos conceptos de Turner (como el de «liminalidad»), que están ejerciendo una gran influencia hoy en día también en la sociología de la cultura.

I) *El materialismo cultural: White, Steward y Harris*

Una importante corriente antropológica de nuestro siglo mantiene puntos de vista que fueron aparentemente superados a partir del enfoque de Boas, y reivindica el evolucionismo cultural, el determinismo cultural y el materialismo. Tal es el caso de Leslie White (1900-1974), Julian Steward (1902-1972) y Marvin Harris. La evolución del «materialismo cultural» (Harris 1987: 549-596) puede resumirse atendiendo a las aportaciones principales de estos autores.

Leslie White trató de establecer una doctrina de la evolución cultural diferente de las de Taylor y Morgan. Según White, la cultura avanza incrementando el montante de energía per cápita o mediante el incremento de la eficacia, de la economía y el control de la energía o según ambas cosas. White concibe la cultura como una realidad especial, diferente de lo biológico y físico, compuesta por rasgos que se podrían agrupar en los componentes ideológicos, sociológicos, actitudinales y técnicos. Según White los rasgos técnicos determinan la organización social. Su forma de entender la relación de la cultura y el individuo es determinista.

Julian Steward es el gran teórico de la ecología cultural; esto es, de las formas en que el individuo o grupos se adaptan al entorno. Para Steward, a diferencia de anteriores antropólogos, el entorno es factor de creatividad cultural, ya que sus desafectos ejercen una clara presión selectiva sobre las formas culturales. Steward concibe en la cultura un núcleo compuesto por los rasgos vinculados con la actividad económica y de subsistencia y motivos secundarios destinados a mantener la conexión de estos dispositivos. Los factores secundarios son: las pautas sociales, políticas y religiosas.

Marvin Harris propugna transformar la antropología en una ciencia natural que estudie las leyes evolutivas de la cultura humana. Según Harris, en ésto muy influido por el pensamiento marxista, la cultura puede concebirse según tres niveles: infraestructura, (sistemas de producción y reproducción), estructura (económica, política y doméstica), y superestructura conductual (arte, religión, etc). De estos tres niveles, la base, infraestructura técnico-económica, es la que determina las formaciones culturales; dicho en otros términos, Harris concede prioridad en el estudio de una cultura y de su evolución a los factores demográficos, tecnológicos y ambientales.

4. SOCIOLOGÍA DE LA CULTURA: PARADIGMAS PRINCIPALES

Los orígenes de la aproximación científica al concepto de cultura realizada desde la sociología hay que buscarlos en el debate, anteriormente explicado, entre «civilización» y «cultura». Como ha señalado Picó (1999: 45,48) la reflexión kantiana sobre la contraposición de ambos términos supone un largo periodo de gestación que abarca todo el siglo XVIII. Por otra parte, se ha producido una gran transformación de instituciones y valores en Europa que produce un cambio en el *cultus vitae*, el cual pierde progresivamente sus dimensiones religiosas y folk a favor de ideales y valores que suponen un patrimonio objetivo y universal.

La discrepancia en este debate se origina a propósito del formalismo con el que la Ilustración comprende la nueva naturaleza objetiva de la cultura, del *cultus vitae*. En contraposición, como señalé anteriormente, en Alemania se desarrolla el concepto de «espíritu» que recoge el sentido de cultura en su dimensión vital e histórica como producto objetivo acumulado (espíritu objetivo) generado por la actividad subjetiva (espíritu subjetivo).

Las primeras aportaciones de la sociología de la cultura se sitúan en el contexto de este debate subyacente y surgen a partir del concepto hegeliano de «espíritu». A partir de esta idea hegeliana de espíritu, surge la tradición hegeliano-marxista en sociología de la cultura que pasa por Mannheim y la Escuela de Frankfurt, y se diversifica hoy en una variedad de escuelas y autores. El uso de los conceptos de espíritu subjetivo y objetivo llega incluso (filtrado a través de otros autores) hasta *La Construcción Social de la Realidad* de Berger y Luckmann. A continuación otras escuelas y tradiciones sociológicas ponen el énfasis en otros aspectos relacionados con la cultura, como las normas y valores (neo-kantismo: Max Weber, Durkheim, Parsons), la vida y el «mundo de la vida» (fenomenología y hermenéutica).

En los apartados siguientes me referiré a estas formas de comprender la sociología de la cultura. En la parte final realizaré una propuesta constructiva, inspirada en la sociología de la cultura de Mannheim, que propone un modo de atender los problemas de la sociología de la cultura en relación con la sociología del conocimiento.

A) «Espíritu objetivo»: La tradición hegeliano-marxista de sociología de la cultura

En Marx encontramos una peculiar síntesis de la tradición ilustrada y de la tradición alemana del «espíritu». La primera se hace sentir en su evolucionismo y en la crítica de las ideologías, mientras que la segunda (a pesar de la forma materialista, invertida, del espíritu) preside el modo en que se produce la evolución histórica: el proletariado asume, como macrosujeto, el papel evolutivo que en Hegel tenía el espíritu. Como producto de la inversión materialista, la cultura forma parte de la superestructura ideológica y depende de la base material sobre la que se asienta la transformación social.

Ahora bien, tanto en Marx como en Hegel (véase el capítulo central, «La Sociedad Civil», de *La Filosofía del Derecho*)[11], la cultura expresa el «desgarro» generado por la ruptura que supone el desarrollo de la modernidad capitalista. Esta ruptura lleva aparejada una serie de antinomias y ambivalencias culturales que se derivan de la oposición (que Marx resume en *La Cuestión Judía*) entre una promesa ambigua de libertad que es falsa por ser formal (política) y no alcanzar la emancipación humana (libre desarrollo del ser social del hombre) y, por otra parte, una pretensión de seguridad y de control de la población, realizado mediante el ejercicio de la administración (policía en sentido clásico), que garantiza el funcionamiento de los mecanismos de explotación. De aquí que, en la tradición hegeliano-marxista, la cultura se caracterice frecuentemente en términos antinómicos que se expresan mediante énfasis diversos: en el poder, como «libertad y disciplina» (M. Foucault, Peter Wagner); en toda la amplitud vital y existencial, como «seducciones y desengaños» (Josep Picó); y en general, como la luz de la razón, en «la tierra enteramente iluminada resplandece bajo el signo de una triunfal desventura» (Adorno y Horkheimer).

La mejor exposición de este conjunto de ambivalencias y antinomias culturales de la modernidad sigue siendo la *Dialéctica de la Ilustración*,

---

11 Como ha señalado Rodríguez Ibáñez (1998: 13) en esta obra de Hegel se encuentran acuñados los problemas esenciales de la modernidad social, en el ámbito de la dialéctica entre la sociedad civil y el estado. Además Hegel insiste en la paradoja fundamental de la libertad formal versus el control policial y la aparición de la plebe. En ese contexto, y en relación con el «sistema de las necesidades», analiza la moda, el confort y otros hábitos culturales y de consumo.

un texto en el que Adorno y Horkheimer traducen los conceptos básicos de Hegel en términos sociológicos mediante la teoría de la racionalidad instrumental de Max Weber (leída a través de Nietzche) e interpretan las dimensiones culturales del espíritu objetivo desde el concepto psicoanalítico de cultura. Rodríguez Ibáñez (1998: 10), a propósito de la obra de Adorno y Horkheimer, señala la situación paradójica de la cultura ilustrada, pues estos autores alemanes mostraron cómo la obsesión ilustrada por prever en fórmulas, esquemas o códigos el conjunto de la realidad, termina volviéndose contraproducente, encorsetando a esta última —la realidad—, en las predefiniciones de las primeras —las fórmulas—, con lo cual la razón se aleja del diálogo crítico con los objetos de conocimiento, que sería lo que la debería caracterizar, para convertirse en cláusula de estilo legitimadora de la simple evolución espontánea de los acontecimientos.

Las antinomias culturales de la modernidad se expresan, sin embargo, a través de nuevos hechos e instituciones sociales, creando nuevas formas de crisis (precariedad laboral, riesgo, etc.) que quizá estén acompañadas, utilizando la expresión de Rodríguez Ibáñez (1998: 4), de un «nuevo malestar en la cultura». En cualquier caso, el diagnóstico de la Escuela de Frankfurt presuponía la misma modernidad única, homogénea, e imperial que criticaba (Costa 2001c: 261). El análisis de las antinomias culturales, en las nuevas condiciones de crisis y en una diversidad de sociedades, debe conciliar lo universal y lo local, reconociendo una pluralidad de modos de realizar la experiencia moderna, pues, como señala Rodríguez Ibáñez (1998: 137) citando a Inkeles: «la opción que nos queda no es elegir entre modernismo y tradicionalismo, sino entre una u otra modalidad de modernismo».

Estas dificultades de la teoría crítica para observar y teorizar una diversidad de «modernidades» nos advierten quizá de algunas dificultades insertas en sus conceptos hegelianos de partida. Pero no es este el lugar para explorar si el nivel de versatilidad del concepto hegeliano de espíritu es suficiente para dar cuenta de la particularidad de una variedad de culturas. Sospecho que no.

El movimiento entre el espíritu subjetivo y el espíritu objetivo se encuentra también presente, aunque de un modo más matizado, en Berger y Luckman (1967: 73 ss), cuando analizan la naturaleza de los productos sociales de la externalización humana. Los autores reconocen la herencia hegeliano-marxista en la Introducción y nota a pie de página (1967: 73), aunque señalan que su consideración del fundamento biológico de la externalización y su relación con las instituciones procede de

Gehlen. Por otra parte, la explicación dialéctica del proceso de objetivación e internalización, pese a realizarse fundamentalmente mediante las ideas de Mead y Durkheim, conserva la reminiscencia de la dialéctica hegeliana entre el espíritu objetivo y subjetivo.

El concepto de *geist* está también dentro de la sociología del conocimiento y de la cultura de Karl Mannheim, el cual continuó la tradición marxista de expurgar primero a Hegel para seleccionar después. La cuestión crucial para comprender el sentido de la cultura de Mannheim es que la palabra cultura se vincula a otro término alemán, *geist* o «espíritu». Señala Mannheim que hay que partir de Hegel y de su concepto de *geist* o espíritu, dando varias razones para ello. Las más importantes son dos: 1) la noción de espíritu o *geist* de Hegel, de espíritu objetivo, supone que hay una comprensión colectiva y potencialmente sociológica de lo que es el ámbito de las ideas, de los símbolos, de los significados, y eso Hegel lo detectó; 2) Hegel proporciona además un modelo para una observación estructural de la sociedad. Ahora bien, en Hegel existen elementos que Mannhein va a rechazar porque hay una dimensión de inmanentismo de las ideas y del mismo espíritu con la que no está de acuerdo. A continuación explicaré este proceso de selección y segregación que Mannheim realiza respecto a Hegel.

Existen unas características colectivas en el concepto hegeliano de espíritu que Mannheim va a intentar deducir sociológicamente. Para eso va a hacer, en primer lugar, una explicación histórica del concepto de espíritu. No obstante, señala que en la historia de dicho término, y esto persiste en el mismo Hegel, hay una dualidad de significados mezclados dentro de la propia palabra. Por una parte, significa *kultur*, cultura, entendida como una herencia objetivada y socialmente compartida de ideas, de símbolos, de significados. Pero, por otra parte, el término *geist* implica algo más, que es muy viejo en la tradición alemana: una experiencia religiosa intensa de éxtasis que procede de la religión primitiva alemana. Así, se está sobrecargando de ambivalencias la palabra *geist*, que se traduce como cultura pero que a la vez incluye otra significación procedente de una ontología religiosa primitiva.

Mannheim procede a clarificar primero esta significación de la experiencia religiosa de espíritu. Esta experiencia, que en la tradición religiosa alemana más ancestral es una experiencia religiosa compartida, luego va a pasar a tener una interpretación subjetiva con el protestantismo, que individualiza la experiencia. Primero hay una metafísica primitiva de geist, donde espíritu significa aliento, fundamento de la vida, como una interpretación animista basada en la magia. El segundo paso consiste en que el espíritu se sustantialice y se autonomice: lo que es una percepción sensible compartida de un éxtasis religioso acaba derivando en un mundo de esencias y se convierte en el espíritu en sí, bien en el individual en la versión luterana y protestante, o bien en el espíritu colectivo en términos de Hegel. Lo que hace Hegel es recuperar la dimensión antigua colectiva de espíritu como éxtasis religioso compartido, y mezclarla con la significación de espíritu como cultura, como patrimonio acumulado y como un estado en el que se comparte una herencia objetivada.

Pero esta idea de espíritu no es exclusiva de Hegel. Los clásicos y románticos alemanes sostienen esa interpretación ambivalente de espíritu y la «devuelven» contra los ilustrados porque éstos entienden la cultura únicamente como razón abstracta, formal. Los románticos afirman que hay una razón más amplia en el espíritu, que además tiene características de acción: es volitivo, es afectivo, es vida, nos guía, nos lleva. Esta razón más amplia, que se identifica con el espíritu, es la misma idea de Hegel del espíritu absoluto, que es una razón absoluta, mucho más amplia que la razón formalista de los ilustrados porque tiene un contenido vital e histórico. En Hegel tenemos una combinación de esas dos dimensiones: 1) herencia objetiva compartida, que es la cultura y 2) el éxtasis religioso primitivo compartido, ahora transformado en una superrazón muy amplia que se le llama espíritu absoluto y que posee vida, tiene acción, se mueve históricamente de modo unilineal como macrosujeto.

Lo que hará Mannheim es eliminar el componente religioso autosubsistente de la religiosidad del geist y quedarse únicamente con su significación sociológica: a través de experiencias sociales compartidas y de unas circunstancias históricas se generan unos productos, que se objetivizan y que son compartidos por la gente, a los que llamamos cultura. Por eso Mannheim sigue hablando de sociología del espíritu como sinónimo de la sociología de la cultura; ahora bien, ha de entenderse que el espíritu ya lo ha recortado, y le ha eliminado su dimensión primitiva religiosa. Mannheim está especialmente interesado en conservar la idea de Hegel de que tanto los significados objetivos, como los símbolos y las obras, tienen un previo marco social de origen, de génesis, del cual no se pueden separar.

Para entender la sociología de la cultura de Mannheim es importante explicar la diferencia entre espíritu subjetivo y espíritu objetivo. Cuando conocemos algo, en la actividad de conocer, se puede distinguir entre lo que es el propio proceso de conocer y aquello conocido; existen actos entre las personas y, por otra parte, surgen los resultados de tal actividad. El espíritu subjetivo se asocia con los actos y el proceso de conocer; el espíritu objetivo tiene que ver con el resultado de ese proceso y de esos actos, siendo un producto objetivado, históricamente acumulado y compartido colectivamente. El concepto de cultura se origina a partir del espíritu objetivo. Los significados proceden de los actos concretos de conocimiento de las personas, pero después pasan a independizarse de estos actos concretos para ser algo de todos, de un colectivo. Al vincularnos con los otros y con las cosas objetivamos la realidad: elaboramos pensamientos, emociones, estados de ánimo y otros filtros de salida de nuestra experiencia individual mediante un impulso para objetivar significados. Ese impulso, que es un impulso social porque tiene que ver con nuestro vínculo con los otros, nos presiona a elaborar, a darle salida a esas experiencias individuales, teniendo como consecuencia una serie de productos objetivados que nos trascienden. Estos productos salen ya del marco más restringido de la experiencia de un individuo interactuando con otro, y así los significados se han hecho de todos, trascienden ya lo que es el proceso del que partieron (de conocer, de expresar una emoción, etc.) y se hacen inteligibles para los otros en general, para una determinada sociedad.

B) Sociología neokantiana de la cultura: valores y normas sociales

La aproximación a la cultura realizada por la ciencia social de Weber y Durkheim tiene su fundamento en la tercera generación de críticos de Kant: Bernard Bolzano (1781-1848) y principalmente Rudolf Hermann Lotze, quienes intentaron suplementar la filosofía de Kant con elementos procedentes de la metafísica de Leibniz y de Platón. En particular, los trabajos de Lotze se tradujeron al inglés, formaron parte de libros de texto en las universidades e influyeron en autores de ambas partes del Atlántico. En Alemania, las nociones de Lotze de «validez» y de «valores» constituyeron los pilares fundamentales de las escuelas neo-kantianas de Marburgo y de Heidelberg (Rose 1981: 5-6).

Para Lotze la «validez» y los «valores» eran esferas «últimas» y «separadas». Rickert interpreta, no obstante, los valores como disponiendo de una «fuerza» prescriptiva e inderivable, *sui géneris*, que confiere criterio para la validez. La «validez» depende así de los valores. Max Weber desarrolló su sociología de la cultura a partir de esta posición. Durkheim, por su parte, fue discípulo de los principales representantes franceses del neo-kantismo alemán (Renouvier, Boutroux, Hamelin, Brunschwig), principalmente de la escuela de Marburgo. En esta tradición neo-kantiana ocurre lo contrario: los valores dependen de condiciones válidas de hecho, que son *sui géneris* y que generan los criterios de validez de que gozan las normas y valores. De aquí que Durkheim diera prioridad a la sociedad, como realidad sui géneris que genera las condiciones de posibilidad de los valores y categorías. De este modo la sociedad es el origen de la posibilidad de validez para los juicios y genera una fuerza moral que aparece en las instituciones, en las normas sociales y en los valores (Rose 1981: 6-21).

En resumen, según Rose (1981: 21), «para Weber, la creencia subjetiva (valor) constituye la validez; para Durkheim es la validez de un «ser social» lo que confiere a las normas un poder coercitivo o sanción... Durkheim produjo una sociología empírica de valores (hechos morales) y Weber produjo una sociología «empírica» de valideces (órdenes legítimos)». La sociología de la cultura de los «Padres fundadores de la Sociología» se desarrolla así dentro de los límites del neo-kantismo, aunque a mi entender (y en esto me distancio de Rose) esto está mucho más claro en el caso de Weber que en el de Durkheim, el cual como es sabido recibió otras influencias (ajenas a la tercera generación del neo-kantismo) procedentes de la escuela económica alemana de las totalidades y del pragmatismo. De aquí que, como concede Rose (1981: 22), Durkheim ensayara ya el tipo de metacrítica para las categorías *a priori* kantianas que desarrollaron Dilthey, Mannheim, Heidegger y Gadamer.

A partir de Weber y de Durkheim, la sociología de la cultura de Parsons va a encontrar en los valores y en las normas su eje de gravedad. A pesar de que Parsons distingue sus «tipos ideales» como «tipos ficticios» y de que bautiza su posición mediante la expresión «realismo analítico», su sociología de la cultura nunca pierde este énfasis en lo evaluativo y normativo.

La tradición sociológica académica predominante ha estado, por tanto, centrándose especialmente en los aspectos evaluativos, morales y regulativos de la cultura. Otros aspectos, como lo simbólico o las categorías, se suelen comprender en gran medida como dependientes asociados a la dimensión normativa. En este contexto, es esencial la metacrítica histórica de Mannheim a los conceptos de valor y de validez del neo-kantismo en su tesis doctoral (*Análisis estructural de la Epistemología*, 1922). A partir de aquí Mannheim desarrolla una ontología de la existencia social, expuesta en *Ideología y Utopía* y en su sociología de la cultura, que como he explicado antes, se inspira de nuevo en el concepto de espíritu de Hegel.

Pero, como anteriormente señalé, otros autores (principalmente Dilthey, Heidegger y Gadamer) acompañan a Mannheim en la realización de una metacrítica de los conceptos neokantianos que han inspirado una buena parte de la sociología académica dominante.

C) Vida, existencia mundana e historia en la sociología de la cultura

El tercer paradigma que ha dominado la sociología de la cultura parte de un distanciamiento de las posiciones kantianas y neo-kantianas. El neo-kantismo, no obstante, había corregido una parte del formalismo kantiano al postular las esferas de valor; estos valores podrían incluso interpretarse en términos nietzscheanos, como fue el caso de Weber. Pero la sociología académica de la cultura no se había enfrentado aún a la cuestión central de Dilthey (1997): al hecho de que el ser humano existe en un mundo y de que tiene una concepción del mundo anclada en el sentido de historicidad radicado en la experiencia de la vida (Dilthey 1997: 40-49). De este modo Dilthey ponía otra vez en la órbita académica (y de un modo reunido) una serie de problemas que, unos u otros, habían sido discutidos por la primera hermenéutica de Scheleiermacher, por los representantes de la tradición histórica alemana (Hamman, Herder y Humboldt) y por los teóricos del «common sense». Y el testigo lo retoman tanto la fenomenología sociológica (Schütz, Berger y Luckman) como la hermenéutica de Heidegger y de Gadamer[12].

Como señalé en el capítulo 1, esta perspectiva se plasma en dos conceptos de mundo distintos: uno más social, generado por la fenomenología sociológica, y otro más existencial (más propiamente vital y mundano) producido por la hermenéutica. Me ocuparé de explicar con detalle estas escuelas más adelante, pero ahora es preciso anticipar brevemente las ideas principales de la hermenéutica que me van a servir para mi objetivo: reelaborar la propuesta de Mannheim para una

---

[12] Max Scheler y Karl Mannheim también abordan algunos de estos aspectos, como explicaré más adelante en los capítulos correspondientes de este trabajo. Además, entre los continuadores de la antropología filosófica de Scheler, A. Gehlen ha desarrollado más el concepto de «apertura al mundo» de Scheler.

sociología de la cultura (que resumo en la próxima sección) a partir de la ontología y teoría de la tradición de la hermenéutica.

Como veremos, Mannheim está de acuerdo con la hermenéutica en que el problema más importante en el ámbito de la cultura es el de la transmisión de la tradición. No obstante, plantea una ontología de la existencia social que no puede dar cuenta de la autonomía relativa de otros elementos del mundo (naturaleza, lo sagrado) que son fundamentales para comprender las tradiciones. En este sentido, la concepción del Mundo y de la realidad de la hermenéutica puede servir para expandir la propuesta mannheimiana de análisis sociológico de la cultura.

La fenomenología hermenéutica da un lugar prominente a conceptos que juegan un papel importante en la comprensión de las tradiciones. Algunos de estos son tradición, memoria, festividad, celebración, juego, arte y poética, lo sagrado, la comunidad, el cuidado y la cosa «común» (o «pública»). La tradición no es solamente un tema que se constituya como objeto de pensamiento o estudio, sino que es esencialmente una condición del sentido de historicidad, una base de la pre-comprensión y un fundamento para acceder al Mundo. La historicidad se origina en una experiencia vital y su modo de acceder a las cosas, de «abrirlas» y comprenderlas, en conjunción con otras actividades asociadas como el juego, el arte y la poética, constituyen un modo de estar en el Mundo que tiene precedencia sobre el lenguaje científico, tecnológico e «informacional». La precedencia de estas actividades en cuanto al «acceso», y «pre-interpretación», concuerda evidentemente con los presupuestos ontológicos, el modo en que la hermenéutica entiende la misma realidad constituyente del Mundo.

La ontología de la hermenéutica, su modo de comprender cómo están constituidos las cosas y los seres, está basada en una concepción particular del «Mundo» y de su composición denominada «Cuaternidad del Mundo» o, simplemente, la «Cuaternidad» o los «Cuatro» (Heidegger 1994: 131), que son: la comunidad humana, lo sagrado, y la naturaleza (el cielo y la tierra). De este modo, el Mundo no se deriva exclusivamente, ni está compuesto únicamente, de los seres humanos y de sus acciones. Otros tres elementos interactúan entre sí y con la comunidad humana a través de múltiples relaciones de reciprocidad: la tierra, el cielo (la naturaleza) y las divinidades (lo sagrado) ¿Cómo son esas relaciones de reciprocidad entre los cuatro elementos de la Cuaternidad?

Las nociones científicas de causa y de efecto son ajenas a las relaciones primordiales de los Cuatro. El juego y el baile, el arte y la poética, la fiesta y otras actividades no instrumentales, se asimilan a estas relaciones primordiales y pueden «orquestarlas» para la comunidad, hacerlas presentes. Esta idea del mundo es holista: cada uno de los Cuatro manifiesta a los otros tres en sí mismo, incluyendo la globalidad de sus relaciones mutuas. No me puedo extender aquí en este contexto en una detallada explicación de la ontología hermenéutica, pero es suficiente para situar al lector de cara a la propuesta, que plantearé después, de reelaboración de la sociología de la cultura de Mannheim.

Existe, además, una segunda línea de investigación que resulta útil para reelaborar esta propuesta de Mannheim. Me refiero a los trabajos antropológicos de Gehlen (1981, 1993) que han desarrollado el concepto de «apertura de mundo» creado originariamente por Max Scheler (1974). El ser humano nace en estado de pre-maturación y desamparo; no cuenta con el rico complejo de instintos de los animales. En contrapartida, tiene impulsos que han de encontrar una transformación, vía la ideación y el desarrollo institucional o a través de la descarga. La cultura (y las instituciones) constituyen guías y diques para esas pulsiones, que no admiten sin embargo una fácil contención. El planteamiento de Gehlen puede así ponerse en relación con la teoría de la cultura y de las pulsiones (Eros y Tanatos) de Freud.

Esta teoría de la cultura y de las pulsiones reconoce un mecanismo de sublimación e ideación que van más allá de las capacidades instrumentales del ser humano. En este sentido, interpretaré después el concepto específico de sociabilidad de Simmel (1971) como ámbito básico a través del cual se transmiten los aspectos fundamentales de ideación y sublimación, los impulsos de aproximación (eros) que contienen los grupos que sotienen las tradiciones. Dado que la sociabilidad puede reducirse a formas sociables de interacción (juego, humor, conversación, etc.) puede realizarse un análisis empírico del modo en que los grupos transmiten sus tradiciones en interacción con las instituciones. Este es, por otra parte, un modo de intentar resolver el problema esencial con que tropezará Max Scheler en su *Sociología del saber*: no puede especificar la relación entre una diversidad de impulsos y su transformación en mecanismos de ideación en grupos e instituciones.

5. SOCIABILIDAD Y TRADICIÓN: UNA RECONSTRUCCIÓN DE LA SOCIOLOGÍA DE LA CULTURA DE MANNHEIM

En esta sección explico, en primer lugar, los rasgos esenciales de la sociología de la cultura de Mannheim, que entendió la necesidad de abordar primero las formas de la transmisión de la tradición en relación con las formas básicas de asociación. En segundo lugar, presento un breve esbozo de una propuesta para desarrollar estas ideas de Mannheim mediante la inclusión de la teoría hermenéutica de la tradición y el concepto de sociabilidad de Simmel.

A) La sociología de la cultura de Mannheim

La concepción teórica en la que Mannheim (1962) fundamenta su sociología de la cultura, o sociología del espíritu (términos que en este autor son equivalentes), se encuentra contenida principalmente en la parte primera de sus *Ensayos de sociología de la cultura*, una parte que se titula «Hacia una sociología del espíritu». La mayor parte de los ensayos de este libro fueron escritos a comienzos de los años treinta, poco antes de que Mannheim emigrara a Inglaterra y poco después de que escribiera *Ideología y Utopía*.

La sociología de la cultura de Mannheim (1962: 48) es una continuación y complementación de su sociología del conocimiento, subordinándose en última instancia a ésta. La sociología de la cultura incluye las áreas de la filosofía, la moralidad, la legalidad, las artes y la religión (Manheim 1962: 30). Para elaborar el marco teórico de su sociología de la cultura, Mannheim va a acudir principalmente a la tradición filosófica y sociológica alemana, especialmente a la obra de Hegel y de Simmel.

La sociología de la cultura supone una compleja reelaboración sociológica del concepto hegeliano de *Geist* (Espíritu). Mannheim amputa la parte «transcendente» e «inmanente» del significado, procedente de un sentido religioso primitivo de la palabra que recorre la tradición alemana, para quedarse con el sentido de «espíritu objetivo» que enfatiza la dimensión cultural, como un legado de significados y símbolos objetivados socialmente e históricamente acumulados. Mannheim se inspira especialmente en tres ideas hegelianas que va a desarrollar sociológicamente. La primera es la comprensión de Hegel del carácter social compartido del significado y de los símbolos. La segunda es la estrategia hegeliana para encontrar correlaciones entre los significados que aparecen en su contexto social original de generación (espíritu subjetivo); estas correlaciones conducen a entender la trabazón social de los significados ya objetivados como «producto», a un nivel estructural más amplio como serie objetivada y socializada (espíritu objetivo). Esto presupone clarificar más una tercera idea: la distinción entre, por un lado, «espíritu subjetivo», asociado con el acto y proceso de generación y objetivación de conocimientos, emociones, símbolos, etc., y, por otro lado, el «espíritu objetivo», entendido como legado objetivo y ya exteriorizado, compartido como producto histórico acumulado[13].

Mannheim (1962) proporciona distintas definiciones de la sociología de la cultura, y en cada una de éstas suele remitirse, con mayor o menor generalidad, al estudio de uno o varios de los aspectos centrales de la cultura: procesos mentales, significado, ideas, símbolos, imágenes, obras. A continuación presento las definiciones principales que hace: «implicación existencial del espíritu» (p.18); «estudio de las funciones mentales en el contexto de la acción» (p.42); articulación del carácter social del proceso mental» (p.82); elaboración de «las dimensiones sociales del significado comunicado» (p.87); estudio de los «actos significativos y simbólicos» (p.92); «estudio sociológico de los actos simbólicos» (p.93); análisis de «las imágenes» y «las obras» (p.122). Estas formulaciones podrían reunirse en una sola que podemos crear para integrar estos distintos elementos de la cultura en una sola definición. La sociología de la cultura de Mannheim se entendería así como aquella ciencia que se ocupa de los procesos mentales, de las imágenes, las obras, los símbolos y, principalmente de los significados que se producen a partir de las formas de asociación originadas en la actividad (acción) de los grupos sociales.

Mannheim diferencia entre una sociología general, que se ocupa de los mecanismos básicos de la asociación (y cuyo máximo exponente es Simmel) y, por otra parte, la sociología de la cultura, que analizará las

---

[13] En este contexto son interesantes dos comentarios de Mannheim (1962: 101-102, 117) que se refieren a Durkheim y a Weber, respectivamente. Mannheim sugiere que el concepto de «representaciones colectivas» de Durkheim contiene una buena parte de estas premisas hegelianas. Weber, sin embargo no entendió para Mannheim el origen social del significado, pues pretendió aislar primero el significado intencional a nivel individual, en vez de observar primero el modo en que el individuo participaba de un significado social objetivo previamente existente y a partir del cual podía particularizar, en un segundo estadio analítico, estos significados en el marco de sus intenciones individuales.

imágenes, símbolos y significados asociados con estos mecanismos elementales más básicos que estudia la sociología general. Ambos aspectos, el de asociación y el de la cultura, configuran para Mannheim la dualidad constituyente de lo social. La sociología de la cultura de Mannheim (1962: 124-134) consta de tres partes:

a) La parte «axiomática» que se ocupa de las tradiciones culturales, cuyas categorías fundamentales son las de continuidad, discontinuidad, innovación, estereotipia, regresión y la de corrientes de transmisión (esto es la dinámica histórica del pensamiento). Las tradiciones surgen como consecuencia de la transmisión continua entre las generaciones situadas en formas de asociación constituidas por grupos pequeños. Esta primera parte «axiomática» de la sociología de la cultura es la más fundamental, siendo para Mannheim absolutamente imprescindible.

b) La parte «comparativa», que realiza contrastes a partir de tipologías racionales entre los aspectos simbólicos, de significados y de imágenes, y de otros aspectos culturales, generados por distintos grupos.

c) El estudio «estructural», con la perspectiva de atender la individualización histórica, que comprende la génesis y la dinámica de las estructuras históricas atendiendo a su singularidad. Esta tercera parte histórica debe subordinarse a las anteriores, pues de lo contrario se corre el riesgo de absolutizar una idea preconcebida, como es el caso de Hegel para Mannheim.

La sociología de la cultura de Mannheim constituye así una sociologización del concepto de espíritu de Hegel, realizada a partir de una conceptuación donde predominan algunas categorías de George Simmel. La primera parte «axiomática» —que aborda la relación entre los grupos y formas elementales de asociación, por un lado, y las tradiciones y la continuidad entre las generaciones, por otro— se convierte en condición necesaria para ulteriores desarrollos comparativos, estructurales e históricos.

Por otra parte, la concepción del proceso de objetivación de significados y símbolos, que Mannheim elabora a partir de Hegel, tiene además, como el propio autor explica, mucho en común con la aportación de Durkheim («representaciones colectivas»), pero también se asemeja a la teorización aportada por otros muchos autores para explicar el proceso de objetivación de significados y símbolos, como es el caso de G. H. Mead y Berger y Luckman. No puedo detallar aquí estas afinidades, que explicaré después en los capítulos correspondientes a estos autores. Pero quisiera subrayar ahora que este modo (hegeliano en origen) de atender la naturaleza social del significado y del símbolo, así como el proceso dinámico de construcción de una totalidad objetiva (espíritu objetivo) constituye uno de los aspectos que aproxima más a una diversidad de autores, escuelas y paradigmas principales de la sociología de la cultura. Podría decirse que así como la sociología del conocimiento surge principalmente como crítica o reelaboración sociológica del sujeto trascendental kantiano, una buena parte de la sociología de la cultura (especialmente, aunque no exclusivamente, la de origen alemán) se constituye a partir de una crítica y sociologización del concepto de «espíritu objetivo» de Hegel.

B) Sociabilidad grupal y transmisión de la tradición

Como hemos visto, la sociología de la cultura de Mannheim considera fundamental el estudio de la transmisión de la tradición a través de las formas básicas de asociación estudiadas por Simmel. Los otros niveles, el comparativo y el estructural, dependen de este primer nivel axiomático.

Mi propuesta consiste en desarrollar esta idea central de Mannheim a partir de la ontología y teoría de la tradición de la hermenéutica por un lado, y del concepto de sociabilidad de Simmel por otro. La idea central es que la transmisión de la tradición se produce fundamentalmente a través de las actividades centrales de la sociabilidad grupal.

La conexión entra la sociabilidad y la ontología de la hermenéutica se produce mediante la siguiente idea: la sociabilidad lúdica y artística de la existencia social (como arte existencial mundano) forma una parte central de los procesos no instrumentales de mediación de la comunidad o grupo con el mundo así como de los propios procesos internos que vinculan a los miembros del grupo entre sí.

Por otra parte, las actividades centrales de la sociabilidad (juego, humor, comensalismo, trabajo sociable, tertulia, etc.) incorporan habilidades de transformación de impulsos en prácticas y hábitos grupales que constituyen los *stocks* básicos de conocimiento mediante los cuales se reproduce la tradición. Además, en los contextos dominados por la sociabilidad, la conducta instrumental se entiende como nociva para el grupo: se la «marca», «segrega» y «excluye» mediante procedimientos propios de la sociabilidad, por ejemplo el ejercicio crítico del humor satírico o la asignación tácita de un mal lugar en la mesa durante las comidas. Pero no puede extenderme más aquí en otros detalles sobre esta propuesta y debo remitir al lector a los capítulos correspondientes de este trabajo.

Únicamente quiero señalar para finalizar que el estudio de la tradición, en relación con la sociabilidad grupal en la sociología de la cultura, puede dar luz sobre problemas tradicionales de la sociología del conocimiento. Por ejemplo, dado que esta disciplina se ha preocupado especialmente por la base social del conocimiento, el estudio del modo en que las tradiciones se reproducen vía sociabilidad pude serle útil para la comprensión del conocimiento y para la reflexión sobre la propia autocomprensión como tradición sociológica transmitida a través de las generaciones.

Capítulo 4
Precursores: Bacon, la ilustración y la tradición histórica alemana

Los capítulos 2 y 3 incluyeron algunas referencias a los precursores pre-modernos de la sociología del conocimiento y de la cultura, realizadas al indagar la génesis y desarrollo de estas disciplinas sociológicas, de sus objetos de estudio y de sus problemas fundamentales. Por tanto, en este capítulo me referiré únicamente a aquellos autores y escuelas, ya dentro del marco de la modernidad social, que han resultado importantes para la configuración científica de la sociología del conocimiento y de la cultura según los criterios de los autores más relevantes y representativos de los paradigmas que han sido predominantes en estas áreas de conocimiento.

En los capítulo 1 y 2 vimos que Max Scheler y Karl Mannheim, pese a sus diferencias, están de acuerdo en señalar en primer lugar a Marx como punto de referencia básico y, a continuación, incluyen el vitalismo de Nietzsche y el psicoanálisis de Freud entre las perspectivas próximas a la sociología del conocimiento. Mannheim, por su parte, incorpora además a Dilthey dentro de este grupo de precursores y, en su sociología de la cultura, apuntará hacia el concepto de espíritu de la tradición historicista alemana, particularmente la hegeliana, como punto de referencia fundamental para una sociología de la cultura. Además, como explicaré más adelante, tanto Scheler como Mannheim, mencionan a F. Bacon como precursor del concepto de ideología, y ambos autores consideran también las corrientes mecanicistas y positivistas (algunas de las cuales cristalizan en la Ilustración) como parte del conjunto de teorías que, junto con la sociología del conocimiento, constituyen una crítica de la teoría clásica del hombre (o de la inmanencia de las ideas para Mannheim), la cual infravaloraba los órdenes inferiores de la realidad y exageraba la importancia de las ideas, dotándolas de independencia de la existencia social y de los impulsos energéticos o de la vida material. Posteriormente, Berger y Luckmann, representantes del paradigma constructivista, mencionan igualmente a Marx, Nietzsche y al historicismo, especialmente en la versión de Dilthey, como precursores de la sociología del conocimiento, aunque olvidan a Bacon y a Freud (que sí son tenidos en cuenta por Scheler y Mannheim). Por otra parte, en el capítulo 3 avanzamos que el fundamento del concepto científico de cultura surge en la antropología y en la sociología a partir de los sentidos de cultura generados por la Ilustración y el historicismo alemán.

Como consecuencia de estas consideraciones, e incluyendo un orden cronológico, pueden agruparse los precursores de la sociología del conocimiento y de la sociología de la cultura en relación con los siguientes autores y escuelas que menciono en cuatro apartados: 1) Francis Bacon y la Ilustración; 2) El historicismo alemán y Dilthey; 3) Marx; 4) Nietzsche y Freud. En este capítulo discutiré los dos primeros apartados; el capítulo siguiente abordará los dos últimos.

1. FRANCIS BACON

A) *El dominio de la naturaleza mediante el método: saber, poder y utilidad*

Francis Bacon (1561-1626) fue, además de filósofo, una personalidad de Estado (Lord Canciller de Inglaterra), historiador, jurista prestigioso y experto en los clásicos. Esta gran actividad representa el impulso ascendente de una nueva burguesía pre-industrial, cada vez más consciente de sí misma, que propone una renovación de las ciencias frente al pensamiento anterior. Bacon representa además el nuevo auge del calvinismo y del puritanismo inglés, que adquirió el dominio ideológico durante el siglo XVII tras la consolidación de la Reforma religiosa (Granada 1981: 72). Las ideas centrales de la renovación entendida por Bacon evidencian un contraste con las ideas predominantes en la Antigüedad, en la escolástica medieval e, incluso, en el Renacimiento.

En contraste con la preeminencia de la actitud contemplativa, el uso del *Organon* (como instrumento lógico) y la preferencia por las explicaciones teleológicas y bio-mórficas (que insisten en la «causa final») de Aristóteles y de la Escolástica Medieval, Bacon propone en su *Instauratio Magna* una nueva comprensión activa y empírica del saber, que es poder y genera utilidad. El saber se obtiene a través de un método inductivo, un *Novum Organum* que pretende reemplazar al viejo *Organon* aristotélico. Este nuevo método, un «instrumento de la mente» en palabras de Bacon, pone el énfasis en la búsqueda metódica de las leyes científicas (las causas eficientes realmente actuantes) que constituyen la «forma» latente de los hechos naturales. Como ha señalado Granada (1982: 73-74), frente al escolasticismo aristotélico predominante en las universidades inglesas, Bacon se hace portavoz y se sitúa de parte de los «popular scientists», cuyo saber científico-técnico práctico era ajeno a las instituciones universitarias.

Pero en esta comprensión activa y realista del saber, reveladora de una nueva conciencia de sí que es común a otros pensadores y científicos renacentistas, Bacon presenta una característica distintiva que ha señalado Cassirer (1974: 139-140): no presupone (como era común en el Renacimiento) una armonía entre las leyes del pensamiento del sujeto y los objetos reales de la naturaleza. En Bacon, como explicaré después a propósito de los ídolos de la tribu, existe un divorcio entre la naturaleza y el sujeto (que, como observaremos, tiene su origen en la caída del pecado original). Por una parte, la naturaleza ofrece una resistencia al sujeto (fruto de la separación previa existente entre ambos), que éste debe vencer mediante el saber (de la propia naturaleza) para dominarla. Consiguientemente, el «saber es poder» según la expresión del propio Bacon. Pero, el saber de los secretos de la naturaleza se consigue mediante un método que aprehenda las leyes que configuran las formas naturales, de aquí que Bacon diga que «A la naturaleza no se la domina sino obedeciéndola». Esta «obediencia», no obstante, se asemeja más bien a cierta actitud del criminalista que fuerza a confesar un delito. Como ha señalado Cassirer (1974: 140):

> Para Leonardo o para un Képler, la naturaleza misma no es otra cosa que un orden armónico propicio a la «razón» /.../ Para Bacon, por el contrario, la realidad objetiva es un poder extraño que trata de sustraerse a nuestra acción y a la que sólo por medio de las «torturas» del experimento podemos domeñar, obligándola a rendirnos cuentas. Nos parece estar oyendo a un criminalista, preocupado por arrancar a un delincuente la confesión de su delito /.../ [A la naturaleza] lo más que podemos lograr es arrancarle, trozo a trozo, su secreto con ayuda de los instrumentos y las armas de la técnica.

Por otra parte, las formas y conceptos del espíritu humano no facilitan tampoco la aprehensión de los hechos naturales por parte del sujeto (como consecuencia del «divorcio» explicado anteriormente entre el sujeto y la naturaleza); más bien, estos conceptos constituyen una barrera para aproximarse a la verdad auténtica de las formas naturales. El exceso de razonamientos y las rápidas abstracciones producidas a partir de observaciones o experiencias fortuitas, junto con otras fuentes de error que Bacon clasificó en su teoría de los Idola, dificultan el ejercicio metódico que conduce a la obtención de una ley verdadera. Consiguientemente, esta separación (y mutua resistencia) existente entre el sujeto y la naturaleza conduce a Bacon a una doble elaboración, el método inductivo y la teoría de los Idola, temas de los que me ocuparé después.

Bacon tiene motivaciones religiosas para la renovación científica que propone. La intención de su nuevo método era recuperar el dominio del hombre sobre la naturaleza, que se había perdido tras la separación producida por el pecado original. Granada (1981: 76-78, 87, 92) sitúa la superación de la caída original, que ha de realizarse en Bacon mediante el trabajo en las artes y las ciencias, en el contexto de una perspectiva escatológico-milenarista donde el cumplimiento del milenio coincide con la *Instauratio Magna*, la gran restauración que provocará la realización del reino de dios en la tierra, en la sociedad inglesa y europea como «Nueva Jerusalén». Esta religiosidad legitimaba la pretensión de mejorar la especie humana mediante el trabajo y la ciencia, que tiene el objetivo de glorificar al creador. El método inductivo se entiende así como una ascesis permanente, un trabajo penoso para recuperar el dominio sobre la naturaleza.

El saber es así comprendido desde la perspectiva del poder: «El saber humano y el poder humano son lo mismo; porque donde no se conoce la causa, no se puede producir el efecto. Para poder dar órdenes a la naturaleza se la debe de obedecer; y lo que en la contemplación es como la causa, en la operación es la regla». (*Novum Organum*, libro I, aforismo 3; citado en Crombie 1974: 254). El descubrimiento de la verdad se pone al servicio de la utilidad, la seguridad y la comodidad, entendidas como signo de progreso y poder de la raza humana. La verdad y la utilidad son lo mismo. «Los frutos y las obras son como si fueran fiadores y seguridades para la verdad de las filosofías… La verdad y la utilidad son aquí la misma cosa: y las mismas obras son de mayor valor, tanto como prenda de la verdad como por su contribución a la comodidad de la vida» (*Novum Organum*, libro I, aforismos 73 y 124; citado en Crombie 1974: 254).

El método inductivo de Bacon está así pensado para superar los obstáculos que impiden una nueva relación (superación del «divorcio») del ser humano con la naturaleza sobre la que éste ejerce su dominio. Por esto señalan irónicamente Adorno y Horkheimer (1970: 16): Bacon busca un nuevo ayuntamiento, «un feliz connubio… entre el intelecto humano y la naturaleza de las cosas», y le asignan el haber sabido «descubrir con exactitud el *ánimus* de la ciencia sucesiva»[1].

La inducción se ocupa de encontrar la ley que late tras las formas naturales. Para Bacon la forma era una esencia causal, una causa eficiente, cuya actividad producía los efectos observados. La forma era una configuración latente, oculta a la vista, basada en partículas reales en movimiento, por lo que podía reducirse a una geometría de movimientos, que era una ley con sus cláusulas (Crombie 1974: 254-257).

El método inductivo tenía el propósito de descubrir estas formas a través de una comparación de casos de supuestos efectos y, también, de eliminar las formas falsas (hipótesis falsas, diríamos hoy) mediante la exclusión. Tras realizar una colección puramente empírica de casos del fenómeno investigado, la inducción seguía tres etapas relacionadas con tres tablas. La primera tabla, de esencia o presencia, contenía todos los casos en que aparecía la forma buscada. La segunda, llamada «de desviación o ausencia en la proximidad», incluía los casos en que no se observaban los efectos de la forma buscada. La tercera tabla, «de grados de comparación», presentaba el caso de variaciones en los efectos observados de la forma buscada en uno o diversos objetos. Esta última tabla corresponde a lo que J. Stuart Mill llamó después el método de las variaciones concomitantes. La inducción consistía en la inspección de estas tablas, permitiendo elaborar una primera hipótesis de trabajo que Bacon llamaba «vendimia». A partir de esta hipótesis se realizaban ulteriores observaciones y experimentos hasta llegar a la verdadera definición de la forma, una ley con cláusulas (Crombie 1974: 126, 258-259).

El método inductivo suponía un ejercicio metódico de la experiencia que representaba el auténtico maridaje entre la experiencia y la razón. Bacon no es un ciego empirista; de hecho desconfía, tanto como los racionalistas, de las experiencias y observaciones de los sentidos que no han sido recogidas de un modo ordenado y sistemático siguiendo un método. La auténtica «experiencia» es la que se hace metódica y ordenadamente (Cassirer 1974: 143-144). El método inductivo pone así coto a

---

[1]   Adorno y Horkheimer ironizan sobre la naturaleza patriarcal de este «ayuntamiento». De hecho, como señala Granada (1981: 88), Bacon entiende su *Instauratio Magna* como *Temporis Partus Masculus* («Fruto masculino de la época») y tituló así un opúsculo de 1603; en 1620, en la dedicatoria al rey de la *Instauratio*, dice de su obra que es «más como un parto del tiempo que del ingenio».

los excesos de los sentidos; y la teoría de los idola previene de los errores y prejuicios que proceden de los excesos del espíritu.

B) La teoría de los Idola

Bacon (1999: 89) presenta su conocida teoría de los Idola para alertar sobre los obstáculos que se presentan a la «verdadera inducción». El método científico es la única solución frente al error, pero debe prevenirse de una serie de obstáculos, prejuicios y preconceptos, que genera el espíritu humano en su modo de aproximarse a los objetos reales y a la naturaleza. Estos prejuicios, originados en falsas preconcepciones, hacen caer en el error, alejándonos de las leyes verdaderas de las «formas». Bacon los llamó *Idola*, clasificándolos en cuatro tipos:

a) Los «ídolos de la tribu» son inherentes a la naturaleza humana, por lo que los llama también «ídolos de raza». Como señalé anteriormente, Bacon parte de un divorcio entre el espíritu humano y la naturaleza. De este modo, estos ídolos se originan porque el ser humano se ajusta falsamente a los estándares de las cosas y del universo, pues sus sentidos y percepciones proyectan sus propias características humanas, antropomorfizando la naturaleza. El espíritu humano puede compararse a uno de esos espejos encantados que, por su propia estructura y propiedades deformantes, devuelven siempre imágenes distorsionadas de los objetos (Bacon 1999: 80). Las desfiguraciones más importantes consisten o proceden de: (1) suponer un mayor orden e igualdad en las cosas; (2) una dificultad para cuestionar proposiciones establecidas, pese a que se observen excepciones que cuestionen su autoridad; (3) la rápida excitación de la imaginación ante un objeto que la inflama de modo que los otros se entienden también injustificadamente como similares o derivables; (4) la obsesión por las «causas finales» (en vez de por las causas eficientes), producto de la naturaleza activa, incansable, siempre dispuesta a ir más allá del entendimiento humano; (5) el color que las pasiones y deseos dan a los sistemas y creencias; (6) la incompetencia de los sentidos y de sus modos de recibir las impresiones (Bacon 1999: 90-93).

Esta última distorsión, la producida por los sentidos, es entendida por Bacon (1999: 92) como el mayor «impedimento y aberración de la mente humana», por lo que recomienda considerar únicamente el aporte de los sentidos bajo condiciones ordenadas de experimentación. Como decía antes, Bacon no es un empirista acérrimo puesto que únicamente confía en los sentidos cuando su experiencia está sometida al método.

b) Los «ídolos de la caverna», a diferencia de los de la tribu, son propios de cada individuo, y así cada uno tiene su propia caverna sombría que le impide ver la luz. Cada persona tiene una mente y un cuerpo particular que, junto a la influencia de la educación y de los hábitos, las formas de relación con los otros, las lecturas y la autoridad de quien admira, constituyen prejuicios individuales (Bacon 1999: 89, 93). Las distorsiones más relevantes son las siguientes: (1) la atracción que suponen ciertas creencias o contemplaciones en las personas que se consideran sus autoras o inventoras, o el sufrimiento que les han generado, produce un hábito de presuponerlas para otras cosas y generalizar injustificadamente; (2) proceder enfatizando en exceso bien las diferencias o bien las similitudes entre las cosas; (3) exagerar la importancia de lo viejo o lo nuevo, sin preocuparse en buscar la verdad más allá de cualquier conjunción temporal, a la luz de la experiencia y la naturaleza (que son eternas); (4) la contemplación exagerada de los cuerpos, bien en su dimensión individual o bien en general, sin darse cuenta de que hay que operar de lo individual a lo general, en mutua interacción (Bacon 1999: 93-94).

c) Los «ídolos del mercado» proceden del «comercio y asociación de los hombres», que se realizan a través del lenguaje. Son los más problemáticos pues el ser humano cree que su razón gobierna las palabras, pero éstas condicionan también el entendimiento. Además, las palabras se forman a partir de una generalidad que incluye los sentidos populares y vulgares, lo cual dificulta su adaptación para los usos más precisos de las ciencias, generando disputas sobre palabras. La elaboración de definiciones precisas (como las de las matemáticas) no remedian estos problemas dado que ellas mismas contienen también palabras que, a su vez, se remiten a otras (Bacon 1999: 90, 94). Las distorsiones más importantes producidas por el lenguaje son dos: (1) asignar nombres a cosas que no existen y (2) nombrar mal a los objetos existentes como producto de una confusión, de una mala definición o de un irregular proceso de abstracción (Bacon 1999: 94-95).

d) Finalmente, los «ídolos del teatro» son los dogmas de los sistemas filosóficos (y sus reglas de demostración) del presente y del pasado, recibidos o imaginados, que son como obras de teatro que siguen teniendo crédito y representación gracias a la tradición, a la creencia implícita o a la negligencia (Bacon 1999: 90, 95). Las causas de estos ídolos de los dogmas se encuentran en el hecho de que durante mucho tiempo las perspectivas religiosas y los gobiernos civiles (especialmente las monarquías) han sido contrarios a las novedades, incluso a las novedades teóricas. De este modo, las personas innovadoras, sin ninguna recompensa, tenían además que sufrir riesgos e injurias, ofensas y envidias. Los ídolos dogmáticos pueden clasificarse en tres tipos: sofísticos, empíricos y supersticiosos. Los primeros no hacen experimentos: sacan muchas conclusiones de unos pocos temas o bien sacan muy pocas conclusiones de muchos asuntos tratados. Los segundos hacen muy pocos experimentos y a partir de ellos inventan un sistema filosófico. Los terceros derivan la ciencia a partir de los espíritus y los genios (Bacon 1999: 96).

C) La influencia de Bacon

Bacon tuvo una gran repercusión en el proceso de institucionalización de la ciencia en la Inglaterra del siglo XVII, sus ideas se incorporaron al movimiento ilustrado y, más tarde, constituyeron siempre un punto de referencia precursor del concepto de ideología desarrollado por Marx y la sociología del conocimiento. Ejerció una gran influencia en la filosofía y en la estructura predominante de la futura Royal Society. Su descripción de un instituto de investigación, llamado la «Casa de Salomón», (realizada en *La Nueva Atlántida*, 1627), inspiró la estructura de colegios e instituciones que desembocaron en la constitución de la Royal Society. La filosofía de esta sociedad recogía las ideas fundamentales de su pensamiento, incluyendo su énfasis en la utilidad del saber para la humanidad y en el propósito de glorificar a Dios (Crombie 1974: 261). De este modo, y lo observaremos más adelante a propósito de Merton, existe un móvil religioso que, como ha señalado Lamo de Espinosa (1994: 58), promueve «el conocimiento de Dios a través de sus obras y mandatos, la realización del Reino de Dios a través del cumplimiento rígido de sus mandatos» y tiene grandes consecuencias: «Razón, Naturaleza y Dios van a confundirse en el pensamiento del siglo XVIII, una confusión de enorme, gigantesco, poder creador».

Bacon ha sido visto como precursor de la sociología del conocimiento, principalmente a propósito de su teoría de los ídolos y de su esfuerzo por obtener un conocimiento verdadero, liberado del prejuicio generador de errores. En este sentido, como veremos al referirnos a Marx, Scheler o Mannheim, la teoría de Bacon ha constituido siempre un primer punto de referencia.

2. LA ILUSTRACIÓN

A) *De la crítica científica de Bacon a la crítica social Ilustrada*

Bacon ejerció una gran influencia en la Ilustración francesa. Su clasificación de las ciencias será recogida por D'Alembert, figurando al frente de la Enciclopedia. Se rechazaba así la clasificación tradicional de origen aristotélico y se la sustituía por la baconiana, que enfatizaba las facultades de la mente humana, productora de los conocimientos: imaginación (poesía), memoria (historia) y razón (filosofía), con ulteriores subdivisiones (Granada 1982: 83-84). Por otra parte, el énfasis baconiano puesto en la lucha contra los dogmas, los ídolos del teatro, principalmente de origen religioso o civil (monarquía), será igualmente recogido por los ilustrados que harán de esto bandera anticlerical y antimonárquica, encabezados por los ideólogos de Destutt de Tracy (Lamo de Espinosa et al 1994: 156). Igualmente, el sentido baconiano del empirismo y de la utilidad no podía dejar de agradar a los enciclopédicos.

Esta nueva manera de concebir el saber, y su nueva unidad teórico-práctica reflejada en la Enciclopedia, se plasmó también en una nueva concepción de la educación, que pone más énfasis en la naturaleza, en el mundo exterior, de un modo realista, y es considerada «universal» en sus fines. Durkheim (1976: 293 ss) describe esa nueva unidad que es la ciencia, con partes independientes, que se encuentra detrás de la creación de las nuevas instituciones educativas, las Escuelas Centrales. Durkheim (1976: 294) señala a Bacon (y a Hobbes) como los iniciadores de esta concepción (originada en Inglaterra, y de influencia protestante) que es imitada en el contexto francés.

Así pues, como explican Horkheimer y Adorno (1971: 15-18), significativamente al comienzo de la *Dialéctica de la Ilustración*, en Bacon se encuentran ya los diversos temas característicos de la Ilustración: el desprecio de la tradición y del misterio, la comprensión de la verdad como operación y procedimiento eficaz, el énfasis en la utilidad, el empeño en el trabajo, etc.

El vocabulario de los ilustrados, Holbach, Condillac, Destutt de Tracy, y de autores tan distintos como La Metrie y Montesquieu, adaptarán las ideas de Bacon (y de otros pensadores ingleses como Locke y Hume) al contexto francés, dotándolas de una dimensión político-social; los ídolos de Bacon se convierten en «prejuicios», pero su preocupación por el error, originada en asociación con el desarrollo del método inductivo, se transforma predominantemente entre los ilustrados en la denuncia de la manipulación realizada mediante la mentira. Los sacerdotes y autócratas practican el engaño para convencer al pueblo, con lo que la búsqueda de la verdad se entiende como crítica social y política. De la crítica científica de Bacon se ha pasado en la Ilustración a la crítica de la sociedad, de los sistemas de ideas y de las instituciones, con lo que nos encontramos en las puertas de la sociología del conocimiento. Los ilustrados son pues un puente entre Bacon y la crítica ideológica de Marx, que aún perdura en la concepción de «ideología total» de Mannheim (Lamo de Espinosa y otros: 1994: 162-163)[2].

La crítica del engaño de los poderosos requiere un análisis de la conexión entre las ideas y los intereses originados en las distintas posiciones sociales. Helvetius desarrolla una teoría epistemológica de la articulación del interés con la percepción y el juicio. Existe una razón universal por naturaleza, pero las ideas se derivan de las sociedades en que vivimos, vinculándose con las perspectivas sociales. Los intereses diferentes, asociados con posiciones sociales distintas, generan una diversidad de percepciones de los objetos. La verdad se alcanza a través del debate público, lo cual implica libertad y una educación para ejercerla. Por este motivo, y ésta es una idea general del pensamiento ilustrado, la educación y la pedagogía se convierten en medios esenciales para el desarrollo de la libertad y del conocimiento de la verdad (Lamo de Espinosa y otros: 1994: 163-164).

El proyecto ilustrado perseguía reducir el poder de la religión instituida, de la tradición y de lo que no es susceptible de reducción a términos científicos. No obstante, como señaló Durkheim (1982: 398) (y después de él muchos otros hasta el momento presente), la Ilustración generó su propia «Religión de la Humanidad». La conceptualización de esta idea tiene un proceso que se inicia teóricamente en Rousseau (la «religión del ciudadano», en el *Contrato Social*, Capítulo VIII, «De la religión civil») y continua en Saint-Simon (*Nuevo Cristianismo*) y Comte

---

[2]   El término «ideología», no obstante, fue creado por Destutt de Tracy para designar la «ciencia de las ideas», creada a partir de las teorías de Locke y, fundamentalmente, de Condillac. Napoleón criticó a los «ideólogos» por su falta de realismo político, con lo que la palabra ideología adquirió un sentido negativo que, con matices nuevos, llega hasta Marx (Naess 1964: 23-36).

hasta el análisis crítico de Durkheim[3]. Puede decirse irónicamente y simplificando, que esta nueva religión laica está presidida por una novedosa trinidad: la Razón, la Libertad y la Educación, sustituyen al Padre, al Hijo y al Espíritu Santo. Como cualquier otra religión, presenta un potencial de segregación y, en este caso, todo aquello que no cabe dentro de los criterios de la ciencia se excluye. Este fue el caso, entre otros, de las tradiciones populares. Así, por ejemplo, Bajtin (1990: 106) señala que el formalismo ahistórico de la Ilustración (y la generación paralela de nuevas formas de Estado) contenían un movimiento unilateral hacia el racionalismo utópico, el mecanicismo y la tipificación abstracta que iban a constituir grandes fuerzas de demolición de la vieja cultura popular europea, de la cosmovisión realista grotesca y carnavalesca. De este modo, la «universalidad de la risa» deja paso a la universalidad de la razón. Igualmente, entre las clases altas, como nos muestra Patrice Leconte en la película *Ridicule*, el ingenio y el chiste dejan paso a la razón y la ciencia como centro de la vida social. De nuevo aquí, esta transición estaba ya contenida en Bacon (1999: 96), quien prefería la práctica para realizar un círculo perfecto trazado con compás (ciencia) al ingenio (*wit*).

Existe otro aspecto de la obra de Bacon (y de Descartes) que es radicalizado por la Ilustración: el mecanicismo. Para Descartes, el cuerpo humano y la naturaleza eran estructuras mecánicas geométricas, si bien el alma era la sustancia independiente que generaba el pensamiento. En Bacon, la «forma» de los elementos naturales podía reducirse a leyes consistentes en una geometría de movimientos de partículas materiales. Estas ideas son continuadas y radicalizadas por La Metrie (1987 [1747]) en *El hombre máquina*. Aquí, el alma no es más que un resorte mecánico situado en el cerebro que coordina el engranaje mecánico de partes naturales de que consta el ser humano, pero ella misma es un producto de la actividad del cuerpo-máquina. El cuerpo es una máquina que toma su energía de la naturaleza (del exterior), y es muy sensible a los cambios de ésta (clima). El pensamiento, ejercitado por la imaginación, procede de los sentidos, producto de los movimientos de la máquina corporal; el pensamiento puede perfeccionarse mediante el ejercicio y la educación para dominar a la imaginación y así formar juicios y razonamientos. El pensamiento es, por tanto, una propiedad

---

[3]   Como observaremos en el capítulo siguiente, Marx criticó también esta «religión de la humanidad», entendiéndola como «inhumana» e ideológica.

derivada de la máquina, pero puede perfeccionarse mediante la cultura. La Metrie menciona frecuentemente los casos de patos y hombres autómatas que creaba Vaucason (La Metrie 1987: 102) y anticipa que sería posible construir un hombre parlante a partir de «las manos de un muevo Prometeo». Pero el formalismo y el mecanicismo no agotan la concepción del conocimiento de la Ilustración; pese al tono ahistórico predominante, hay excepciones notables como la de Montesquieu.

B) Montesquieu: precursor de la sociología del conocimiento y de la cultura

Werner Stark (1991 [1958]: 134) ha distinguido dos corrientes predominantes en la Ilustración. Por una parte, existe una perspectiva ahistórica, representada por Voltaire, que insiste en la razón universal de la psique humana y habla en términos de «civilización». Por otra parte, hay autores que están preocupados por el pasado y por una diversidad cultural que puede observarse empíricamente. Este es el caso de Montesquieu que fue, según Stark (1991 [1958]: 203) «uno de los primeros que intentó ir en la dirección de una ciencia empírica general del hombre, como algo distinto al carácter especulativo de la ley natural y de los derechos humanos»; y puede considerársele por tanto como precursor de la sociología del conocimiento.

En *El Espíritu de las Leyes*, Montesquieu describe los usos y costumbres de una diversidad de culturas, pero entiende que, más allá de esta pluralidad, existe una razón humana común: «Hay por tanto una razón primitiva; y las leyes son las relaciones que se encuentran entre ella y los seres diferentes, así como las relaciones de estos seres entre sí» (Montesquieu 1983: 45). Pretende hacer una descripción detallada y rigurosa de las cosas para poder elaborar sus principios sin caer en prejuicios: «No he sacado mis principios de los prejuicios, sino de la naturaleza de las cosas» (Montesquieu 1983: 39). A partir de estas observaciones, Montesquieu señala que las leyes de los pueblos no pueden separase de sus costumbres y comportamientos: las leyes siguen a las costumbres (Montesquieu 1983: 338 ss). Pero las costumbres dependen tanto de los aspectos morales (culturales) como naturales. La influencia de estos factores naturales se produce a través del cuerpo (Montesquieu 1983: 255 ss). A lo largo de la tercera parte de *El Espíritu de las Leyes*, insiste en la importancia del clima y de la geografía para explicar las distintas costumbres y personalidades de los pueblos; por tanto, las leyes deben tener en consideración estos factores naturales en tanto que condicionan el espíritu y las pasiones de los pueblos. No obstante, los factores naturales influyen más en el «espíritu personal» de los pueblos salvajes que en otros más avanzados.

En Montesquieu hay por tanto una gran conciencia de la diversidad existente entre las sociedades, de que esta diversidad de costumbres supone distintas personalidades e instituciones que a su vez demandan leyes que se ajustan a las particularidades del «espíritu general» de los pueblos. Entiende así que hay una conexión entre los tipos de costumbres sociales y las formas de pensamiento que se producen.

Para Durkheim (1968: 45, 58), Montesquieu es un precursor de la sociología porque se da cuenta de que las leyes no pueden derivar de una consideración apriorística sobre la naturaleza del individuo, sino que proceden de la sociedad; de este modo hay leyes que convienen más a una sociedad que a otra. Además, según Durkheim (1968: 110) ha contribuido a establecer dos de las nociones más importantes de la sociología. La noción de tipo y la noción de ley. Durkheim sin embargo, no discute sistemáticamente el modo en que Montesquieu vincula las influencias naturales, climáticas y geográficas principalmente, con las costumbres y usos sociales, así como el lugar que asigna al cuerpo en este proceso. Stark (1991 [1958]: 216) opina que, en este aspecto, Montesquieu intentó realizar una «determinación extrínseca de las ideas» consistente en observar «la luz que los factores infraestructurales pueden dar sobre el desarrollo cultural desde el punto de vista de sus condiciones sociales concomitantes y subyacentes». El tema de la influencia de los factores naturales para el conocimiento, no obstante, constituye uno de los asuntos que no ha recibido una atención suficiente por la sociología del conocimiento y de la cultura, con lo que el precedente de Montesquieu puede se útil para volver a evaluar las relaciones de la naturaleza con la existencia social y el conocimiento.

3. LA TRADICIÓN HISTÓRICA Y HERMENÉUTICA ALEMANA

A) *Hamann*

Las intuiciones fundamentales que desarrollará la tradición histórica y lingüística alemana (Herder, Humboldt, Sleiermacher) hasta el historicismo de Dilthey se encuentran ya presentes en Johann Georg

Hamann. Nacido en Königsberg (1730), era amigo de Kant y fue maestro de Herder, quien siempre reconoció la gran influencia de éste en su pensamiento. Hamann tenía una perspectiva filosófica, muy distinta a la kantiana, que provenía de su interés por la religión, la temporalidad histórica y la creatividad del lenguaje.

Para Hamann el espíritu humano desarrolla su creatividad en comunicación con la creatividad divina: «Nuestro espíritu se despierta únicamente cuando es consciente de Dios, cuando piensa en Él y lo percibe...» (cit. en German 1981: 69). Pero ésta actividad de comunicación con Dios no es siempre directa; más bien se realiza mediante distintos canales: con Dios directamente, con uno mismo, con los otros, a través de la naturaleza, y con las Musas. Además, esta comunicación es vital, se expresa temporalmente y, si es correcta, incluye la participación del cuerpo (German 1981: 68 ss, 95 ss, 115 ss).

Hamann sentía una fascinación por el tiempo que estaba vinculada con la creatividad humana, entendida como comunicación del espíritu humano con Dios. Esta fascinación conducía a Hamann a recrearse en la reelaboración y reinterpretación de sus propios escritos anteriores. Esta experiencia interpretativa tuvo una diversidad de consecuencias sustantivas para la elaboración de su teoría del lenguaje, que estaba en relación con su concepción del tiempo histórico. Por ejemplo, señaló que los escritos contienen productos accidentales de la experiencia, que van más allá de una organización racional, por lo que con frecuencia «no se comprendía a sí mismo» cuando releía sus propios escritos anteriores; además, existían emociones que se reflejaban en las palabras escritas en un tiempo particular, con lo que el lenguaje siempre cambiaba en el tiempo. El verdadero orden estructural de los escritos dependía por tanto de la experiencia en el tiempo y se imponía sobre la búsqueda de una abstracción estructural que persiguiera la claridad o la lógica. El lenguaje es por tanto, una experiencia creativa situada en el tiempo que depende de una experiencia vital más amplia, y así el lenguaje genera nuevas palabras para expresar nuevas experiencias (German 1981: 94-95).

Hamann estaba obsesionado por el presente, y aceptaba la «finitud humana» que lo intensifica. Este era su modo de interpretar la mística del tiempo de Meister Eckhart, el *nunc* de Dios, un sentido de lo eterno entendido como «gusto del tiempo». En este sentido, German (1981: 115) entiende a Hamann como precursor de Nietzsche. Además, esta concepción del tiempo conduce a Hamann a valorar la comida y la bebida con los amigos como gozo personal que produce alegría a Dios, pues Dios se comunica con los hombres a través del «árbol de la vida» y el conocimiento (el *intellectus*) procede de los sentidos. Por este motivo (y en la línea de la sociología del conocimiento) critica a la metafísica, que ha operado erróneamente siempre a la inversa: «El árbol del conocimiento nos ha privado del árbol de la vida ¿no deberíamos sentirnos más próximos al árbol de la vida que al árbol del conocimiento... ? /.../ Toda la terminología de la metafísica procede de este hecho histórico, y (podríamos ser nuevos hijos de Adán y Eva si escapáramos de él)... *sensus* es el principio de todo *intellectus*» (cit. en German 1981: 127).

Los sentidos del cuerpo y la sociabilidad son consiguientemente fundamentales para el desarrollo del «gusto del tiempo» que ejercita la creatividad de la palabra y, por tanto, el conocimiento. El lenguaje, que originariamente es un don de Dios, se actualiza constantemente mediante la experiencia totalizadora, que subsume lo sensual y lo intelectual, del gusto. De aquí que en la perspectiva del lenguaje de Hamann el concepto de «gusto» (del que hablaré después, en relación con la tradición europea del «sentido común» en la que incluyo a Gracián) sea fundamental para vincular el «lenguaje divino» y el lenguaje humano a través de actividades poemáticas y artísticas. La comunicación máxima entre lo divino y lo humano se realiza mediante la música y la poesía. Cristo es, por tanto, el gran poeta que como Palabra Encarnada, como acto, devuelve al lenguaje y escritura humana una nueva experiencia de salud (German 1981: 151, 158).

El conocimiento humano procede del lenguaje. Dice Hamann: «La base de todo el conocimiento humano procede del intercambio de palabras» (cit. en German 1981: 157). La acción o acto de hablar, la conversación, precede a la escritura. El símbolo lingüístico es una fuerza activa que constituye un proceso revelador de la interioridad de la persona (alma) y de su cuerpo, pero nunca acaba de mostrar totalmente esa realidad transcendente. El símbolo, no obstante, trae a presencia esa realidad oculta a través de una re-presentación, una vuelta a presentar. De aquí que el símbolo signifique más de lo que puede ser ordenado a través de la organización racional de conceptos; el símbolo remite siempre a una realidad misteriosa y transcendente. Por este motivo, el conocimiento humano es limitado. Además, el aprendizaje de la lengua, condición del conocimiento, no puede producirse independientemente de los otros, desde una torre de cristal, sino que se realiza al hablar el lenguaje tal y como éste se genera a partir de una tradición concreta en el pasado (German 1981: 162-175).

B) *Herder*

Herder se encuentra preocupado por los mismos temas que Hamann. La inquietud esencial de los escritos de Herder es la historia, si bien relacionó ésta con el lenguaje y la religión. Existen tres temas que se hacen especialmente manifiestos en su tratamiento de la historia, aunque caracterizan en general la obra de Herder: (1) individualidad (o particularidad) en la diversidad, (2) continuidad y unidad del devenir histórico, (3) la formación (*bildung*) que implica la transmisión de la tradición mediante una valoración del presente que vincula pasado y futuro.

(1) Herder está interesado en la individualidad de los periodos históricos y de las culturas. No existe ninguna época o periodo histórico que pueda escogerse como criterio para juzgar al resto puesto que cada uno debe entenderse en su propio contexto, conteniendo él mismo sus propios criterios, «centros» de su propia manera de comprender la felicidad. No es posible por tanto comparar estas diversidades de «espíritu» entre los pueblos:

> … quien puede comparar las formas *diferentes* de felicidad percibidas por sentidos diferentes en mundos diferentes… Cada nación tiene su propio centro de felicidad dentro de sí misma, del mismo modo que cada esfera tiene su propio centro de gravedad… La buena Madre [Naturaleza] ha tenido cuidado con esto también. Situó tendencias hacia la diversidad en nuestros corazones (Herder 1993: 43)[4].

Se trata de entender cada época o cultura en su particularidad, comprendiéndola empáticamente en sus propios términos. Para ello es necesario recoger datos con detalle y rigor, huyendo de las falsas generalizaciones apriorísticas: «¡El carácter de las naciones! Éste debe determinarse únicamente mediante los datos sobre su disposición e historia (Herder 1993: 39). Este énfasis en la individualidad y la diversidad (mostrada con abundantes datos empíricos), que será en adelante una característica de la Escuela histórica alemana, constituiría el eje de la crítica de Herder a la noción de progreso de la Ilustración: la idea de que todos los periodos históricos progresan hacia la Ilustración es, además de falsa, opresora.

---

4   Cito según la antología de textos de Herder compilada en inglés por Marcia Bunge (1993).

(2) La historia presenta una continuidad y una unidad. Cada cultura se forja en dependencia de otras, pero también en relación orgánica con su propio pasado. Herder se pregunta retóricamente: ¿Puede existir un cuadro general sin una organización ni orden?... únicamente el Creador es quien concibe la unidad entera de todas las naciones, concibiéndolas todas en su diversidad sin perder de vista la unidad» (Herder 1993: 40). Existe un plan divino para la historia, que progresa y se desarrolla según éste: «¡todos los periodos están obviamente en progreso! ¡todos se reúnen en la continuidad!» (Herder 1993: 43).

(3) Herder, como Hamann, está preocupado por una valoración del presente para interpretar la historia. La explicación de un periodo histórico o particularidad cultural comprendida en sus propios términos, debe conjugarse con una comprensión histórica realizada desde el presente. De este modo, la interpretación del pasado sirve para entender las posibilidades del futuro. Esta perspectiva «presentista» depende de un concepto de formación del ser humano (*Bildung*) como «ser temporal», histórico, que está siempre en desarrollo, en formación, siendo influenciado por su cultura y tradiciones específicas. Pero el ser humano tiene un *poder*[5] singular que le permite apropiarse de estas tradiciones y reelaborar lo que le es transmitido. La tradición y este poder orgánico de transformación son los dos principios de la filosofía de la historia, entendida como formación hacia la humanidad (*Bildung*).

La tradición subyace a la dimensión histórica del ser humano, pues los seres humanos dependen de los otros para el desarrollo de sus capacidades. A diferencia de los animales, el hombre nace sin instintos y necesita de un entrenamiento hacia la humanidad que realiza a través de una «cadena» consistente en la vida social y en la dinámica de la tradición. Esta cadena que conecta a los individuos entre sí (padres, profesores, amigos) con los antepasados y con las circunstancias contextuales y otras más generales de la raza humana, genera la transmisión de la tradición. Ésta, así como la formación, depende de una interacción continua entre individuos generadora de su humanidad:

---

5   Esta idea de poder, según Gadamer (1975: 205 ss), fue tomada por Herder de Leibniz y constituye la categoría central de toda la «escuela histórica» alemana. El «poder», que incluye relaciones de tensión, hace posible explicar la coherencia y la unidad de la historia sin acudir a una perpetua metafísica de la historia que descuide los datos.

«Me parece, por tanto, que hay una educación de la raza humana y una filosofía de la historia tan cierta y verdadera como hay una humanidad, esto es, una continua interacción de individuos que nos convierte en seres humanos» (Herder 1993: 51). La religión, la cultura, el lenguaje, las artes y las ciencias, incluso los gobiernos, dependen de esta cadena dinámica de la tradición, generadora de una influencia anónima que vive a través de las generaciones. Este proceso de la tradición es universal y configura la mente y el cuerpo (Herder 1993: 52, 54).

A pesar de esta naturaleza universal y anónima de la tradición, su transmisor depende de la interacción establecida entre individuos. Éstos transmiten la tradición mediante la imitación de un modelo. Pero, los imitadores deben tener un poder para transmitirla y reconvertirla. Herder (1993: 51) da una gran importancia a este poder individual que se ejercita constantemente como un «desarrollo cotidiano»: «Los imitadores deben tener poderes, sin embargo, para recibir lo que puede y tiene que ser transmitido y para convertirlo, como la comida mediante la que viven, en sus propias naturalezas. Del mismo modo, sus propios poderes receptivos determinan la cantidad y cualidad que reciben, de quién lo adquieren, cómo se lo apropian, lo usan y lo aplican».

Finalmente, quisiera señalar que la teoría de la tradición, corazón de la filosofía de la historia de Herder, contiene aspectos que pueden ponerse en relación con las ideas de Mannheim, expuestas en el capítulo anterior, consistentes en considerar el tema de la tradición como eje de su sociología de la cultura. Algunas de estas coincidencias son: el carácter básico de la tradición para la comprensión de la cultura y la historia; la dependencia de la transmisión de la interacción entre individuos estructurados según las generaciones; el rechazo a considerar una tradición o perspectiva como criterio único para juzgar otras. Además, Herder aporta dos aspectos nuevos que pueden complementar las ideas de Mannheim: su énfasis en (a) la imitación de un modelo de referencia en la formación de la personalidad individual (una idea que luego aparecerá en la consideración de M. Mauss de la tradición) y (b) la existencia del poder individual para conducir la transmisión.

No me es posible dedicar aquí mucho espacio a las ideas de Herder sobre el lenguaje y la religión. Me referiré únicamente a tres aspectos que evidencian la importancia de Herder para la sociología del conocimiento y de la cultura. Primero, la lengua materna configura la cosmovisión, la conciencia humana y la identidad cultural. Lejos de ser un mero «instrumento» para pensar, el lenguaje hace posible el pensamiento, la conciencia reflexiva y el sentido de comunidad y mundo. Segundo, la religión es un hecho histórico que depende de los rasgos más profundos de las personas, es central en la naturaleza humana y afecta de un modo total a la personalidad. Tercero, tanto los mitos como los textos sagrados informan sobre las características sociales e intereses de las personas y comunidades que los generaron así como de las audiencias a los que iban dirigidos (Bunge 1993: 17-30).

C) Dilthey

El punto de arranque de la filosofía de Dilthey es un intento de superar las «tensiones» que se habían generado en el pensamiento histórico de Ranke y Droysen, representantes de la «escuela histórica» alemana iniciada por Herder. Ranke fue maestro de Dilthey, quien percibió estas dificultades de un modo especialmente claro debido a su interés por la primera hermenéutica de Schleiermacher (y después por Hegel)[6]. En tiempos de Dilthey, la escuela histórica encaraba una tensión entre, por un lado, la investigación histórica, que se ocupaba de una hermenéutica de los textos con el objetivo de reconstruir una tradición (y por ello tenía que sostener una filosofía de la historia), y, por otro, la investigación empírica realizada por las ciencias naturales. Dilthey intenta superar esta oposición tomando como modelo la primera crítica de Kant: la razón histórica demanda el mismo tipo de justificación que la razón pura (Gadamer 1975: 218-219).

Este propósito es similar al de los neokantianos, pero Dilthey elige un camino diferente para desarrollarlo. Sabe que la experiencia histórica es bastante distinta a la estudiada por las ciencias naturales, las cuales entienden la experiencia como material verificable, que se desvincula del individuo. Los neo-kantianos (como Rickert y después Weber) sostienen esa desvinculación al propugnar una estructura del mundo histórico compuesta por hechos tomados de la experiencia que adquieren una relación de valor. Dilthey no está de acuerdo con esto y mantiene, continuando una idea central de la escuela histórica, que a la estructura del mundo y a la experiencia histórica les es consustancial la historicidad: la experiencia es un proceso histórico viviente cuyo para-

---

6   Las influencias intelectuales recibidas por Dilthey son mucho más diversas, pero aquí no puedo abordar esta cuestión con detalle.

digma es la tradición, como peculiar fusión de la memoria y la expectativa de futuro en un todo. La historicidad pre-configura nuestro modo de conocer. La experiencia de la vida, la felicidad y el sufrimiento, pre-constituyen nuestro modo cognitivo de aproximarnos a las cosas. Por tanto, la condición para justificar la razón histórica es la propia naturaleza histórica del sujeto que al mismo tiempo hace historia al vivir. Dithey entendía este sujeto al modo individual, en el sentido de Herder del individuo que tiene un poder (para transmitir la tradición) que garantiza la continuidad histórica. La última presuposición para el conocimiento histórico es pues la experiencia y su estructura vital. Los significados inteligibles surgen a partir de la realidad histórica como consecuencia del significado asignado a las experiencias particulares. La hermenéutica de Dilthey está así basada en la vida (Gadamer 1975: 220-226).

La tradición histórica alemana y, especialmente el historicismo en la versión de Dilthey, constituyen precedentes para la sociología del conocimiento. Como señalé anteriormente, el historicismo de Dilthey es, además, un precedente inmediato en opinión de Mannheim y de Berger y Luckmann. Según estos últimos, el historicismo acentuó el tema de la relatividad de las perspectivas e insistió en comprender contextualmente, y en sus propios términos, la experiencia, pues el pensamiento queda asentado en la vida, lo cual podía interpretarse sociológicamente como «ubicación social» del pensamiento (Berger y Luckmann 1968: 20-21).

Capítulo 5
Marx, Nietzsche y Freud

1. KARL MARX

Existen habitualmente dos modos distintos de interpretar la obra de Marx. Uno de ellos, el más tradicional, distingue entre un «joven Marx» orientado filosóficamente y un «Marx maduro» preocupado por el «determinismo económico». El otro modo de interpretar a Marx entiende que hay una continuidad en la obra marxiana que va desde sus primeros escritos, incluyendo su tesis doctoral sobre la filosofía de Epicuro, hasta sus últimos escritos. La aparición tardía de una serie de escritos de juventud, e incluso otros de madurez, hizo difícil contrastar esta última interpretación, a lo que también contribuyó el hecho de la politización del marxismo e incluso su degeneración escolástica.

En la primera parte de esta sección realizo una pequeña contribución en esta dirección, mostrando que existe una continuidad entre los temas básicos que Marx discute en los escritos relacionados con el atomismo y la filosofía de Epicuro y el resto de su obra. Los conceptos de alienación, contradicción, exteriorización, aparecen ya en su tesis doctoral con la perspectiva de realizar una interpretación más amplia de la autoconciencia humana y de la sociedad. En segundo lugar me referiré a la antropología de Marx, caracterizada por un énfasis en la actividad humana productiva, el trabajo. El ser humano es un ser social que trabaja, y al producir, genera su conciencia. Así pues, la conciencia y el pensamiento se derivan del ser social del hombre. El trabajo es el medio que tienen los seres humanos para reproducir su vida material y (además de crear productos) genera el conjunto de instrumentos, los medios de producción y la propiedad, constituyendo el eje de la actividad productiva y, por tanto, la base estructural de la sociedad. Esta concepción antropológica permite a Marx realizar una crítica del trabajo alienado y de sus consecuencias, así como un cuestionamiento de las formas de historiografía que han ignorado esta base material de la sociedad, independizando una serie de ideas, categorías o principios a los que dotan de un poder autónomo en la historia. Estas explicaciones historiográficas son por tanto ideológicas, puesto que no entienden la conexión de estos principios con la estructura material de la sociedad. Además, constituyen un producto de la alienación del ser humano, dado que se generan como ideas a partir del dominio que una clase, la burguesía, poseedora de los medios de producción, ejerce sobre otra, el proletariado que sufre la alienación del trabajo.

A) Del átomo enajenado a la sociedad civil atomizada

Se dice que las tesis doctorales dejan una honda huella en la biografía académica de un autor. Este es el caso de la tesis de Marx, *Diferencia de la filosofía de la naturaleza de Demócrito y Epicuro. La filosofía epicúrea*[1]. En sus comentarios sobre la concepción de los átomos de Epicuro, encontramos ya las intuiciones básicas que orientarán su sociología del conocimiento. Por ejemplo, la preocupación por la correspondencia (ausencia de correspondencia y contradicción) entre la existencia y la esencia, el concepto de alienación, la búsqueda de un modo materialista de comprensión de la actividad, etc[2]. En el prefacio Marx (1988: 41) se distancia de la metafísica al explicar el objeto de su estudio: la filosofía atomística, especialmente la epicúrea, revela una preocupación por la forma subjetiva, que ha sido olvidada frente a la dimensión metafísica de la filosofía griega. A partir de las leyes y cualidades de los átomos, Marx pretende caracterizar las formas de la «autoconciencia» en el caso del ser humano.

La ley de declinación que caracteriza las relaciones entre los átomos, señala que

> El átomo niega todo movimiento y toda relación en la que él quede determinado como una entidad particular por alguna otra. Se expone así que el átomo se abstrae de la existencia que se le contrapone, y se desprende de la misma. Pero lo que esto encierra, su negación de toda relación respecto a otro, debe ser realzado, puesto positivamente. Ello sólo puede cumplirse en la medida en que la existencia con la que él se relaciona no sea otra cosa sino él mismo, es decir, un átomo igualmente, y, como

---

[1]   Utilizo la versión presentada y traducida por Miguel Candel, *Escritos sobre Epicuro*, Barcelona, Grijalbo, 1988, que incluye también los cuadernos de notas de Marx.

[2]   I. Mészáros (1970) ha puesto de relieve la importancia de este trabajo inicial de Marx para comprender su concepto de alienación.

él mismo se halla determinado inmediatamente, muchos átomos. Así la repulsión de la pluralidad de átomos es la realización necesaria de la *lex atomi*... Puesto que los átomos son para sí mismos su único objeto, sólo pueden relacionarse consigo mismos, o sea, expresado espacialmente, encontrarse, en la medida en que cada existencia relativa de los mismos, en la que se relacionan con otro quede negada... (Marx 1988: 66-69).

Esta *lex atomi* enfatiza así que existe una «repulsión» entre los átomos. Marx aplica esta ley atómica a los orígenes de la autoconciencia humana. El hombre sólo deja de ser un producto de la naturaleza cuando ya no se relaciona únicamente con una existencia distinta (la naturaleza) sino con un igual, otro hombre, que sin embargo se le contrapone, forzándolo a quebrantar su existencia relativa anterior, natural, en la que daba rienda suelta al poder de los apetitos. La repulsión es por tanto «la primera forma de la autoconciencia». Mészáros (1970: 66) interpreta estas ideas de Marx, señalando la presencia de una idea de Hobbes, el *bellum omnium contra omnes*, que Marx sitúa en el contexto de la filosofía atomista de Epicuro, como expresión de un período histórico dominado por la privatización de la vida y el «individuo aislado»[3].

Además, en Epicuro los átomos tienen una contradicción entre su existencia y su concepto (esencia), por lo que tienen una existencia enajenada y las propiedades de los átomos se contradicen a sí mismas: «A través de las cualidades recibe el átomo una existencia que contradice su concepto, queda como una existencia enajenada, separada de su esencia... De aquí que caracterice todas las propiedades de tal manera que se contradigan a sí mismas» (Marx 1988: 63).

La segunda cualidad de los átomos es su *forma*, la cual, por la propia contradicción del átomo, deviene en su opuesto: lo informe. Por este motivo las diferencias entre los átomos no pueden especificarse, siendo indeterminables. La tercera cualidad de los átomos es su peso, el cual, por la propia contradicción del átomo, deviene un punto ideal situado fuera de sí mismo (Marx 1988: 62-67). No es difícil encontrar en esta idea la anticipación del individuo aislado y enajenado en la sociedad civil, cuya forma genérica humana no puede desplegarse al haber situado su centro de gravedad, su peso, fuera de sí mismo (alienación).

---

[3]   Estas ideas de Marx sobre el individuo aislado en la sociedad civil podrían articularse con la teoría freudiana del narcisismo y la pulsión, que explicaré en la sección siguiente.

Otro aspecto importante de la consideración marxiana de Epicuro es el tiempo: «El tiempo es forma absoluta de la apariencia... abstracción, negación y reducción de toda existencia determinada en el ser-para-sí». Epicuro se opone así, según Marx, a aquellos que consideraban el tiempo como algo sustancial, una idea que es producto de excluir el tiempo del mundo mismo al haberlo absolutizado primero en la propia autoconciencia del sujeto filosofante (Marx 1988: 72). En este comentario cabe encontrar un precedente de la crítica marxiana de la historiografía que absolutiza las categorías y substancias sin articularlas con la existencia social mundana.

Marx concluye que Epicuro explica la contradicción entre esencia y existencia que se produce en el átomo (Marx 1988: 67). Así pues, entre otras cosas, el estudio de Marx sobre el atomismo le induce a problematizar esta relación, entre existencia y esencia, mediada por contradicciones generadoras de enajenación (de la esencia), de-formación (de la «forma») y exteriorización (pérdida del centro de gravedad, peso). Marx transfiere estas cualidades de los átomos, y la *lex atomi* de la repulsión, a la «sociedad civil». Así, por ejemplo, en la *Sagrada Familia*, señala que en la sociedad capitalista las actividades y cualidades, las aspiraciones de los hombres

> se convierten en *necesidades* que transforman su egoísmo en un deseo de cosas y de seres humanos exteriores a su persona. Ahora bien, esta necesidad del individuo no la percibe automáticamente otro individuo egoísta que posee los medios de satisfacerla y por esto cada individuo se ve obligado a crear esta relación, a convertirse, por así decirlo, en el intermediario entre las necesidades de otro y los objetos de estas necesidades. Lo que mantiene unidos a los miembros de la sociedad civil, cuyo vínculo real es la vida civil, y no la vida política, es, por consiguiente, la *necesidad natural*, la *cualidad esencial del hombre*, por alienada que sea la forma que se presenta, el *interés*. No es, pues, el Estado el que mantiene unidos a los átomos de la sociedad civil, es el hecho de que estos átomos sólo lo son *idealmente*, en el cielo de la imaginación, y que, en realidad, son seres muy diferentes a los átomos. No son criaturas divinas egoístas, sino hombres egoístas (Marx 1978: 242).

Como ha señalado Mészáros (1970: 67) el átomo representa el paradigma de la «individualidad abstracta», cuya cualidad de enajenación y extrañamiento, su contradicción, «la existencia alienada de su esencia», Marx aplica a la sociedad civil y al Estado. Esta comparación crítica entre el individuo en la sociedad civil y el átomo (que éste cree ser en la imaginación) presupone una concepción del ser humano, una antropología, en la que tiene una gran importancia el trabajo.

B) La antropología: el «ser social» como actividad humana y trabajo

Según Marx, el idealismo entendía la actividad humana de modo «abstracto», esto es, sin un contenido preciso determinado vinculado a la vida real de los individuos. Por este motivo, opone al idealismo de Hegel una antropología que pone el énfasis en la actividad humana y en el trabajo. El trabajo humano expresa la relación activa del hombre con la naturaleza. Marx parte de los individuos vivos que mediante su acción modifican el medio natural donde desarrollan su existencia. La actividad humana fundamental de relación con la naturaleza es la producción y los hombres se diferencian de los animales cuando comienzan a producir sus medios de subsistencia para reproducir su vida material.

Marx entiende la actividad humana no solamente como modificación de las circunstancias sino a la vez como automodificación sensorial práctica. En esto se diferencia su «materialismo» del de Feuerbach: «El punto más alto a que ha llegado el materialismo que se limita a observar el mundo, es decir, que no concibe la existencia sensorial como una actividad práctica, es la observación de los individuos particulares y de la sociedad civil» (IX tesis sobre Feuerbach). El trabajo es, entre las formas de actividad del ser humano, la más importante, siendo la que mejor expresa las características de la sociabilidad del ser humano y de su relación con la naturaleza. El trabajo, como actividad, actúa sobre la naturaleza y, al modificarla para ajustarla a las necesidades humanas produce también una auto-modificación del trabajador. En este proceso el ser humano crea, regula y controla mediante la imaginación y la reflexividad las formas de esta relación suya con la naturaleza:

> El trabajo es, en primer lugar, un proceso en el que participan el hombre y la naturaleza y en el que el hombre inicia, regula y controla las reacciones materiales entre él y la naturaleza. El hombre se opone a la naturaleza como una de sus fuerzas, poniendo en movimiento los brazos y las piernas, la cabeza y las manos, las fuerzas naturales de su cuerpo, para apropiarse de los productos de la naturaleza en forma adaptada a sus necesidades. Al actuar así sobre el mundo exterior y modificarlo, modifica su propia naturaleza (Marx 1978: 109).

Frente a la actividad «trabajadora» de animales organizados, como las abejas que construyen sus celdas, el ser humano se caracteriza por una reflexividad que pone en articulación un proyecto imaginado, y un diseño previo, con el proceso efectivo de llevarlo a cabo en la práctica real. El ser humano realiza así un objetivo consciente y lo plasma en la naturaleza, al modificar el objeto de trabajo, para crear un producto. Por este motivo, el proceso social y natural de producción (y el producto) expresan y generan lo que el hombre «es»; lo que los seres humanos son depende de su producción: «La manera en que los individuos expresan su vida refleja exactamente lo que son. Lo que son coincide, pues, con su producción, tanto con lo que producen como en la forma en que lo producen. Lo que son los individuos depende, pues, de las condiciones materiales de su producción (Marx 1978: 73-74).

Los factores fundamentales del proceso de trabajo son tres: (1) la actividad personal del hombre (el trabajo en sí), (2) el objeto de trabajo (cosas que el trabajo separa de su medio, como la tierra, y (3) los instrumentos. El ser humano interpone instrumentos que median entre su actividad y el objeto, permitiéndole conducir esta actividad e incrementar la eficacia de ésta. Dado que el instrumento ya ha sido producido previamente, a partir de un trabajo previo de modificación de la naturaleza, puede decirse que el instrumento se convierte en un nuevo órgano natural del ser humano que aumenta la potencia de su actividad (Marx 1978: 109-111).

El uso de instrumentos constituye así para Marx una característica específica del ser humano. Y en este sentido no deja de resultar interesante que se muestre de acuerdo con Franklin (la persona escogida por Max Weber como paradigma del protestantismo ascético) cuando concluye: «por esto Franklin define al hombre como "un animal constructor de instrumentos"» (Marx 1978: 111). Los instrumentos incluyen, además el «conocimiento humano materializado», de modo que el conocimiento es parte de las fuerzas productivas e incide también directamente en la práctica social y en el proceso de vida.

Marx presenta, por tanto, una antropología basada en la actividad humana de vinculación con la naturaleza, que es representada por el trabajo (y el proceso de trabajo). Esta actividad caracteriza para Marx la existencia social, real y efectiva, del ser humano, y esta existencia genera la «esencia» del ser humano. Aún más: de esta existencia social, característica del ser humano como ser social, se deriva la conciencia: «No es la conciencia del hombre lo que determina su ser, sino al contrario, su ser social lo que determina su conciencia» (Marx 1978: 73). De este modo Marx propone en general, como postulado antropológico, que la conciencia del ser humano se deriva de su existencia social (en la que la actividad productiva es la fundamental). Este postulado antropológico se transfiere a la concepción «materialista» de la historia en términos de estructura y superestructura: la base estructural de la sociedad (caracterizada por unas determinadas fuerzas productivas) genera las formas superestructurales ideales de carácter cultural, artístico, religioso, así como las formas de conciencia asociadas. Esta concepción de Marx, que deriva las ideas y la conciencia a partir de la existencia social y de la base material de la sociedad ha ejercido una gran influencia en la sociología del conocimiento y de la cultura, y es mencionada tanto por Scheler como por Mannheim como punto de referencia inicial y fundamental para la disciplina. Pero existe otra idea de Marx, la noción de ideología, que ha tenido igualmente una gran repercusión en nuestras disciplinas.

C) Trabajo alienado y formas ideológicas

La perspectiva antropológica anterior se halla enmarcada siempre en un contexto donde rige una perspectiva utópica: el ser humano, como ser social, debería poder desplegar todas sus potencialidades de sociabilidad mediante una asociación libre y transparente con los otros. Ello supondría que la actividad del trabajo sería realizada en cooperación libre, y serviría para expresar la plena naturaleza social (y natural) del hombre.

No obstante, el proceso de trabajo realmente existente muestra que la actividad laboral no está caracterizada por este pleno desarrollo de la sociabilidad humana. Más bien, al contrario, el ser humano se «pierde a sí mismo en el trabajo», se enajena y exterioriza en el proceso productivo, y no lleva, por tanto, una existencia social que contribuya a desarrollar su ser genérico (dotado, como ser social, de un potencial de expresión libre y plena de la sociabilidad). Esta situación de enajenación genera una «falsa conciencia», una conciencia enajenada, que contribuye a la creación y consolidación de las «ideologías». Éstas son las formas ideales que son el producto de separar las ideas de la existencia social (y base estructural de la sociedad) en que, sin embargo, se originan. Los «ideólogos», al considerar de modo independiente las ideas, contribuyen a oscurecer el modo en que estas ideas se originan en una existencia social contradictoria, originada en la sociedad capitalista por la actividad alienada del trabajo realizado en condiciones de explotación. De este modo, las ideologías contribuyen a legitimar los intereses de la clase que ejerce el dominio en la sociedad al disponer de la propiedad de los medios de producción. De aquí que una buena parte del esfuerzo de Marx vaya dedicado a criticar y deslegitimar ideologías, mostrando a la vez que sus ideas se derivan unilateralmente de un grupo o marco social dado cuyos intereses oscurecen, dan por supuesto o legitiman. Desarrollaré estas ideas con más detalle a continuación.

Decía que el trabajo era el medio a través del cual el trabajador realizaba *su* actividad práctica de relación con la naturaleza y consigo mismo. Además, y esto es fundamental, el trabajo era realizado mediante la *propia actividad*, estableciendo un propósito, haciendo un diseño y poniéndolo luego en términos del proceso concreto de trabajo en interacción con la naturaleza. No obstante, el trabajo deja de ser parte de la propia actividad espontánea, convirtiéndose en trabajo externo (alienado o «abstracto») cuando esta actividad está sometida a la actividad de otro. En el contexto del proceso de producción capitalista, la alienación del trabajo consta de tres aspectos: (1) el trabajo es exterior al obrero, no constituye una parte de su naturaleza; (2) su trabajo no es voluntario sino forzado; y (3) es un trabajo para otro, en el trabajo no se pertenece a sí mismo. Como consecuencia, «la actividad del obrero no es su actividad espontánea. Es la actividad de otro, una pérdida de su propia espontaneidad» (Marx 1978:192). La alienación se expresa también, en el proceso de trabajo, en términos del objeto de trabajo convertido en producto. El trabajo que realiza el obrero, encarnado en el producto, ya no le pertenece y se le enfrenta como un poder autónomo, extraño y hostil:

> El obrero pone su vida en el objeto y su vida no le pertenece a él, sino que pertenece al objeto. Por consiguiente, cuanto mayor es su actividad, menos posee. La parte de su trabajo encarnada en el producto ya no le pertenece. Cuanto mayor es este producto, pues, más se reduce el obrero. La alienación del trabajador respecto a su producto significa no sólo que su trabajo se convierte en objeto y adquiere una existencia propia, sino también que existe independientemente de él, es ajeno a su persona, se le enfrenta como un poder autónomo. La vida que él ha dado al objeto se le enfrenta como una fuerza ajena y hostil (Marx 1978: 192).

La alienación del trabajo se expresa finalmente en el proceso de trabajo en cuanto a los instrumentos y, en general, respecto a los medios de producción, que son propiedad del capitalista. Marx señala que en una primera etapa el trabajo alienado engendra también la propiedad privada, si bien en un segundo estadio las influencias son recíprocas (Marx 1978: 190-191). Pero la alienación del trabajo se transfiere hacia el resto de las relaciones sociales en términos de relaciones entre los productos o mercancías, que se convierten así en «fetiches». Así, las relaciones sociales entre los trabajadores aparecen desde la perspectiva del producto, perdiendo su espontaneidad:

> El misterio de la forma mercancía consiste, pues, en que, en ella, el carácter social del trabajo de los hombres aparece como una característica objetiva, una cualidad social

natural del producto del trabajo y en que, por tanto, la relación de los productos con la suma total de su trabajo se les presenta como una relación social no entre ellos, sino entre los productores de su trabajo. Con esta transferencia, los productos del trabajo se convierten en mercancías, en cosas sociales, cuyas cualidades son a la vez perceptibles e imperceptibles por los sentidos... Yo califico este fenómeno de fetichismo... (Marx 1978: 196).

La alienación del trabajo es la raíz de las contradicciones reales de la «sociedad civil» y por lo tanto, para Marx, cualquier aproximación histórica que intente explicar la sociedad a partir de ideas, categorías o principios independientes, sin tener en cuenta la relación de estos con las contradicciones generadas por la vida real de los individuos, es *ideológica*. Las formas ideológicas son el producto de la falsa conciencia, la conciencia enajenada, que no ha advertido las contradicciones generadas por el trabajo alienado. No obstante, Marx parece distinguir grados o niveles en la medida en que las ideologías se alejan más o menos de dar cuenta de sus vínculos con las contradicciones de la sociedad civil. Así, podríamos establecer tres niveles, que se corresponderían a grosso modo con ideologías predominantes en tres países: Alemania, Francia e Inglaterra. En Alemania las formas ideológicas tienden a expresarse de modo religioso, bien a través de la religión misma o hipostatizando de modo quasi religioso una idea, categoría o sistema teorético que se convierte en motor o artífice de la historia. En Francia predominan las formas ideológicas que absolutizan lo político, entendido en términos de derechos y libertades formales; en asociación la «razón» generadora de estos conceptos se hispostatiza también en términos de una religiosidad del hombre, entendido como ciudadano. En Inglaterra, la economía política ha desarrollado el concepto de utilidad, que ha puesto en vinculación con todas las relaciones sociales (Bentham), entendiendo así una forma alienada de relación social en la sociedad civil con la verdadera y original naturaleza del ser humano. En cualquiera de los tres casos, nunca se explica la relación entre las formas ideológicas y las contradicciones originadas en la base material de la sociedad.

2. NIETZSCHE[4]

A causa de la ausencia de sistematización, de la multiplicidad de perspectivas, del carácter poético y de la gran carga afectiva del pensa-

---

[4]   De esta sección son co-autores Antonio Palao Moreno y Xavier Costa.

miento de Nietzsche, resulta difícil proponer una interpretación unívoca y de validez definitiva. En relación con el pensador intempestivo disponemos de un elenco muy nutrido de interpretaciones que conviven sin poder pretender ser las más ajustadas: desde el Nietzsche vitalista hasta el metafísico, desde el pensador hermético hasta el padre de la postmodernidad. Sin embargo, no todo es válido en relación con Nietzsche. Pero existe un conjunto de ideas básicas que, sin lugar a dudas, fueron defendidas por este filósofo. Así, por ejemplo, es seguro que creyó que la voluntad de poder es la esencia del mundo y, además, el impulso universal de todas las cosas a desarrollarse y expandirse, a crear y producir. Esto supone afirmar plenamente la vida, que incluye tanto el placer como el sufrimiento. Afirmar plenamente la vida es la tragedia: «... todo devenir y crecer, todo lo que es una garantía de futuro, implica dolor... Para que exista el placer de crear, para que la voluntad de vida se afirme eternamente a sí misma, tiene que existir también eternamente el tormento de la parturienta... Todo esto significa la palabra de Dioniso...» (Nietzsche 1984a: 135).

Sin lugar a dudas, el concepto de voluntad de poder es el término ontológico-metafísico clave de Nietzsche y, en cierto sentido, toda su obra depende en mayor o menor medida de este concepto central. Por ello propongo una sumaria interpretación de los conceptos de «conocimiento», «cultura» e «historia» a la luz del concepto referido.

Por otra parte, no entraré a discutir la cuestión de la legitimidad de este concepto clave de Nietzsche, esto es: no me ocuparé de los argumentos por los que se siente autorizado a afirmar que el mundo en su conjunto es voluntad de poder; tampoco calibraré la validez de tales argumentos pero cabe decir que la voluntad de poder es el resultado de una primera mirada, de una intuición fundamental de Nietzsche sobre el mundo.

Si el mundo es en esencia voluntad de poder, entonces hay una forma de conocimiento verdadera o, al menos, la más verdadera, la que afirma que el mundo es voluntad de poder. Pero ¿qué quiere decir aquí «más verdadera»? «Verdad» no significa para Nietzsche conocimiento ajustado a los hechos, pues éstos admiten diferentes lecturas según las diferentes voluntades de poder; es más, lo que comúnmente llamamos verdad, y que hacemos pasar por el conocimiento más adecuado de los hechos, no es sino un conjunto de convenciones sociales que en definitiva son las mentiras comúnmente aceptadas. Nietzsche anticipa así una idea que será esencial para la sociología del conocimiento: el conocimiento (y la verdad) procede de la sociedad:

> En la medida en que el individuo quiera conservarse frente a otros individuos tendría que utilizar el intelecto, en un estado natural de las cosas, casi siempre sólo para la ficción: pero, ya que el hombre quiere existir, a la vez por necesidad y por aburrimiento, de una forma social y gregaria, necesita un tratado de paz y, conforme a ello, procura que desaparezca de su mundo el más brutal *bellum omnium contra omnes*. Este tratado de paz, sin embargo, conlleva algo que tiene aspecto de ser el primer paso en la consecución de ese enigmático impulso a la verdad. Porque en ese momento se fija lo que desde entonces debe ser «verdad», esto es, se inventa una designación de las cosas uniformemente válida y obligatoria, y la legislación del lenguaje proporciona también las primeras leyes de la verdad: pues se origina por primera vez el contraste de verdad y mentira… (Nietzsche 1996a: 39).

El primitivo pacto social comporta no sólo el cese de las hostilidades entre los seres humanos, también supone un mundo compartido y socialmente creado mediante el empleo de un lenguaje común. Frente a las teorías clásicas del lenguaje que suponen la existencia de un conjunto de hechos objetivos, frente a los cuales los grupos sólo se limitan a poner etiquetas —signos y símbolos— para favorecer la comunicación, frente a estas doctrinas, Nietzsche defiende que tanto la percepción como la conceptualización de los primitivos estímulos sensoriales son fruto de la imaginación creadora de metáforas. Por lo tanto, Nietzsche rechaza de pleno la existencia de tales hechos «duros» y configurados de antemano, y propone que tales hechos no son sino construcciones más o menos arbitrarias y convencionales fruto, en definitiva, del lenguaje común. De este modo, el lenguaje deja de ser concebido como mero registro y pasa a ser constructor de mundos sociales: «Creemos saber algo de las cosas mismas cuando hablamos de árboles, colores y flores y no poseemos, sin embargo, más que metáforas de las cosas, que no corresponden en absoluto a las esencialidades originarias». (Nietzsche 1996a: 41). Consiguientemente, Nietzsche insiste en otro tema fundamental para la sociología del conocimiento: el papel del lenguaje como constructor del conocimiento.

Ahora bien, si el conocimiento humano no es un espejo en el que se refleja el mundo ¿cómo puede sostener Nietzsche que la determinación correcta de la esencia del mundo es la voluntad de poder? ¿Por qué en lugar de afianzarse en un agnosticismo y en un convencionalismo extremos se atrevió a proponer, nada más y nada menos, que la metafísica de la voluntad de poder? Para salir de este *impasse* es menester introducir lo que podríamos llamar «el punto de vista del valor»: cierto es que los hechos no existen en estado bruto, sino que aquello que llamamos hechos son lecturas socialmente realizadas, interpretaciones construidas socialmente —para continuar con la feliz expresión de Berger y Luckmann— pero no todas son igualmente valiosas para la vida. Nietzsche apunta una idea que desarrollará la sociología del conocimiento: que existen diversas perspectivas (interpretaciones) asociadas con distintas formas de vida.

Según Nietzsche hay interpretaciones del mundo enfermizas, decadentes y debilitantes de la vida y hay otras que por el contrario la estimulan y permiten alcanzar mayor salud vital. Cierto que el mundo es una interpretación de los estímulos que llegan a nuestros sentidos y recorren nuestros cuerpos, pero tal interpretación tiene una misión: permitir la vida colectiva y, por ello, existen diferentes interpretaciones del mundo y de la vida. Una lectura del mundo no es sólo una ordenación de las cosas, es también y sobre todo una forma de comportarse y vivir, es una determinada moral. Por ello, la crítica de las diferentes interpretaciones del mundo es en definitiva una crítica de la moral, entendiendo por tal la determinación del valor para la vida, de la forma de vida que comporta cada manera de ver el mundo. Tal es la causa de la importancia central en la obra de Nietzsche (1994) de la *Genealogía de la Moral* cuya tarea es en principio doble: (1) Establecer la procedencia de los prejuicios morales; (2) Establecer el valor —para la vida— de la moral. Consideraremos a grandes rasgos ambas tareas que, por otra parte, se encuentran estrechamente vinculadas entre sí.

Con la *Genealogía* Nietzsche comienza una forma de hacer historia, tal y como subraya magistralmente Foucault (1992) en *Nietzsche, la Genealogía y la Historia*. Ya en su llamada primera etapa, Nietzsche se ocupó detenidamente de las ventajas e inconvenientes de la historia para la vida. En ella se mostraba, junto a las diferentes formas de hacer la historia (la «Historia Monumental», la propia del anticuario que preserva y venera y la «Historia Crítica») el papel en ocasiones nefasto de la historia, esto es: del conocimiento de la esencial historicidad de los valores e instituciones en relación con la vitalidad de los pueblos: «Que la vida tiene necesidad del servicio de la historia debe comprenderse no menos claramente que la proposición —a demostrar más adelante— de que un exceso de historia es perjudicial para la vida» (Nietzsche 1996b: 65).

Según Nietzsche, tan imprescindible para la vida es el recuerdo histórico como el olvido que permite al empuje vital no verse lastrado por una innecesaria carga histórica. Ésta podría ser, a grandes rasgos, la posición del joven Nietzsche frente a la historia. Sin embargo, su postura variará sustancialmente en relación con la historia en la *Genealogía de la Moral*. En esta obra opta resueltamente por un distanciamiento frente a la forma de proceder de la historia contemporánea y por ello propone como alternativa la historia genealógica o, simplemente, la genealogía. La historia contemporánea se encontraba a su juicio afectada de un error central: la preocupación por el origen. Los historiadores pecaban de falta de historicidad, valga la paradoja. Creían que resultaba suficiente para explicar una institución, una práctica o una actividad social, el hecho de establecer su origen; para ellos el origen determinaba la esencia eterna e inalterable de la institución en cuestión. Frente a ellos Nietzsche propone una forma más gris y minuciosa de hacer historia: la genealogía. Ésta nos descubre en toda institución y práctica dos aspectos: uno, «relativamente estable», por ejemplo el ritual de la pena, y otro «variable», que es el diferente sentido y valor que las distintas voluntades de poder han otorgado a esa práctica que sólo en apariencia es la misma. En este último aspecto «variable» y, siguiendo con el ejemplo anterior, la pena no significa lo mismo en unos contextos históricos que en otros; en unos puede constituir la restitución de una deuda, en otros un acto ejemplarizante, y en otro una forma de redimir al penado (Nietzsche 1994: 90).

En esencia Nietzsche se distancia del proceder de los historiadores, al menos de los de su época, y propone la genealogía pura pues no cree que pueda sostenerse desde una investigación minuciosa y concienzuda (gris) de los hechos históricos la existencia de ninguna esencialidad histórica. No existe la pena como esencia histórica que siempre tiene el mismo valor y sentido, existen diferentes interpretaciones históricas de la pena, de su sentido y valor. De igual forma no existe la Moral con su esencia única e inalterable sino diferentes formas de conferir sentido y valor a términos como «bueno», «malo», «remordimiento», «deber», «pena», «mala conciencia» (Nietzsche 1994: 13), cuyo sentido se transforma según las épocas, tal y como lo hace la pena. Como observaremos después, estas ideas de Nietzsche encontraron eco en la crítica realizada por la sociología del conocimiento a las concepciones esencialistas de la historia y, también, en aquellos sociólogos de la cultura que insisten en la variabilidad histórica y en la diversidad de las culturas.

Con lo hasta aquí avanzado podemos enfrentarnos al problema mismo de la moral y a su crítica, problema que como hemos subrayado es, para Nietzsche, central en la interpretación de las diferentes formas de concebir el mundo, de fabularlo y de construir culturas con diferentes ideales y valores.

El problema del valor de la moral es planteado por Nietzsche, sobre todo, en relación con la cultura occidental. La enfermedad que mina los cimientos de ésta es el nihilismo, esto es, la pérdida de fe en el valor de la vida y, como consecuencia de ello, la alienación colectiva que afecta a lo que denomina (1984b: 38-40) los últimos hombres. La decadencia de la actual cultura occidental es fruto de la moral dominante en Occidente, una moral de esclavos, depositada fundamentalmente en los ideales de la tradición platónico-cristiana: valores de renuncia, de negación de la vida, de aspiración a un más allá y desprecio por la vida terrenal y mundana.

La moral platónico-cristiana ha desprovisto de valor a la vida concreta y terrenal hasta tal punto que, cuando la creencia en un más allá ha resultado insostenible —como fruto de la labor corrosiva de la racionalización científica y técnica— esto es, cuando ha acontecido el proceso histórico que Nietzsche denomina «la Muerte de Dios», el mundo y la vida se han revelado al hombre contemporáneo como puro sinsentido y absurdo: tal es la esencia del nihilismo contemporáneo, al que Nietzsche denomina «nihilismo negativo». Evidentemente, estas ideas anticipan el diagnóstico pesimista con el que Weber finaliza de modo literario *La Ética Protestante*.

Nietzsche entiende que resulta, por lo tanto, urgente y necesario alcanzar una nueva forma de valoración, de creación de valores culturales que permitan ofrecer al ser humano una nueva guía, una nueva estrella orientadora. Pero tal cosa no puede alcanzarse mediante la resurrección —imposible— de una moral agonizante cual es la moral de esclavos, depositada en la tradición platónico-cristiana, sino mediante la radicalización de su crítica y de la proyección en el futuro de una nueva forma de humanidad: el transhombre o superhombre. La radicalización de la crítica de la moral de esclavos supone, a juicio de Nietzsche, descubrir las fuerzas originarias, las voluntades de poder que subyacen a tal moral y esto sólo puede alcanzarse contrastándolas con las fuerzas de poder que subyacen a la moral occidental precedente: la moral de señores, contra la moral de esclavos, luchó y lucha aún en un combate de incierto futuro pero que, hoy por hoy, tienen ganado los esclavos.

La esencia moral de Amos y la moral de Esclavos obedecen a dos diferentes constelaciones de fuerzas y de voluntades de poder que conducen a dos antagónicas valoraciones. La Moral de Amos procede de la voluntad de poder activa: la que se afirma a sí misma y afirma la propia vida y fortuna como buena y digna de ser vivida. Esta voluntad de poder sólo en segundo lugar, y con cierta superficialidad y negligencia, desprecia al desafortunado y lo determina como malo (=desgraciado). La Moral de siervos es fruto del resentimiento y no de la autoafirmación. Se construye a partir de un no, de una negación del otro —el afortunado, el que afirma y disfruta de su vida— al que señala como malvado y, gracias a esa negación y sólo gracias a ella, puede afirmarse a sí misma como buena. Fueron los sacerdotes resentidos, y sus esclavos aliados, quienes inventaron un más allá que les permitiese despreciar su desafortunada vida y en el que se castigase mediante el tormento del infierno a todos aquellos que en esta vida disfrutan de la fortuna y la gracia terrenas. La moral de siervos, la moral del resentimiento, es fruto de las fuerzas reactivas.

En definitiva Nietzsche pretende mediante el análisis genealógico mostrar la gran enfermedad que subyace a la moral occidental: el resentimiento y la negación de la vida. Sólo tras esta crítica será posible la transvaloración de los valores y la creación de una nueva ética cuyo sujeto ya no sea el rebaño sino el individuo autónomo, dueño de sí y de su vida, de sus compromisos y tareas, dotado de conciencia que le recuerde ante todo la necesaria fidelidad a sí mismo: este individuo soberano es en cierto modo el anticipo del superhombre (Nietzsche 1994: 67-68).

El superhombre es una forma nueva de constitución de la individualidad que puede pensar sin resentimiento, alejándose del pensamiento técnico imperante, característico de los «últimos hombres» (que asisten a la «Muerte de Dios»). El superhombre asume así la plenitud de la vida, con toda su belleza y todos sus dolores, su naturaleza trágica. La postulación del superhombre es una consecuencia lógica de afirmar la plenitud trágica de la vida, su permanente devenir como eterno retorno de lo mismo.

Max Weber, como observaremos después, recogió en gran parte las ideas de Nietzsche sobre los «últimos hombres» y su imperio técnico («Muerte de Dios») en las páginas finales de su *Ética protestante* donde los caracteriza como: «especialistas sin espíritu, gozadores sin corazón». Pero evidentemente Max Weber no postuló el superhombre. Tampoco lo hizo Freud, habituado a observar el modo en que el ser humano reprime aquello más doloroso de la vida. El superhombre de Nietzsche, dotado de autonomía, debería saber confrontar todos sus placeres y dolores, conociendo y dominando sus pulsiones. Freud sabía que el ser humano, «último hombre» o «super-hombre», era demasiado limitado para eso, incluso con la ayuda del psicoanálisis.

3. FREUD: LA TRANSFORMACIÓN DE LA PULSIÓN EN CULTURA[5]

A) Las pulsiones

Freud utiliza el término alemán *Trieb* para referirse a la pulsión, cuyo significado es impulso o empuje que busca una satisfacción, pero que carece de los medios idóneos para lograrla. En «Los instintos y sus destinos» (1993 [1915]: 2041) va a definir la pulsión del siguiente modo: «Si consideramos la vida anímica desde el punto de vista biológico, se nos muestra la pulsión como un concepto límite entre lo anímico y lo somático, como un representante psíquico de los estímulos procedentes del interior del cuerpo, que arriban al alma, y como una magnitud de la exigencia de trabajo impuesta a lo anímico a consecuencia de su conexión con lo somático». Observemos, pues, que la pulsión constituye un «puente» entre lo somático (biológico) y lo social («psíquico», «magnitud de trabajo»). De aquí que la pulsión, como veremos después, pueda transformarse en lenguaje, cultura, trabajo.

Freud (1993 [1915]: 2040) va a caracterizar la pulsión a partir de una consideración de dos tipos de estímulos que actúan sobre lo psíquico: los instintivos, que provienen del mundo interior, y los no instintivos, que producen una reacción en el sujeto, una fuga motora cuya misión será la supresión de dicho estímulo. En el primer tipo, la fuga no es posible, pues no existe el acto adecuado que lo neutralice, por lo que su resolución consistirá en buscar un objeto exterior que haga cesar tal estado de necesidad y de malestar (podría citar como ejemplos el hambre o la sed). Dentro de estos estímulos instintivos existen unos que no son satisfechos con ningún objeto exterior: son las pulsiones.

Las pulsiones caracterizarán al ser humano y lo diferenciarán del mundo animal, pues la relativa carencia instintiva del ser humano ha sido suplida por la pulsión. Todo animal tiende a la supresión del estado de necesidad. Por ello ingerirá el objeto exterior (comida, agua, etc.), lo que implicará su eliminación. En el hombre al existir las pulsiones, caracterizadas porque no se satisfacen con ningún objeto particular, el consumo del objeto no calmará la necesidad, el apremio. Sirvan como ejemplos patologías tales como la bulimia (ingestión compulsiva de

---

[5]   De esta sección son co-autores Juan José Pérez Abril, Dora Pérez Abril y Xavier Costa. Nuestra perspectiva debe mucho al trabajo de María Amparo García del Moral.

alimentos que nunca llegan a saciar el hambre), las adicciones al sexo o al juego, el consumismo extremo, etc. Ello implicará que ese resto que no queda satisfecho con el consumo o destrucción del objeto sea elevado a la categoría de símbolo: nombrando a la cosa, el hombre se la apropia. La pulsión es el rasgo humano singular que suple la carencia de instintos en el ser humano y precisamente por eso pudo ser también el origen del lenguaje[6].

Freud observa que las pulsiones son fuente de una ideación y simbolización que van acompañadas de emociones. En «Lo inconsciente» (1993 [1915]: 2067) explica que tenemos conciencia de la pulsión por medio de la idea que la representa, llamando a ésta «representante psíquico de la pulsión». De este modo va a decir: «una pulsión no puede devenir nunca objeto de la conciencia. Únicamente puede serlo la idea que la representa. Pero tampoco en lo inconsciente puede hallarse representada más que por una idea. Si la pulsión no se enlazara a una idea ni se manifestase como un estado afectivo, nada podríamos saber de ella...». Continuará diciendo que el representante psíquico de la pulsión es un significante al cual ésta ha quedado fijada, y además el «*quantum de afecto*» ligado a ese significante[7].

En «Los instintos y sus destinos» (1993 [1915]: 2043) Freud distinguirá dos tipos de pulsiones: pulsiones del yo o de conservación y pulsiones sexuales. Estas últimas proceden de diversas fuentes orgánicas, actuando en una primera etapa evolutiva independientes unas de otras, para quedar unificadas, una vez que el proceso evolutivo ha madurado, en una síntesis más o menos completa (la síntesis de las pulsiones parciales de la sexualidad bajo la primacía de los genitales y al servicio de la reproducción). Cada una de ellas tiende al placer del órgano y sólo después de su unificación entran al servicio de la procreación, teniendo ésta como fin la conservación de la especie. Probablemente en aras de la conservación de la especie, y ante el déficit instintivo del ser humano, las

---

[6]   Herder (1986: 107) en *Ensayo sobre el origen del lenguaje*, constituye un claro precedente de estas ideas. Señala en este trabajo la deficiencia instintiva del ser humano y su dependencia de los otros para satisfacer sus necesidades. En lugar de instintos, indica Herder, existen otras fuerzas ocultas que duermen. A partir de esta *«qualitas oculta»* surge un nuevo poder que le proporciona al ser humano la habilidad creativa del lenguaje.

[7]   Las distintas combinaciones entre el significante y este *quantum de afecto* en la obra de Freud, ha sido reelaborada desde la perspectiva lacaniana por Pérez Abril, J. J., en «Estímulos y pulsiones en Freud», manuscrito no publicado, 2002.

pulsiones empujarían al hombre a asociarse con otros y formar la comunidad social.

Las pulsiones sexuales se caracterizan por su capacidad para cambiar de objeto, esto es lo que facilita la sublimación, es decir, pueden desempeñar funciones alejadas de sus primitivos actos finales (satisfacción del órgano parcial) (Freud 1993 [1915]: 2.044). Freud señala cuatro destinos de las pulsiones, que surgen como defensa del individuo ante ellas. Son: (1) la transformación en lo contrario; (2) la orientación hacia la propia persona; (3) la represión; (4) la sublimación. El primero supone que la pulsión pasa de activa a pasiva, experimentando a su vez una variación en su contenido. Ejemplos de ese destino sería el sadismo-masoquismo y el placer visual (escopofilia)-exhibición. De atormentar y mirar, se pasa a ser atormentado y ser visto. En cuanto a la inversión del contenido, se manifiesta en la transformación del amor en odio. La orientación hacia uno mismo se aclara en cuanto se ve que el masoquismo es un sadismo dirigido contra el propio yo, y que el exhibicionismo supone la contemplación del propio cuerpo. Freud (1993 [1915]: 2.047) observará una ambivalencia es estos procesos, llegando a afirmar que el grado de ambivalencia varía en función de los diferentes individuos, grupos humanos o razas. Llega a plantear que a mayor grado de civilización, mayor es la amplitud de la ambivalencia, esto es, «la pulsión activa en forma no modificada fue en épocas primitivas mucho mayor que hoy» (Freud 1993 [1915]: 2.047).

Freud termina este ensayo diciendo que los destinos de las pulsiones consisten en que éstas son sometidas a las «tres grandes polarizaciones que dominan la vida anímica» (1993 [1915]: 2.048). Estas tres polarizaciones son: (1) actividad-pasividad; (2) yo-mundo exterior (sujeto-objeto) y (3) placer-displacer. El yo permanece pasivo cuando recibe estímulos del exterior, pasando a ser activo cuando actúa ante esos estímulos exteriores. Esta antítesis, activo-pasivo se fundirá luego con la de masculino-femenino, que antes de esta fusión carecía de significación psicológica (1993 [1915]: 2.049). La oposición yo-mundo exterior, la percibe el individuo cuando se da cuenta de que por medio de su acción puede poner fin a los estímulos que le vienen de fuera. La de placer-displacer, el sujeto la experimenta como aquello que mitiga la excitación anímica o la aumenta.

El déficit instintivo supone que tenemos que aprender de otros seres humanos, por lo que será necesario como principio fundamental la confianza en el otro. Ésta será la condición necesaria para todo aprendizaje social (Palao 2001: 107). Pero esta interacción social con los «otros», mediante la que aprendemos la cultura, está inevitablemente acompañada por la pulsión. Observemos cómo se relaciona la pulsión con la cultura.

B) Cultura

Las pulsiones del yo o de conservación y las pulsiones sexuales, serán sustituidas en una posterior obra de Freud, «Más allá del principio del placer» (1993 [1920]), por pulsiones de vida y pulsiones de muerte (Eros y Thanatos), donde se impone una concepción dualista de la vida anímica. La pulsión de muerte tiende a la cesación del displacer, esto es, la vuelta a un estado inanimado en donde no existe excitabilidad, y la pulsión de vida o Eros tiende a evitar la vuelta a esa etapa inorgánica. Es en este contexto de Eros o pulsión de vida donde Freud (1997 [1930]: 3.052) ubicará la cultura, la cual definirá en «El malestar en la cultura» como «un proceso puesto al servicio de Eros, destinado a condensar en una unidad vasta, en la Humanidad, a los individuos aislados, luego a las familias, las tribus, los pueblos y las naciones». Así pues, la cultura designa al conjunto de producciones e instituciones que separan la vida humana de la de los animales y surge para satisfacer dos fines: «proteger al hombre contra la Naturaleza y regular las relaciones de los hombres entre sí» (Freud 1997 [1930]: 3.033). Este último tema de la regulación (mediante la ley) fue tratado inicialmente en «Tótem y Tabú» (Freud 1993 [1912]), pero será en «El malestar y la cultura» donde Freud va a ponerlo en relación con la pulsión. Así, la primera condición de la cultura será que el individuo haga una cesión a la colectividad; esto es, a cambio de reprimir su propia pulsión, la comunidad le garantiza la represión pulsional de los otros. Este proceso representa el paso fundamental para la formación de la sociedad. Así pues, el primer requisito cultural será la justicia, pues el individuo que sacrifica sus pulsiones solicitará como contrapartida que una vez establecido el orden jurídico éste no será violado a favor de un solo individuo. Acabamos de ver aquí operando a la represión, otro de los destinos de la pulsión que Freud señalaba.

Existe otro tema psicoanalítico que es de gran importancia para la cultura y para los grupos e instituciones sociales: el narcisismo. En primer lugar, es necesario distinguir entre el narcisismo patológico y el primario, necesario éste para la supervivencia del ser humano y que a su vez permite su ingreso en la cultura y la convivencia social con los otros seres. Me ocuparé aquí solamente de este último, porque es el que afecta a todos los seres humanos y por tanto, es relevante para la sociología.

El ser humano alcanza una primera identidad identificándose con la imagen de sí mismo que estructura en su relación con la madre. Debido a la insuficiencia instintiva del niño, éste debe generar pautas y orientaciones a partir de la relación de confianza y afecto que establece con sus cuidadores. Por tanto, el niño se encuentra en relación de dependencia de éstos, pues de ellos dependerá la adquisición de la confianza y seguridad en sí mismo. De aquí, que para el niño sea importante saber que es fundamental para sus padres, tendiendo a considerarse el centro de sus atenciones, afectos, etc., y estar seguro de que al mismo tiempo es imprescindible y necesario para ellos. El problema del narcisismo es que presenta una ambivalencia trágica. Por una parte, ayuda al individuo a sobrevivir en sociedad y a adquirir la cultura. Por otra parte, dificulta la convivencia social, pues genera envidia, celos y una lucha por sostener la imagen. Como ha señalado Palao (2001: 109), «en todos los seres humanos se da el conflicto entre su narcisismo y las exigencias de la sociedad, las normas y valores que imponen el sacrificio parcial de nuestra egolatría».

Por otra parte, el narcisismo trasciende la individualidad para instalarse en instituciones y grupos sociales. Así, los padres (reviviendo su narcisismo primario) depositan en el hijo todas sus atenciones, considerándolo un dechado de virtudes y apartando de él o soslayando sus defectos. Según Freud en «Introducción al narcisismo» (1993 [1914]: 2027) «existe también la tendencia a suspender para el niño todas las conquistas culturales, *cuyo reconocimiento hemos tenido que imponer a nuestro narcisismo*, y a renovar para él privilegios renunciados hace mucho tiempo». El narcisismo debe sacrificarse en pos de la convivencia social, que implica el acatamiento de las normas que posibilitan vivir en sociedad, pero observamos que esa asunción de la ley no es plena, pues el individuo aún reprimiendo su narcisismo no lo elimina, dificultando la convivencia con otros seres. De esa forma, el niño llega a creerse el ombligo del mundo, como también lo creyeron sus padres durante su infancia. El yo del niño, durante su evolución, deberá alejarse de ese narcisismo primario, reprimir una parte de él y sustituirla por el ideal del yo que sus padres han construido para él a través de la interacción con el hijo. Es necesario decir que los padres han proyectado en su hijo todos sus deseos incumplidos, de tal forma que sus vástagos deberán cumplir aquellas aspiraciones sociales que ellos no han podido realizar. Así es como el niño va interiorizando el ideal del yo. Éste tiene también sus implicaciones sociales, sumamente importantes para la sociología, ya que junto con el ideal individual se desarrolla el ideal común de una familia, de una clase social o de una nación (1993 [1914]: 2.033). El incumplimiento de ese ideal del yo (particular o colectivo) puede llegar a generar sentimientos de culpabilidad y angustia social. Estas emociones surgirán cada vez que el ideal del yo se vea frustrado en sus aspiraciones. De esta forma, se evidencia la ambivalencia que produce el narcisismo en el ser humano. Por una parte, es necesario para sobrevivir; por otra parte, hay que sacrificarlo si se desea vivir en comunidad social, pues es difícil que pueda convivir un colectivo en el que todos creen ser, como dice Freud, «His majesty the Baby» (1993 [1914]: 2.027).

Hemos dicho hasta aquí que el individuo debe reprimir su narcisismo en beneficio de la paz social. Además, trata de censurar las pulsiones sexuales cuando éstas entran en conflicto con la cultura y la ética de la sociedad, pues el individuo ha debido someterse a ellas (Freud 1993 [1914]: 2028-2029). Pero, además de esta represión que posibilitará la convivencia en cuanto que implica el reconocimiento de una serie de normas sociales y el sometimiento a sus exigencias, existe otro mecanismo defensivo ante la pulsión, la sublimación, que «constituye un elemento cultural sobresaliente»(Freud 1997 [1930]: 3.038). Ésta se da en pueblos civilizados y da lugar a la ciencia, el arte y las manifestaciones ideológicas. Pero sólo una ínfima minoría tiene el poder de sublimar sus pulsiones, la inmensa mayoría sólo puede optar a la represión. ¿Cuál será el resultado de esta operación?

Freud (1997 [1927]) en «El Porvenir de una ilusión», vuelve a insistir en el concepto de cultura e indica que comprende, por un lado, todo el saber y el poder conquistados por el hombre para dominar la Naturaleza y extraer sus bienes naturales que satisfagan las necesidades humanas, y, por otro, las instituciones necesarias para regular las relaciones de los hombres entre sí y además garantizar la distribución de los bienes naturales (considerando al hombre un bien natural más, pues de él se aprovecha su capacidad de trabajo) (Freud 1997 [1927]: 2.962). Freud apunta una contradicción en el hombre, pues aun siendo imposible existir en aislamiento, los seres humanos «sienten como un peso intolerable los sacrificios que la civilización les impone para hacer posible la vida en común (1997 [1927]: 2.962). De esta forma, llegará a afirmar que la cultura será defendida a costa del individuo. Así pues, la comunidad social debió de ser impuesta a una mayoría (contraria a ella) por una minoría que supo apoderarse de los medios de poder y coerción para someter al resto[8].

Esta hipótesis de las pulsiones, entendidas como un empuje o impulso que, a pesar del trabajo del hombre en reprimirlas, no cesan en su manifestación, siendo el narcisismo pulsión erótica también reprimida[9], explicaría el enigma de la dificultad humana para una convivencia social pacífica. Freud se preguntó (1997 [1930]: 3.053): ¿Por qué nuestros parientes los animales no presentan semejante lucha cultural? Pues no lo sabemos. Es muy probable que algunos como las abejas, las hormigas y las termitas, hayan bregado durante milenios hasta alcanzar las organizaciones estatales, la distribución del trabajo, la limitación de la libertad individual que hoy admiramos en ellos». Y es respondiendo a este enigma que M. A. García del Moral (2002: 76) dice: «resulta imposible realizar una sociedad compuesta de abejas en las que todas ellas se creen reinas». De esta forma, Freud nos ayuda a resolver un viejo problema sociológico: la pulsión y el narcisismo dan cuenta de algunas de las razones por las que la sociabilidad humana puede contener buenas dosis de insociabilidad, y así puede responder, en parte, a la vieja pregunta sociológica por los motivos de la especial sociabilidad asocial del ser humano.

C) La influencia de Freud

Es imposible recoger aquí la diversidad de influencias generadas por la obra de Freud, por lo que me centraré únicamente, y de modo muy general, en el impacto de sus ideas en algunas corrientes de la antropología cultural y en la sociología del conocimiento y de la cultura.

Podemos diferenciar en el trabajo de Freud un antes y un después de una obra central dentro de su producción, *Más allá del principio del placer* (1993 [1920]). Antes de esta obra, Freud concebía el psiquismo humano como un conjunto extremadamente complejo de procesos regidos por un principio económico único: el principio del placer. Los

---

[8]   Estas ideas de Freud pueden ponerse en relación con la teoría de Marx.
[9]   El narcisismo, pese a servir a Eros al facilitar la integración del hombre en la cultura, incluye también impulsos thanáticos. No olvidemos que Eros y Thanatos son dos fuerzas en constante relación, dos «titanes en pugna», en palabras de Freud, que dominan la vida anímica del individuo (1974 [1920]: 2.507-2.541).

diferentes destinos de la energía pulsional de la libido se mantenían sometidos a un imperativo irrebasable: mantener la homeostasis energética. De este periodo y dentro de esta concepción, Freud realizó una primera incursión en el campo mixto de psicoanálisis y antropología, nos referimos a la obra de 1913 *Tótem y Tabú* (1993), tomada como principal reticencia en las discusiones entre psicoanálisis y antropología cultural.

Tras *Más allá del principio del placer* (1993 [1920]), Freud se ve obligado a introducir junto al principio de placer, principio de la homeostasis psíquica, otro principio por el que los procesos psíquicos, al menos algunos de ellos, tienden a rebasar el equilibrio psíquico y conducen a la pura descarga energética: a la muerte. Así es como Freud llega a concebir el campo psíquico, como la lucha entre dos grandes titanes: Eros (principio de vida) y Thanatos (principio de muerte). De este segundo periodo, tenemos una obra central para la sociología de la cultura, pero apenas visitada por la antropología: *El malestar en la cultura* (1997 [1930]. El análisis de la cultura practicado en esta obra, ha sido de gran influencia en una diversidad de autores y escuelas que han confrontado la cultura desde una perspectiva sociológica, siendo especialmente importante en la teoría crítica de la Escuela de Frankfurt, tanto en la primera como en la segunda generación de autores. Obras como *La Dialéctica de la Ilustración* (Adorno y Horkheimer), *Eros y Civilización* (Marcuse) o *Conocimiento e Interés*, hacen uso de la teoría del concepto psicoanalítico de cultura (en su relación con la pulsión) para elaborar sus propuestas de crítica de las sociedades modernas. Pero la importancia del psicoanálisis ha sido también fundamental en el estructuralismo y el post-estructuralismo actual, así como en una diversidad de propuestas sociológicas que no puedo detallar aquí.

Como decía, en antropología es *Tótem y Tabú* la que más ha influido. Esta última obra presenta una concepción antropológica evolucionista, según la cual las etapas del desarrollo cultural corresponden a las fases del desarrollo individual: la ontogenia psíquica reproduce la filogénesis cultural. Al comienzo de los tiempo, Freud sitúa la famosa horda darwiniana en la que un macho dominante prohíbe el acceso a las hembras de los hijos, reservándose él el derecho al disfrute sexual. A continuación, los hijos matan al padre y se lo comen, accediendo de ese modo a las hembras. De resultas del crimen, los hermanos sienten culpa y deciden prohibirse el acceso a las hembras, originando así el tabú del incesto, siendo el padre transformado en un ser sobrenatural, lo que da lugar al tótem y a la comida totémica. Según Freud, el tabú del incesto se instala en la memoria filogenética y constituye el elemento central del complejo de Edipo, cuyo alcance, desde ese mismo momento, es universal.

La reconstrucción de las primeras fases de la historia humana es claramente especulativa y no mereció excesiva preocupación por parte de los antropólogos, pero sí ha tenido clara importancia la discusión en torno a la universalidad del Edipo. Diferentes antropólogos han polemizado y puesto en duda la pretendida universalidad del complejo de Edipo, que consiste en el deseo incestuoso hacia el progenitor del sexo contrario y la hostilidad hacia el del propio sexo. Así Malinowsky ha mostrado que en los sistemas matrilineales, en los que el tío materno detenta la autoridad, éste es objeto de hostilidad y no precisamente del padre. Frente a él, Jéza Roheim, antropólogo y psicoanalista, defendió a capa y espada la universalidad del complejo. Sin embargo, este antropólogo húngaro evolucionó a lo largo de su vida hacia funciones más matizadas, abandonando su premisa de la memoria filogenética del parricidio original sustituyéndola por la explicación de la universalidad del Edipo en función de factores universales de la especie tales como el vínculo libidinal primero y universal con la madre, la precocidad sexual de los individuos en contraste con la inmadurez física. Posteriormente tanto los boasianos, Benedict y Mead, como el funcionalista Malinowski se aproximaron más a Freud, empleando inequívocamente los mecanismos psíquicos descubiertos por el fundador del psicoanálisis para explicar la cultura.

Por otra parte los neofreudianos se aproximaron a las ciencias sociales prescindiendo del evolucionismo del fundador. En esta línea son destacables las contribuciones de Abram Kardiner y de Erik Erikson. Kardiner demostró cómo podría aplicarse la obra de Freud, depurada de evolucionismo, a la explicación de la personalidad dominante en las culturas, en función de las instituciones encargadas de la crianza de los niños. Acuñó el concepto de estructura de personalidad básica, típica de los miembros de una cultura dada, en función de las instituciones directamente relacionadas con la disciplina, la gratificación y la inhibición de los niños A estas instituciones las denominó instituciones primarias, las más antiguas y estables. Frente a éstas, se encuentran otras más tardías, las instituciones secundarias, que satisfacen las necesidades y mitigan las tensiones creadas por las instituciones primarlas o fijas. Entre estas últimas Kardiner destaca los sistemas de tabú, la religión, los rituales, los cuentos populares y las técnicas de pensamiento (Devos 1981: 12).

Por su parte Erik Erikson retomó la teoría freudiana de las fases del desarrollo de la libido (oral, anal, fálica, genital) para explicar la personalidad típica de la cultura en función de los rasgos de carácter (anal, oral o fálico) que predominaban en una cultura dada. Según Erikson a cada fase corresponde un modo, una manera de ser, que denominó: incorporativo (oral), retentivo-eliminatorio (anal), e intuitivo (fálico).

Capítulo 6

E. Durkheim y M. Mauss

La obra de E. Durkheim y de sus discípulos ha ejercido una gran influencia en la sociología del conocimiento y de la cultura, así como en otras disciplinas tales como la antropología, la historia y la lingüística. En la primera parte de esta sección me ocuparé de la sociología durkheimiana del conocimiento. En la segunda me referiré a la sociología de la cultura y de la religión, donde incluiré una explicación de dos temas específicos investigados por Mauss: las técnicas del cuerpo y el ritual sacrificial.

1. LA SOCIOLOGÍA DEL CONOCIMIENTO DE DURKHEIM: CONCIENCIA COLECTIVA, CLASIFICACIÓN Y CATEGORÍAS

A) «Ser social» e idealización: el origen social de las ideas

La sociología durkheimiana parte de una concepción particular de la naturaleza y del ser humano como *homo duplex*, una dualidad de cuerpo y alma que Durkheim (1973: 149-163) explica en «El dualismo de la naturaleza humana y sus condiciones sociales». Por una parte, el fundamento orgánico del cuerpo produce una sensibilidad generadora de apetitos y constituye la individualidad. Pero la realidad sensorial del cuerpo no se somete a nuestros esquemas conceptuales sin resistencia, y es necesario hacerle violencia para que esta realidad sensorial, siempre egoísta, traduzca sus sensaciones en algo inteligible o conceptual. Así, es necesario un sacrificio de parte de nuestra vitalidad para poder comprender y disfrutar esta misma vitalidad. Por otra pare, el ser humano es un ser moral; y esta actividad moral desinteresada comienza con una aproximación a algo distinto a su individualidad corporal. Aquí radica la dimensión social: los conceptos y las reglas de la moralidad son el resultado de una elaboración colectiva y expresan las características de la colectividad donde desarrolla el ser humano su dimensión socio-moral, su ser social (Durkheim 1973: 149-155). Durkheim se remite aquí a las *Formas Elementales de la Vida Religiosa* para explicar sus ideas básicas sobre estos procesos de elaboración colectiva, que además se encuentran en la base de lo que para él es la actividad distintiva del ser humano: la capacidad de idealizar.

El ser humano genera «representaciones colectivas» a través de la vida en común. El grupo intensifica su actividad en ciertos momentos de reunión asamblearia donde existe una efervescencia colectiva. Durkheim explica el concepto de representación colectiva en el contexto de la idealización que se produce en estas reuniones efervescentes a partir de las cuales se genera y renueva el ideal social de un grupo. Mediante la facultad de idealizar el grupo genera las representaciones colectivas que componen el ideal social compartido.

En el ámbito religioso, la generación de las representaciones colecti-vas se produce como consecuencia del delirio generado en las reuniones rituales. Pero Durkheim se atreve a señalar que las representaciones religiosas son un caso particular de una ley general. El delirio, entendido de un modo muy general, se halla así detrás de la facultad de idealizar:

> Si se llama delirio a todo estado en el que el espíritu añade a los datos inmediatos de la intuición sensible, y proyecta sus sentimientos e impresiones, sobre las cosas, no existe, quizá, ninguna representación colectiva que en este sentido no sea delirante; las creencias religiosas no son más que un caso particular de una ley muy general. Todo el medio social nos aparece como poblado de fuerzas que, en realidad, no existen más que en nuestro espíritu. Sabemos lo que la bandera significa para el soldado; en sí no es más que un trozo de tela. La sangre humana no es más que un líquido orgánico, no obstante, aún hoy, no podemos verla sin sentir una violenta emoción… En un sentido, sin duda, nuestra representación del mundo exterior no es sino una amalgama de alucinaciones, pues los olores, los sabores, los colores que predicamos de los distintos cuerpos no están en ellos o, por lo menos, no están de la misma manera en que los percibimos. Sin embargo, nuestras sensaciones olfativas, gustativas, visuales no dejan de tener correspondencia con ciertos estados objetivos de las cosas representadas… Pero las representaciones colectivas atribuyen, con mucha frecuencia, a las cosas de las que se predican propiedades que en éstos no existen en forma ni en grado alguno. Del objeto más vulgar pueden hacer un ser sagrado y muy poderoso (Durkheim 1982: 213).

Consiguientemente, las representaciones colectivas tienen una natu-raleza ideal, pero ejercen como si fueran reales, determinando la conducta de las personas. Las razones de esta «realidad sui géneris» de las representaciones colectivas hay que buscarlas en la autoridad de las fuerzas morales que las sustentan. El ideal social generado por el grupo tiene autoridad sobre cada uno de nosotros, imponiéndose así desde el exterior. Si entendemos la sociedad como parte de la naturaleza, entonces podemos observar que este modo de idealizar del pensamiento social es igualmente «real» pues no hay que olvidar que las ideas son realidades, fuerzas, y que las representaciones colectivas son fuerzas todavía más actuantes y eficaces que las representaciones individuales. De aquí que el dominio social se caracterice por este idealismo esencial generador de realidades sociales *sui generis*. De este modo el aparente delirio anterior, que daba origen a las representaciones colectivas, es más bien un pseudo-delirio puesto que este modo de crear realidad es el que caracteriza a la sociedad como parte de la naturaleza:

> Y es que el pensamiento social, a causa de la autoridad imperativa que en él reside, está dotado de una eficacia que el pensamiento individual sería incapaz de tener; por la acción que ejerce sobre nuestro espíritu, es capaz de hacernos ver las cosas desde el punto de vista que le conviene; agrega o desgaja algo de la realidad, según las circunstancias. Hay así un dominio de la naturaleza en el que la tesis del idealismo se aplica casi literalmente: es el dominio social. En él la idea es constructora de realidad mucho más que en cualquier otro… En esto consiste el pseudo-delirio que encontramos en la base de tantas representaciones colectivas; no es más que una forma de este idealismo esencial. No se trata, pues, de un delirio propiamente dicho, ya que las ideas que así se objetivan están fundadas, sin duda, no en la naturaleza de las cosas materiales sobre las que se encarnan, sino en la naturaleza de la sociedad (Durkheim 1982: 214).

En el caso de la religión, las representaciones colectivas religiosas se fijan en determinados objetos que son parte o están en relación con lo sagrado, pues lo sagrado constituye en ese caso el núcleo del ideal social del grupo. Los individuos particulares participan de este producto de su vida en común que han contribuido a generar. Una vez se ha desagregado la fiesta, reunión o asamblea efervescente, el individuo lo conserva en su alma (conciencia individual o personalidad que particulariza la conciencia colectiva) y lo manifiesta permanentemente a través de las decoraciones de su cuerpo, de rocas, etc (Durkheim 1973: 159-160).

Por este motivo, el ideal social de un grupo, compuesto de las representaciones colectivas, es una totalidad histórico-social y tiene una dinámica que los individuos impulsan. Cuando interviene la reflexión sociológica, había señalado Durkheim en *La División del Trabajo Social* (1987: 402), ésta puede guiarnos para conocer las tendencias del ideal, pues éste produce una representación anticipada del resultado y «su realización no es posible sino gracias a esta misma anticipación». De lo dicho por Durkheim se deduce que la sociología tiene posibilidades de incidir en el desarrollo del ideal pues éste se reproduce a partir de la voluntad de los individuos. Estos lo «anticipan» a través de su propia actividad personal, y al hacerlo contribuyen a su desarrollo socio-histórico.

En la sociología del conocimiento de Durkheim es así fundamental considerar la naturaleza del ser humano como ser social que idealiza con los otros. A partir de esta facultad surgen las representaciones colectivas, a través de las cuales se generan las ideas básicas del ser humano. De este modo, como explicaré a continuación, se originan las clasificaciones simbólicas, tanto en su forma primitiva como en el caso de los conceptos y categorías.

B) Clasificaciones y organización social

Durkheim y Mauss se ocupan de las clasificaciones simbólicas del orden religioso o moral, distinguiéndolas de otros esquemas prácticos para establecer distinciones que denominan «distinciones tecnológicas». Las formas de clasificación actuales, los conceptos y las categorías, tienen su origen en tiempos poco anteriores a Aristóteles, y son así relativamente recientes. Se proponen trazar la prehistoria de estas formas de clasificación más intelectualizadas y parcialmente desprovistas de emoción. Las clasificaciones primitivas constituyen sin embargo una forma de clasificación simbólica precedente que incorpora elementos afectivos y religiosos. No obstante, como vamos a ver, estas clasificaciones tienen mucho en común con las actuales.

Durkheim y Mauss (1969: 81) señalan que no hay ruptura de continuidad entre estas clasificaciones primitivas y las primeras clasificaciones científicas. Las clasificaciones constituyen sistemas de nociones jerarquizadas que tienen un propósito especulativo: no intentan facilitar la acción, sino conectar ideas para la comprensión de las relaciones existentes entre las cosas. En este sentido son científicas, y «constituyen la primera filosofía de la naturaleza». Los autores sugieren, además, que las condiciones de generación de las clasificaciones primitivas son las mismas que las de las científicas: ambas surgen de la sociedad. En oposición a Frazer, quien creía que las relaciones sociales procedían de relaciones lógicas entre las cosas, Durkheim y Mauss (1969: 82) explican que:

> La naturaleza de estas condiciones [de generación de las categorías] es social. Lejos de ocurrir, como Frazer hace pensar, que las relaciones de los hombres están basadas en las relaciones lógicas entre cosas, en realidad son las primeras las que constituyen el prototipo para las últimas. Según él, los hombres estaban divididos en clanes por una clasificación preexistente de las cosas. Sin embargo, y muy al contrario, los hombres clasifican las cosas porque están divididos en clanes.

Piensan por tanto que estas clasificaciones, que todas las sociedades poseen, no proceden de la lógica ni de una capacidad innata en el ser humano, sino que han sido construidas a partir del modelo de la propia sociedad, de su forma fundamental de organización social y sus tipos de divisiones. Las primeras categorías lógicas eran categorías sociales: las primeras clases de cosas eran clases de personas y las relaciones que estructuran estas clases son también de origen social. Si la totalidad de las cosas se concibe como un único sistema, es porque la propia sociedad se percibe del mismo modo; consiguientemente, la jerarquía lógica es una expresión de la jerarquía social y la unidad del conocimiento manifiesta la unidad de la colectividad extendida al universo (Durkheim y Mauss 1969: 82-84). Las relaciones que unen las cosas del mismo grupo o de grupos diferentes entre sí se conciben como vínculos sociales:

> Las cosas de la misma clase eran consideradas como relativas a los individuos del mismo grupo social. Eran de la «misma carne», de la misma familia. Las relaciones lógicas eran así, de algún modo, relaciones domésticas. Algunas veces, también, como hemos visto, son comparables en todos los aspectos a las que existen entre un amo y un objeto poseído, entre un jefe y sus subordinados... Del mismo modo que, ..., la idea general domina al individuo, así el tótem del clan domina a los de los sub-clanes y, aún más, a los tótems de los individuos... (Durkheim y Mauss 1969: 84).

De esta manera concluyen identificando las fuerzas que impulsaban a los seres humanos a dividir las cosas como dividían las clases. Estas fuerzas son también sociales y están originadas en un sentimiento afectivo común, dado que los individuos comparten una «conciencia colectiva»: «Por tanto, los estado del alma colectiva dan lugar a estos grupos y estos estados además son claramente afectivos. Hay afinidades sentimentales entre las cosas y entre los individuos, y están situados en clases en función de tales afinidades» (Durkheim y Mauss 1969: 85).

Estos estados afectivos, procedentes principalmente de la esfera de las emociones religiosas, se combinan con las representaciones simbóli- cas mediante las que se estructuran las afinidades y diferencias que operan en las clasificaciones. Por tanto, los estados afectivos influyen en la «sensibilidad social» mediante la que se origina la clasificación. Las clasificaciones primitivas se basan más en las emociones que en lo intelectual: «Y es este valor emocional de las nociones el que juega un papel preponderante en la manera en que se concretan o separan las ideas. Es la característica dominante en la clasificación» (Durkheim y Mauss 1969: 86).

Las clasificaciones primitivas no disponen aún de la previsión y rigor intelectual característicos del concepto. Nuestros autores piensan que esto se debe a la omnipresencia de las emociones, las cuales resisten el análisis racional. De aquí que el criterio para evaluar las transformaciones históricas de las formas científicas de clasificación sea el del debilitamiento de la «afectividad social» y su sustitución por el pensamiento reflexivo: «Por tanto, la historia de la clasificación científica es, en última instancia, la historia de las etapas del debilitamiento progresivo de la afectividad social y del espacio libre que queda para el desarrollo del pensamiento reflexivo de los individuos» (Durkheim y Mauss 1969: 88).

Durkheim y Mauss concluyen que, mediante la sociología, puede iluminarse la génesis y el funcionamiento de las operaciones lógicas. Proponen así extender el análisis realizado para las clasificaciones a otras funciones y nociones fundamentales del entendimiento humano: el tiempo y el espacio; las ideas de causa, substancia y los diferentes tipos de razonamiento. El desarrollo más acabado de este programa típico de la sociología del conocimiento, que consistente en averiguar los orígenes sociales de las ideas y formas de pensamiento, se encuentra en las *Formas Elementales de la Vida Religiosa*.

C) *Origen social de los conceptos y de las categorías*

Tanto los conceptos como las categorías y la verdad surgen a partir de la capacidad humana para idealizar, que Durkheim hace coincidir con la naturaleza de «ser social» del ser humano (Durkheim 1982: 393-394). La religión tiene naturaleza social y es para Durkheim la imagen de la sociedad y el modo en que las sociedades se hacen conscientes a sí mismas. De ahí que la religión sea el fenómeno que hace posible comprender tanto las sociedades como sus formas de clasificación simbólica, sus conceptos y categorías.

Anteriormente, hemos visto que las clasificaciones científicas tienen un primer origen en las clasificaciones primitivas. En *Las Formas Elementales* Durkheim continuará esta idea señalando que la propia ciencia procede de la religión y que los conceptos y categorías que usa se originan también en nociones religiosas.

Las características del concepto, su relativa inmutabilidad y su universalidad que permite la comunicación, indican que es obra de la comunidad. Los conceptos, como el lenguaje, son representaciones colectivas: «No resulta dudoso que el lenguaje y, por consiguiente, el sistema de conceptos que traduce sea el resultado de una elaboración colectiva. Lo que expresa es la manera en que la sociedad en su conjunto concibe los objetos de la experiencia. Las nociones que corresponden a los distintos elementos de la lengua son, pues, representaciones colectivas» (Durkheim 1982: 404). Por tanto, siendo el concepto el eje del pensamiento lógico, puede decirse que éste procede de la sociedad. Pero ¿y la noción de verdad?

Durkheim (1982: 405) señala que la verdad también tiene un origen social. Impersonalidad y estabilidad son las dos características de la verdad. Pero el pensamiento impersonal se revela bajo la forma del pensamiento colectivo, y la estabilidad es una característica de las representaciones colectivas (Durkheim 1982: 405-406). En *Pragmatismo y Sociología* añade otra característica a la verdad: es obligatoria, procedente de su carácter social (superior a la conciencia individual). En este sentido, la verdad es una norma para el pensamiento, del mismo modo que el ideal moral es una norma para la conducta (Durkheim 1983: 97-98).

Finalmente, las categorías son también cosas sociales. Tienen un origen social por ser conceptos y gozar de sus características de inmutabilidad y de universalidad. Pero, además, las categorías son sociales por un segundo motivo, a saber, el hecho de que las mismas cosas que expresan en su contenido son también sociales:

> La categoría de género ha empezado por no distinguirse del concepto de grupo humano; es el ritmo de la vida social lo que está en la base de la categoría de tiempo; es el espacio ocupado por la sociedad el que ha proporcionado la materia prima de la categoría de espacio; es la fuerza colectiva la que ha sido el prototipo del concepto de fuerza eficaz, elemento esencial de la categoría de causalidad (Durkheim 1982: 408).

Las categorías permiten comprender el conjunto de la realidad y no sólo la realidad social. Pero entonces, se pregunta Durkheim, ¿por qué toman los modelos de la sociedad? La primera respuesta es que las categorías no pueden generarse sin la misma idea de grupo (o sociedad), que origina la noción de totalidad. Y esta idea de totalidad, como se demostró anteriormente, hace posible el cuadro más amplio de clasificación que, en el caso del pensamiento conceptual, son las categorías. Así, el tiempo o el espacio son el tiempo y el espacio totales del grupo, y otro tanto ocurre con el resto de categorías. Pero existe una segunda respuesta a la cuestión anterior: las relaciones que expresan las categorías sólo podrían hacerse conscientes, ser captadas con claridad, en la sociedad a través de sus relaciones sociales. Los cuadros de clasificación y las categorías las encuentra la sociedad en sí misma y, por tanto, no son creadas artificialmente (Durkheim 1982: 408-412).

El pensamiento lógico evoluciona; tiene un desarrollo histórico y cambia en la medida en que se transforma la vida social de modo progresivo. Con la vida internacional tienden a universalizarse las creencias religiosas y el horizonte colectivo se amplia. Así, el pensamiento se hace cada vez más impersonal y se universaliza. El auge de la «razón impersonal» tiene por tanto para Durkheim una relación con la ampliación de su base social de origen (Durkheim 1982: 412-413).

Durkheim fundamenta así las categorías a partir de la sociedad y de la facultad de idealizar del ser humano al que caracteriza como ser social. De este modo resuelve de un nuevo modo un viejo problema filosófico que había ocupado a racionalistas y a empiristas, a Kant y a Hegel. Su modo de darle solución constituye, además, una propuesta fundamental, de gran influencia, para la sociología del conocimiento y de la cultura.

Pero, como hemos visto, la propuesta sociológica de análisis de las clasificaciones, conceptos y categorías, no puede desvincularse en la tradición durkheimiana de la sociología de la religión. Los momentos de la reunión efervescente, normalmente una fiesta que suele incluir un ritual sacrificial, son fundamentales para la recreación del ideal social generado por el grupo, intensificando la capacidad de idealizar que subyace a las representaciones colectivas. Pero, además, este ideal social pasa a formar parte permanente del individuo mediante una serie de actividades formativas, entre las cuales las «técnicas del cuerpo» ocupan un lugar central. En la sección siguiente abordaré estos y otros temas de la sociología francesa de lo sagrado originada en Durkheim y en Mauss.

2. SOCIOLOGÍA DE LA RELIGIÓN Y DE LA CULTURA: LO SAGRADO, LAS TÉCNICAS DEL CUERPO Y EL SACRIFICIO EN MAUSS

A lo largo de esta sección recojo las aportaciones a la sociología de la cultura y de la religión de la tradición durkheimiana francesa. Exploro en primer lugar las ideas generales que aglutinan el corpus básico de la sociología de lo sagrado. Las nociones relativas a la naturaleza totalizante de los fenómenos sagrados se apoyan en la idea de «institución total» de Durkheim y de Mauss. A continuación me centro en aspectos específicos de esta tradición francesa. Explico la noción de «técnicas del cuerpo» de Mauss, la cual pone de manifiesto que la tradición se renueva con la intervención de técnicas que presuponen un credo. Éste configura un *habitus*, originado en el adiestramiento, basado en la confianza suscitada por un maestro. Finalmente, realizo una exposición de sus aportaciones relacionadas con el ritual del sacrificio.

A) Ideas generales sobre sociología de lo sagrado

Como expliqué anteriormente, el concepto central de la sociología de lo sagrado es el de «ideal social de un grupo»[1]. Durkheim elaboró esta idea a partir de la economía alemana de las totalidades y de la ética de Wundt, principalmente, el cual había recibido una gran influencia de Fichte y de Humboldt[2]. Durkheim significa con esta noción al conjunto de relaciones sociales hipostatizadas por un grupo, y que gozan de trascendencia, al ser presupuestas por el colectivo. El ideal social, como lo sagrado, recoge una pluralidad de manifestaciones: sentimientos, emociones, fantasías, imaginación y lenguaje, entre otras cosas, del mundo de la comunidad. Tiene una naturaleza globalizante de totalidad. Reúne y condensa, en creencias y rituales, elementos de orden social, psicológico, fisiológico, religioso y de relación con las fuerzas de la naturaleza. Igualmente, los rituales tienen, para Durkheim y Mauss, un carácter de «institución total», pues ponen en torno a sí una variedad de aspectos de la totalidad, de modo indivisible[3].

Existe una relación entre el poder y lo sagrado. En la sociología de Durkheim y de Mauss el poder es el «sistema de fuerzas de lo sagrado» (que resume la palabra *mana* como centro del aura de lo sacro), la condensación del producto hipostatizado de las relaciones sociales del grupo. Por este motivo, hay tantas clases de poder como formas de lo sagrado, correspondientes a comunidades grupos o mundos culturales concretos. Durkheim y Mauss anticipan por tanto una idea que después

---

[1]   Sobre la influencia de la ciencia social alemana en Durkheim para la generación de este concepto, véase Giddens (1977: 129-134).

[2]   Luckmann, por ejemplo, ha insistido en las proximidades entre Humboldt y Durkheim.

[3]   Giddens (1994: 103), por ejemplo, en sus comentarios sobre el papel de lo sacro en las tradiciones, señala esta naturaleza indivisible de lo sagrado, refiriéndose a Durkheim: «Como Durkheim indicó, lo sagrado es indivisible; una pequeña pieza del manto de Cristo es tan santa como cualquier otra práctica u objeto religioso de mayor consideración aparente».

hizo popular Foucault, quien entiende que hay una diversidad de poderes, con una variedad de formas de manifestación y de saberes.

El saber inmerso en cada forma de lo sagrado incorpora mitos, redes conceptuales de categorías y creencias, que tienen también componentes emocionales, afectivos, entrelazados. Las palabras llevan en sí mismas los «colores» de lo sagrado, su aura específica. Este conocimiento está más sistematizado en las ceremonias, en cuyos rituales queda encarnado, y hecho práctica, por los sacerdotes y magos. Este saber configura globalmente lo que Mauss denomina «técnicas», que penetran hasta lo «heteródito» y «diverso» del cuerpo, donde cristalizan en hábitos como consecuencia de la creencia en alguien que es imitado merced a esta confianza. Las técnicas del cuerpo son prácticas tradicionales cuya eficacia se consigue gracias a la confianza imitativa, el eje de la educación; esta confianza para imitar es más enfatizada que la mera repetición. La confianza en la técnica del maestro imitado genera el *habitus*, que comprende técnicas, actitudes y costumbres en una globalidad. Evidentemente, estas ideas han tenido una influencia posterior en Foucault y en Bourdieu.

Cada grupo tiene un saber de «técnicas del cuerpo», y de relación con la naturaleza en general. La individualización presupone la renovación constante de ese saber de «técnicas del cuerpo», que produce un adiestramiento específico del cuerpo, siempre relacionado con la configuración del «alma» (individualización social, socialización), por parte del grupo social. Mauss usó este concepto de técnicas del cuerpo para conciliar lo social, lo psicológico y lo biológico.

Los rituales son mecanismos de renovación de la fuerza vital del colectivo. El grupo entra en relación con lo sagrado, al reunirse para celebrar las ceremonias que lo dotan de identidad grupal e individual: reproducen el modelo de particularización de lo sagrado en un miembro concreto; esto es, renuevan el «alma» y reconfiguran técnicamente el cuerpo. Refuerzan las creencias grupales, que dan lugar a las pautas formativas del *habitus*. El ideal trascendente del grupo, lo sagrado, se reproduce mediante la eficacia de las técnicas. Las ceremonias rituales son pasos «educacionales», reforzadores de la confianza en la eficacia técnica. De este modo, puede decirse que la tradición se mantiene como consecuencia de la confianza en los otros que hace posible la transmisión.

El ritual del sacrificio genera la destrucción de una víctima para renovar la energía vital del grupo. El cuerpo y el fluido vital de la víctima ponen en relación lo sagrado y lo profano en el instante de su muerte. Las instancias de mediación son el sacerdote, la víctima y los instrumentos, que gozan de un status ambiguo entre lo sagrado y lo profano. En el ritual aparecen las «técnicas del cuerpo» al mismo tiempo que el resto del saber encarnado en la cultura y en la actividad de los sacerdotes. El grupo hace uso de su saber religioso especializado a través de los sacerdotes, que reciben la legitimidad del grupo para canalizar una ceremonia que reafirma los lazos grupales y refuerza por tanto el poder del ideal social que cuaja en una hipóstasis como sistema de fuerzas de lo sagrado. En *El Don*, Mauss nos habla de la particular relación de dependencia, e incluso de rivalidad, que aparece con el intercambio de dones. La parte que dona tiene un poder sobre la otra, la cual se ve obligada a devolver este don inicial.

B) Las Técnicas del Cuerpo en Marcel Mauss

Mauss comienza el primer capítulo titulado «Noción de Técnica del Cuerpo» señalando que pretende hacer la «Teoría de la Técnica del Cuerpo» a partir de una descripción pura y simple de las «técnicas del cuerpo». Entiende por éstas «las formas en que los hombres, sociedad a sociedad, de una forma tradicional, saben hacer uso de su cuerpo» (Mauss 1950: 365). Para construir esta teoría irá de lo concreto a lo abstracto.

Comienza señalando que este tema se encuentra en un ámbito del conocimiento aún desconocido y donde confluyen límites entre diversas ciencias, por lo que se trata de un asunto sobre el que hay disputas académicas. Cuando no hemos reducido algo a conceptos, y no hay agrupaciones orgánicas de ideas, estamos en el terreno de lo ignorado. Mauss denomina «lo diverso» a este campo, aún sin conceptuar, que incluye al cuerpo. Afirma que tuvo que enfrentarse a «lo diverso» inevitablemente, puesto que se daba cuenta de que estaba constituido por fenómenos vinculados a grupos y sociedades (Mauss 1950: 366).

Descubrió el interés histórico y etnográfico del problema en 1898 en relación con las técnicas de natación. Sobre éstas dice:

> Hace tiempo aprendíamos a sumergirnos después de haber nadado. Y cuando aprendíamos a sumergirnos también aprendíamos a cerrar los ojos, y después a abrirlos en el agua. Hoy en día la técnica es la inversa. Se comienza todo el aprendizaje habituando al niño a tener los ojos abiertos en el agua. De este modo, antes incluso de que naden, se ejercita a los niños sobre todo en el dominio de los reflejos peligrosos,

pero instintivos de los ojos. Se inhibe el miedo, se crea una cierta seguridad, se seleccionan los movimientos y la finalización de éstos. (Mauss 1950: 366).

La técnica de nadar dispone también de una práctica correspondiente de la educación para nadar. Las técnicas cambian junto con su forma de enseñanza. La imagen del barco a vapor navegando era el modelo para la enseñanza de la técnica para nadar de la generación del propio Mauss. De aquí que nos diga que no puede escaparse de ésta: «... yo hago todavía este gesto: no puedo liberarme de mi técnica. He aquí una técnica específica del cuerpo, un arte gimnástico perfeccionado en nuestra época» (Mauss 1950: 367).

Este carácter específico de las técnicas aparece claramente en el ámbito militar. Mauss pone aquí el ejemplo del caso en que hubo que cambiar 8.000 azadas por división porque las tropas inglesas no sabían cavar con material francés. Esto muestra que «un giro de la mano no se aprende mas que lentamente. Toda técnica propiamente dicha tiene su forma» (Mauss 1950: 367). Seguidamente va más allá e insiste en que incluso la actitud del cuerpo y sus hábitos dependen de cada sociedad. Así, los soldados ingleses mantenían el ritmo inglés, al sustituirse la música militar inglesa por francesa, y a la inversa. Concluye las observaciones de comparación de las técnicas militares: «De este modo yo he visto, de una forma muy precisa y frecuente, no solamente en lo relativo a la marcha, sino también en lo que respecta a la carrera y a otros aspectos derivados, la diferencias existentes, a nivel de las técnicas elementales y, también, de las deportivas, entre los ingleses y los franceses» (Mauss 1950: 368).

Continúa la lista de ejemplos con el caso de su estancia en el hospital. Al fijarse en el modo de andar de las enfermeras francesas, se dio cuenta de que caminaban como las estrellas americanas de cine. La posición de la mano revelaba, incluso, si una mujer era monja. La forma de poner los codos al comer distinguía a un inglés de un francés y la posición de los brazos con respecto al cuerpo, cuando se hace una carrera deportiva, indica la generación particular en los profesionales, incluso en el aprendizaje de la técnica gimnástica.

Mauss sintetiza el conjunto de casos concretos para proceder a unas primeras abstracciones. Los ejemplos muestran, dirá, que tenemos aquí una «idiosincrasia social y no simplemente un producto de no sé qué disposiciones y mecanismos puramente individuales...» (Mauss 1950: 368). El concepto que trae aquí a concurso es el concepto de «*habitus*», que E. Durkheim había desarrollado en sus obras de sociología de la educación y de sociología de la religión, un concepto que hoy sigue siendo central en la teoría social francesa:

Así pues, he tenido durante muchos años esta noción de la naturaleza social del «habitus». Les ruego que noten que digo en buen latín, comprendido en Francia, «habitus». La palabra traduce, infinitamente mejor que «habitude», el «exis», el «aquis» y la «facultad» de Aristóteles (que era un psicólogo) (Mauss 1950: 368).

Mauss pretende mostrar que es la sociedad, y no ninguna metafísica o alma extramundana, la que genera el *«habitus»*. Las técnicas varían con las sociedades, las educaciones, las conveniencias, las modas y los prestigios. La tradicional doctrina cristiana sobre el alma es así puesta en entredicho, siendo sustituida por una teoría de las técnicas y obras de la razón práctica colectiva que tiene como objetivo *«l'homme total»*, visto desde la «triple consideración» de lo sociológico, lo psicológico y lo biológico. Los hechos educativos manifiestan esta triple dimensión.

Anteriormente nos explicó que las técnicas llevan asociadas otras técnicas educativas de las que dependen. La educación, según Mauss, depende de la noción de «imitación». El vínculo social relevante aquí se encuentra en la relación entre el individuo prestigioso con autoridad moral y la persona imitadora que depositó su confianza en éste. En el acto imitativo subsiguiente se encuentra el componente psicológico y el biológico: «el individuo adopta la serie de movimientos de los cuales está compuesto el acto ejecutado ante él o con él por los otros». La fusión entre el acto físico, el acto técnico y el acto mágico-religioso (que se vincula a lo social), se produce como consecuencia de la confianza o *momentum* psicológico que se origina gracias a «la creencia en la eficacia, no solamente física, sino mágica, ritual de ciertos actos». Mauss critica así a Comte, quien entre la sociología y la biología no dejaba lugar a «la intermediaria psicológica»: «es la confianza, el *momentum* psicológico quien puede atarse a un acto que es sobre todo un hecho de resistencia biológica obtenida gracias a unas palabras y a un objeto mágico». Recordemos aquí que la propuesta de conexión entre técnica y magia es, además, la conclusión del conjunto de trabajos de este autor sobre la magia.

Las técnicas del cuerpo son actos tradicionales, divididos en técnicas y ritos, pero solamente hay tales técnicas si hay tradición que se transmite. En esta transmisión Mauss asigna una gran importancia al lenguaje: el hombre se distingue de los animales por la transmisión oral. A partir de aquí se opone a una extendida opinión que postula la existencia del instrumento como condición *sine qua non* para considerar que hay técnica; de hecho, indica nuestro autor que Platón hablaba de las técnicas de la música y de la danza. Para nuestro autor, lo importante en un acto técnico no es la existencia o inclusión del instrumento sino el hecho de que se trata de un acto tradicional y eficaz, cosa que lo asimila al acto mágico, religioso o simbólico. La característica esencial del acto técnico es que es sentido por el autor «como un acto de orden mecánico, físico o físico-químico, y que es perseguido en ese objetivo». Esta adaptación constante a un fin físico, mecánico, químico (por ejemplo cuando bebemos), es conseguida a través de una serie de actos estructurados no por el individuo aislado, sino por toda su educación, por toda la sociedad de que es miembro, en el lugar que él o ella ocupa (Mauss 1950: 372). Las técnicas del cuerpo se sitúan pues en un sistema que nos es común: la vida simbólica del espíritu, la actividad de la conciencia como siendo ante todo un sistema de montajes simbólicos. Las técnicas del cuerpo son pues un producto de la educación en los sistemas simbólicos específicos de las sociedades en que vivimos. El cuerpo es el «primer objeto técnico», el «medio técnico más natural del hombre». Así, el estudio de «lo diverso», de aquello que está en los límites de nuestro saber, queda re-situado ahora en el contexto de una teoría de las técnicas del cuerpo. Mauss avanzó unos principios de clasificación y una enume-ración de las técnicas del cuerpo en los capítulos II y III de su estudio. A continuación pasa a establecer conclusiones generales.

Las técnicas del cuerpo son montajes fisio-psico-sociológicos de series de actos, que tienen una mayor o menor antigüedad en la sociedad. Son hábitos más o menos arraigados en el individuo. Se instalan fácilmente en el individuo porque son organizados por la autoridad que lo social tiene. Hay una fuerte causa sociológica, dado que en toda sociedad los miembros deben saber las técnicas y aprenderlas: «la vida en grupo genera una especie de educación de los movimientos de una manera muy estructurada. Los hechos psicológicos son engranajes y no causas, excepto en los momentos de creación o de reforma. Aún así «los casos de invención, de posiciones de principios son raras. Los casos de adaptación son una cosa psicológica individual. Sin embargo, generalmente son condenados por la educación, y al menos por las circunstancias de la vida en común, del contacto». La educación juega así un papel fundamental: consiste en hacer que el cuerpo se adapte al uso de las técnicas.

Mauss cita el ejemplo del estoicismo cuyas pruebas tenían por objetivo el aprendizaje de la sangre fría, la resistencia, la seriedad, la dignidad, etc. La educación de la sangre fría es ante todo un mecanismo de retraso, de inhibición de los movimientos desordenados; este retraso permite una respuesta coordinada de movimientos corporales partiendo en la dirección del objetivo elegido. Esta resistencia a la emoción invasora es fundamental para la vida social y mental. Constituye un criterio de clasificación histórica para las sociedades: podemos diferenciar las sociedades «según si las reacciones son más o menos brutales, irreflexivas, inconscientes, o, al contrario, aisladas, precisas, dirigidas por una conciencia clara». Gracias a la sociedad hay una intervención de la conciencia, seguridad en los movimientos, dominación del consciente sobre la emoción y el inconsciente.

Concluye diciendo que es necesario estudiar las técnicas del cuerpo de los estados místicos. Se trata del estudio socio-psico-biológico de la mística, pues Mauss piensa que hay medios biológicos para entrar en «comunicación con el dios». Los indios y los chinos han ensayado la vía de la respiración como medio para alcanzar dicha comunicación.

Una de las consecuencias del estudio de Mauss sobre las técnicas corporales es que la configuración de la persona depende de tales técnicas, siempre vinculadas a grupos sociales que disponen de un marco transcendente y sagrado. Por esta circunstancia, postula el carácter histórico de la idea de «yo». De este modo, el tema de las técnicas del cuerpo se vincula con el de la constitución de la «persona» y con el proceso de individualización, asuntos que explicará mejor en su trabajo «Une catégorie de l'esprit humain: la notion de personne celle de moi».

Como explicaré en otro capítulo de este trabajo, Bataille y Foucault, seguidores de Mauss en este tema de las técnicas corporales, tomarán el erotismo y la sexualidad como puntos centrales para el estudio de los estados místicos en el primer caso, y de las relaciones entre poder, técnicas del yo y conocimiento en el segundo. La sociología de lo sagrado en Bataille y, definitivamente en Foucault, exige una historia del cuerpo y de sus técnicas, así como de los rituales donde se reúnen, y renuevan, las técnicas que «crean» y «conforman» lo diverso, lo heteróclito de lo real de la vida corporal.

C) El sacrificio

Durkheim y Mauss proponen una nueva comprensión de los rituales de sacrificio y de donación. Para ver en qué consiste su perspectiva me referiré primero brevemente a otras perspectivas anteriores, principalmente a las de Tylor y de Robertson-Smith. La antropología evolucionista anglosajona, representada especialmente por Tylor, partía de presupuestos animistas respecto a la religión. El alma era un doble del cuerpo, concebida a su imagen, que se independizaba espiritualmente. Los humanos se encuentran ante un conjunto de fuerzas espirituales autonomizadas que se convierten en dioses. El modelo se supone universal, algo característico del evolucionismo antropológico. La relación con la deidad presupone la propia relación de los hombres entre sí: entre los hombres y sus almas, devenidas dioses. De esta manera, los hombres hacen un obsequio o donación para conseguir un beneficio, reparar un daño o compensar una ofensa (Llinares 1996: 8). Para Tylor hay una lógica racional en el sacrificio que mantiene su estructura en una evolución: el obsequio pasó a convertirse en homenaje y, finalmente, en abnegación[4]. Resumiendo, podemos decir que Tylor enfatiza tres elementos: el obsequio (con una variedad polisémica de significaciones), el homenaje y la abnegación (Llinares 1996: 12).

Robertson Smith le da importancia sobre todo a la dimensión de comunión festiva en su consideración del sacrificio. Señala que la donación es un añadido posterior. La fiesta consistente en compartir alimentos entre los fieles y el dios es lo fundamental. El vínculo entre los hombres y los dioses es el banquete sacrificial, donde lo que se consume tiene naturaleza sagrada. El banquete santifica a los hombres, al consumir la misma «sangre» que los une en parentesco al dios. La fiesta del banquete es la esencia de la unión entre los dioses y los creyentes. El sacrificio es la fiesta del banquete. Para Robertson-Smith:

> El sacrifici és, així doncs, sobretot, un acte de menjar-se sacralment el tòtem-deu, una redistribució de força espiritual, l'acció de combregar amb el principi sagrat que resideix en l'animal totèmic, tot participant-ne i assimilant-se'l, renovant aleshores les forces santes y les energies sagrades que el temps ha anat gastant i envellint» (Llinares 1996: 13).

La teoría de Robertson Smith ejerció una extraordinaria influencia. Freud[5] se encuentran entre la nómina de autores que consideraron su

---

4   Llinares (1996: 11) hace una crítica a esta perspectiva evolucionista, señalando básicamente dos aspectos. En primer lugar, presupone una innata correspondencia entre las mentes de los hombres, en cuanto a comportamiento y a motivación respecto al sacrificio. En segundo lugar, toma como modelo el tributo que se paga al señor, que es una parte del «todo» conseguido mediante el trabajo. Llinares indica que se ofrenda una parte en lugar de la totalidad. La crítica de Llinares está en consonancia con Durkheim y Mauss, que también habían remarcado la naturaleza totalizante del sacrificio, como «institución total» que sintetiza (como también en Heidegger) todos los componentes existenciales.

5   Freud la adopta sin reparos cuando busca los orígenes, y articulaciones, de los rituales patológicos de la modernidad en los rituales ancestrales. De aquí la importancia que tiene el «comer» y la «antropofagia» en sus trabajos sobre la identificación.

tesis. Dukheim y Mauss recogen la herencia de Robertson Smith, pero señalan que lo esencial, y más general, es la destrucción (con residuos) de la víctima sacrificial. Además, reincorporan la idea de Tylor de la donación, homenaje y ofrenda. Apuntan como idea sintética central, que la comunión, generadora de la destrucción de la víctima, es al tiempo ofrenda.

De este modo la perspectiva del sacrificio de Durkheim y de Mauss permite articular las de Tylor y Robertson Smith, ampliando, además, las funciones del ritual mediante una mayor clarificación de su estructura. Contra Robertson Smith, Durkheim muestra que la donación está incardinada en el sacrificio, que es también una ceremonia de comunión: la unión con el dios se produce mediante la ofrenda misma. Así, dice Durkheim: «el sacrificio se compone de dos elementos esenciales: un acto de comunión y un acto de oblación. El fiel comulga con su dios al ingerir un alimento sagrado y, al mismo tiempo, hace una ofrenda a ese dios» (Durkheim 1982: 318). Durkheim (1982: 303-325) muestra a lo largo del capítulo dedicado al sacrificio de *Las Formas Elementales de la Vida Religiosa*, que la ofrenda misma (que puede incluir banquete y fiesta) viene demandada por la misma comunión. Esto se produce al devenir la ceremonia el momento de renovación de las fuerzas de lo sagrado, del ideal social del grupo, cuya fuerza vinculante excede cualquier presupuesto utilitario. Mediante el sacrificio, el grupo y la persona aparecen renovados, ofreciendo nuevos sentimientos y pensamientos a los seres sagrados. Este ofrecimiento se desarrolla en el interior de un «círculo» de mutua dependencia entre dioses y fieles. Ese «círculo» también es el de lo social, pues el principio sagrado es la sociedad hipostatizada y transfigurada: el hombre obtiene de la sociedad la lengua, las artes, etc., y la sociedad se mantiene gracias a la actividad humana (Durkheim 1982: 322). El «círculo social», como el de lo sagrado, no puede reducirse (sin riesgo anómico) a un intercambio utilitario. Depende de realidades totalizantes hipostatizadas, que vinculan inextricablemente al hombre con su grupo, e ideal social, en relación con el cual configura su persona, su identidad social.

Además de resolver las diferencias entre las teorías anteriores, Durkheim va a señalar nuevas dimensiones del sacrificio, que ahora incorpora la donación en su misma estructura. Entre estas nuevas ideas hay dos que conciernen especialmente a nuestro trabajo: el sacrificio, primero, ofrece nuevos pensamientos y lenguaje y, segundo, tiene un ritmo.

La perspectiva durkheimiana permite explicar la renovación de la energía vital del grupo mediante la producción de nuevo saber, lenguaje y pensamiento. El sacrificio genera palabras nuevas. Por otro lado, la interpretación de Durkheim explica la repetición periódica de estos rituales, que incorporan la comunión, el banquete, la fiesta, en su núcleo central. Espacio y tiempo son, para Durkheim, como las categorías, elementos sociales construidos. El latido de la vida social procede de su reproducción cíclica en las ceremonias, donde se establece la diferenciación entre «sagrado» y «profano» para el tiempo y el espacio. También Mauss había señalado esa doble producción, de palabra y de ritmo, en la historia de los grupos y en los fenómenos de «totalidad» social (Mauss 1991: 299).

Como dije antes, en Mauss la atención confiada constituía uno de los presupuestos de la eficacia de las técnicas, que intervenían en la conformación de los niveles simbólicos y rítmicos de «*l'homme total*», del *habitus* (Mauss 1991: 307). De aquí que en él sugiera la idea de que también las artes presuponen esta expectación atenta, como elemento de la confianza imitativa. Mauss y Hubert derivan del *mana* este peculiar poder de «causación», basado en las creencias y en la confianza en los otros, como representantes del poder de lo sacro. La tradición presupone estas creencias, al tener al núcleo de lo sagrado en su centro configurador. De aquí que el desarrollo de la tradición consista en la renovación sustantiva de técnicas del cuerpo, manifestadas tanto a nivel simbólico como en cuanto al ritmo de la vida social. Detrás de la repetición técnica está la educación atenta, e imitativa, que produce la persona, conformada como *habitus*. Pero las técnicas se manifiestan de modo contundente en los rituales. A continuación vamos a detenernos en la teoría del sacrificio de Hubert y de Mauss.

D) *El sacrificio en Mauss y Hubert*

Hubert y Mauss indican que un propósito esencial de su obra es el de ofrecer una estructura del sacrificio que muestre las deficiencias de la de Robertson Smith, la cual no apreciaba el elemento de oblación y de expiación que, sin embargo, están en la comunión misma. Por ello afirman que de lo que se trata es de desarrollar y complementar las intuiciones de Frazer acerca del sacrificio del dios agrario. Frazer había insistido en la consideración de la víctima como elemento que se ofrece para la purificación y la renovación energética del colectivo (Hubert y Mauss 1981: 5). Esto no significa que acepten las presuposiciones de Frazer respecto a la universalidad del totemismo, pero la posición de

Frazer, que explican a lo largo de la introducción, sirve como punto de partida para evidenciar las lagunas de la teoría de R. Smith. Por otra parte, si observamos el conjunto del estudio veremos que el trabajo apunta hacia el capítulo final del libro, que trata precisamente del sacrificio del dios. Podemos considerar, en este sentido, que Hubert y Mauss están «dando estructura» (si bien, otra estructura) a las ideas principales de Frazer. Lo hacen desde los nuevos ímpetus de la escuela durkheimiana de lo sagrado.

La primera parte del texto se dedica a definir el ritual y la unidad del sistema sacrificial. El sacrificio es la consagración de una persona, animal u objeto. Ésta constituye la víctima que media entre los ámbitos de lo sagrado y de lo profano. El colectivo sacrificante se pone en relación con lo sagrado mediante la consagración y la destrucción de la víctima. La comunión del colectivo comporta el ofrecimiento especial de aquello que se sitúa en el centro del altar; el ofrecimiento es consagración y destrucción. La destrucción adquiere una variedad de manifestaciones, tales como la comida, la cremación, la fragmentación, etc. Lo esencial es que la ofrenda comunitaria implica la destrucción de la víctima. Los encargados de la parte «ejecutiva» de la ceremonia son los sacerdotes, que tienen el saber reconocido para poner en relación al colectivo sacrificante con lo sagrado. Los sacerdotes realizan el acto concreto de consagración y destrucción en representación del colectivo sacrificante (Hubert y Mauss 1981: 9-13). El sacrificio queda finalmente definido como «un acto religioso que, mediante la consagración de una víctima, modifica la condición de la persona moral que lo lleva a efecto o la de ciertos objetos con los que se encuentra vinculado» (Hubert y Mauss 1981: 13). Esta definición, según los autores, da cuenta de la unidad genérica del ritual.

Por otra parte, vale la pena hacer notar que el sacrificio modifica a la «persona moral», o a sus objetos. La persona moral no es el individuo moderno. Se trata aquí del agente de la acción, normalmente un grupo, que comparte «máscara» (o «nombre») en relación con lo sagrado. El yo moderno es una derivación, segregada en Occidente, de una forma de comprender la persona. Dada la naturaleza de «institución total» del ritual, las vinculaciones de la persona con objetos o animales, con su mundo social en general, también se modifican[6].

---

[6]   Como también vio Heidegger, al hacer el obsequio u oblación se hace «cosa», el mundo hace mundo. El sacrificio escapa así del mero intercambio entre individuos,

El esquema del sacrificio es explicado diferenciando sus componentes desde una perspectiva temporal. Ya hemos dicho que tanto Durkheim como Mauss estaban muy preocupados por el ritmo de la vida social. El sacrificio es un acto religioso y, al tiempo, social. Sus técnicas, y saber, dependen de la hipostatización del *mana,* que produce la confianza necesaria para desarrollar el ritmo, y la periodicidad, del ritual. Esta perspectiva del tiempo entiende el tiempo cíclico de lo sagrado como configurador del ritmo de la totalidad societal. Por otra parte, el propio ritual del sacrificio es dividido también en función de su ritmo.

El sacrificio comienza con la fase de «entrada», que intensifica el periodo inicial de consagración: acelera la condensación de los elementos sagrados marcando una red circular de diferencias respecto a lo profano. Acaba con la «salida», mediante la cual el colectivo sacrificante se separa del «círculo» creado alrededor del altar sagrado. La entrada supone técnicas de preparación para la consagración, consistentes en procesos de dignificación y sacralización progresivas. Para la vuelta a lo profano existen técnicas para la limpieza de los residuos de la víctima, de los instrumentos y del cuerpo (manos) del sacerdote ejecutor.

Los «protagonistas» del sacrificio configuran una estructura de unidad genérica. En primer lugar encontramos al colectivo *sacrificante*, que se vincula con su dios mediante el ritual. Así aumenta su «santidad» y se purifica: transforma su persona moral y renace al comunicarse con lo sagrado. Para ello ha de prepararse mediante una diversidad de procesos, que pueden incluir vestidos, disfraces, máscaras o gestos peculiares. Aquellos que no se han educado en tales técnicas, no tienen el *habitus*: pertenecen al mundo de lo profano, y pueden constituir referencias de mecanismos de exclusión.

El sacerdote es el ejecutor práctico del acto sacrificial: es el *sacrificador*. Hace de intermediario entre lo sagrado y el colectivo moral sacrificante. Para ello ha recibido una educación especial: tiene un patrimonio especializado de técnicas y saberes. Además, goza del poder de reconocer aquello que constituye la víctima, consagrada y destruida: el sacerdote conoce la particular relación de ambigüedad de la víctima respecto al grupo, su grado de pertenencia o separación. Esto le previene acerca de cometer errores respecto a aquello que el grupo necesita ofrecer. El

---

algo típico de la modernidad. Para resumir: el sacrificio afecta al mundo, que mediante su renovación hace mundo: produce la cosa.

sacerdote, como agente representativo del grupo sacrificante, encarna la acción colectiva de la persona moral; es decir, tiene el poder de lo sagrado y canaliza su aura (Hubert y Mauss 1981: 20-25).

El tercer elemento del sacrificio es el lugar, junto con los elementos utilizados en ese espacio. Los autores, sin embargo, consignan también la relevancia del calendario, del día y de la hora (Hubert y Mauss 1981: 25). Fuera de ese lugar y de ese tiempo el sacrificio sería un simple asesinato, o una destrucción sin sentido. El espacio sagrado circular tiene el punto central en el altar. Todo el lugar es marcado de algún modo, señalando especialmente los límites respecto al mundo profano; cualquier material es válido para este efecto. Nuestros autores ponen especial énfasis en la consagración del fuego sacrificial de Agni. En este sacrificio el fuego define, y crea, el lugar para el sacrificio del dios, que representa al propio fuego. En este caso el lugar tiene una forma rectangular. Es interesante anotar aquí una observación de nuestros autores sobre los orígenes del drama: el escenario dramático incorpora este viejo espacio del ritual (Hubert y Mauss 1981: 28).

La sustentación de la continuidad del sacrificio demanda un *credo*, una confianza automática en sus resultados. La comparación anterior, entre el ritual y su conversión en drama escénico, se basa también en la existencia, en ambos casos, de esta expectativa confiada. En el drama, señala en otra parte (Mauss 1991: 307), como en el arte en general, también es necesaria esa continuidad y orden, como sistema de expectativas de confianza. Se refiere entonces —en la línea de la transformación del ritual al drama y a la comedia— a los estudios de Bergson sobre la risa; y señala que Aristóteles ya había introducido esta idea en su concepción de la tragedia como *catarsis*, como purificación, dependiente de aquella confianza. Ésta hace posible «los numerosos ritos y el empleo antiguamente ritual de lo cómico y de lo trágico» (Mauss 1991: 308). El resto de géneros artísticos se basan igualmente en esa confianza generada por la eficacia tradicional de las técnicas de lo sagrado: «Toda una inmensa parte de los efectos del arte, de la novela, de la música, de los juegos, todo ejercicio de las pasiones ficticias, reemplazan así en nosotros a los sombríos dramas de la pasión real, bárbara, antigua y salvaje» (Mauss 1991: 308).

La amenaza de esa falta de continuidad en el ejercicio de la confianza está también presente. Se refiere a los estados críticos de tensión y a la ansiedad que acompaña la realización de los trabajos técnicos. La confianza puede romperse, al no funcionar el *credo*. En conclusión, el lugar del ritual sacrificial se ha transformado en un escenario dramático, pero la representación nueva sigue funcionando desde las creencias que proporciona la persistencia de lo sagrado[7].

El cuarto elemento del sacrificio es *la víctima*, que constituye el centro del ofrecimiento sacrificial. Por eso ha de reunir ciertas cualidades que permiten, de modo ambiguo, un contacto con el colectivo sacrificante. Ha de tener una parte del mismo espíritu de lo sagrado que comparte el grupo; pero al tiempo contiene elementos de los que la comunidad quiere liberarse. El sacerdote hace posible el contacto entre la víctima y la «persona moral» (colectiva) sacrificante. Esto supone normalmente unas formas, realizadas mediante las manos, con objetos e instrumentos diversos. Proliferan, en este sentido, los fluidos líquidos (aceites, vino, etc.), que conservan una relación con la sangre. Los fluidos traducen en términos simbólicos la comunicación entre la víctima, los dioses y el grupo. La persona, animal u objeto, elegido como víctima, constituye, así, el catalizador de la vinculación entre los creyentes y lo sagrado. Es el punto de referencia de la modificación experimentada por la «persona moral» sacrificante. Ésta renueva su espiritualidad mediante la ofrenda que realiza: gana de nuevo el contenido vivificante de lo sagrado y refuerza sus creencias al contribuir nuevamente a la hipostatización del credo trascendente. La víctima se encuentra tanto en el centro del círculo del altar como del «círculo» de lo social, y los fieles creen al no saber de la naturaleza transcendente de su propio *credo*. Por eso la víctima revela el lugar donde se percibe la amenaza difusa de un peligro extraño: el de la ausencia de fundamento para el propio credo. Esa angustia latente queda «cubierta» en el momento solemne de la destrucción de la víctima: es el momento de la comunión, precisamente el de la ofrenda. Ésta garantiza una reorganización, protectora de la angustia, que a veces es reafirmada con el banquete festivo. La víctima proporciona así nuevas cualidades al sacrificante, permitiéndole actualizar lenguaje, saber, energía, técnicas, etc.

Las funciones del sacrificio consisten en la mayor afectación del estado religioso del sacrificante (o de su objeto, como su casa, pueblo, etc.) como consecuencia de la transferencia de nuevas cualidades que recibe mediante la actividad ejercida sobre la víctima (Hubert y Mauss 1981: 52). Este proceso proporciona a la «persona moral» (o a su objeto)

---

[7]   En un apartado posterior de este libro observaremos cómo Lacan sitúa esta transformación de los rituales en la tragedia clásica, colocando en el lugar de la víctima, el espacio del deseo, el ámbito del «objeto a» representado por Antígona.

un nuevo poder. El sacrificio articula la parte sagrada y profana del mundo, estableciendo una comunicación a través de la víctima (Hubert y Mauss 1981: 97). Proporciona una posibilidad de redención. Además, implica siempre la abnegación, pues el sacrificante ha de privarse de alguna cosa que los dioses le demandan (Hubert y Mauss 1981: 100). Esto que ha de ofrecer lo concentra la víctima, sin cuya intermediación no es posible la vinculación con los dioses. La víctima es la ofrenda que hace posible la fusión, pero igualmente la separación[8].

Hay una forma sacrificial peculiar, la del sacrificio del dios, donde la víctima es, al tiempo, dios y sacrificante. Se trata de un sacrificio mítico, y expresa el máximo de abnegación posible. Por su naturaleza mítica «podría parecer un juego de imágenes», afirman los autores. Sin embargo, al ser creído, existe objetivamente: «las ideas religiosas, al ser creídas, existen. Existen objetivamente, como hechos sociales. Las cosas sagradas en relación con las cuales el sacrificio funciona, son cosas sociales» (Hubert y Mauss 1981: 101). La justificación de este sacrificio mítico del dios, un aparente juego de imágenes, solamente es posible como consecuencia de su objetividad social, basada en creencias de los participantes, configuradoras de una hipostatización social.

Hubert y Mauss comienzan señalando que el sacrificio del dios constituye el modo en que el sacrificio adquiere su más alta expresión, dado que el propio dios es la víctima. Subrayan que ya Frazer se dio cuenta de que este sacrificio estaba relacionado con los sacrificios agrarios. Los autores pretenden demostrar que satisface las exigencias de la estructura del sacrificio y que, además, la mitología juega un papel esencial en su desarrollo (Hubert y Mauss 1981: 77).

El sacrificio agrario del dios tiene, para nuestros autores, varias características. La primera es que el dios y la víctima son «especialmente homogéneos», y su espíritu es agrario. Gozan de un elemento vegetal en común, sea cual sea (un árbol, un cereal, etc.). Su vinculación tiene una naturaleza peculiar. Por un lado, el elemento impersonal, trascendente, representa al dios. Pero, a la vez, el aspecto concreto, e inmanente, queda representado por el vegetal particular, que hace el papel de víctima inmolada. De este modo, el dios permanece ambiguo y trascendente hasta que se concretiza en un árbol, en una planta o semilla. La conexión entre

---

8   De aquí que Heidegger, al hablar del ofrecimiento sacrificial, como centro del *Eregnis*, configurador de la *res*, diga que aquí se hace «lo Mismo» en relación con las diferencias.

el dios impersonal y su representante vegetal está desdibujada hasta que se produce la consagración y la ofrenda. A veces, estos dioses adquieren formas animalescas, lo cual garantiza la desconexión entre lo trascendente y lo inmanente, haciendo posible la separación y, luego, la unión[9].

El argumento de Hubert y Mauss procede de su comprensión de lo social. Consiste en señalar que estas representaciones, al ser asumidas por el hombre, se convierten en una «persona moral». Adquieren un nombre, como toda persona moral, y existen objetivamente por ser creídas. Es decir: son construcciones sociales hipostatizadas, ya independientes en parte de quien las origina. Así, se constituyen en algo exterior, incluso individualizado. Generan una continuidad de leyendas, actualizadas constantemente mediante los sacrificios agrarios. El conjunto del colectivo sacrificante contribuye a su periódica sustentación: la construcción de la leyenda mítica es obra de un colectivo[10].

El sacrificio del dios tiene una segunda nota característica: el propio sacrificio eleva a las víctimas concretas al grado de divinidad. Esto produce un renacimiento cíclico del dios al reaparecer periódicamente su víctima concreta representativa. Afirman a este respecto, en el caso de Dionisos, que cuando el dios fue fragmentado por titanes, su corazón era adorado en un *xoanon* (Hubert y Mauss 1981: 80). El periódico renacimiento de la víctima, divinizada cada vez, crea consiguientemente una personificación duradera. El caso de Cristo es, según nuestros autores, un ejemplo significativo, como «Cordero Pascual», de un sacrificio del dios agrario.

Estas dos notas típicas del sacrificio del dios agrario demuestran que efectivamente existe una estructura sacrificial. El objetivo subsiguiente de Hubert y Mauss es enfatizar su naturaleza mitológica. No les va a resultar difícil, dado que Frazer, así como Mannhardt, también había apuntado hacia su origen mítico. Pero nuestros autores aportan una

---

9   Aunque Mauss y Hubert no lo citan en este contexto, Frazer había explicado estas relaciones en cuanto al vínculo del árbol o espiga con la deidad agraria de la naturaleza. Ofrecen ejemplos, que también señaló Frazer: el de Dioniso o Démeter, que aparecen como toros, cabras y cerdos, respectivamente (Hubert y Mauss 1981: 79).

10   El argumento sociológico de nuestros autores se asimila al papel global de una comunidad, asignado por Heidegger, en la recreación de las narraciones realizadas mediante el poder creativo de la palabra que, como en Hubert y Mauss, contribuye a separar lo sagrado y lo profano. Se trata, en ambos casos, de la construcción colectiva de una narración.

inmensa cantidad de nueva información sobre mitología que, además de confirmar contundentemente la idea de Frazer, introduce matices cualitativos fundamentales.

Como en su discusión acerca de la estructura general del ritual, los autores subrayan la construcción y génesis colectiva de las mitologías asociadas al sacrificio del dios agrario. Además, sus fases pueden seguirse en función de las fases de la divinización de la víctima. Consiguientemente, estructura y mito se encuentran articulados en la imaginación narrativa del colectivo. Para mostrar estas ideas comienzan refiriéndose al festival de *Karneia*, celebrado en honor a Apolo, en cuya evolución se muestra, al seguir los pasos del sacrificio, la transformación mitológica de un héroe a dios nacional (Hubert y Mauss 1981: 81)

Las mitologías no son por tanto arbitrarias. Sus narraciones dependen de los cambios en la escena de un sacrificio asociado. Hubert y Mauss agrupan un conjunto de leyendas griegas y semíticas para insistir en esta mutua dependencia de la estructura sacrificial y del mito. Recordemos que esta idea es fundamental por el motivo ya reseñado: la comunidad entera (y no solamente el poeta), la persona moral grupal, sustenta la narración mitológica. En este apartado de los sacrificios griegos y semíticos nuestros autores señalan los mitos de Attis y Adonis, tan extendidos que han configurado, después, otros ritos conmemorativos, tales como dramas sacros y procesiones. Las transformaciones de estos mitos han sido objeto de variaciones realizadas por la libre imaginación popular (Hubert y Mauss 1981: 82)[11].

Al referirse al tema de Frazer del espíritu agrario de los campos, nuestros autores señalan la conexión con las fiestas de Mayo. El espíritu, donde antes había muerto el dios, renace exáctamente como árbol de Mayo, desde el lugar de su propia tumba. Al echar agua al espíritu éste sufre una resurrección[12]. La muerte del dios ocurre, señalan los autores,

---

[11]   Este comentario es instructivo en nuestro contexto, dado que dramas, entremeses y otras representaciones se encuentran detrás de la procesión valenciana del Corpus, la cual incorpora varios motivos dionisíacos populares que, más tarde, reaparecen en las Fallas.

[12]   Elliot recogió este tema en *La Tierra Baldía*. La petrificación de la tierra, y la impureza del Támesis, impiden este renacimiento de la naturaleza, convertida ahora en tierra infertil, en desierto moderno. En substitución aparece el hipócrita que entierra el cadáver de otro en su jardín. Pero el cadáver es desenterrado por el propio perro del asesino, el animal entendido por Elliot como el «único amigo del hombre». El tronco del árbol se ha convertido en piedra. Los nuevos «sacrificios» originan narraciones más pesimistas aún.

muy frecuentemente como un suicidio. A veces hay previas mutilaciones, como era el caso de Attis. Este sacrificio, donde aparece la resurrección, configura una variedad de festivales, pero su esquema es común (como ya señaló Frazer). Podemos resumirlo con el siguiente texto referido a Osiris: «El agua lanzada sobre el cuerpo, y su resurrección, es lo que nos causa la identificación del dios muerto con la víctima agraria. En el mito de Osiris es la descomposición del cuerpo, y el árbol que crece desde su tumba» (Hubert y Mauss 1981: 83).

La presencia de los sacerdotes, tan importante por su papel mediador entre la víctima y el dios, goza en este sacrificio de peculiaridades. En realidad, el sacerdote y el dios son la misma «persona». Por este motivo el sacerdote, al encarnar al dios, se constituía en víctima. Para ello, según los autores, era necesario un «doblaje mitológico», que permite al dios escapar para reaparecer[13].

El desdoblamiento acontece entre dos figuras divinas. Pero frecuentemente una queda encarnada por un monstruo. Tras la matanza del monstruo aparece, en ocasiones, la unión del dios vencedor con otra figura divina femenina, como era el caso de Attis (Hubert y Mauss 1981: 85). Añaden el matiz globalizante de las funciones del sacrificio, que da un lugar al poeta individual, pero enfatiza la dimensión creativa globalizante del sacrificio comunitario. En este combate hay por tanto dos perspectivas de la comunidad en litigio.

Las luchas entre los dioses constituyen rituales de primavera. Los autores señalan que habitualmente el dios más viejo está representado por un monstruo ancestral. Citan el festival de San Jorge, que mató al dragón, una fiesta del 23 de Abril. También se refieren a la muerte primaveral de Attis. La muerte del monstruo, representante del antiguo

---

13   Recordemos aquí que ya Frazer había hablado de estos desdoblamientos, que a veces incorporaban la diferenciación sexual (mayo-maya, rey-diosa), la producida por la edad (Demeter-Perséfone), o el combate con otro representante anterior del dios (Rey del Bosque). Mauss y Hubert insisten especialmente en el desdoblamiento del combate divino, algo que nos recuerda al conflicto heideggeriano, que traduce la palabra, entre los viejos dioses y los nuevos (típico de la tragedia) producido con cada combate periódico entre la «tierra» y el «mundo». El combate también había sido subrayado especialmente por Frazer y por Freud. No obstante, situaban el mito solamente en la producción del poeta, que aparecía sólo desde una perspectiva heroica, de epopeya. Con el planteamiento globalizante de Mauss y Hubert, afín al del segundo Heidegger, cabe cualquier producción narrativa que, a partir del sacrificio, eje del *Ereignis*, produzca una comunidad histórica.

dios, no acaba dejando siempre vivo al victorioso. El ganador suele morir también tras la victoria, asesinado por otro. Hubert y Mauss interpretan estas alternancias del combate desde una perspectiva sociológica. Detrás de ambos hay un mismo espíritu social, que está doblado. La imaginación religiosa del grupo traza ambiguas demarcaciones entre los combatientes. Pueden aparecer como dioses del cielo o del infierno, del día o la noche. Nuestros autores ponen una variedad de ejemplos para apoyar estas afirmaciones. Entre ellos figura el de Dioniso, fragmentado por los titanes, que eran familiares suyos. En esta consideración podríamos añadir, por nuestra cuenta, la consideración de Nietzsche acerca de la tragedia, como compuesta de un componente apolíneo y otro dionisíaco. Hubert y Mauss concluyen que los dos dioses de la lucha son en el fondo colaboradores (Hubert y Mauss 1981: 88).

A veces, la relación es la establecida entre el dios y su sacerdote, que son el «doble». Este era el caso, señalado por Frazer, en que el sacerdote, el Rey Guardián, pasaba a ser representante divinizado del dios o diosa de la naturaleza. Pero debía morir en la lucha con su sucesor. Nuestros autores señalan también el caso de Saturno y de Attis. El doble tiene siempre la función de desdibujar las fronteras de unión, pues el dios es al tiempo víctima. En un momento determinado el espíritu transcendente, creado por el grupo, sintetiza la «unidad» mediante la muerte alternante en sacrificio mítico.

Este sacrificio del dios tiene naturaleza periódica, pues el ritmo de la naturaleza demanda su cíclica reaparición (Hubert y Mauss 1981: 89). Así, el dios repite incesantemente sus sufrimientos y resurrecciones, sin romper su personalidad. Cada sacrificio conmemora así el original. De nuevo, una variedad de ejemplos es aducida para mostrar su estructura de doblez, aún transmutando sus elementos. En el caso de Dionisio, por ejemplo, una variedad enorme de animales u objetos lo han representado. Esta equivocidad, favorecida por el mito y el arte narrativo popular, hace posible que el dios se ofrezca a sí mismo. Su ofrenda se hace periódica y constituye una tradición mítica[14].

---

[14]   En *Educación y Sociología* Durkheim ofrece una versión de estos principios, apolíneo y dionisiaco, subrayados por Nietzsche, como configurando en alternancia —según caracteres personales de los actores sociales y de sus prácticas sociales— la dinámica socio-histórica de su concepto fundamental de «ideal social». Durkheim es así más trágico de lo que usualmente se piensa.

Capítulo 7

Sociología clásica alemana: Simmel y Weber

1. GEORGES SIMMEL

La obra de Simmel incluye tantos temas que se hace necesario ser selectivo. Por este motivo los temas más característicos de Simmel (el dinero, el intelectualismo calculador de la Metrópolis, la moda, etc.) se presentan aquí agrupados alrededor de dos grandes cuestiones: la gran ciudad y la sociabilidad. Los criterios para realizar esta selección (y la forma de establecer la coordinación entre los distintos temas aquí tratados) proceden de la estructura de relevancias trazada en las secciones finales del capítulo 3, donde proporciono un esbozo de los elementos principales para una teoría sociológica de la tradición, en la que juegan un papel relevante las categorías de Simmel que trataré a continuación.

A) *La Metrópolis y la individualización: intelectualismo indolente, dinero, moda y cultura en la Gran Ciudad*

El hombre urbano se caracteriza psicológicamente por un aceleramiento de la vida nerviosa. Dado que para Simmel el ser humano es esencialmente un ser de diferencias, que percibe el cambio en su conciencia entre impresiones producidas en tiempos y momentos distintos, la vida en la ciudad con sus constantes estímulos, aglomeraciones de imágenes y rápida sucesión de los acontecimientos genera un mayor gasto de conciencia para atender esta pluralidad de diferencias. En esto, la vida de la ciudad contrasta claramente con la vida en el campo, que discurre con un ritmo sensorial más lento y regular.

Por este motivo la vida urbana estimula la consciencia, el entendimiento, tornándose intelectualista para adaptarse, y defenderse, frente a esta multiplicidad de estímulos. Consiguientemente, el hombre urbano usará predominantemente el entendimiento en vez del sentimiento que, en cambio, será el factor dominante en la vida rural.

Este intelectualismo tiene otras ramificaciones: la economía monetaria que representa la pura objetividad en las relaciones personales y con las cosas. El dinero elimina la individualidad en los fenómenos y todo es intercambiable cuantitativamente. Así el individuo urbanita que estructura las relaciones conforme al entendimiento, «calcula con los hombres como con números, como con elementos en sí indiferentes que sólo tienen interés por su prestación objetivamente sopesable; al igual que el urbanita calcula con sus proveedores y sus clientes, con sus sirvientes y bastante a menudo con las personas de su círculo social» (Simmel 1903: 326). En la vida rural, en cambio, sigue pesando la relación social más plena que incluye el sentimiento. Así, como veremos después, la vida urbana constituye una amenaza para la sociabilidad, dado que las relaciones tienden a reducirse a esquemas de prestación y de contraprestación (Simmel 1903: 327). Simmel señala que es muy difícil precisar si la disposición intelectualista de este racionalismo fue el que generó la economía monetaria o si fue a la inversa, lo que es seguro es que «la vida urbana es el suelo más abonado para esta interacción» (Simmel 1903: 328). De aquí que el espíritu moderno sea cada vez más calculador.

Pero existen otras ramificaciones de este racionalismo calculador de la vida urbana. Una de ellas es el desarrollo cuantitativo generado por la ciencia que conduce a una precisión y seguridad que exigen un ritmo coordinado, técnico, garantizado por el reloj. Además, como consecuencia de la sobreabundancia de estímulos existentes en la gran ciudad, se produce un carácter que Simmel denomina indolente. No es que no se perciban las cosas sino que su significación y el valor de las diferencias se pierden. Y aquí, esta indolencia remite otra vez a la característica niveladora y homogeneizadora del dinero, que elimina todas las diferencias cualitativas y lo sumerge todo, de un modo constantemente móvil, en la misma coloración cuantitativa. La indolencia es así un fenómeno peculiar adaptativo que se produce en la gran ciudad, en donde la única respuesta posible frente a la abundancia de imperativos existentes es la ausencia de reacción. Pero esta nivelación y degradación de todo afecta al propio individuo, que así se desvaloriza también y «al final desmorona inevitablemente la propia personalidad».

Pero esta actitud de reserva e indiferencia es solamente la cara externa de una actitud interna de «silenciosa aversión, una extranjería y repulsión mutua, que en el mismo instante de un contacto más cercano provocado de algún modo, redundaría inmediatamente en odio y lucha» (Simmel 1903: 331). Así pues, como ya habíamos observado en la ley fundamental de los átomos que Marx aplicó a la sociedad civil, es la de la repulsa entre sus elementos. Esta antipatía, en Simmel, genera las distancias que hacen posible, sin embargo, llevar un control de la multiplicidad de sensaciones y actividades con las personas que nos rodean en la ciudad. Consiguientemente, para Simmel, constituye una forma de socialización en la vida urbana.

Estas características de la vida urbana tienen, paradójicamente, otras consecuencias para la libertad y para la individualidad. Al ampliarse las relaciones recíprocas y las relaciones que el individuo sostiene en la ciudad, al romperse los círculos estrechos que impiden el desarrollo de personalidades singulares, se genera un abanico más amplio de contenidos y de formas de vida, una mayor generalidad que, subraya Simmel, generan mayores dosis de individualidad: «los contenidos y formas de la vida, más amplios y más generales, están ligados interiormente con los más individuales» (Simmel 1903: 332-333). Esta liberación de la individualidad, tiene no obstante, un reverso: el aislamiento entre la multitud, la soledad en la compañía.

No desaparecen en esta libertad sin embargo las anteriores conexiones entre la economía monetaria y la ciudad. Ahora, con el cosmopolitismo ciudadano, se incrementa el capital en progresión geométrica. Esta forma de crecimiento geométrico de la ciudad por sí misma, «como crestas de las olas» constituye lo que Simmel llama el «tamaño funcional» de la ciudad. Este aumento del tamaño funcional de la ciudad tiene repercusiones para la libertad individual. Pero no debería entenderse ésta en el sentido negativo, como supresión de prejuicios, de círculos estrechos o la ganancia de libertad de movimientos. Simmel insiste en que en la ciudad existen mayores posibilidades para expresar la propia naturaleza (lo cual es la libertad para él) y así conseguir una singularidad de la existencia, una particularidad que no nos es impuesta por otros (Simmel 1903: 334-335).

Por otra parte, en la ciudad cristaliza la división del trabajo y surge una diversidad de necesidades nuevas y específicas que han de ser satisfechas mediante el consumo. Esto supone una mayor diferenciación y genera altas dosis de refinamiento, con lo que se producen mayores diferencias personales entre las personas. Este hecho conduce a una mayor individualización espiritual, pues puede acudirse a la singularidad cualitativa. Evidentemente, esto tiene también su contrapartida pues este mismo hecho conduce a las extravagancias, rarezas, caprichos, preciosismos, de un buscar ser diferente o destacarse por el mero hecho de salvar la propia autoestima y tener «la consciencia de ocupar un sitio» (Simmel 1903: 336). En este contexto cabría introducir un pequeño *excursus* hacia un tema al que Simmel dio mucha atención en otros escritos: la moda.

Sus ideas sobre la moda y el ornamento se encuentran principalmente en el ensayo «La Moda» y en el capítulo 5 de su *Sociología*. Simmel (1988: 32) ve dos orígenes motivacionales para la moda y el ornamento: el deseo de agradar a los otros y la necesidad de reconocimiento por parte del individuo. Moda y ornamento desempeñan dos funciones fundamentales: generar unión y separación al mismo tiempo (Simmel 1904: 297 ss). La moda produce de un lado, cohesión de grupo, uniformidad de un grupo caracterizado por ella, y por otro separación y exclusión de los otros grupos. Ambas funciones se exigen mutuamente. La esencia y el sentido del ornamento consisten en dirigir los ojos de los otros hacia aquel que lo lleva, acentuando así su personalidad. El ornamento cumple esta función igualmente: crea una superioridad sobre los otros pero con una dependencia con respecto a ellos. En el deseo del hombre de agradar a los que le rodean se cumple la relación entre los individuos. En este proceso se busca un reconocimiento en los otros y un reconocimiento de uno mismo que viene de los otros. Para él, el ornamento da reconocimiento y valor a la personalidad, haciéndola distinguirse de los demás al mismo tiempo que le da poder sobre ellos, es decir, hace posible una subordinación de los otros con respecto a los ornados. Revaloriza la personalidad haciéndola distinta y distinguida, pues según señala: «El ornamento aumenta o amplia la personalidad en la medida en que se convierte en una irradiación de ella» (Simmel 1988: 33).

La moda y el ornamento cumplen una función que puede relacionarse con la necesidad de distancia que es característica de la Gran Ciudad. La estructura del ornamento, y especialmente la del vestido ornamentado (frente al ordinario), alterna dos direcciones opuestas: una hacia la repulsión, y la creación de distancias, y otra de aproximación y connivencia (Simmel 1988: 33, 36). Finalmente, la moda se asocia con otra característica de la Gran Ciudad: hace posible la igualación y la individualización (Simmel 1904: 308). De aquí que la Metrópolis sea el lugar de la cultura de la moda.

Esto nos lleva al tema de la cultura urbana. Existe otro hecho en la gran ciudad que produce un impulso hacia esta individualización y personalización de la existencia: se trata del gran desarrollo cultural que se produce en las ciudades, un avance de la cultura objetiva que supera ampliamente las posibilidades de progreso de la cultura individual. De este modo, en la Gran Ciudad, el individuo ha de contar siempre con la presencia de esta cultura, que está por encima de él. El reto para éste consiste así en cómo establecer una relación con esta cultura en la que pueda expresar su individualidad.

En este contexto se plantean dos alternativas pues la ciudad es generadora de dos formas de individualismo que, paradójicamente, son alimentadas por sus relaciones cuantitativas: «la independencia personal y la formación de singularidad personal». La primera forma de individualismo es la que representa la Ilustración que entiende la libertad a partir de la igualdad general de los hombres expresada en su humanidad. En este individualismo formal lo particular de cada persona está separado y subordinado a la formulación general del ser humano. La segunda forma de individualismo cuaja en el siglo XIX gracias a Goethe y al romanticismo. Se entiende aquí al individuo en su incomparabilidad y ser propio, en su cualidad original; de este modo cada individuo debe representar de una forma peculiar la humanidad.

Simmel entiende que es función de la ciudad proporcionar el lugar para la lucha y los intentos de unificación entre ambas perspectivas del individualismo que coexisten en ella. Más adelante sugiero que el concepto de sociabilidad de Simmel ocupa un lugar en este contexto: se encuentra destinado a superar las tensiones que para el individuo supone la coexistencia entre la tendencia hacia la individualidad y la atención a las formas más amplias de lo social. En este sentido, me parece que el desarrollo y sustentación de ámbitos urbanos caracterizados por la sociabilidad podría ser un lugar óptimo para la superación de algunas de estas paradojas, y antítesis, generadas por la vida urbana.

B) La Sociabilidad

Simmel (1971)[1] identificó una forma sociológica especial, que correspondía a las del arte y del juego, y la llamó sociabilidad: «Dentro de esta constelación llamada sociedad, o fuera de ella, se desarrolla una estruc-

---

[1]   Simmel, G; «Sociability», en *George Simmel: On individuality and social forms*, Chicago, The University of Chicago Press, 1971.

tura sociológica especial que corresponde a las del arte y del juego, las cuales toman su forma de estas realidades, pero que sin embargo dejan su realidad tras de sí (Simmel, 1971: 128)». Después de esta definición inicial Simmel elabora otras nuevas afinidades entre la sociabilidad, el arte y el juego. Las voy a resumir brevemente en varios apartados.

(a) La sociabilidad es un impulso básico existente en las personas. Es independiente del contenido especial, e interés, de una asociación a la que la gente pertenece, justo del mismo modo en que hay un impulso común en el juego y en el arte que es independiente de la particularidad de cada obra de arte o juego. El impulso de la sociabilidad orienta o configura la «pura forma» de la asociación, sus valores y satisfacciones: «Por encima, y más allá, de su contenido especial, todas estas asociaciones están acompañadas por un sentimiento para, y por una satisfacción en, el propio hecho de que uno está asociado con los otros y que la soledad del individuo se resuelve en la vinculación, en la unión con los otros» (Simmel, 1971: 128). Por supuesto, Simmel indica que los objetivos de una asociación también importan, y que estos pueden entrar en interacción con la sociabilidad. Pero intenta mostrar que la sociabilidad misma es más básica que su contenido o intereses. La sociabilidad es consiguientemente la forma de asociación más pura y libre.

(b) La sociabilidad, como la «forma lúdica de la asociación», contrasta con un «racionalismo superficial» que encuentra la relevancia únicamente en el contenido, reduciendo así a éste algo que es más rico y complejo: aquello que Simmel caracteriza como «el libre juego simbólico originado en la plenitud de la vida». Simmel indica que este es el motivo por el cual los racionalistas menosprecian la sociabilidad, entendiéndola como una «vacía ociosidad» (Simmel, 1971: 129). En su búsqueda del contenido, continúa irónicamente, un racionalista actúa «como lo hacía aquel sabio que preguntaba, en relación con una obra de arte, "¿qué es lo que prueba?"». Insiste en un hecho que podría ayudarnos a valorar hasta qué punto los sociólogos han perdido de vista aquella riqueza vital, ignorada por el racionalismo restringido. Se trata de que en muchas lenguas la palabra "sociedad", *Gesellshaft*, significa "una reunión social", una fiesta (Simmel, 1971: 129). Esto ciertamente ayuda a situar la sociabilidad más cerca del dominio de lo festivo, contribuyendo además a subrayar las implicaciones de mi énfasis anterior (Costa 1996, 1999a) sobre la situación de olvido en que la sociología se encuentra con respecto a estos temas, una falta de memoria que es también olvido de aspectos centrales de su objeto.

Así, pues, para Simmel el contenido está lejos de ser lo más esencial en la vida social; de hecho, en épocas anteriores «el hombre no dependía tanto del contenido objetivo, y propositivo, de sus asociaciones». El énfasis en la intencionalidad y en el contenido es algo típicamente moderno: «La vida moderna está sobrecargada de contenido objetivo y de demandas materiales»[2]. Evidentemente, con estos comentarios pone en evidencia algunas pretensiones sociológicas de autores recientes, como es el caso de Habermas. Así, estas ideas sobre la sociabilidad, junto con otras sobre la sociabilidad festiva, constituirán el origen de una buena parte de mi crítica de la propuesta habermasiana de cambio de paradigma, que detallo en otro capítulo. Este autor articula la reflexividad con un proceso de negociación de las pretensiones de validez establecidas en la argumentación, la cual da una gran importancia al contenido, teniendo además como objetivo la búsqueda de la verdad. Este prejuicio moderno sobre la naturaleza de la vida social no tiene en cuenta la sociabilidad y, consiguientemente, no puede explicar los mecanismos centrales de transmisión de las tradiciones festivas.

(c) La sociabilidad, como una totalidad, resiste la disolución en las experiencias aisladas que pueden ser características de los individuos. Esto es también una cualidad de ese carácter congregante que la hermenéutica otorgaba a las celebraciones. Para Simmel la esencia del tacto[3] reside aquí, constriñendo las demandas impulsivas y básicas del ego que pueden romper los límites que «los derechos de los otros requieren». Esto significa también que el individuo no puede dar expresión completa a sus cualidades personales objetivas:

> En la sociabilidad, cualesquiera que sean las cosas de importancia objetiva que tenga la personalidad, de aspectos que tengan su orientación hacia algo exterior al círculo, no deben interferir. Así pues, la riqueza y la posición social, el aprendizaje y la fama,

---

[2] Simmel (1971: 324 ss.) analiza en «La Metrópolis y la Vida Mental» (en *On individuality and social forms*, Chicago, The University of Chicago Press, 1971) esta concentración moderna, ahora urbanita, en el contenido y en lo que cuenta como un hecho en términos del tipo de racionalismo y de intelectualismo que secuestran las emociones y obviamente la sociabilidad. Esta actitud está también conectada con un sentido del cálculo, y de la equivalencia cuantitativa, que son características del dinero.

[3] La idea de tacto es esencial en la concepción de Simmel. Lo entiende como una donación del individuo respecto a la totalidad, un colectivo en el que está actuando de modo sociable. Las personas que ejercen el tacto contribuyen, para Simmel, a la consolidación de un «ideal social» que Simmel (1971: 136-138) llamó «la libertad de la vinculación» (*the freedom of bondage*).

las capacidades y los méritos excepcionales de los individuos no tienen ningún papel en la sociabilidad o, como mucho, son como un leve matiz de esa ausencia de materialidad con que la realidad puede únicamente penetrar en la estructura artificial de la sociabilidad. (Simmel, 1971: 130).

Por otra parte, cuando la sociabilidad pierde su dominio sobre el contenido, o sobre las demandas individualistas, entonces se convierte en algo formal e instrumental, «un principio instrumental formalista y exteriorizante» (Simmel, 1971: 132).

(d) La sociabilidad tiene un principio de democracia y de igualdad que se basa en el juego, y que revela la estructura democrática de toda sociabilidad. Simmel (1971:132) lo define así: «cada cual debe garantizar al otro el máximo de valores sociables (alegría, relajamiento, vivacidad) que es consonante con el máximo de los valores que recibe».

La peculiaridad de este principio, siendo lo que lo hace diferente del imperativo ético Kantiano, es que la democracia de la sociabilidad continúa siendo un juego y excluye la falta de reciprocidad gracias a su «propia naturaleza inmanente», es decir, al juego mismo. Por ejemplo, la división principal interna en la Fiesta de las Fallas (Costa 1999a), que separa a los falleros permanentemente activos de los que participan menos y únicamente acuden al final, «los falleros de cuatro días», depende de esta percepción de la democracia sociable.

Un sentido de la «igualdad en la sociabilidad» está asociado con este principio democrático. Como la asociación es reducible a la interacción, se sigue que la igualdad y la democracia de la sociabilidad gobiernan el modelo de la interacción de la gente en los ámbitos de la sociabilidad. La «interacción sociable» más pura es la que se produce entre iguales. De nuevo, esto se debe a la naturaleza artística y lúdica de la sociabilidad que sucede en ese libre movimiento de equivalencia de los elementos que caracterizan a la interacción entre iguales. Para Simmel funciona como un juego que conduce a la gente a renunciar al contenido objetivo y que reduce a la «persona fuerte y sobresaliente» al mismo nivel que a la más débil para perseguir valores existentes en el ámbito de la sociabilidad, «valores sociables» (Simmel, 1971: 133-134)[4].

---

[4]   En un estudio empírico sobre la sociabilidad festiva de la Fallas de Valencia (Costa 1999a: capítulo 5) he mostrado que los actores festivos experimentan una disonancia cuando alguien no practica adecuadamente el juego y, por ejemplo, muestra de modo pretencioso su *status* o poder económico en el contexto de una actividad

(e) La conversación en la sociabilidad tiene la misma cualidad que la propia sociabilidad. La conversación "sociable" tiene el fin en sí misma: «en la sociabilidad hablar es un fin en sí mismo». Para Simmel este es quizá el único caso en el que el habla tiene tal legitimidad. Las mismas expresiones lingüísticas que en otros contextos serios y de negocios pondrían el énfasis en el contenido, la argumentación, la búsqueda de la verdad, las normas reconocidas por los participantes y la búsqueda de convicciones compartidas, «que ellos desean impartir o sobre las cuales quieren llegar a un entendimiento» podrían, para Simmel, «adquirir en la sociabilidad su significado por sí mismas». El habla se usa de modo lúdico en la sociabilidad: juega consigo misma y con las relaciones que establece en la interacción. Esto no significa que el contenido no importe sino que pierde su peso independiente, subordinándose al ejercicio lúdico del habla, que es más sensible a la relación misma y cuida o tiene en cuenta especialmente, normalmente de modo implícito, el desarrollo de este vínculo social. Estas ideas de Simmel, en relación con las expuestas en el apartado «a» anterior, constituyen nuevamente un desafío para la teoría de la verdad de Habermas pues, como veremos después, en esta teoría se ignora tanto el contexto de la sociabilidad como el modo efectivo en que el lenguaje se usa en éste.

(f) La sociabilidad, como el arte, es reflexiva y emancipadora. En este aspecto nuestro autor se encuentra cercano también a la hermenéutica. La sociabilidad no es solamente una forma, pues está constituida efectivamente por los individuos en interacción social. Para nuestro autor, es además un símbolo de la vida, cuya fuente de energía es la vitalidad de los individuos reales. Así, la sociabilidad ayuda a la gente a conseguir una mejor comprensión de la realidad, de «las profundidades y la plenitud de la vida». Como en el juego y en el arte, la sociabilidad también crea esa «distancia «respecto a la vida real. Es un distanciamiento que hace posible estar fuera de la vida y dentro de ella al mismo tiempo. Esta es la distancia que en el arte, para Simmel, revela el secreto de la vida: «precisamente en este estado de "re-moción" de toda la realidad inmediata, su naturaleza más profunda puede aparecer más completamente, más integrada y llena de significado, que en cualquier intento de comprenderla de modo realista y sin tomar distancia». También, esta distancia

---

sociable, o viceversa, cuando alguien intenta, pongamos por caso, utilizar estratégicamente los valores sociables de la fiesta para propósitos instrumentales no festivos.

implica para él una cualidad que la sociabilidad comparte con el arte y el juego: la sociabilidad es terapéutica, un *pharmacos*, «un alegre tonificante que emancipa y redime» (Simmel, 1971: 139-140).

(g) Simmel se refiere también a los agentes de la sociabilidad y pone algunos ejemplos de actividades críticamente sociables. No obstante, sus comentarios en estos dos aspectos son muy breves. Los agentes de la sociabilidad son los actores sociales en tanto que sostienen interacciones sociales de naturaleza sociable. Simmel insiste en la mutualidad de estas relaciones, que son «del uno y del otro y para el uno y para con el otro», constituyendo así los mecanismos básicos para la reproducción de la sociabilidad, mientras que su contenido puede variar a lo largo del tiempo (1971: 138). A la hora de poner un ejemplo menciona la evolución de la sociabilidad en las hermandades caballerescas, insistiendo en que fueron fundadas por familias patricias unidas por la amistad. En este sentido, los actores sociables se presentan agrupados básicamente en relaciones de familia y de amistad, que constituyen los ejes aglutinantes más poderosos, aunque evidentemente no los únicos, para la institucionalización de una forma de sociabilidad.

Simmel restringe su consideración a un ejemplo de juego, que entiende que ocupa «un amplio espacio en la sociabilidad de todas las épocas»; así se centrará, básicamente, en el juego social. Esto no significa que no realice comentarios interesantes, como cuando señala que los premios son secundarios respecto al juego mismo. Muchos otros ejemplos se mencionan sin explicación alguna, como la narración de cuentos o de anécdotas (Simmel, 1971: 134, 137). Pero sus ideas fundamentales sobre la sociabilidad pueden ciertamente complementarse con otras. En un trabajo anterior (Costa 1999a) he desarrollado algunas de las ideas de Simmel y las he puesto en relación con las de otros autores, a fin de explicar la peculiar sociabilidad de las tradiciones festivas, que es fundamental para sus procesos de transmisión.

C) La articulación de los temas de Simmel: una interpretación

El concepto de sociabilidad está vinculado en Simmel a una teoría sociológica rica y compleja. Me referiré aquí únicamente a cuatro de estas conexiones, pero por motivos de espacio, comentaré brevemente sólo las tres últimas. Primera, la sociabilidad se articula con ideas centrales de su teoría sobre las formas o configuraciones sociales, y también sobre los círculos sociales y su interacción.

Segunda, la sociabilidad puede vincularse con sus ideas sobre la comida. Tanto es así que, según Frisby (1997: 10)[5] es probable que su ensayo «La Comida» fuese concebido como una parte de su estudio sobre la sociabilidad, el cual fue compuesto también en 1910. El comensalismo, que incluye una actividad fisiológica y una conversación que la acompaña, es central para la sociabilidad. De hecho, uno de los ámbitos donde las características de la sociabilidad de Simmel se expresan con más claridad es en su tratamiento del comensalismo. La comida colectiva concilia la particularidad intransferible del comer de cada individuo, que no puede comunicarse, con una comunalidad general que origina estructuras sociológicas asociadas al encuentro de los comensales. Los hábitos de las comidas colectivas incluyen una regularidad temporal que estructura el tiempo colectivo. La comida tiene una estética que viene dada por sus formas, reglas y etiqueta, que se manifiestan en la interacción, teniendo una dimensión supra-individual. Simmel entiende de la conversación de mesa a partir de las mismas características que tiene la conversación sociable. Por ejemplo, insiste en que hay que descartar el prejuicio que tiende a situarla como una simple conversación banal, pues es sumamente difícil de realizar con gracia y sin interrupciones, de un modo armónico e interesante. De un modo similar a Durkheim, señala que en los cultos antiguos, que reunían a pequeños grupos locales, la comida sacrificial estrechaba los lazos de una comunidad fraternal (Simmel, 1997: 130-135).

Tercera, la sociabilidad conecta con otros temas sustantivos de su obra, como la aparición de la Gran Ciudad moderna y el desarrollo del intelectualismo urbanita, así como su relación con la economía monetaria. Cuando se ponen en relación los escritos de Simmel sobre la sociabilidad y sobre la Gran Ciudad es evidente que el intelectualismo a que se refiere en un lugar coincide con el racionalismo superficial que caracteriza en el otro. Así, está claro que el intelectualismo especial del ser urbano moderno está más próximo al intercambio económico monetario que a la sociabilidad, la cual es, sin embargo, una característica común del ser humano. De hecho, (Simmel 1971: 129) subraya que el racionalismo restringido menosprecia la sociabilidad como si de una «simpleza vacía» se tratara y da una excesiva importancia al contenido y a la finalidad en detrimento de la atención hacia la relación en sí. Este

---

5   Frisby, D. «Introduction», en Frisby, D. y Featherstone, M.(eds) *Simmel on Culture*, Sage, London, 1997, p. 10.

énfasis en el contenido es para él un producto histórico, una cosa típicamente moderna.

Cuarta, la conexión entre el comentario anterior, y por otro lado, la relación que hay ente la sociabilidad, el tema del ideal del «tacto fino» y los estilos de vida. El particular ser humano de las grandes ciudades, el «ser urbano», que frecuentemente carece de tacto para observar la naturaleza no instrumental de la relación social, puede perder la sociabilidad y, si eso pasa, no desarrolla su particularidad en relación con los estilos de vida, no sabe compatibilizar su individualidad con una colectividad social. De este modo, podemos aventurar que, para él, la práctica de la sociabilidad habría de considerarse necesaria también en un contexto urbano. Tal práctica podría compensar los efectos de ese intelectualismo urbanita. De hecho, el tacto fino puede interpretarse como un desarrollo de estrategias sociables que hacen posible el desarrollo del individuo de manera que, al mismo tiempo, no pierde la perspectiva de la globalidad del grupo. Simmel convirtió en un ideal social esta práctica, un ideal que denominó «la libertad de la vinculación». Señala que el individuo que vive en la ciudad no está inevitablemente abocado a incorporar todos los otros elementos asociados, como por ejemplo aquel intelectualismo calculado, asimilable al dinero, que reduce las emociones. Y realmente es cierto que indica nuevas vías abiertas para hacer lo que le preocupaba: la consecución de una buena relación entre el individuo y la totalidad social, que implicaría una salida no fragmentaria y alienada para la persona humana en la Gran Ciudad. Uno de estos caminos, y ésta es una manera de interpretar a Simmel, es, sin duda, la práctica de la sociabilidad.

2. MAX WEBER

La obra de Max Weber es tan vasta que es necesario realizar una selección de aquella que resulta más relevante para la sociología del conocimiento y de la cultura. Dentro de este contexto, me centraré en el trabajo de Weber consistente en explicar los orígenes del racionalismo occidental. Y en este sentido la obra capital es *La ética protestante y el espíritu del capitalismo*. Su tesis es que el concepto de profesión existente en la ética protestante generó un modo metódico y racional de existencia que es afín con lo que Weber denomina espíritu del capitalismo. De este modo, los aspectos centrales de la ética de una religión, esto es un conjunto de ideas, muestran tener una eficacia histórica.

En las páginas que siguen insistiré en la preocupación de Weber por aspectos relacionados con la formación del carácter y el estilo de vida. A mi entender Max Weber dirige su análisis en esta dirección y no tanto, como habitualmente se supone, hacia la problemática de la acción. De este modo pondré un énfasis especial en el proceso de reducción de la espontaneidad vital del «hombre natural» que opera en el ascetismo protestante, y en el nuevo estilo vital, racionalista y metódico, que se opone al «tradicionalismo».

A) *El proceso de racionalización y el capitalismo moderno de organización racional*

La investigación de Max Weber está enmarcada en un contexto más amplio que explica en la introducción del libro: se trata de explicar el peculiar racionalismo que ha generado la civilización occidental y de observar cómo una diversidad de esferas vitales se han impregnado de éste. Se referirá brevemente a cada una de estas esferas, mencionando una serie de aspectos concretos que se han desarrollado solamente en Occidente en vinculación con este proceso de racionalización: ciencia y derecho racional, arte que incluye la racionalidad (la música armónica racional, la utilización racional de la bóveda gótica, la perspectiva), el desarrollo del especialista y del funcionario especializado, y finalmente la organización racional del capitalismo. En este contexto, es esta peculiar forma de capitalismo, que no existe en ninguna otra parte del mundo la que interesa a Max Weber: «la organización racional-capitalista del trabajo formalmente libre» (Weber 1977: 12). Insiste en que han existido formas anteriores del capitalismo, pero lo que es realmente nuevo en Occidente es esta forma de organización racional que adquiere la vida económica bajo el capitalismo. De aquí que *La ética protestante y el espíritu del capitalismo* se concentren en el análisis de este aspecto del proceso de racionalización: el espíritu del capitalismo.

Weber buscará los orígenes del desarrollo del capitalismo de organización en el impulso hacia la racionalización generado a partir del concepto protestante de profesión. No obstante, el programa del libro aborda la relación general entre la ética protestante (en el contexto de las formas ascéticas del protestantismo) y el espíritu del capitalismo. Por tanto, constituye un estudio de las relaciones entre la religión y el desarrollo económico.

Weber insiste con mucho énfasis en que no ha pretendido en este texto realizar un análisis que incluyera otras esferas en proceso de racionalización y su vinculación con el protestantismo ascético, como es el caso del surgimiento de la ciencia moderna y de la política. También señala que ha dejado sin analizar la relación causal contraria, es decir, aquella que intentaría explicar las consecuencias que tiene la vida económica para la generación de las ideas religiosas. De aquí que, señala, no quepa interpretar su obra como una propuesta espiritualista que realizara una crítica de otra llamada materialista, y representada por el materialismo histórico de Marx. Simplemente pretende analizar bien una de las líneas causales, la que va de las ideas religiosas a la vida económica, señalando que se trata de una primera aproximación en esta dirección que, evidentemente, necesita ser complementada mediante un análisis de estos tres aspectos, mencionados anteriormente, y que deja aquí sin analizar (Weber 1977: 17-18; 107 ss; 260-262).

El libro además guarda relación con los trabajos que seguirán sobre la ética económica de las religiones donde Weber realiza una comparación con la evolución occidental para poner de relieve las conexiones más importantes entre las religiones principales, el ethos económico y la estructura social (Weber 1977: 18).

B) Protestantismo, educación y actividad económica

En la parte primera, titulada «Confesión y estructura social» Weber se propone reunir las evidencias que existen para sustentar su tesis. Éstas son de dos tipos: datos estadísticos procedentes de un alumno suyo (Martin Offenbachaer) y observaciones sobre una serie de autores como Montesquieu, Petty y otros, que insisten en la vinculación entre el protestantismo ascético y la actividad económica capitalista. Las estadísticas confesionales muestran que existe un porcentaje más elevado de protestantes que de católicos participando de modo prominente en la posesión de capital, la dirección y los puestos más altos de trabajo en las grandes empresas industriales y comerciales. Además, existe un mayor número de estudiantes protestantes que eligen estudiar áreas relacionadas con la industria, la técnica y el comercio, mientras que los católicos prefieren la educación humanística. Las estadísticas del estudio de Offenbachaer se refieren principalmente a la región alemana de Baden pero incluyen también otras zonas, como Prusia, Baviera, Austria y Hungría. Por otra parte, Max Weber sistematiza una serie de opiniones y comentarios que han observado críticamente la conexión entre el protestantismo ascético, en una variedad de expresiones confesionales, y el espíritu del nuevo capitalismo de organización. Así por ejemplo incluye la opinión de Montesquieu cuando éste señala sobre los ingleses, que éstos son los que «más han contribuido, de entre todos los pueblos del mundo, con tres cosas importantes: la piedad, el comercio y la libertad» (Weber 1977: 40).

Existe además en esta primera parte una reflexión muy importante de Weber sobre las consecuencias de la emigración, o el destierro para la intensificación del trabajo como consecuencia de la ruptura de las relaciones tradicionales. Este factor se añade al educativo para considerar los motivos de esta ruptura del tradicionalismo que actúa como dinamizador de la vida económica en el protestantismo ascético.

De los datos estadísticos de Offenbachaer se concluye que «la relación causal consiste en que la elección de profesión y todo ulterior destino de la vida profesional ha sido determinado por la educación de una actitud, en una dirección influenciada por la atmósfera religiosa de la patria y el hogar». Weber observa además, en relación a las estadísticas anteriores, que existe una mayor inclinación en los trabajadores católicos, especialmente en las trabajadoras de las fábricas, hacia el tradicionalismo, que entiende como una querencia mucho mayor a seguir en el mismo oficio y a no lanzarse a escalar «los puestos superiores del proletariado ilustrado y de la burocracia industrial» (Weber 1977: 31).

C) El «espíritu del capitalismo»

El segundo capítulo está dedicado a caracterizar el tipo ideal del «espíritu del capitalismo». Weber escoge la figura de Benjamín Franklin para expresar sus características esenciales. Frases como «piensa que el tiempo es dinero»; «piensa que el crédito es dinero»; «piensa que el dinero es fiel y reproductivo»; «piensa que, según el refrán, un buen pagador es dueño de la bolsa de cualquiera»; etc., forman parte de los escritos de Franklin destinados a aconsejar a los que quieren hacerse ricos o ser buenos comerciantes (Weber 1977: 42-44). En estas frases se expresa un verdadero ethos para Weber. Y en este sentido habla de espíritu del capitalismo. La ganancia económica constituye el resultado y la expresión de la virtud en el trabajo y esto para Weber constituye «el auténtico alfa y omega de la moral de Franklin» (Weber 1977: 49). El deber profesional constituye la virtud por excelencia en este contexto; no se trata por tanto de obtener ganancia a cualquier precio y por merma, incluso saltándose las normas. Ésta sería una actitud característica de las formas tradicionales de obtener ganancias económicas, o podría ser parte de un capitalismo antiguo, aventurero. Lo que está apareciendo aquí es un fenómeno nuevo: la ganancia procede de la práctica de la virtud del trabajo y el capital tiene una organización racional del trabajo.

El espíritu del capitalismo rompe así con el tradicionalismo. Éste se manifiesta también en el trabajador, pues existen personas que prefieren trabajar menos a cambio de ganar menos y lo que pretenden es cubrir sus necesidades básicas. En el tradicionalismo, «lo que el hombre quiere "por naturaleza" no es ganar más y más dinero, sino vivir pura y simplemente, como siempre ha vivido, y ganar lo necesario para seguir viviendo» (Weber 1977: 59). Esta actitud se debilitará con el moderno capitalismo de organización. El tradicionalismo se produce, (y aquí Weber sigue a Sombart) en el «sistema de la economía de satisfacción de las necesidades», donde se equiparan los conceptos de «necesidad» y «necesidad tradicional». En contrapartida el moderno espíritu del capitalismo aspira a obtener un lucro ejerciendo sistemáticamente una profesión, una ganancia racionalmente legítima. El espíritu del capitalismo implica la existencia de empresarios de nuevo estilo, con dominio de sí mismos y de gran fuerza de carácter, junto con cualidades «éticas» que generan además confianza entre la clientela y los trabajadores. Lo fundamental era sin embargo una extraordinaria capacidad de trabajo, vinculada a un ethos totalmente distinto que aquél que se ajustaba al tradicionalismo económico del pasado (Weber 1977: 69).

Weber sitúa este capitalismo moderno de organización racional del trabajo en el marco más amplio del proceso de racionalización de Occidente. No obstante, insistirá en que este proceso de racionalización no se ha producido de un modo paralelo y homogéneo en todas las esferas de la vida. Además, el racionalismo encierra múltiples contradicciones y puede racionalizarse la vida desde puntos de vista muy distintos y en muy variadas direcciones. Esto significa para Weber que conviene ser cautos e investigar conexiones más específicas. En este sentido la que le interesa a él es la relación de afinidad que puede establecerse entre el modo de pensamiento y vida racional que dio origen a la idea de profesión y trabajo abnegado en su articulación con la génesis del espíritu del capitalismo (Weber 1977: 79-80).

D) *Protestantismo ascético y dedicación metódica a la profesión*

Aquello que realmente tienen en común todas las sectas protestantes es la idea luterana de profesión, *Beruf* en alemán, cuyo significado se asemejaría al término castellano «vocación», si bien no coinciden plenamente. Lo esencial será la acentuación del matiz ético del trabajo, y el énfasis en éste canalizado a través de la profesión. Señalará Weber que en el protestantismo existe un sentido sagrado del trabajo. Además ese trabajo va a ser racionalizado como profesión. Así pues, Weber (1977: 106-107) investigará la vinculación existente entre la fe religiosa y la ética profesional, relación que planteará en términos de afinidad electiva, adelantando que su consecuencia imprevista sería el surgimiento del espíritu capitalista.

Weber analiza el contenido teológico de las sectas más importantes del protestantismo ascético, que son principalmente cuatro: el calvinismo, el pietismo, el metodismo y las sectas originarias del movimiento bautizante. Entre todas ellas, pone especial atención en el calvinismo que constituye quizás la forma más radicalizada del ascetismo protestante. Señala que existen una serie de máximas morales que expresan una conducta moral que se derivan de esta teología y que se encuentran, además, especificadas en una serie de escritos dedicados a la cura de almas, a partir de los cuales se ha impregnado lo que Weber denomina «carácter popular» (Weber 1977: 125).

Indagará especialmente los impulsos psicológicos que originan una determinada fe y práctica de la religiosidad, dedicando especialmente la atención a las codificaciones de las reglas de vida que eran relevantes para la salvación. Esto es lo más específico del trabajo de Weber, puesto que como señala el propio autor, otros autores como Sombart o Brentano han incidido también en este tema abordado por él (Weber 1977: 113-114).

En este contexto es necesario añadir otra característica del trabajo de Weber: le importa analizar resortes que afectan a grandes masas de la población. Se trata de analizar una generación de carácter, «el carácter popular». De aquí que, como observaremos a continuación, no solamente analice los escritos teológicos, sino aquellos más específicos que van dirigidos a la cura de almas y que tienen una gran extensión entre la población. En este sentido, podría decirse que el trabajo de Weber tiene que ver con la formación o educación de masas de personas en una determinada conducta moral ascética.

En su análisis del calvinismo, destacará los resortes psicológicos que generan la especial conducta ascética plasmada en la realización metódica del trabajo entendida como profesión. En primer lugar, es importante el hecho de que el individuo se queda solo ante Dios, que será su único confidente; el individuo tiene un particular aislamiento interior. Es común encontrar entre las recomendaciones teológicas el no confiar demasiado en la ayuda y en las amistades, sino únicamente en Dios. Incluso cuando el calvinista realiza obras sociales, éstas van dirigidas a honrar a Dios y se refieren a una impersonal utilidad social, nunca a la naturaleza particular de cada individuo. En segundo lugar, Weber analiza la generación de una peculiar angustia religiosa que conduce a la disciplina metódica del trabajo. El calvinista únicamente puede averiguar si pertenece al grupo de los elegidos mediante una comprobación cotidiana de su estado de gracia a través del ejercicio de obras. La fe simple no basta, la fe ha de ser eficaz, ha de manifestarse de un modo constante en el trabajo profesional. Únicamente mediante esta ascesis metódica, de modo disciplinado, puede vencerse la angustia religiosa. A través del trabajo profesional el calvinista ahuyenta su angustia religiosa. El afianzarse en su profesión y realizar un trabajo incesante le da seguridad al hacerle ver que se encuentra en el buen camino o que es uno de los elegidos (Weber 1977: 126-142). Por este motivo señala Max Weber que el calvinista se crea su propia salvación mediante un sistemático control de sí mismo, con lo que la santidad en el obrar se eleva a sistema (Weber 1977: 143-149).

La vida será guiada por una reflexión constante, entendida como una superación del estado de naturaleza. De aquí que la filosofía cartesiana tuviera una gran acogida entre los puritanos. De este modo, y en contraposición al catolicismo (donde el ascetismo se encontraba dentro de la vida monacal), el puritanismo desarrollaba una racionalización de la vida terrena que tenía un fuerte componente ascético:

> El decurso de esa vida suya fue absolutamente racionalizado y dominado por la idea exclusiva de aumentar la gloria de Dios... esta racionalización dio a la piedad reformada su carácter ascético; al propio tiempo, constituye la razón de su íntima semejanza y de su específica oposición al catolicismo, al cual, naturalmente no era extraña una actitud semejante (Weber 1977: 150).

Pero el ejercicio del ascetismo a través de un modo sistemático de desarrollo de la conducta racional con el fin de superar el estado natural era también una característica de los jesuitas mediante la cual se aseguraban «la primacía de la voluntad planificada» (Weber 1977: 151). Weber entiende la racionalización jesuítica como muy próxima a la calvinista.

La tercera característica psicológica del calvinismo era el autodominio, expresado en una actitud de reserva y distancia con respecto a la espontaneidad vital. La combinación de estos elementos psicológicos anteriores conduce a un control continuo del estado de gracia, ejercido a través de una metodización de la conducta que imponen una racionalización sistemática de la vida moral. Como observaremos a continuación, esta racionalización sistemática se ejerció a través de una concepción del trabajo entendida como profesión. Para los calvinistas estas características psicológicas tuvieron también un impacto en el ámbito de la vida social. Weber señala que dentro del calvinismo se impuso un control policial y una actitud de mutua vigilancia entre sus miembros (Weber 1977: 205). El conjunto de estos principios psicológicos, analizados por Weber, generan una transformación del ascetismo en el seno del cristianismo que ahora deviene mundano y realizado mediante la vida profesional:

> Sebastian Franck supo ver la médula de esta forma de religiosidad cuando dijo que lo propio de la Reforma estuvo en convertir a cada cristiano en monje por toda su vida. Con esto se pusieron barreras a la vida ascética del mundo, y a partir de entonces, las naturalezas más serias y apasionadamente interiores que antes habían proporcionado al monacato sus mejores figuras, viéronse obligadas a realizar sus ideales ascéticos en el mundo, en el trabajo profesional. Empero, el calvinismo añadió algo positivo en el curso de su evolución: la idea de la necesidad de comprobar la fe en la vida profesional (Weber 1977: 155).

E) Las repercusiones del ascetismo profesional: formación del «carácter popular» y desarrollo del capitalismo moderno

Hasta aquí Weber ha mostrado la sustentación religiosa de la idea puritana de profesión. Finalmente va a mostrar los efectos de ésta en la vida económica. Para ello va a centrarse en el análisis de textos de los moralistas puritanos referidos a la cura de almas, la disciplina eclesiástica y la predicación. Es fundamental recordar que estas fuentes eran las que influían de un modo generalizado en las comunidades ascéticas protestantes. Señala que «las energías religiosas que operaban en esta práctica habían de ser necesariamente los factores decisivos en la formación del "carácter popular"». Nos encontramos pues ante un hecho formativo-educativo de naturaleza religiosa que llega a grandes masas de la población, configurando el carácter y la personalidad. Así pues, Max Weber está yendo hacia consideraciones relacionadas con la identidad, la personalidad, y el carácter que se crea como consecuencia de una práctica religiosa formativa, y no tanto hacia los mecanismos de interacción que se puedan situar en el ámbito de la acción social. Este aspecto es importante porque se encuentra bastante extendida la opinión de que Weber analiza una afinidad entre formas de acción, donde se le asigna una importancia fundamental a la acción instrumental. No obstante, observamos con claridad aquí que se muestra más preocupado por la formación del carácter.

Además se referirá a una serie de moralistas y practicantes de la cura de almas que han dejado escritos influyentes, utilizando como paradigma a Richard Baxter. Mostrará cómo las máximas puritanas que se relacionan con el trabajo y la vida metódica profesional constituyen al mismo tiempo un impulso hacia la reducción de lo que considera «el hombre natural», por el racionalismo ascético incipiente. De este modo, el impulso hacia la racionalización de la vida profesional que se vincula con una manera peculiar de entender la economía genera a su vez una segregación de la espontaneidad, característica de la existencia del hombre natural. Se refiere aquí otra vez a los impulsos psicológicos que se encuentran detrás de este proceso, y no realiza un análisis en términos de acción social, sino que más bien se trata de una preocupación por la configuración del carácter y del estilo de vida.

Weber distingue entre repercusiones indirectas y directas de esta conducta ascética expresada en la profesión respecto al estilo de vida capitalista. Las repercusiones indirectas se asocian con dos características de la profesión: el hecho de que el trabajo profesional es un medio ascético y, segundo, el hecho de que la profesión es un fin absoluto prescrito por Dios. Entre los aspectos que relacionan el énfasis en el trabajo profesional, como ascesis que separa de las conductas espontáneas del hombre natural y contribuyen a la generación del espíritu capitalista, destaca los siguientes: (a) el hecho de que la nueva ascesis expresada en la profesión no culpabiliza la riqueza, únicamente estará mal visto el descanso en la riqueza, el lujo y el intento de llevar una vida regalada sin continuar poniendo un esfuerzo incesante en la profesión, esto es, siempre que la riqueza responda a una mejora en la profesión estará bien vista; (b) no se puede dilapidar el tiempo en perjuicio del trabajo profesional, así la contemplación inactiva o el dedicarse al ocio y al goce descuidando la profesión se entiende como negativo, pero también la conversación vacía y las palabras inútiles y superfluas. Todo un conjunto de rasgos que caracterizaban una rica sociabilidad (que persigue la alegría en la vida) son desprestigiados puesto que son nocivos para el trabajo profesional.

En segundo lugar, la consideración de la profesión como fin absoluto que está prescrito por Dios y que da a entender que el estado de gracia tiene poderosas consecuencias indirectas para la economía. En este sentido los escritos de moralidad de Baxter enfatizan la importancia de tener una profesión fija, aspecto que Weber pone en relación con la especialización en las profesiones, vinculado a su vez con la moderna división del trabajo.

Weber detecta en estos escritos de Baxter un énfasis, que puede asociarse con la influencia del pensamiento judío, en aspectos característicos del Antiguo Testamento. De este modo la ascesis del protestantismo incluiría (como señaló Marx en su crítica a la filosofía del derecho de Hegel) una rejudaización de la sociedad. Pero Weber señala que no dispone de espacio para mostrar las «consecuencias caracterológicas que tuvo esta asimilación vital de las normas del Antiguo Testamento». Esta observación es importante también por otro motivo: comprobamos que su interés está en el terreno de la caracterología, del impacto que una determinada moralidad tiene en la formación de lo que antes había denominado «carácter popular».

Existen otras repercusiones que el autor considera consecuencias «directas» de la ascesis profesional en el auge del espíritu capitalista. En primer lugar, el desvío que se produce en el puritanismo de todo lo relacionado con la diversión y con el goce de la vida hacia otros aspectos, particularmente el deporte, el cual puede ser entendido con una finalidad racional, puesto que constituye un «alivio necesario para la capacidad de rendimiento físico». De este modo, señala Weber, la ascesis «sofocó la alegría vital de la vieja Inglaterra». Y así se produjo todo un proceso de reducción de lo festivo y de lo artístico, tanto en los aspectos profanos como religiosos: «los dardos no se dirigieron sólo contra las fiestas profanas; el odio encarnizado de los puritanos contra todo lo que olía a *superstition*, contra todas las reminiscencias de administración mágica de la gracia, se enderezó por un lado contra la cristiana fiesta de Nochebuena, contra el árbol de Mayo y contra el despreocupado sentido artístico de la Iglesia» (Weber 1977: 236). De este modo el arte, junto con la literatura, el teatro y otros aspectos, experimentan un severo finalismo y racionalismo, que también se expresa en el adorno de la persona y en el traje.

Estos aspectos convergen en la tendencia a uniformar el estilo vital, que es característica del interés capitalista por la estandarización de la producción (Weber 1977: 239). Consiguientemente, esta manera ascética de concebir la existencia estrangulaba el consumo de artículos de lujo y al mismo tiempo estimulaba la homogeneización. Esto implicaba que el capital generado no podía gastarse inútilmente y tenía que ser reinvertido con finalidades productivas. Evidentemente, esto favorecía el ahorro y hacía posible la acumulación de capital. Weber se refiere a este aspecto crucial como «coacción ascética al ahorro» (Weber 1977: 245).

Además, este conjunto de circunstancias generaron la conducta burguesa racional desde el punto de vista económico que se extiende como cálculo a otros aspectos de la vida. Se asiste así al nacimiento del moderno «hombre económico» (Weber 1977: 248). Por otra parte, los rasgos fundamentales del «carácter nacional» inglés se originan a partir de este impulso ascético: «la ingenua alegría vital, de una parte, y el dominio de sí mismo, severamente regulado y reservado junto con un cierto convencionalismo ético, de otra, coexisten todavía hoy en la imagen del carácter nacional inglés» (Weber 1977: 247). En las páginas finales de *La ética protestante* Weber explica cómo estas raíces religiosas del espíritu capitalista se fueron secando progresivamente, siendo sustituidas por la filosofía utilitarista.

Concluye de un modo literario utilizando ideas que proceden de Goethe. Éste vio que un periodo de la humanidad, integral y bello, no volvería a darse en la historia y era necesario aceptar la renuncia a éste: a partir de aquí las formas de la acción racional imponen una condición escindida para el sujeto, una separación de la espontaneidad vital del «hombre natural». Por este motivo me parece acertada la interpretación que realiza José María González (en Lamo de Espinosa et al. 1994: 277-278) apuntando que existe una conexión entre este tema central de la renuncia y la novela de Goethe *Las afinidades electivas*. González, sin embargo, no hace explícita esta conexión en términos de los personajes de la obra. Pero si se entiende *La ética protestante* en el sentido anteriormente apuntado de que, más que con la acción, tiene que ver con la generación de una identidad y un carácter, puede aventurarse una hipótesis interpretativa. En el capítulo 4, el fundamental de la obra de Goethe en donde se habla y se explica el concepto de las «afinidades electivas», aparece el personaje de Eduardo, quien no puede separar la espontaneidad de la vida, el entretenimiento y la diversión, de la seriedad y fuerza que requieren los negocios. La voluntad de Eduardo de negar esta separación e intentar sostener una mezcla integral de razón y pasión resulta trágica.

Igualmente, Weber, nos ha descrito el proceso de reducción del «hombre natural». El ascetismo puritano genera una conducta racionalista que separa inevitablemente partes constitutivas del yo del ser humano, que trágicamente ya no volverán a poderse reunir de un modo integral y espontáneo. Este es el impacto inexorable del proceso de racionalización y, según Weber, Goethe daba así su despedida y su renuncia a un periodo histórico caracterizado por la posibilidad de desarrollo de una humanidad integral y bella. Esta es la tragedia que refleja la novela de Goethe. Pero en Max Weber hay algo más, el propio desarrollo del racionalismo es también fatal, trágico. Al perder el fundamento religioso, al espíritu del capitalismo únicamente le restan sus fundamentos mecánicos. La preocupación por la riqueza, que era algo subordinado al espíritu religioso, un manto sutil que en cualquier momento puede arrojarse al suelo, se convierte en estuche cerrado pero sin espíritu: «el estuche ha quedado vacío de espíritu, quién sabe si definitivamente. En todo caso, el capitalismo victorioso no necesita ya de este apoyo religioso, puesto que descansa en fundamentos mecánicos» (Weber 1977: 259). El afán de lucro se asocia hoy, principalmente en Estados Unidos, con pasiones agonales que tienen el carácter de un deporte.

Weber se pregunta entonces por el futuro de este estuche vacío y si habrá profetas nuevos o un renacimiento de antiguas ideas o ideales que lo llenen, con lo que anticipa de algún modo el auge del mesianismo totalitario del nazismo y del fascismo o, quizás puede ocurrir que todo quede envuelto en «una ola de petrificación mecanizada y una convulsa lucha de todos contra todos». Evidentemente, aunque Weber plantea esto como una disyuntiva, puede entenderse que ambas cosas pudieran producirse al mismo tiempo. En cualquier caso lo que es seguro es que asistimos a un mundo en el que existe una inexorable división, que de un modo pesimista Weber recoge en la frase de «especialistas sin espíritu, gozadores sin corazón» (Weber 1977: 259-260). Como es sabido, estas ideas fueron desarrolladas más tarde por los teóricos de la teoría crítica para hacer una descripción y un diagnóstico del moderno capitalismo de organización racional, así como de otros aspectos relacionados con la industria cultural o el desarrollo del nazismo.

Capítulo 8

Max Scheler: una sociología de la cultura y del saber

La *Sociología del Saber* (1973) es la obra fundamental donde Scheler aborda la «sociología de la cultura» (primera parte del texto) y la «sociología del saber» (segunda parte), considerándose esta última como parte de la primera. Por este motivo, el análisis de este texto central ocupa la mayor parte de espacio en este capítulo. No obstante, como señala el propio autor frecuentemente a lo largo de esta obra, algunas de las tesis centrales expuestas aquí dependen de otro trabajo esencial en el pensamiento de Scheler: *El puesto del hombre en el cosmos* (1974). Por este motivo incluiré también referencias a este último libro, donde el autor expone la teoría antropológica que fundamenta su sociología de la cultura y del saber.

1. SOCIOLOGÍA DE LA CULTURA

A) Concepto de sociología de la cultura

Al comienzo de la obra *Sociología del Saber,* Scheler sitúa su definición de la «sociología cultural» o del «espíritu», de la cual es una parte la «sociología del saber», como parte de uno de los tres niveles (el tercero) en que cabe dividir a la sociología. El primer nivel es el que Scheler llama «sociología pura», que es la teoría de las formas esenciales de las asociaciones humanas y de la cual trata con más detalle en su libro *Formalismo en la ética.* La segunda parte de la sociología se ocupa de la estática y la dinámica sociológicas, esto es de la «conexión y de la relación simultánea o sucesiva de los hombres y de los grupos». El tercer nivel consta de dos subdisciplinas: la sociología cultural y la sociología real. La sociología cultural tiene por objetivo «la investigación de aquel ser y obrar, de aquel modo de valorar y conducirse el hombre que depende de condiciones preponderantemente espirituales y se dirige a fines espirituales, esto es, «ideales...». La sociología cultural tiene su contrapartida en la sociología real, que se ocupa de la investigación «en su determinación social, de aquel otro obrar, valorar y conducirse, que está dirigido preponderantemente por impulsos (impulso de reproducción, impulso de nutrición, impulso de poder) y, al par, dirigido intencionalmente a la modificación real de realidades»[1]. Scheler (1973: 12) se refiere también a la sociología de la cultura como sociología de la supraestructura y a la sociología real como la sociología de la infraestructura.

Señala este autor que la sociología cultural exige por tanto una teoría del espíritu humano, y la sociología real una teoría de los impulsos. Scheler desarrolló ambas teorías, del espíritu y de los impulsos, en su antropología filosófica, contenida en *El puesto del hombre en el cosmos,* cuyas ideas esenciales explicaré después.

La sociología de la cultura se ocupa de la religión, del arte y del derecho (Scheler 1973: 10). Pero la división entre sociología cultural y sociología real, no solamente es una división metodológica, sino que está fundada ontológicamente. El objetivo de Scheler es el de observar la existencia de lo que llama una «ley suprema del orden de sucesión en la actuación de los factores ideales y reales determinantes del contenido de la vida total de los grupos humanos» (Scheler 1973: 13). Esta ley de orden, de actuación de los factores ideales y reales tiene diversas propiedades que agrupa en dos grandes apartados. El primero se refiere a la forma en que se articulan los factores ideales y reales, algo que hace necesaria la evaluación de las propiedades del poder relativo de causación de cada tipo de factores. El segundo apartado analiza los factores ideales y reales, por separado y en mutua relación, mediante la distinción entre la estática y la dinámica, cuyo análisis permite que aparezca un «estado» que recoge la imagen de lo que se ha sedimentado como resultado de la transformación ideal y real de la sociedad. A continuación paso a desarrollar estos dos grupos de propiedades de la ley en los apartados que siguen.

---

[1]   Scheler (1973: 13) reconoce implícitamente que esta división entre factores ideales y reales tiene dificultades al señalar que la tecnología ocupa un lugar intermedio entre ambos.

B) Propiedades de la ley de orden

1. La primera propiedad de esta ley concierne a la forma en que se articulan «los factores ideales y reales (el espíritu objetivo y las relaciones reales de la vida), así como su correlato subjetivo humano, esto es, la respectiva "estructura del espíritu" y la "estructura de impulsos"» (Scheler 1973: 14). Utiliza aquí la terminología hegeliana (explicada anteriormente en el capítulo 2 de este trabajo) y diferencia entre el espíritu subjetivo y el objetivo, que pueden entenderse individual y colectivamente.

La primera propiedad de la ley dice que el espíritu únicamente determina *la esencia* de los contenidos culturales que pueden *llegar a ser*, pero no puede generar por sí solo (sin la unión de los impulsos de los factores reales) la «fuerza» de causación necesaria para realizar y dar existencia a tales contenidos. Existen factores reales negativos, asociados con impulsos, (las relaciones reales de la vida) que condicionan la selección «espiritual» dentro de lo que es objetivamente posible. Las «ideas» únicamente se realizan cuando se unen con intereses e impulsos colectivos que las dotan de poder de causación (Scheler 1973: 15, 41). Sin embargo, hay también factores positivos de realización de un contenido cultural cuando un jefe o modelo es imitado por una multitud que se contagia. De este modo explica Scheler la propagación de la cultura.

Cuando aparece una nueva constelación de factores reales, el ámbito de lo que es posible objetivamente depende únicamente de tales factores. El espíritu, y la voluntad humana, únicamente puede suprimir obstáculos a «aquello que quiere entrar en la existencia» a partir de la evolución real, automática y ciega. El espíritu no puede proponer fines que afecten o transformen substancialmente esa evolución; si lo intenta «es como si mordiese en granito», dice Scheler. Pero el espíritu sí puede contribuir a suprimir obstáculos o dejar sueltos aspectos que ya están dentro de esa conexión causal propia de la evolución de lo real. A pesar del gran poder de causación que Scheler da a las relaciones reales, no cree que pueda deducirse de ellos unívocamente *el contenido cultural valorativo y de sentido* que corresponde a los factores ideales que se han realizado. Los factores reales pueden explicar, no obstante, las razones de porqué un determinado contenido cultural no ha llegado a ser.

A partir de esta primera propiedad de la ley Scheler se opone a las teorías que llama «naturalistas», las cuales derivan el sentido y valores de los contenidos culturales a partir de las relaciones reales, ignorando la naturaleza libre y creativa del espíritu. Pero Scheler (1973: 17-18, 40) se opone igualmente a la perspectiva contraria representada por Hegel que entiende la historia de la cultura como un proceso con sentido guiado por el espíritu. Señala que sin la intervención selectiva y negativa de las fuerzas reales y de la voluntad de las personas «protagonistas», no aparecería absolutamente nada que fuera generado por el espíritu. La única cosa que puede hacer el ser humano es hacer expectativas hipotéticas sobre la probabilidad de que acontezca lo venidero. Y gracias a su voluntad, interpolar obstáculos que aceleren o retrasen, como un catalizador, la evolución de los acontecimientos.

La segunda propiedad de la ley de factores causales busca, según él, una unidad entre tres «formas» que se generan a partir de relaciones de estática y de dinámica, generadoras de un «estado» sedimentado que ofrece una «imagen momentánea». Estas formas proceden de: a) las relaciones mutuas entre los factores ideales; b) las relaciones mutuas entre los factores reales; c) las relaciones entre los dos factores anteriores, considerados cada cual a nivel de estática y dinámica. Los tres siguientes apartados se ocupan de explicarlas.

C) Vinculación de los factores ideales

Scheler (1973: 21-33) se propone determinar si hay unidad entre los factores ideales y, además, averiguar el modo en que se entrelazan estos factores ideales a partir de su distinción entre estática y dinámica. Es importante señalar que para realizar esto se remite también a la conexión entre estos factores ideales con lo que llama «formas esenciales de asociación humana» (que ha estudiado en otras obras suyas), pues tales formas de asociación marchan en vinculación con determinadas formas de instruir y de pensar (Scheler 1973: 32).

Scheler (1973: 31) piensa que existe una unidad en el espíritu entre las tres principales formas de saber, que constituyen la «estática» de los factores ideales: el saber religioso, el metafísico y el positivo. Como decía antes, estas tres formas de saber cristalizan en formas de asociación que se concretan respectivamente, para los tres tipos de conocimiento, en una variedad de comuniones e iglesias, en escuelas de sabiduría y en corporaciones científicas.

Estas tres formas de saber tienen un rango especial, por lo que deben diferenciarse como tales del proceso de adquisición y aprendizaje de estos saberes en instituciones educativas como la escuela. Por otra parte, estas tres formas de saber deben distinguirse también del «pseudosaber», originado como una producción mixta de intereses y prejuicios inconscientes (ideología). Consiguientemente, en Scheler hay una distinción entre un saber positivo, verdadero y válido, y un falso saber ideológico.

La dinámica de los factores ideales analiza tres aspectos de la cultura: a) el grado de capacidad de supervivencia, b) su crecimiento y c) su progreso acumulativo (o retroceso). Aquí resulta bastante confuso para explicar lo que entiende por «grado de capacidad de supervivencia de la cultura». Parece insinuar que se trataría de medir las magnitudes de la duración (de un modo no cuantitativo) de una cultura en los distintos sectores del saber (religión, filosofía, ciencia, etc), pero no aclara lo que entiende por esa «duración» (que debería tener naturaleza cualitativa). Por «crecimiento» cabe entender el conservar el contenido y superar lo logrado mediante una nueva síntesis cualitativa. Esta actividad es realizada por sujetos culturales individuales (época o círculo de cultura) que son irremplazables para realizar tal actividad, entendida como una «misión cultural». El arte, la religión y la filosofía crecen de este modo. Se puede producir aquí una cooperación cosmopolita que vincula los principales «núcleos de sentido» entre los pueblos. Sin embargo, el «progreso acumulativo», propio de las ciencias exactas y naturales, se refiere a una sedimentación cuantitativa de saber que supone sujetos individuales reemplazables, pudiendo transmitirse de pueblo en pueblo sin que se transformen las «estructuras de expresión psíquicas» más profundas, ni sea necesario una cooperación para la síntesis que implique a los núcleos básicos de sentido. La técnica genera los instrumentos necesarios para sostener una idea de la naturaleza y del mundo donde todo está dividido en función del valor del poder sobre la naturaleza, de la voluntad de dominio sobre ella. El progreso acumulativo es el movimiento del saber más unitario, universal (y de validez universal) continuo y rectilíneo; tiene carácter predecible y se asocia con un sentido de la seguridad. Ahora bien, no puede liberarse, para Scheler, de la metafísica, y de hecho procede de una de las formas de este saber.

D) La vinculación de los factores reales

El conocimiento de los mecanismos y leyes situados en las instituciones de los factores reales, es necesario para comprender las estructuras de impulsos que influyen en las elites directivas. Estos impulsos condicionan, a través de su influjo en las elites, la multiplicación o la inhibición en el mundo de sentido de los factores ideales.

Para Scheler existe un modo de darse cuenta del «punto» en que afectan los factores reales a los ideales. Consiste en observar la diferencia entre, por un lado, (a) la historia potencialmente posible, que hubiese podido realizarse según la lógica de sentido del espíritu, una lógica que permitía hacer planes y proyectos que pueden revivirse para volver a comprender aquella lógica y, por otro lado, (b) aquello que realmente ha sucedido y se ha convertido en acontecimiento afectivo, obra, situación real. Al contrastar lo potencialmente posible (idealmente) con lo sucedido (realmente) nos damos cuenta que los factores reales excluyen, desgarran la continuidad de sentido, su movimiento no «entiende la lógica del espíritu», aunque también por eso mismo su dinámica puede favorecerlos y propagarlos ciegamente. Señala Scheler (1973: 40): «La sucesión de la historia real es *perfectamente indiferente* a la exigencia de la *lógica del sentido* que rige la producción espiritual». Los factores reales no determinan el contenido positivo y validez de la cultura existente, pero constituyen esclusas que abren o cierran los impulsos que afectan a la selección y consolidación de estos contenidos: «La *fatalité modifiable* de la historia real no determina, pues, en modo alguno, el *núcleo* de sentido positivo que haya en las obras del espíritu, pero sí pone o quita obstáculos, retrasa o acelera la realización de este núcleo de sentido /.../ Abre y cierra en determinada forma y orden las esclusas de la corriente del espíritu» (Scheler 1973: 41).

Según él frente a esta «fatalidad» de los factores reales el espíritu únicamente puede a su vez, intentar «dirigir» y «derivar» para modificarla. Dirigir es «mantener delante una *idea* teñida de valor; derivar es «poner y quitar obstáculos a los impulsos cuyos *movimientos* correlativos realizan la *idea*. La dirección es la función principal del espíritu y determina la *forma* de la derivación. Dicho de otro modo, derivamos de nuestra idea de valor una serie de estrategias para intentar controlar los impulsos procedentes de las «instituciones reales» y así intentar modificar la ciega evolución de los factores reales. Como veremos después, estos conceptos son fundamentales en Scheler para comprender la especificidad de su Sociología del Saber dentro del contexto más amplio de su Sociología de la Cultura.

Una vez caracterizada la dinámica de los factores reales, se ocupa de la «estática». Se pueden diferenciar «estáticamente» tres factores reales principales: la economía, el poder político y las relaciones de población en cuanto a su calidad y cantidad. Existen, por otra parte, tres «modos de pensar» asociados con estos factores reales, que son: el economismo, el politismo y el nativismo racial.

E) La articulación de los factores ideales con los reales: la ley de Orden

Scheler defiende que existe una relación fundamental entre los factores reales e ideales. Esta relación la proporciona una ley que responde a la pregunta crucial, ¿qué factores reales abren o cierran las esclusas para el desarrollo del potencial del espíritu? Y responde a esta cuestión mediante una serie de tesis que explicaré a continuación, aunque es importante señalar que reconoce que aún no han sido adecuadamente fundamentadas, algo que realizará en su futura antropología filosófica desarrollada en *El puesto del hombre en el cosmos*.

Scheler niega que exista una sola variable independiente —sea ésta la política, la economía o las relaciones de parentesco— que tenga siempre el primado para explicar cómo actúan las esclusas de los factores reales. También cuestiona la otra perspectiva que consiste en suponer que no existe un orden fijo entre estas variables. Por el contrario, hay una ley de orden de las fases de relación entre los factores reales e ideales que concede el primado a una variable real distinta en cada fase histórica. Hay tres fases sucesivas preponderantes de variables de los factores reales. En el mundo prepolítico de las comunidades primitivas, el primado corresponde a las relaciones de parentesco, «las fuerzas de la sangre». En el mundo precapitalista de las sociedades antiguas, feudales, de los estados absolutos, predomina la dimensión política. Finalmente, en el capitalismo hay una dominación de la economía.

Para fundamentar esta ley, no obstante, necesita una teoría de los impulsos (sexuales, de poder, de alimentación) que explique cómo estos se expresan y se exteriorizan en las instituciones reales (parentesco, política, economía). Esta teoría de los impulsos, así como una teoría del espíritu, serán objetivos principales de la antropología desarrollada en *El puesto del hombre en el cosmos*.

La ley de orden constituye un cuestionamiento del evolucionismo histórico-social, tanto en la versión materialista de Marx, que concede siempre el primado de variable independiente a la economía, como en la versión espiritualista de Hegel, la cual concede al espíritu un poder autónomo del que dependen los factores reales. También están equivocadas para Scheler las teorías que se van al extremo contrario y, frente a la «necesidad» evolutiva, proponen que no hay ningún tipo de orden.

F) Valoración de la sociología de la cultura de Scheler

Es frecuente señalar que la sociología de Scheler está escrita con un lenguaje difícil, y a veces confuso, poco propio, en ocasiones, de las ciencias sociales. Además, los comentaristas (Mannheim, González) suelen indicar que, pese a que Scheler ofreció un rico bosquejo de nuestra disciplina, toda su obra se encuentra basada en presupuestos metafísicos que en última instancia se oponen a las tesis principales de la sociología del conocimiento. No deberíamos pensar, sin embargo, que estas dificultades nos dispensan de hacer un esfuerzo para comprender mejor algunas de sus ideas más fructíferas, de su sociología de la cultura, que han tenido repercusiones fundamentales en la sociología del conocimiento y de la cultura recientes. Me referiré aquí únicamente a dos de ellas.

La primera idea es su propuesta de articulación entre los impulsos y la capacidad humana de ideación, que será desarrollada con más amplitud en su obra antropológica, principalmente en *El puesto del Hombre en el cosmos*. Esta propuesta ha influido enormemente en autores como Gehlen y Plessner, que han desarrollado más (especialmente Gehlen 1980, 1993) estas ideas de Scheler con el objetivo de explicar la conexión entre los impulsos y los procesos de objetivación generadores de instituciones. Sin ir más lejos, esta línea de investigación es fundamental para comprender los puntos de partida de Berger y Luckmann, especialmente en *La construcción social de la realidad*. Por otra parte, esta teoría de la vinculación entre los impulsos y la capacidad ideativa —también de asociación con los otros en instituciones en la obra de Gehlen— presenta puntos de afinidad (como ya señaló el propio Scheler) con ciertos aspectos de la teoría psicoanalítica de las pulsiones en su relación con la cultura. Considero que esta vía de investigación continua siendo de interés, si bien sería necesario transformar la ontología de la que parte Scheler al considerar la división entre lo «real» y lo «ideal» como aprioris metafísicos basados en la existencia de una estructura axiológica subjetiva del espíritu humano (que objetiva realidades mundanas y produce «esencias»).

La segunda idea de Scheler que considero más fructífera e influyente es la «ley del orden» explicada anteriormente. Los comentaristas, no obstante, raramente explican con detalle la compleja exposición de las propiedades de esta ley. Jurgen Habermas es, sin embargo, un autor que ha leído bien la sociología de la cultura de Scheler, especialmente el largo desarrollo de las propiedades de la ley del orden. De hecho, en la teoría de la evolución social que plantea en *La Reconstrucción del materialismo histórico* utiliza una buena parte de las propiedades de la ley del orden de Scheler. Pondré solamente dos ejemplos: (1) la distinción entre fases evolutivas explicadas mediante la estática y la dinámica; (2) la consideración de un orden en cuanto a las distintas variables independientes que tiene el primado funcional en cada fase. No obstante, Habermas se diferencia de Scheler al conceder prioridad a la dimensión comunicativa en su comprensión de los principios de organización social que rigen cada fase de la lógica evolutiva.

Pero la sociología de la cultura de Scheler es, además, el marco más amplio donde se sitúa su sociología del saber, un hecho que obliga a considerarla para poder comprender sus aportaciones a la sociología del conocimiento.

2. SOCIOLOGÍA DEL SABER

La *Sociología del Saber* de Max Scheler se entiende como una parte, quizás la más importante según señala el autor, de la sociología de la cultura y se divide en dos grandes apartados: el de los problemas formales y el de los problemas materiales. En el primero se explican los principios teóricos que rigen la sociología del saber y en el segundo se analizan sustantivamente (en Scheler es difícil poder decir «empíricamente») las formas más importantes del saber (religión, metafísica, ciencia y técnica) y también los tipos de saberes falsos e ideológicos.

A) *Principios teóricos de la Sociología del Saber*

Los problemas formales sitúan a la sociología del conocimiento (o del saber) en estrecha relación con otras ciencias, como la teoría del conocimiento, la psicología evolutiva o la biología y la antropología. Scheler hace explícitos tres problemas formales que pasará a explicar a lo largo de las tres secciones en que se divide esta parte formal de la sociología del conocimiento: una primera parte axiomática que discute fundamentalmente la naturaleza social del yo y del conocimiento desarrollado en el contexto de los grupos; una segunda parte que se refiere a lo que Scheler llama idea relativamente natural del mundo; y finalmente una tercera parte en la que se discuten los motivos originarios de las formas del saber. A continuación paso a explicar estos tres tipos de relaciones fundamentales que tiene el saber con la sociedad.

a) Principios axiomáticos

El saber es constitutivo del objeto que analiza la sociología, la sociedad humana. En este sentido, se observa que existe un grupo común cuando existe un saber común que sirve para caracterizar objetos y de este modo el saber determina la esencia de esa sociedad. Pero, por otra parte, la propia sociedad determina también todo saber. Señala Scheler que la determinación de la sociedad por el saber fue estudiada fundamentalmente por la Ilustración, pero que los siglos XIX y XX se han caracterizado por una insistencia en observar el proceso inverso, el condicionamiento social del saber.

Existen tres axiomas supremos de la sociología del saber. El primero señala que existe un saber social a priori, esto es previo a la experiencia y que por tanto antecede genéticamente a la conciencia del propio yo: el «nosotros» precede siempre al «yo». El segundo axioma clarifica los modos en que los individuos participan en la vida de los grupos sociales; estos modos pueden entenderse como tipos ideales. Scheler distingue entre dos tipos que sirven como polos extremos de una tipología: la identificación y la inferencia analógica. El primero lo encontramos en las masas, en el hipnotismo, en las relaciones entre la madre y el niño, en los primitivos. El segundo consiste en realizar una aprehensión social, individualista y reflexiva del uno, a través de la vida del otro. El paradigma de la inferencia analógica es el caso de la relación con el extranjero. Esta inferencia ha de conducir finalmente a un impacto consciente donde los sujetos se entienden como dotados de voluntad y se ha de ejercer el conocimiento en forma de inferencia inmediata, la cual significa consciencia y razonamiento.

La identificación y la inferencia analógica constituyen los dos polos extremos entre los cuales se sitúan otras formas de relación de un modo ascendente: compartir vivencias con los demás por virtud de un «contagio», sin saber siquiera que se comparten; la imitación involuntaria de acciones; los movimientos expresivos; el saber de la tradición que se transmite entre grupos enteros y que constituye el saber de la historicidad de la vida misma, un saber que hace posible la historia. En el último grado de este escalafón sitúa lo que entiende que es la forma de relación característica del ser humano: el entender, tanto subjetivamente las vivencias ajenas como objetivamente los contenidos con sentido que han sido desarrollados socialmente (esto es, lo que se entiende como el espíritu objetivo de Hegel). Aquí se incluye el lenguaje, pero también otras actividades de exteriorización y autoexteriorización artísticas, como la danza y el canto, o de un «sentido» como en el caso de la escritura ideográfica, los cultos, los ritos, las ceremonias, y un conjunto de elementos «objetivos», en el sentido de comprensibles y comunes al grupo y por tanto sociales. No existe un saber innato de estos objetos que aparecen en este ámbito de objetividad como consecuencia de la exteriorización, pero sí que hay funciones innatas a partir de las cuales brota el saber de estos objetos.

Estos procesos de exteriorización se producen en relación con el otro, o «en compañía» como señala Scheler, y fundan dos categorías fundamentales para la sociología del saber: el alma colectiva y el espíritu colectivo. El alma colectiva es difusa, impersonal, anónima; tiene un nivel muy bajo de consciencia que se refiere a actividades psicofísicas automáticas o parcialmente automáticas, como el mito, el lenguaje «natural» del pueblo, la canción popular, el uso, la costumbre, el traje, etc. El espíritu colectivo, por el contrario, aunque incluye elementos espontáneos, es mucho más consciente y aparece en el Estado, el derecho, el lenguaje culto, la filosofía, el arte, la ciencia, la opinión pública. Además el espíritu colectivo, y esto es muy importante para Scheler, está muy perfilado en cuanto a su contenido, valores, dirección, por jefes o modelos personales. Siempre es una elite la que dirige y representa el espíritu colectivo, entendido como una creación continua. El espíritu colectivo va de arriba abajo, mientras que el alma colectiva va de abajo a arriba. Esta diferenciación anterior, entre alma y espíritu colectivo, es muy importante porque en este contexto Scheler va a definir explícitamente en qué consiste la sociología del saber:

> Tiene por misión indagar las leyes y los ritmos con arreglo a los cuales fluye el saber desde las cumbres de la sociedad (las elites del saber) hacia abajo, y cómo aquí se distribuye temporalmente entre los grupos y capas, más, asimismo, cómo la sociedad regula organizativamente esta distribución del saber —en parte por medio de instituciones institutos difusores del saber, como escuelas, prensa; en parte imponiendo límites: misterios, índices, censura, prohibiciones a las castas, estamentos, clases, de adquirir un determinado saber…

Es importante insistir en este aspecto de que la sociología del saber tiene que vérselas fundamentalmente con el espíritu colectivo, que funciona de arriba (elites) abajo, para comprender el modo en que Scheler va a abordar después los problemas materiales más importantes del saber, como el saber religioso, metafísico y científico-técnico. Por ejemplo, observaremos después que Scheler estará interesado principalmente con aquello que realizan las elites, y que habíamos caracterizado anteriormente en la sociología de la cultura de Scheler: las funciones de dirigir a partir de una idea teñida de valor y de derivar, o intentar controlar mediante estrategias de abrir o cerrar esclusas, poner o quitar obstáculos, el juego más básico de las fuerzas de los «factores reales». Esta explicación anterior es esencial para comprender que el objetivo de la sociología del saber de Scheler es más bien reducido en cuanto a amplitud, puesto que fuera de la sociología del saber quedan otras muchas investigaciones que corresponderían a una sociología de la cultura.

El tercer axioma de la sociología del saber, que además es para Scheler propio también de la teoría del conocimiento, señala que hay una ley de orden fija de las esferas del saber que se relacionan con sus correlativas esferas de objetos. Estas esferas y objetos del saber son irreducibles entre sí, y son las siguientes:

(1) La esfera de lo absoluto y de lo santo.

(2) La esfera del «otro», que incluye tanto a los contemporáneos como a los antepasados, a la sociedad y a la historia.

(3) Las esferas del mundo exterior e interior, con la esfera del propio cuerpo y su medio.

(4) La esfera de lo «viviente».

(5) La esfera del mundo corpóreo muerto.

La sociología del saber de Scheler, sin embargo, no se propone (como ha intentado la teoría del conocimiento en sus distintas escuelas) la reducción de unas esferas a otras. Por el contrario, para nuestro autor se trata de esferas irreductibles y su mismo orden se encuentra arraigado de un modo primario, a priori, en la conciencia humana a lo largo del tiempo. Según Scheler existe un orden en el precederse de estas esferas que sigue una ley constante. Así cuando una de las esferas ya se ha concretado y aparece perfilada (determinada), la otra todavía no lo ha hecho y permanece de un modo indeterminado. Cuando una esfera se ha concretado se configuran objetos dentro de ella, de aquí que Scheler enuncie una idea fundamental para la sociología del saber: la esfera social de los otros, de los antepasados y de los contemporáneos, precede a todas las otras esferas tanto en el nivel de realidad como en el de contenido y a nivel de la determinación del contenido. De ahí concluye Scheler que el «tu» es la categoría más fundamental en el pensar humano, con lo que la sociedad se configura como un objeto anterior a todas las otras esferas del ser y del saber, de lo cual se sigue el carácter sociológico de todo saber. No obstante, insiste Scheler de nuevo en una idea anterior: que la sociedad condiciona la selección de los objetos en función de las perspectivas de los intereses dominantes y las formas de los actos espirituales, pero no condiciona ni el contenido producido, ya seleccionado y existente, ni su validez objetiva.

b) La idea de mundo relativamente natural

Scheler formula aquí una idea que va a aparecer después, en el contexto de la sociología fenomenológica de Schütz y de Berger y Luckmann, como fundamental: se trata de la idea del mundo relativamente natural. Scheler nos avisa de que no se trata de la idea «natural del mundo» que presupone la teoría del conocimiento y que se deriva de una generalización del «estado de naturaleza». Señala que desde la teoría del conocimiento esta idea natural del mundo se presenta siempre como absolutamente constante. Por eso, va a modificar el concepto e introducirá el calificativo de «relativamente natural» para señalar que existe una diversidad de ideas del mundo. Se trata de la idea que tiene una colectividad con respecto a todo lo que le pertenece como «dado», sobre lo que no tiene duda alguna, y sobre lo que no interviene por tanto de un modo especialmente intencional al no ser necesario ni susceptible de una justificación.

Esta idea natural del mundo penetra hasta las estructuras de las categorías y así condiciona el modo de pensar de los miembros de una colectividad. Esta idea natural del mundo, a diferencia de la constancia que le presuponía la teoría del conocimiento, se transforma y tiene leyes de transformación que Max Scheler pretende descubrir. Su objetivo es señalar que estas categorías no son siempre las mismas, como había presupuesto Kant, dándoles a las categorías europeas un significado general y constante.

Estas ideas del mundo tienen una naturaleza orgánica y se mueven a lo largo de grandes extensiones de tiempo. Son muy difíciles de modificar mediante la especulación y, de hecho, únicamente cambian como consecuencia de la mezcla de razas, de lenguas y de culturas. Pertenecen, según él, a los centros inferiores del «alma colectiva», la cual, como había señalado anteriormente, funciona automáticamente, y no son por tanto parte del «espíritu colectivo». En contrapartida, el «espíritu colectivo» desarrollará otras formas propias de la idea del mundo que son cultas y artificiales.

Scheler ordena estas ideas naturales del mundo de mayor a menor nivel de «naturalidad» del siguiente modo: 1. El mito y la leyenda; 2. El saber implícito en el lenguaje natural del pueblo (estudiado por Humboldt); 3. El saber religioso; 4. El saber místico; 5. El saber filosófico-metafísico; 6. El saber positivo de las matemáticas y de las ciencias de la naturaleza y del espíritu; 7. El saber tecnológico. Además, enuncia la ley de que las formas de moverse más lentas son las que tienen un mayor grado de «naturalidad»; esto es las primeras. En cambio, en la medida en que avanzamos hasta el saber tecnológico se acelera el movimiento del saber.

c) Motivos originarios del saber

Scheler renuncia a clarificar los motivos originarios de la diversidad anterior de imágenes naturales o artificiales del mundo, y va a concentrarse en lo que llama las tres formas supremas del saber: la religión, la metafísica, la ciencia y la técnica. Su estrategia consiste en asociar impulsos básicos con estas formas del saber. Cada tipo de impulso básico predomina en una de ellas.

Existe un impulso innato en el ser humano que le conduce al afán de saber. En principio procede de una expectativa incumplida que rompe con la coherencia de los acontecimientos. Así surge el impulso de poder que se asocia con otros impulsos, de la construcción y del juego. En este contexto se trata de enfrentar el estupor y la curiosidad que genera una expectativa, de comportamiento de los otros o de la naturaleza, incumplida.

Este impulso generador del deseo de saber se transforma cuando aquello que se pretende saber es algo ya conocido. A partir de esta forma desarrollada del impulso subyacente al deseo de saber aparece la posibilidad de transformar esas emociones e impulsos en otras formas espirituales. Esta vía más desarrollada de transformación de impulsos genera dos tipos de saber: el religioso y el metafísico. El impulso se transforma hacia el ámbito religioso cuando el ser humano intenta «asegurar», «salvar» su ser mediante la relación con una realidad santa y extremadamente poderosa que se entiende como la razón de todo. El saber metafísico procede de otra transformación de ese impulso anterior en un segundo impulso caracterizado por el «sentimiento intencional de la admiración». Esta emoción va mucho más allá que el asegurar o salvar, pues consiste en que a partir de una determinada diversidad de objetos que tienen cosas en común existe uno de ellos que se constituye como ejemplar y representante de un tipo ideal, siendo por tanto una esencia. Finalmente, la ciencia y la técnica se originan en un impulso de poder sobre la naturaleza, sobre los hombres y los procesos sociales. Se trata de un impulso de origen biológico que es transferido hacia la conducta intelectual tanto en los aspectos de la representación y del pensar como en la conducta práctica del obrar sobre el mundo. Se concreta en un énfasis en el «prever el rango de un objeto en el orden del espacio y del tiempo, con un fin de dominio sobre la naturaleza: *Voir pour prevoir,* saber es poder, etc.» (1973: 80).

La clarificación de estos tres impulsos que subyacen a las formas supremas del saber le permite a Scheler criticar el positivismo de Comte y de Spencer. Estos habían presupuesto únicamente la tercera raíz del deseo humano de saber, el impulso instrumental de poder (que además tiene un origen biológico), y de esta manera habían convertido a las anteriores fases, la religiosa y la metafísica, en estadios previos hacia una evolución subsiguiente, con lo cual únicamente se comprendía al ser humano como desarrollando de modo gradual la facultad ya animal de la «inteligencia técnico-práctica» o, con otras palabras, «instrumental». Por el contrario Scheler señala que los tres impulsos básicos coexisten en todo momento en las sociedades, si bien unos adquieren un protagonismo mayor en unas formas sociales o en otras. Solamente si se entienden estos tres impulsos, de origen biológico y apriorístico, existentes en el ser humano se puede comprender una variedad de aspectos fundamentales para la sociología del saber:

> 1. Los diversos tipos ideales de jefatura en estos tres sectores del saber (homo religiosus, sabio, investigador, técnico), 2. Los diversos orígenes y métodos de la adquisición del saber en ellos (contacto del jefe carismático con Dios, pensar ideas, inferencia inductiva y deductiva), 3. Las diversas formas de movimiento de su evolución, 4. Las diversas formas fundamentales sociales en que se manifiesta la adquisición y conservación del saber, 5. Sus diversas funciones en la sociedad humana, 6. Su diverso origen sociológico en las clases, profesiones, estamentos (Scheler 1973: 81).

El desarrollo detallado de estos aspectos se realiza a lo largo de las páginas que Scheler dedica a las «formas supremas del saber» en la parte referida a los problemas materiales o sustantivos de la *Sociología del Saber.*

3. PROBLEMAS MATERIALES DEL SABER: CIENCIA, TÉCNICA E IDEOLOGÍAS SOCIOLÓGICAS

Max Scheler va a proceder a un análisis de lo que denomina formas supremas del saber, que son la religión, la metafísica, la ciencia y la técnica. Igualmente analizará también lo que entiende que son ideologías de clase que no responden a un saber verdadero sino que dependen de los prejuicios e intereses de las clases bajas y medio-altas. Comenzaré con este último tema y desarrollaré después el primero.

A) Teoría de las ideologías

Scheler piensa que la sociología del saber no debe ocuparse únicamente del saber de la verdad, sino también de la «sociología de la ilusión social, de la superstición, los errores y las formas de engañarse condicionadas sociológicamente» (Scheler 1973: 73). Este tema, ya anticipado en la primera parte de la *Sociología del saber*, será desarrollado en el ámbito de los problemas materiales de esta disciplina con más detalle.

Según él, existen ideologías de clase, pues la clase social determina los sistemas categoriales del intuir, pensar y valorar. Estas ideologías no son en absoluto teorías filosóficas dotadas de reflexividad, sino productos de inclinaciones inconscientes que llevan a concebir el mundo de una u otra forma. No son exactamente prejuicios de clase, sino algo más: leyes formales de la creación de prejuicios. Como leyes recogen las inclinaciones preponderantes que generan los prejuicios. En este sentido señala que estas leyes constituirían un nuevo capítulo de la sociología del saber que en analogía con la teoría de Bacon de los ídolos de la percepción externa (teoría de las ilusiones) debería llamarse, según Scheler, «teoría de los ídolos sociológicos» del pensar, intuir y valorar. Afectan al modo en que se presenta el mundo de un modo irreflexivo a una determinada clase; en ese sentido son algo más fuerte y más sólido que un simple falseamiento o error. Estas inclinaciones generadoras de prejuicios configuran un «relieve formal» que hunde sus raíces en inclinaciones y prejuicios tradicionales en las clases que han sido, según la gráfica expresión de Scheler, «mamados con la leche materna». Esta ley de formación de prejuicios se presenta en términos de una tipología de oposiciones, que paso a resumir en el siguiente cuadro:

Clase baja	Clase alta
Prospectivismo de los valores en la conciencia del tiempo	Retrospectivismo
Punto de vista de la génesis	Punto de vista del ser
Interpretación mecánica del mundo	Interpretación teleológica del mundo
Realismo	Idealismo
Materialismo	Espiritualismo
Empirismo	Racionalismo
Pragmatismo	Intelectualismo
Visión optimista del futuro y retrospección pesimista	Perspectiva pesimista del futuro y retrospección optimista
Modo de pensar dialéctico	Modo de pensar que busca la identidad
Pensar inspirado en la teoría del medio	Pensar nativista

Scheler insiste que tanto el sociólogo como el historiador tienen que tener en cuenta, de un modo objetivo, la perspectiva de los intereses de clases que se manifiestan en estas leyes de prejuicios que configuran toda una visión del mundo irreflexiva, con el objetivo de no sucumbir ante ellos y poder encontrar una verdad que vaya más allá de estas perspectivas sesgadas (Scheler 1973: 223). Insiste en que el error surge de tres modos: 1. Cuando se equiparan estos prejuicios con las formas del ser y la génesis de las cosas; 2. Cuando se identifican las formas de pensar, intuir y valorar que son objetivamente válidas a estos prejuicios al enjuiciarlas por analogía con respecto a estos; 3. Cuando no únicamente se entiende que son necesarias como inclinaciones, cosas que efectivamente son, sino que además se piensa que es causalmente necesario que todos los individuos pertenecientes a esta clase tengan estas inclinaciones e impulsos, que los conducen a tales leyes de prejuicios de un modo consciente como si constituyeran una conciencia elevada del espíritu.

Para liberarse de ambos esquemas ideológicos de clases y poder contrarrestar las categorías basadas en intereses que generan, Scheler propone tener en cuenta, como ya señaló en su sociología de la cultura, a los factores causales de la historia, tanto a los de carácter ideal como a los de naturaleza real. No obstante, como voy a explicar a continuación, no pudo evitar caer en algunos de los prejuicios de clase, en este caso de la clase alta, que él mismo había denunciado. Esto se debe a que su modo de abordar los problemas materiales del saber, una parte de la sociología del saber que hace las veces de un trabajo sociológico empírico, no tiene en cuenta suficientemente estos factores históricos causales, especialmente aquellos que se refieren a los ámbitos centrales de las instituciones, y de la conexión existente entre una diversidad de impulsos y éstas. En cambio, opta por asignar de entrada a las elites del saber una asociación inmediata con impulsos genéricos que no están suficientemente detallados en cuanto a su relación con el ethos, del que también disponen las elites, que contiene o canaliza estos impulsos. Igualmente, como vamos a observar, Max Scheler va a concentrarse únicamente en la capacidad de las elites para dirigir y derivar, pero no va a analizar adecuadamente el modo en que este conocimiento se distribuye en la sociedad. De este modo su abordaje empírico de los problemas materiales del saber (religión, metafísica, ciencia y técnica) se convierte en un ejercicio erudito donde el autor elabora una gran cantidad de intuiciones, hipótesis, leyes, que no tienen ninguna prueba empírica. De este modo cae prisionero de un elitismo que es típico, según sus leyes de generación de prejuicios, de la clase alta. Pero ya habíamos visto anteriormente que para Scheler la sociología del saber opera fundamentalmente con el «espíritu colectivo» que queda concentrado en las elites, jefes, modelos de los grupos, y pasa de éstos hacia abajo. De aquí que el problema de Scheler radique en que asocia de un modo inmediato los tres motivos del saber, o impulsos genéricos que conducen al saber, con una tipología de elites que transforman de un modo inmediato estos impulsos en ideas o que los controlan mediante la derivación de un modo mecánico, sin contemplar las luchas que se producen entre los grupos por el control de las instituciones y cuyo resultado no es predecible.

En cuanto aborda los factores causales de índole real que pueden afectar al conocimiento con frecuencia nos encontramos con concurrencias generales que facilitan o cierran tales o cuales selecciones de ideas de valor o impiden la derivación o el control de tales impulsos. No existe la suficiente especificación de las formas en que tales factores causales se ponen en mutua relación a lo largo de la historia en una diversidad de alianzas y de conflictos en situaciones sociales específicas. Para observar estas dificultades voy a centrarme en el análisis que realiza del saber científico y técnico, aunque lo que diré a continuación sirve también para comprender los problemas que encuentra para analizar el resto de formas del saber.

B) La ciencia y la técnica

Scheler comienza señalando que el origen de la ciencia procede de dos capas sociales que en principio estaban separadas pero que, según cree, han ido interpenetrándose de un modo progresivo. Se trata por una parte de capas superiores y cultas que tienen una formación contemplativa y, por otra parte, de una capa de gente dedicada al trabajo y a los oficios. Insiste en esta idea del origen social dual de la ciencia y la técnica modernas, aunque no justifica en absoluto empíricamente esta afirmación. Sin embargo, va a convertirla en ley y señala:

> Dos capas sociales que en un principio estaban separadas paréceme tener que ir penetrándose de un modo creciente, si se ha de llegar a una investigación especializada y por ello cooperativa, sistemáticamente practicada y con un fin metódicamente perseguido —afirmación para la que reclamo el carácter de una ley—, a saber, un estamento de hombres libres y contemplativos y un estamento de hombres que han recogido en forma racional las experiencias de su trabajo y oficio y que por el solo hecho de sentirse internamente impulsados a aumentar su libertad y emancipación sociales poseen el más intenso interés por todas aquellas ideas y conocimientos sobre la naturaleza que hacen posibles la previsión de sus procesos y el dominio sobre ella (Scheler 1973: 114).

En esta primera página de su análisis sobre la ciencia y la técnica podemos encontrar ya gran parte de las dificultades de su modo de abordar el problema. En primer lugar, la carencia de estudios empíricos detallados para realizar afirmaciones; segundo, la transformación inmediata de los impulsos en formas ideativas que capitalizarán estas elites, sin tener en cuenta la dimensión institucional que inevitablemente acompaña al surgimiento de las elites. De este modo, los impulsos se transfieren de un modo inmediato hacia las ideas directrices y a los impulsos de derivación o control de los factores reales.

Continua Scheler afirmando que el surgimiento de la ciencia especializada va acompañado del desarrollo de una nueva experiencia del trabajo que asocia con la burguesía. El desarrollo de la división del trabajo correría en paralelo con la evolución de la ciencia especializada. Ahora bien, el conjunto de factores tanto ideales como reales que entran en relación con esta conexión tiene un carácter de variable dependiente, pues Scheler va a conceder la naturaleza de variable independiente que determina este proceso a la «estructura de impulsos de los jefes de la sociedad existente en cada caso». Esta estructura de impulsos no se analiza en absoluto para una variedad de marcos sociales e instituciones. Señala que ese es un trabajo que tiene que hacer la psicoenergética en unión con la etnología psicológica. Subraya además otro elemento fundamental que se repite a lo largo de todo su análisis de problemas materiales del saber, el *ethos*, que consiste en «las reglas en cada caso dominantes y válidas del preferir entre los valores del espíritu;... los valores y las ideas directrices que orientan a los jefes de los grupos... y a través de ellos a los grupos mismos» (1973: 127). Así pues, la variable independiente de todo el proceso de generación de la ciencia y la técnica es la estructura de impulsos y el ethos de los jefes. A partir de aquí, siguiendo su concepción del «espíritu colectivo» (que va de arriba a abajo, de los jefes y las elites hacia su extensión en los grupos y en el marco de la sociedad) se explica todo el proceso de generación de la ciencia. Además esta estructura de impulsos se generaliza como «voluntad de dominación y derivación» que funciona, según Scheler, de espaldas a los motivos personales cambiantes de la gente concreta, pues estos impulsos individuales no importan (Scheler 1973: 116).

A partir de aquí Scheler pasa a explicar la transformación producida en los factores reales (política, economía, parentesco) y cómo se ha producido el paso de la sociedad política a la sociedad marcada por la economía. Por otra parte, se referirá a cómo se han transformado los factores ideales en relación con una serie de temas de naturaleza religiosa y filosófica: desintegración de la ortodoxia uniforme de la Iglesia y sustitución por una pluralidad de perspectivas, auge de la libertad del yo para pensar y decidir, etc. La peculiar combinación entre los factores reales y los ideales hace posible que los impulsos de dominación de la naturaleza de las elites y su particular ethos desarrollen ideas teñidas de valor que generan progresivamente la ciencia, la técnica y su extensión social.

Entre los factores reales Scheler analiza el proceso de separación entre la Iglesia y el Estado. Anteriormente la ciencia y la técnica estaban tuteladas por la Iglesia; después por el Estado, lo cual abre ya una multiplicidad de alternativas para el pensamiento. El siglo XIX presencia la definitiva declinación de la época política y el mayor auge de la causación sociológico-real económica. Aparecen consorcios de patronos y obreros que progresivamente rompen la tutela que el Estado absoluto tenía sobre la ciencia. A partir de aquí la ciencia y la técnica van a depender cada vez más de estas corporaciones económicas y del trabajo. En este contexto, las relaciones políticas van a pasar a un segundo plano, así como las de parentesco, que Scheler aborda únicamente de modo aislado para referirse a las transformaciones que el cambio generacional conlleva en el terreno de la variación de perspectiva sobre la naturaleza y la transformación de los impulsos asociados (Scheler 1973: 132 ss).

Los cambios en las relaciones entre los factores reales tienen consecuencias notables en cuanto a la evolución de los factores ideales. Así, desaparece la imagen organicista y vitalista de la comunidad que presidió la concepción «biomórfica» de la vida y de la sociedad. Esta concepción había fundamentado hasta entonces una serie de ideas del mundo relativamente naturales que no incluían suficiente racionalidad y consciencia, como algo inmanente al mundo (Scheler 1973: 123 ss). La metafísica antigua, dogmática y biomórfica era un obstáculo para el desarrollo de la ciencia moderna y la tecnología.

Pero otros elementos correspondientes a los factores ideales adquieren un mayor desarrollo bajo el impulso de los jefes, los reformadores y los hombres de ciencia: 1. Un modo de pensar nominalista; 2. La soberanía de la voluntad del hombre y la superación del intelecto que es sólo contemplativo; 3. Un sentido de conciencia y certeza (Descartes); 4. La libertad, que incluye la libertad de fe, no es algo que depende de una entidad objetiva sino que es un acto voluntario personal; 5. Se radicaliza el dualismo espíritu/carne, reelaborándose de un modo más sofisticado la antigua oposición entre materia y espíritu. Scheler comparte la idea de Max Weber de que es la concepción puritana de la gracia, que se articula con un sentido del trabajo y de la profesión, lo que abre la posibilidad de derivar de un modo nuevo las energías psíquicas. De esta manera se configura un racionalismo inmanente al mundo y se facilita la autonomía de una variedad de sectores de la cultura que ahora pasan a hacerse profanos e independientes del ámbito de lo religioso (Scheler 1973: 126).

Scheler no analiza en absoluto el proceso de distribución y generalización de estos nuevos impulsos y de las nuevas concepciones puritanas. Se limita a señalar que tardan un siglo en convertirse en objeto de la opinión pública y mucho más en pasar a ser parte del mundo «relativamente natural» de las masas. De este modo asume, sin poder probarlo, que un mismo proceso de generación de impulsos está detrás, de un modo uniforme, del surgimiento de la nueva ciencia y la nueva técnica y que, por otra parte, estos impulsos y ethos no variarán en cuanto a su extensión y generalización en las masas.

C) Valoración de la Sociología del Saber de Scheler

Podemos centrarnos en repasar analíticamente aquello que Scheler señala que es el objetivo fundamental de la *Sociología del saber*: 1. El observar cómo las elites dirigen mediante ideas teñidas de valor; 2. Analizar cómo las elites «derivan», esto es ponen esclusas que abren o cierran el inmenso caudal de influencias de los factores reales; 3. Analizar cómo se distribuyen estas ideas que se han seleccionado mediante la dirección y la derivación en el contexto más amplio de la sociedad. En primer lugar, observamos que Scheler ha reducido extraordinariamente el foco de la investigación a lo que él denomina «espíritu colectivo», que investiga fundamentalmente las elites generadoras de ideas de valor y la extensión de sus estrategias en el marco social. Después, puede verse que la mayor parte de las páginas de su sociología del saber están dedicadas a caracterizar esas ideas teñidas de valor mediante las cuales las elites dirigen. En segundo lugar, destina muy poco espacio a analizar las estrategias de control, de derivación, mediante las cuales esas elites realizan selecciones concretas en ámbitos específicos. Finalmente, el análisis de la distribución de esas ideas y estrategias de derivación es prácticamente inexistente.

Así, podemos señalar que Max Scheler sitúa la sociología del saber en un contexto muy restringido con respecto a la globalidad de su sociología de la cultura. Además, ya dentro de este contexto restringido, sus análisis están destinados fundamentalmente a caracterizar las ideas directrices, con lo que no se desarrollan las otras partes del programa de un modo consistente y amplio. Finalmente, y lo más importante, da el papel de variable independiente a los impulsos de poder y de dominio con respecto a la naturaleza de una elite que los transforma de un modo genérico en el mismo conjunto de ideas directrices, sin pasar por un análisis de las instituciones donde estas ideas directrices deben cuajar de algún modo para ser efectivas. Obviamente, se omite también aquí un análisis detallado de los grupos sociales, que sostienen relaciones diversas (pactos, conflictos, etc) por el poder de estas instituciones. De ese modo se asume que una idea directriz general se encuentra detrás de todo el proceso, una idea que evidentemente es el producto de la transformación de los impulsos, existiendo una previa generalización de esta misma dimensión impulsiva, sin aportar ninguna prueba empírica. Así pues, no hay propiamente un análisis sociológico del conjunto de procesos a través de los cuales los impulsos (que además son a priori y biológicos) se transforman en ideas directrices que anidan en las instituciones y en los grupos. La estrategia global de Scheler permite justificar así el predominio de las elites en cuanto al desarrollo del saber y de este modo legitima sus propios prejuicios de clase.

La ausencia del marco institucional del análisis de Scheler fue explicada ya por Gehlen, quien en sus obras principales, *El Hombre* (1980) y *Antropología Filosófica* (1993), había indicado ya esta dificultad al referirse tanto a Bergson como a Scheler y Beth, los cuales no pueden entender las instituciones más que en su dimensión de finalidad subjetiva. De este modo, señala Gehlen (1980: 461) no se puede «llegar a las instituciones objetivas y a las categorías que *se ocultan en ellas*, como yo mismo he notado siguiendo la indicación de Haueriou y después de algunos análisis de estructuras sociales elementales».

Scheler podría contestarle a Gehlen que en su *Sociología del saber*, y como uno de sus principios axiomáticos fundamentales, aparece la primera relación con el «tu social», y además que la esfera de realidad que procede en la relación con los otros, los contemporáneos y los antepasados está por encima del resto; también podría Scheler decir que se ha referido a los sistemas de reglas sociales que configuran los *ethos* de los jefes. Y esto es cierto, pero Scheler no da ni construye con ello una teoría de las instituciones donde los impulsos aparezcan transformados y expresados en términos de ideación, como muy bien señala Gehlen.

Podemos ver estas dificultades con más detalle si revisamos brevemente los conceptos fundamentales de la antropología filosófica de Scheler donde desarrolla su teoría de los impulsos y del espíritu, en el libro *El puesto del Hombre en el Cosmos*. Observaremos que Scheler fue innovador al plantear el problema del hombre en relación con los animales, con el ámbito biológico, para realizar una antropología filosófica. Esto era novedoso, como ha subrayado el propio Gehlen (1993: 30). En esta obra el hombre y el animal se diferencian esencialmente porque el hombre tiene espíritu. En otros aspectos, y especialmente en relación con los animales superiores, podemos encontrar diferencias de grado en aspectos como la inteligencia, la fantasía, la memoria, la capacidad de selección e incluso el uso de herramientas. Pero el principio específicamente humano es el espíritu.

El hombre, a diferencia de los animales que están fijados a su medio, es libre frente al mundo que lo circunda, en palabras de Scheler: «está abierto al mundo» (Scheler 1974: 55). En el mundo hay objetos que se le presentan como centros de resistencia para el ser humano. Ahora bien, el hombre puede transformar el impulso que lo enfrenta a esos centros de resistencia mediante el proceso de la objetivación. A consecuencia de su reflexividad con respecto a sus propios impulsos puede, además, reprimirlos o darles rienda suelta. Esta reflexividad con respecto a los propios impulsos es la conciencia de sí, que constituye la posibilidad de convertir en objeto (objetivar ideacionalmente) la primitiva resistencia del objeto, de las cosas mismas, ante la afectación del impulso que se enfrenta a esa resistencia provocada por el objeto mundano. En esta reflexividad del hombre se origina el acto específicamente humano, y producto del espíritu, de la ideación. Ésta consiste en un acto que quita realidad, de desrealización dirá Scheler, de aquello que aparece afectivamente e impulsivamente como resistencia, como objeto que se resiste. El ser humano, por así decirlo, rebaja esta naturaleza de resistencia mediante un acto ascético, un decir no al impulso afectivo que se le forma frente a esa resistencia que le pone el mundo, y al hacerlo transforma el impulso en objetividad, en ideación. Señala Scheler (1974: 71): «este acto de desrealización, acto ascético en el fondo, sólo puede consistir —si existencia es «resistencia»— en la anulación, en la examinación de ese impulso vital para el cual el mundo se presenta como «resistencia»... Sólo el espíritu en su forma de voluntad pura, puede operar la inactualización de ese centro de impulso afectivo, que hemos conocido como el acceso a la realidad de lo real». Al eliminar ese centro afectivo, el ser humano sublima simultáneamente (Scheler 1974: 73).

Como ha señalado Gehlen (1993: 31) Scheler incluyó aquí aspectos del ámbito del psicoanálisis. De hecho en otras partes de su obra *El puesto del Hombre en el Cosmos* insiste precisamente en esta teoría de los impulsos y de la sublimación de Freud (por ejemplo Scheler 1973: 76-77), poniendo a Freud de parte suya en la crítica que realiza a la teoría clásica del espíritu, una teoría que no concede importancia a los aspectos «bajos» impulsivos, del ser humano. Por el contrario, Scheler (con Freud), reivindicará el papel fundamental de los impulsos, que para él tienen un fundamento apriorístico, y la capacidad del ser humano para sublimarlos mediante la ideación.

Observamos sin embargo que no proporciona en ningún momento una teoría de las instituciones que recoja esta actividad impulsiva e ideativa del ser humano. Mas aún, el espíritu se presenta como algo independiente y que puede oponerse a lo biológico, con lo que, como ha señalado con acierto Gehlen (1993: 31) el impulso gana su energía a costa de autonegarse en términos vitales mediante la ascesis, con lo cual en definitiva se opone a la vida. Por otra parte, en las últimas páginas del *El puesto del Hombre en el Cosmos,* Scheler sitúa al espíritu en un terreno totalmente distinto al de la vida, incluso fuera del mundo, en un ámbito metafísico, con lo cual acaba oponiendo el espíritu a lo que es el propio cuerpo y alma simplemente humanos, reproduciendo así un dualismo ampliado entre el cuerpo animado, por una parte, y el espíritu por otra.

Como es sabido, Gehlen parte de las ideas fundamentales de Scheler pero reelabora sus conceptos claves de modo que incorpora una teoría de las instituciones, las cuales sirven como contención (al igual que en Freud la cultura) de esos impulsos no dirigidos que tiene el ser humano. En este contexto las ideas directrices de Scheler se reinterpretan así: las ideas se generan en el seno de las instituciones, siendo las instituciones aquellas que colocan el dique cultural frente a esa plasticidad y al exceso impulsivo que tiene de entrada el ser humano. Ésta es por tanto la dificultad fundamental de Max Scheler: su teoría del espíritu y de los impulsos que debe de fundamentar, como él mismo señaló, su sociología de la cultura y del saber, no incluye una «salida social» de los impulsos hacia las instituciones, donde pueden generarse aspectos fundamentales de la ideación en términos sociales. En Scheler, la ideación surge de los impulsos de un modo subjetivo e individual, mediante una ascética individual. Ésta es la dificultad fundamental, por tanto, de la sociología de la cultura y del saber de Max Scheler. Es cierto que existen otras insuficiencias que proceden de su orientación metafísica, pero en lo que nos concierne, como sociólogos, cabe señalar que esta ausencia de sentido por lo institucional, en su vinculación con la cultura, constituye el punto débil de todo el edificio antropológico y sociológico sobre el que Scheler pretende estructurar su sociología de la cultura y del saber.

Capítulo 9

Karl Mannheim

1. LA TEORÍA DE LA IDEOLOGÍA Y LA SOCIOLOGÍA DEL CONOCIMIENTO DE MANNHEIM

La sociología del conocimiento de Mannheim parte de su teoría de las ideologías. Por este motivo es sumamente importante clarificar los distintos sentidos en que el término ideología puede utilizarse. Pero además, la clarificación de las ideologías, señala de modo enfático Mannheim (1987: 83), es necesaria para empezar a comprender la situación actual del pensamiento.

Mannheim diferencia los distintos sentidos del término ideología recurriendo a una tipología de polaridades: 1. Ideología particular e ideología total; 2. Concepción especial de la ideología y concepción general; 3. Concepto valorativo y no valorativo de ideología; 4. Contra-posición entre la ideología y la utopía. En los siguientes apartados explicaré esta tipología, que contiene los elementos fundamentales a partir de los cuales Mannheim desarrolla su sociología del conocimiento, que expondré en la sección final.

A) *Ideología particular e ideología total*

La ideología particular se encuentra referida al ámbito psicológico, individual. Nos mostramos escépticos ante las ideas y puntos de vista de alguien que defiende ideas distintas a las nuestras, que son tenidas por disfraces (o mentiras) más o menos conscientes de una situación cuyo reconocimiento real y auténtico no estaría de acuerdo con los intereses de nuestro oponente. El paradigma de la forma particular de ideología es la mentira tal y como se entiende en el sentido común, aunque la ideología particular se ha diferenciado gradualmente de ésta, incluyendo una diversidad de deformaciones que oscilan entre las mentiras conscientes y los disfraces semi-inconscientes, entre los esfuerzos calculados para engañar a los otros y el autoengaño. Además, se puede hablar también del sentido particular de la ideología en relación con la «ideología de un grupo» dado que para Mannheim, cuando hablamos de un grupo, la psicología colectiva puede reducirse a la psicología individual. Dentro de un grupo existen una serie de personas que reaccionan del mismo modo, con lo cual comparten las mismas ilusiones a partir de la misma situación social.

El concepto total de ideología es más amplio e incluyente que el particular. No pone en duda únicamente una parte de las afirmaciones del oponente, como hace la ideología particular, sino que como ideología total se refiere a toda la cosmovisión del oponente, a su entero aparato conceptual, que se entiende como resultado de la vida social que realiza. El concepto total de ideología también se muestra cuando nos referimos al mundo intelectual de una época, o a un estrato históricamente determinado que piensa con categorías distintas a las nuestras; se trata aquí de sistemas enteros de pensamiento y de modos de experiencia y de interpretación que son distintos a los nuestros. En la ideología total queda afectado el contenido pero también la forma y la estructura conceptual de un modo de pensar. Aplicada a los grupos, la ideología total se diferencia de la particular porque en la total queda implicado todo este conjunto de elementos que configuran una cosmovisión (por ejemplo en el proletariado) que incluye sistemas de pensamiento y toda una estructuración de conceptos que procede de la dinámica histórica y social de esa misma clase o grupo (Mannheim 1987: 83-90).

Mannheim considera la teoría de los idola de Bacon como precursora del concepto moderno de ideología en el sentido de que se trata de una fuente de error. Pero según Mannheim no existe una conexión real en términos de historia del pensamiento entre ambos conceptos. En esta genealogía del concepto de ideología Mannheim incluye a Maquiavelo cuando recogía una idea que era consecuencia de la observación común de la época: que en el palacio se piensa de modo distinto a la plaza, haciendo ver que estos cambios en la opinión sobre algún tema tenían que ver con una diversidad de intereses. También David Hume en su *History of England* señalaba que los hombres son propensos a fingir y a engañar a sus semejantes. Otros muchos historiadores contemporáneos de Hume utilizan el concepto particular de ideología para referirse a una psicología de intereses, cuestionar la integridad de un adversario y desaprobar sus motivos. Estos precursores del concepto de ideología se refieren, no obstante, especialmente al sentido particular del concepto.

Es necesaria una evolución histórica para pasar del concepto particular de ideología al concepto total.

El primer paso en este sentido fue la aparición de la «filosofía de la conciencia». Tras romperse la unidad objetiva del mundo que presuponía la ontología propugnada por la Iglesia, se sustituye por la unidad impuesta por el sujeto que percibe: la conciencia en sí, el sujeto absoluto de la Ilustración. A partir de aquí el mundo ha de referirse al espíritu cognitivo y a la actividad del sujeto para adquirir un orden y coherencia en el mundo. Esta perspectiva queda definitivamente configurada en Kant.

El segundo paso hacia el desarrollo del concepto total de ideología surge desde la perspectiva histórica, esencialmente tal y como se presenta en la obra de Hegel y en la escuela histórica. Hegel cuestiona el sujeto abstracto supratemporal y segregado de lo social de la Ilustración y lo contrapone al espíritu objetivo, integrado por los elementos culturales históricamente acumulados en la vida social de una época y pueblo. Estos elementos culturales pasan a integrarse después en el espíritu, más amplio, del mundo. Así pues la mente humana está sujeta a la evolución histórica y se transforma históricamente en relación con la vida de la época. De este modo el sujeto formal abstracto de la Ilustración da paso a un sujeto más concreto e históricamente cambiante. A partir de aquí se entiende que una diversidad de elementos característicos de las ideas, de los significados del lenguaje, etc., están histórica y socialmente situados en el contexto de un espíritu que se transforma y del cual dependen.

El paso final, y según Mannheim el más importante, para la creación del concepto total de ideología surgió cuando apareció la «clase», que ocupa el lugar del pueblo, como portadora de la conciencia histórica. A partir de aquí se puede entender que las clases sociales generan una diversidad de formas intelectuales que dependen de éstas.

Mannheim entiende estos pasos, de la conciencia en sí hacia el espíritu del pueblo, y finalmente hacia la conciencia de clase, como un proceso de ampliación y diversificación del sujeto, que presupone además la ruptura de la unidad ontológica dogmática anterior. El final de este proceso consiste en la existencia de una diversidad de perspectivas que pueden vincularse a las clases sociales y a los grupos.

Observemos pues que el concepto de ideología total es más fuerte que el de ideología particular puesto que al cuestionar la validez de una ideología que está anclada en toda una cosmovisión, en un sistema de estructuración de pensamiento y categorías, se consigue desacreditar totalmente al adversario. Además, este concepto total de ideología está vinculado, como veremos después, con el problema de la «falsa conciencia», aquella conciencia totalmente deformada que falsifica todo lo que percibe (Mannheim 1987: 90-94).

B) Concepto especial y general de ideología

Mannheim realiza la transición del concepto especial a general de ideología mediante una crítica del marxismo. Scheler había elaborado ya una teoría de las ideologías, o mejor de las leyes de la formación de éstas, que le servía igualmente para criticar al marxismo. Una de las clases, la clase baja, que producía prejuicios ideológicos, recogía para Scheler muchos aspectos de lo que Marx entendía como sistema y modos de pensar del proletariado. Estos estaban por encima de las ideologías y constituían un punto de referencia más universal que permitía detectar la falsa conciencia de las formas ideológicas burguesas. Scheler, sin embargo, muestra que el marxismo puede ser juzgado también desde su mismo concepto de ideología. Mannheim, como Scheler, sabe que el marxismo ha elaborado también una forma especial de ideología y señala que del mismo modo en que el marxismo detecta formas ideológicas especiales en otros grupos, el propio marxismo puede ser igualmente entendido en vinculación con una determinada situación y clase social, esto es como ideología, por parte de otros grupos.

Esta capacidad, históricamente nueva, de observar que distintos grupos generan una diversidad de ideologías especiales con las que entran en una relación de determinación social es la que abre la posibilidad de hablar de concepto total de ideología. En la concepción total de la ideología se es consciente tanto de la ideología especial propia como de las ideologías de los otros. A partir de aquí, como explicaré después, Mannheim va a producir una sociología del conocimiento que dispone de una mayor reflexividad para analizar esta diversidad de perspectivas en su vinculación con una variedad de grupos sociales.

Mannheim comienza discutiendo de nuevo, y añadiendo nuevos matices, el concepto de ideología y su historia. Está preocupado por el problema de la realidad, por el de la ontología en que se inscribe la ideología puesto que, como señalé anteriormente, la falsa conciencia se refiere a tener una concepción falsa, errónea y deformada de la realidad. Comienza señalando que originariamente los criterios de realidad eran religiosos y homogéneos, lo cual impedía la existencia de una diversidad de esferas de realidad. El concepto de ideología total podrá generarse en el momento histórico en que aparece una multiplicidad de perspectivas y criterios más seculares de comprensión de la realidad (Mannheim 1987: 95). Pero, ¿cómo se relaciona la ideología con esa transformación de la realidad, con los cambios en las concepciones ontológicas?

En principio la palabra ideología no tenía ninguna referencia a la ontología, puesto que aludía exclusivamente a la teoría de las ideas, tal y como fue elaborado el concepto por Destutt de Tracy, el cual señala que la ciencia de la ideología tiene como objeto la gramática general y la lógica. El creador del sentido moderno de la palabra ideología fue Napoleón, quien se refirió de modo despectivo a estos «ideólogos», entendiendo que su pensamiento no tenía validez al ser poco realista. Así pues, el concepto de ideología pasa a situarse en el contexto de lo que se comprende por realidad en el mundo de la política; esto es la actividad práctica que se refleja en los hombres políticos de acción. Este concepto, ya ontológico, de ideología se consolidó durante el siglo XIX, un siglo en el que el sentido de la realidad del político desplaza a las formas de pensamiento anteriormente más establecidas, las escolásticas y las contemplativas. Este nuevo criterio de realidad que se deriva de una ontología de la experiencia política es el que le llega después al marxismo.

Del mismo modo en que Napoleón desacreditaba a sus adversarios mostrando la naturaleza ideológica de su pensamiento, después la palabra ideología se utiliza por el proletariado como arma contra la burguesía. El pensamiento marxista enfatiza la práctica política y la interpretación económica como criterios para distinguir lo que es mera ideología de otros elementos del pensamiento que son válidos y directamente aplicables a la realidad. Este modo de usar el concepto caracterizó al pensamiento marxista, por lo que hay que conceder que el marxismo contribuyó decisivamente a dotar al término de una especificidad teórica que antes no tenía. Ahora bien, al mismo tiempo se observa que otras corrientes de pensamiento político dirigen la denuncia de realizar afirmaciones ideológicas también hacia los marxistas. De este modo el hecho de atacar a los otros tildando su pensamiento de ideológico es una tendencia que tiende a extenderse y generalizarse con el desarrollo de una multiplicidad de perspectivas de la realidad (Mannheim 1987: 96-98). En este contexto Mannheim ya está en condiciones de diferenciar de forma analítica entre una formulación especial y otra general de la ideología.

La ideología especial se produce cuando alguien no pone en cuestión su propia posición, que entiende que es absoluta, y al mismo tiempo interpreta las ideas de los adversarios como determinadas por la posición social que ocupan. Por el contrario, la formulación general del concepto de ideología significa que dicho término se utiliza no solamente para aquel que desde una posición especial somete al análisis ideológico las ideas de otro, sino cuando además de tener en cuenta el punto de vista de este adversario, incluye todos los enfoques, y también el suyo propio.

Mannheim ha añadido pues a la distinción anterior, entre concepto particular y total de ideología, una nueva, la polaridad «especial y general» para referirse a la ideología. Existe una diferencia crucial entre aquello que atienden ambas polaridades. La primera trata las ideologías particulares aisladas y las diferencia de la totalidad del pensamiento y de la situación social e histórica que condiciona esta totalidad. La segunda polaridad atiende el hecho de si se reconoce como socialmente determinado únicamente el pensamiento de nuestros adversarios o el pensamiento de todos los grupos implicados, incluyendo el nuestro (Mannheim 1987: 99-100).

La distinción entre forma especial y general de ideología es fundamental para Mannheim, puesto que con la formulación general del concepto total de ideología la teoría de la ideología se convierte en sociología del conocimiento. Esto es, cuando somos capaces de detectar la determinación social de la totalidad del pensamiento de una variedad de perspectivas que corresponden a una diversidad de grupos, entre los cuales se incluye el nuestro, nos encontramos ya en el territorio de la sociología del conocimiento. De este modo, Mannheim margina de la sociología del conocimiento los aspectos psicológicos e individuales más estrictamente vinculados con la forma particular de la ideología, asociada con una diferenciación de lo que se entiende por mentira en el sentido común. También excluye de la sociología del conocimiento la posibilidad de que alguien analice únicamente la perspectiva del adversario, sin situarla en el marco más amplio donde coexisten una multiplicidad de totalidades, sistemas de pensamiento y formas de comprender el mundo. Lo esencial, por tanto para la sociología del conocimiento es comprender la multiplicidad de «perspectivas» de los grupos en la medida en que se derivan de sus condiciones de vida.

Esta concepción de la sociología del conocimiento exige a Mannheim discutir inmediatamente el problema del relativismo. Como ya he tratado de esta cuestión en el capítulo 2 (en el que también se incluyen las nuevas formulaciones que Mannheim elaboró como última parte para la edición inglesa de *Ideología y Utopía*) paso a resumir esta consideración aquí. Mannheim pretende desmarcarse del relativismo mediante el desarrollo de otro concepto: el de «relacionismo».

El relativismo se desarrolla para Mannheim como consecuencia de presuponer una epistemología que totaliza las formas de verdad y validez, en contra de la naturaleza histórica y transitoria del pensamiento. A partir de aquí, como ya vimos en el capítulo 2, Mannheim intenta elaborar una epistemología que acepte esa transitoriedad y pueda crear formas para determinar la validez y la verdad de un modo contextual, históricamente determinado, y atendiendo a la base social de personas concretas que generan el conocimiento. Esto significa que la epistemología debería de incluir el conocimiento nuevo aportado por las ciencias especiales y por la sociología del conocimiento. En este sentido, el relacionismo insiste en el carácter relacional de todo conocimiento histórico, señalando que es imposible una verdad absoluta que sea independiente de los sujetos que participan en la generación del conocimiento. De aquí que cualquier afirmación sea relacional y únicamente se pueda formular por referencia a la posición del observador (Mannheim 1987: 101-105). En palabras de Mannheim (1987: 107):

> El relacionismo significa meramente que todos los elementos de significado de una situación determinada se hacen referencia mutuamente y derivan su significación de esta interrelación recíproca en un determinado esquema de pensamiento. Este esquema de significados es posible y válido únicamente en una forma de existencia históricamente determinada, al cual, durante un tiempo, le da una expresión apropiada. Cuando cambia la situación social, el sistema de normas que había dado a luz previamente ésta deja de estar en armonía.

De este modo el relacionismo surge como consecuencia de adquirir una mayor conciencia epistemológica y de saber que cualquier categoría o criterio de verdad que elabore la epistemología está también sujeto a cambios históricos y a las formas de conocimiento que se elaboran socialmente.

C) *Concepción no valorativa y valorativa de la ideología*

La discusión del relacionismo conduce directamente a Mannheim a una nueva distinción entre un concepto no valorativo y otro valorativo de la ideología.

Hemos señalado que la sociología del conocimiento surge a partir del concepto total y general de ideología. Pero una vez establecida la sociología del conocimiento es posible entenderla de dos modos, uno no valorativo y otro valorativo. El modo no valorativo consistiría en asumir una posición epistemológica que intentaría ser neutral ante los valores, evitaría los juicios de valor. Se dedicaría así a buscar correlaciones entre las ideas y la situación social, descubriendo las relaciones existentes entre el pensamiento y las estructuras mentales y las situaciones histórico-sociales en que aquellas se generan.

La segunda estrategia, la valorativa, incluiría la preocupación de la aproximación no valorativa por el análisis científico de las correlaciones, pero incorporaría una epistemología transformada en función de los criterios propios de la sociología del conocimiento. Asumiría que los criterios de validez y de verdad están construidos socialmente a partir de transformaciones sociales e históricas y del aporte necesario de las ciencias especiales y de la propia sociología del conocimiento. Para el concepto valorativo de ideología hay una necesidad de aceptar las perspectivas que proceden de determinadas situaciones sociales, y de que por tanto no se puede evitar la inclusión de valores en la investigación. A partir de esta segunda concepción valorativa de la ideología surge el relacionismo de Mannheim anteriormente comentado, que asume que cualquier afirmación está ligada necesariamente a una perspectiva de la realidad. La sociología del conocimiento que utiliza la concepción valorativa de la ideología acepta que es inevitable presuponer de entrada una concepción ontológica, un modo de comprender la realidad, y valores éticos. Además, el concepto no valorativo de ideología también contiene juicios ontológicos implícitos; así el positivismo incluye una ontología mecanicista a través de la cual observa la naturaleza. De este modo Mannheim concluye que hay un avance en la autorreflexión de la sociología del conocimiento que conduce a pensar que ya no es posible trabajar con el concepto no valorativo de la ideología y que necesariamente hay que asumir valores y presupuestos de naturaleza ontológica que inciden en una transformación de la epistemología (Mannheim 1987: 105-113).

D) La diferencia entre ideología y utopía

Mannheim comienza clarificando el modo en que va a entender el concepto de «utopía». Distingue entre el concepto habitual de utopía, más extendido en la filosofía y en el sentido común, de aquel otro que él va a usar a lo largo de su obra. Habitualmente se entiende por utopía una especie de paraíso que está fuera de la sociedad, en alguna esfera de otro mundo que trasciende la historia. La utopía tendría que ver con algo que está más allá del espacio (u-topos). Ésta es una manera de comprender la utopía que no va a interesar a Mannheim, quien va a situar la utopía dentro del mundo y de un orden social existente que está en marcha y que contienen ideales que pueden cumplir una función revolucionaria. De aquí que la utopía esté en un espacio. Mannheim, de hecho, para dejar bien clara su posición respecto a la definición tradicional de utopía, prefiere llamar a la suya «topía» (sin el prefijo negativo «a»), para remarcar que su modo de comprender la utopía tiene un marco espacial concreto y de que no está hablando de ese ideal absoluto con el que se identifican las utopías filosóficas antiguas, medievales o renacentistas.

Esta concepción de la utopía, que la sitúa en un marco espacial e histórico, exige una definición de la realidad distinta a la que presuponían aquellas otras utopías anteriores. Éstas tenían que diferenciar entre este mundo y otro donde estaba la utopía y que era un mundo ideal. Mannheim señala que la realidad en sociología significa la existencia y que existencia significa igualmente, por estar siempre histórica y socialmente situada, una «existencia social». De este modo su utopía (o topía) siempre se refiere a un orden social operante que comprende todas las formas de la convivencia humana: amor, sociabilidad, conflicto, etc. (Mannheim 1987: 166 ss, 189-190). En este contexto Mannheim va a establecer fundamentalmente cuatro criterios con respecto a los cuales va a diferenciar la utopía de la ideología.

La primera forma de diferenciar la utopía de la ideología tiene que ver con la consideración del orden o existencia social, con la manera de enfrentar la realidad social existente. En el orden de vida que opera realmente cabe diferenciar entre ideas adecuadas y congruentes con éste y otras ideas que son irreales o trascienden esa situación. Tanto las ideologías como las utopías pertenecen al conjunto de ideas inadecuadas e incongruentes con el orden social establecido. Existe sin embargo una diferencia, las utopías tienen una capacidad para realizar sus ideales, o una parte de ellos, en ese marco social, trascendiéndolo y modificándolo de un modo revolucionario. En contrapartida las ideologías tienen un impulso oscurecedor de la situación real y frecuentemente la estabilizan (Mannheim 1987: 190-191).

El segundo criterio para diferenciar las ideologías de las utopías es histórico. Las ideologías no consiguen convertir en realidad los proyectos que expresan, pues no acaban de enfrentar el futuro. Las utopías logran materializar al menos una parte de su proyecto. Esto ocurre porque las ideologías no logran desembarazarse de la incongruencia entre sus ideas y la realidad al incluir una mentalidad hipócrita, un encubrimiento o engaño, más o menos intencionado. Así señala Mannheim (1987: 191-192):

> Son ideologías las ideas trascendentes que nunca consiguen de ipso realizar los contenidos proyectados... Las utopías también trascienden la situación social, porque también orientan la conducta hacia elementos que la situación, en tanto que realizada en el tiempo, no contiene. Pero no son ideologías, es decir, no son ideologías en la medida en que llegan a transformar la realidad histórica existente en otra que se encuentra más en consonancia con sus ideas, a través de una reacción en contra.

El criterio histórico de diferenciación entre ideología y utopía tiene sin embargo dificultades por varios motivos. En primer lugar, qué es ideología y qué es utopía depende de lo que los estratos sociales que representan el orden social e intelectual predominante entienden por realidad en términos de estructura de las relaciones sociales. Para ellos serán utópicas todas las concepciones que desde su punto de vista parezcan no poderse realizar nunca según su concepción del orden social. Esto entraña sin embargo la presuposición del sentido de utopía en términos absolutos. Ahora bien, Mannheim insiste en que a lo largo de su obra va a utilizar siempre utopía en un sentido relativo, entendiendo que algo utópico parece irrealizable solamente desde el punto de vista de un orden social determinado, que existe. Por este motivo lo que es utópico para un grupo en un determinado espacio, marco geográfico, o tiempo, o una particular época histórica, puede devenir ideológico para otro grupo en un determinado tiempo y lugar. En este sentido, la sociología del conocimiento puede ser de gran ayuda para contrastar la unilateralidad de las posiciones ideológicas particulares, y eliminarlas, para mostrar aquello que de potencialmente posible tienen algunas utopías relativas en un marco histórico-social dado (Mannheim 1987: 193-194).

El tercer criterio para distinguir la ideología de la utopía es el grupo social que las defiende. El grupo dominante, que define las metas culturales en el orden existente, determina lo que ha de considerarse utópico, mientras que el grupo ascendente que está en conflicto con el estado de cosas existente es el que se ocupa de desenmascarar las ideologías del grupo dominante (Mannheim 1987: 198).

Finalmente, el último criterio para caracterizar a la utopía tiene que ver con el deseo y el sentido del tiempo del ser humano. Las utopías recogen ideales que responden a deseos de personas y grupos y en ese sentido las utopías tienen una fuerza para configurar el tiempo, sus secuencias, orden de los acontecimientos y el ritmo, que es de naturaleza inconsciente. La utopía impone un flujo especial del tiempo en los acontecimientos: reorganiza el pasado y ordena los acontecimientos futuros, la utopía responde pues al deseo del ser humano y crea un sentido del tiempo que revitaliza. En cambio, la ideología, no incluye estos aspectos (Mannheim 1987: 199-203).

Mannheim va a proceder a explicar de un modo detallado una serie de ideales utópicos. No podemos detenernos en ellos en este contexto, pero es importante subrayar que la sociología del conocimiento contribuye a determinar, en situaciones de confusión entre la ideología y la utopía, los aspectos que pueden considerarse ideológicos y aquellos otros que contienen elementos utópicos.

E) Sociología del conocimiento

Como he señalado anteriormente, para Mannheim la sociología del conocimiento surge a partir de la consideración total y general de la ideología. Pero en este momento, Mannheim transforma su vocabulario, sustituyendo el concepto de ideología total y general por el del perspectiva. Entiende por ésta la conexión que existe entre una determinada situación social y sus formas de pensamiento asociadas. La sociología del conocimiento aparece pues en el momento en que se es consciente de una multiplicidad de perspectivas, incluyendo la nuestra propia, pero además se dirige a la totalidad de la cosmovisión y aparato mental que cabe asociar a una determinada situación histórico-social o a un grupo. Así Mannheim (1987: 245) define la sociología del conocimiento en su vertiente teórica diciendo que es una de las ramas de la sociología que «busca analizar la relación entre conocimiento y existencia». No está preocupada, como la teoría de la ideología, en un trabajo de desenmascaramiento de los engaños, de desvelamiento de intereses humanos que hay detrás de determinadas propuestas teóricas o formas de pensamiento. Más bien, la sociología del conocimiento se ocupa del modo en que las estructuras mentales se forman inevitablemente de un modo distinto cuando se trata de marcos sociales e históricos diferentes. De esta forma la sociología del conocimiento se separa del concepto particular de ideología, pues se ocupa de la estructura mental total del sujeto, y no de que en una u otra afirmación existan mentiras u ocultación de intereses; además, pretende considerar la totalidad de la multiplicidad de perspectivas existentes, a lo largo de las diferentes corrientes de pensamiento y de grupos histórico-sociales. Por eso, para este modo de estudiar la relación entre la existencia y el pensamiento, Mannheim prefiere utilizar el término «perspectiva» en vez de «ideología» (Mannheim 1987: 246-247).

La sociología del conocimiento es tanto una teoría como un método de investigación histórico-sociológico. Por una parte atiende las exigencias de la investigación puramente empírica realizando una descripción y análisis estructural de los modos en que las relaciones sociales afectan al pensamiento. Pero por otra parte, puede convertirse en una investigación epistemológica sobre las repercusiones de esta interrelación para el problema de la validez. Mannheim recalca que estos dos tipos de investigaciones no tienen por qué estar necesariamente vinculadas, pues se pueden aceptar los resultados empíricos sin tener la necesidad de sacar conclusiones epistemológicas. Como ya me referí en el capítulo 2 a estas relaciones entre la sociología del conocimiento y la epistemología, paso ahora únicamente a explicar esta dimensión empírica y metódica de la sociología del conocimiento, que investiga la determinación social del conocimiento.

Mannheim vuelve a reelaborar su definición inicial señalando que la sociología del conocimiento es una teoría de la determinación social o existencial del pensamiento: «determinación existencial del conocimiento» (Mannheim 1987: 247). Subraya en una nota a pie de página que no hay que entender esta determinación de un modo mecánico, como una «secuencia mecánica de causa y efecto», puesto que lo que hace la investigación empírica es averiguar la correlación entre la situación existencial y el proceso de pensamiento. Se propone cuestionar el método de la historia de las ideas que se basa en un apriorismo consistente en que las ideas se derivan de las mismas ideas, a modo de una historia intelectual inmanente. Esta vieja manera de hacer historia de las ideas impide reconocer el modo en que los procesos sociales penetran en la esfera intelectual.

Las ideas surgen a partir de fuerzas vivas, actitudes prácticas de los seres humanos que se encuentran reunidos de modo colectivo formando grupos. El pensamiento brota en el individuo como consecuencia de compartir una perspectiva de grupo en la cual participa. De este modo el pensamiento tiene una relación viva e inmediata con la existencia social. El pensamiento y las ideas no vienen de la inspiración de grandes genios, ni proceden de un espíritu hipostatizado, sino que brotan de la experiencia común de los grupos, a partir de los cuales surgen distintas interpretaciones el mundo (Mannheim 1987: 248).

En Mannheim, a diferencia de lo que ocurría en Max Scheler (la génesis social no afectaba a los contenidos ya seleccionados ni a su validez), los factores existenciales del proceso social determinan, de un modo muy profundo, la perspectiva total de un determinado grupo; tanto el contenido como la forma del pensamiento. Señala Mannheim (1987: 251) que «la perspectiva significa la manera en que se ve una cosa, aquello que se percibe y cómo se construye en el pensamiento. La perspectiva es más que una mera determinación formal del pensamiento. Se refiere también a los elementos cualitativos de la estructura del pensamiento...». Así pues, la parte metódica de la sociología del conocimiento entiende que la adquisición de perspectiva es una condición previa para el ejercicio de la sociología del conocimiento. Pero, además, esta perspectiva ha de ser «distanciada», ya que sólo mediante esta actitud alejada es posible descubrir las diversas maneras de pensar opuestas y averiguar su génesis social en una variedad de marcos históricos. La sociología del conocimiento encuentra su génesis precisamente en esta posibilidad de crear una «perspectiva distanciada» (Mannheim 1987: 259).

El siguiente aspecto del método de la sociología del conocimiento es su insistencia en el procedimiento «relacional», que ya he comentado anteriormente, en oposición al relativismo. Éste último, señala Mannheim una y otra vez, siempre se produce como consecuencia de absolutizar los criterios de verdad y de validez de la epistemología tradicional que no entiende que sus propios criterios son un constructo sociohistórico. Esta parte metodológica finaliza refiriéndose a la evaluación de la validez de una afirmación. Mannheim (1987: 260-262) va a introducir aquí las ideas de imputación y de particularización. De este modo, cuando se pregunta sobre la verdad o validez de una afirmación, hay tres respuestas posibles.

En la primera respuesta se niega la validez absoluta de una afirmación cuando demostramos su relación estructural con una situación social concreta. Mannheim señala que esta actitud es más propia de la teoría de la ideología y de una parte de la sociología del conocimiento (que se entiende que Mannheim no comparte). La demostración de la falsedad de una afirmación cuestionaría la validez de todas las aserciones para este primer tipo de respuesta.

La segunda respuesta consiste en señalar que las imputaciones que hace la sociología del conocimiento entre la afirmación y quien la formula, no dice nada con respecto al valor de verdad de la afirmación, puesto que la génesis no afecta a la validez. Mannheim, sin embargo, no está de acuerdo totalmente con esta respuesta dado que cree que la génesis social afecta también al problema de la validez.

El tercer modo de enjuiciar el valor de las afirmaciones realizadas por un sociólogo del conocimiento, y la que representa el punto de vista de Mannheim, difiere de las anteriores. Consiste en intentar establecer no solamente la existencia de la relación entre la afirmación y la situación social e histórica sino que intenta al mismo tiempo particularizar su ámbito y grado de validez.

De esta manera Mannheim vincula su relacionismo con una metodología de la particularización. La sociología del conocimiento puede hacerse autocrítica mediante la particularización, dado que puede autoanalizarse y averiguar el nivel de particularidad que tienen sus propias afirmaciones y por tanto puede valorar el grado de validez de que dispone (Mannheim 1987: 260-261).

2. LA SOCIOLOGÍA DE LA CULTURA DE MANNHEIM

En esta sección voy a caracterizar la sociología de la cultura de Mannheim, desplegando cuatro de sus aspectos más importantes que menciono a continuación:

1) La sociología de la cultura de Mannheim es una continuación y complementación de su sociología del conocimiento, constituyendo un marco más amplio pero subordinándose en última instancia a ésta. La sociología de la cultura incluye las áreas de la filosofía, la moralidad, la legalidad, las artes y la religión.

2) Mannheim define la sociología de la cultura como aquella ciencia que se ocupa de las imágenes, los símbolos y principalmente los significados que producen los grupos sociales. Para ello, como explicaré después, diferenciará entre una sociología general, que se ocupa de los mecanismos básicos de la asociación (y cuyo máximo exponente es Simmel) y, por otra parte, la sociología de la cultura, que analizará las imágenes, símbolos y significados asociados con estos mecanismos elementales más básicos que estudia la sociología general. Ambos aspectos, el de asociación y el de la cultura, configuran la dualidad constituyente de lo social.

3) La sociología de la cultura supone una compleja reelaboración sociológica a partir del concepto hegeliano de Geist, al que

Mannheim amputa su parte «transcendente» e «inmanente» del significado, procedente de un sentido religioso primitivo colectivo que recorre la tradición alemana.

4) La sociología de la cultura consta de tres partes: a) la parte axiomática que se ocupa de las tradiciones culturales, cuyas categorías fundamentales son las de continuidad, discontinuidad, innovación, estereotipia, regresión y la de corrientes de transmisión (esto es la dinámica histórica del pensamiento); b) la parte comparativa, que realiza contrastes a partir de tipologías racionales entre los aspectos simbólicos de significado y de imagen generados por distintos grupos; c) el estudio de la individualización histórica, que comprende la génesis y la dinámica de las estructuras históricas atendiendo a su singularidad.

A) La sociología de la cultura: un complemento para la sociología del conocimiento

Mannheim (1962: 122) entiende lo social como el «esquema de la conducta humana» que se presenta en dos niveles como objeto de estudio de dos disciplinas: la sociología general (como ciencia de la asociación) y la sociología de la cultura o del espíritu. Por una parte, la sociología general se ocupa de lo social en términos de las acciones y de los papeles sociales que ocupan los actores sociales; por otra parte, la sociología de la cultura se ocupa de lo social en tanto constituye significados, ideales, imágenes y obras —que son el resultado de la actividad creativa y cultural—.

La sociología de la cultura se propone obtener una perspectiva integrada de la acción social en relación con los procesos mentales, ideales, que tienen que ver con el significado y con las imágenes (Mannheim 1962: 42-43). En otro lugar Mannheim (1962: 82) señala que la sociología de la cultura consiste en articular el carácter social de estos procesos mentales y de generación de significados e imágenes. En otras ocasiones se refiere a la capacidad simbólica del ser humano y particulariza más esta definición de la sociología de la cultura para uno u otro de los aspectos anteriormente mencionados: significado, imágenes, elementos simbólicos, obras artísticas, etc. Así, por ejemplo, cuando enfatiza la actividad simbólica humana se refiere a la sociología de la cultura como «el estudio sociológico de los actos simbólicos». Consiguientemente, respecto a la sociología de la cultura, no ofrece una única definición precisa que, además, sea uniformemente utilizada a lo largo de su obra y suficientemente inclusiva de una diversidad de aspectos de la cultura. Si reuniéramos en una sola las distintas formulaciones que Mannheim propone podríamos crear una nueva definición integradora de los distintos elementos de la cultura que nuestro autor menciona en las diferentes definiciones que produce. La sociología de la cultura se entendería así como aquella ciencia que se ocupa de los procesos mentales, de las imágenes, las obras, los símbolos y principalmente los significados que se producen a partir de las formas de asociación originadas en la actividad (acción e interacción) de los grupos sociales.

La sociología de la cultura o sociología del espíritu se entiende como un marco de referencia más amplio para complementar las investigaciones anteriores a la sociología del conocimiento. Así, incluye la filosofía, la moralidad, la legalidad, las artes y la religión, como aspectos de la cultura que pueden ponerse en relación con las formas fundamentales de la asociación que investiga la sociología general (Mannheim 1962: 243ss). Este papel de complementación y de continuación de una sociología del conocimiento en una sociología de la cultura ha sido explicitado por Ernest Manheim, el autor (de apellido muy similar al de Karl Mannheim) que realiza la introducción para la edición inglesa de los *Ensayos de sociología de la cultura* de Karl Mannheim. Ernest Manheim (1962: 30) señala: «la sociología de la cultura es una prolongación de la sociología del conocimiento al dedicarse no sólo al pensamiento discursivo, sino también a la gama total de la expresión simbólica, incluyendo el arte y la religión». El propósito de Karl Mannheim es generalizar las implicaciones de su sociología del conocimiento para toda la sociología del espíritu. Así el propio Karl Mannheim (1962: 48) da la razón a su comentarista:

> La sociología del espíritu... proporcionaría finalmente un esquema de referencia más amplio para nuestras investigaciones anteriores en la sociología del conocimiento. Fue en estos estudios anteriores, incluido *Ideología y Utopía*, donde emergió la tesis de las implicaciones existenciales del conocimiento, es decir la proposición de que es susceptible de articulación científica, la correlación entre las concepciones particulares de la realidad, por un lado, y los determinados modos de insertarse en ella, por otro. Los estudios en los que vamos a entrar se inician con la esperanza de que esos argumentos de ayer puedan, finalmente, desarrollarse y convertirse en una proposición más amplia de la implicación existencial del espíritu, como esquema de referencia para la sociología del espíritu.

B) *Sociología de la cultura y sociología general*

Para Mannheim, lo social tiene dos dimensiones, estudiadas por la sociología general y la sociología de la cultura. Por una parte, la sociología general estudia el ámbito de los mecanismos fundamentales de asociación a través de los cuales las personas entran en una interacción social unos con otros. Para Mannheim, el paradigma de esta aproximación, de la sociología general, es Simmel, que estudió las formas nucleares de la asociación e interacción entre las personas. Estas formas son una especie de molde a través del cual se desarrollan históricamente otras instituciones sociales. El fundamento de las instituciones está en los mecanismos de asociación. Por otra parte, para situar los dominios de la sociología de la cultura hay que clarificar el concepto que tradicionalmente en Alemania se ha llamado *geist*, «espíritu», pero que Mannheim (siguiendo una larga tradición alemana) va a reinterpretar como «cultura». Este concepto alemán de espíritu constituye otra realidad cultural que es una contrapartida de los mecanismos de asociación y se relaciona con éstos. La sociología de la cultura se ocupa fundamentalmente de los significados que se generan socialmente, los símbolos, las imágenes, las obras de arte y, en general, de esta segunda parcela de lo social que es la dimensión cultural.

Resumiendo lo anterior, podemos decir que para Mannheim lo social tiene dos dimensiones: 1) los mecanismos de asociación, de los que se ocupa la sociología general, y 2) las dimensiones del espíritu o de la cultura, objeto de la sociología de la cultura, donde lo fundamental es el estudio de la génesis del significado, los símbolos, los ideales, las obras de arte y otras formas culturales. Así pues, no es lo mismo sociedad y cultura, como tampoco es lo mismo la sociología general y la sociología de la cultura. Estas disciplinas no atienden las mismas realidades, pero se complementan y hay una relación de «contrapartida» entre ellas que explicaré a continuación.

Señala Mannheim que ambas funcionan en correspondencia a nivel de una división tripartita de cada una de ellas. En la sociología general nos encontramos con un primer nivel, llamado «axiomático», que se ocupa en sentido estricto de las formas de asociación como unidades fundamentales a través de las cuales se van a construir el resto de elementos de la sociedad. En un segundo nivel, tenemos la «perspectiva comparativa», que intenta cotejar sociedades o grupos a partir de una tipología creada a tal efecto. En tercer lugar, la sociología general se ocupa de dar un enfoque estructural de las totalidades sociales, sean instituciones o sociedades.

Estos tres niveles tienen una correspondencia en la sociología cultural. El primer nivel axiomático se ocupa de las tradiciones culturales y las vincula con las formas de asociación anteriormente citadas (correspondientes al primer nivel axiomático de la sociología general). Ni los ideales de la cultura, ni los símbolos, ni las obras de arte, de los que se ocupa la sociología de la cultura, tienen una existencia autónoma o independiente, no son autosuficientes ni transcendentes de por sí, sino que se originan en una marco social previo de referencia: en las formas de asociación más básicas que atiende la sociología general. Hay unas formas de asociación e interacción social a través de las cuales puede observarse la génesis de las realidades culturales existentes.

El segundo nivel, de naturaleza comparativa, representado por Max Weber, se ocupa de comparar religiones, culturas, a partir de una tipología. En un tercer nivel, el de la dimensión histórica y estructural, el punto de referencia para Mannheim es el materialismo histórico y Hegel, quienes fueron capaces de entender que lo simbólico estaba inscrito en una totalidad más amplia; de este modo, ganando un conocimiento de esa estructura, podría tenerse un sentido más objetivo del significado que los actores asignaban a sus acciones en la interacción. Además de tener una dimensión subjetiva, el significado tenía un sentido más amplio en un contexto de referencia estructural.

Tanto la sociología general como la sociología del espíritu se ajustan a este esquema tripartito en mutua correspondencia. Mannheim (1962: 92) apunta que la sociología del espíritu está potencialmente en cada uno de esos tres niveles de la sociología general: «los actos significativos y simbólicos pueden ser estudiados en cada uno de estos tres niveles». Hay una correspondencia entre los tres niveles, el axiomático, el comparativo y el histórico-estructural. Insiste en que pueden estudiarse los elementos ideales que elabora una comunidad buscando primero elementos significativos en la interacción que realizan los participantes, yendo después a las variaciones históricas o antropológicas en términos comparativos para finalizar en el estudio de las estructuras singulares que se generan. Concluye diciendo que el estudio sociológico de los actos simbólicos, o para utilizar una expresión bien establecida, la sociología cultural, deriva su triple universo de exposición de las tres formas de aproximarse a las relaciones humanas. La sociología de la cultura dependería por tanto de la sociología general, lo cual se corresponde con el interés de Mannheim en dar prioridad a la existencia social como presupuesto ontológico que subyace en su teoría de la determinación social del conocimiento.

Mannheim intenta vincular la sociología general y la sociología de la cultura en relación con aquello que es central en cada una de ellas. Para el caso de la sociología general será la «estructura de la acción», mientras que para la sociología de la cultura o del espíritu, lo esencial será las «estructuras de obra»[1]. La estructura de la acción se deriva de sus implicaciones de grupo, de las diferentes formas en que la actuación de uno depende de las de los otros. Para reconstruir el orden en el que los papeles sociales desempeñados dependen entre sí, no necesitamos tener en cuenta las imágenes o símbolos que los participantes presuponen o elaboran cuando realizan estos roles sociales. Ahora bien, señala Mannheim (1962: 122), «en cuanto intentemos interpretar esas imágenes en el contexto donde los papeles son asumidos, nuestro esquema de referencia se transforma en la sociología de la cultura».

C) La sociología del espíritu como heredera del concepto de espíritu de Hegel

Mannheim se refiere a los elementos que va a rescatar de la comprensión hegeliana del espíritu, después de señalar aquellos significados vinculados con la dimensión de religiosidad primitiva que quiere evitar. En primer lugar se va a referir a la concepción hegeliana del significado. El significado, como explicaba anteriormente hablando del proceso entre espíritu subjetivo y espíritu objetivo, tiene un origen social: el significado se produce socialmente. Como el propósito de la sociología de la cultura es examinar ese trasfondo social a partir del cual brota el significado, los símbolos, y otros elementos de la cultura, Mannheim se va a detener en primer lugar en cómo analizar el significado, indicando tres pasos en ese proceso.

---

[1]   Es necesario advertir aquí, a modo de paréntesis, que Mannheim va oscilando en la cuestión de cuál sería el objeto principal de estudio de la sociología de la cultura, pues en este contexto se refiere a las estructuras de obra como objeto principal de la disciplina, pero anteriormente ha insistido en el significado, la imagen y la elaboración simbólica.

En primer lugar, examina el significado como tal; el segundo paso consiste en establecer correlaciones entre decisiones individuales y órdenes de preferencia en relación con ese significado; finalmente, se hace un análisis de contenido en el contexto de la interacción original, reconstruyendo el significado de la situación. Desearíamos que Mannheim hubiera sido aquí mucho mas explícito en su explicación de estos tres pasos. En todo caso, insistimos en que subraya que la sociología del espíritu «se propone elaborar, como hemos visto, las dimensiones sociales del significado comunicado» (Mannheim 1962: 86).

El segundo aspecto que Mannheim (1962: 94) va a explorar del concepto hegeliano de *geist* es el hecho de que Hegel, según Mannheim, tiene una «compresión colectiva y potencialmente sociológica de las ideas». Pero, además, Hegel va a proporcionar un modelo para hacer una «observación estructural» y también normas para el establecimiento de esas «correlaciones múltiples de las cosas» que de otro modo permanecerían ocultas para la observación microscópica. La concepción del significado de Hegel, que adopta Mannheim, subraya que el significado no es una entidad abstracta y que además procede de una experiencia colectiva. Por otra parte, esta experiencia colectiva pasa necesariamente por la comunicación, con lo que señala Mannheim (1962: 101) «conocimiento y comunicación son funciones inseparables». De aquí que Mannheim (1962: 102 ss) anticipe una crítica a Max Weber que más tarde ha sido realizada por diversos autores, incluyendo a Habermas. Max Weber pretendió llegar de las experiencias individuales a un significado objetivo cuando la cuestión que hay que enfrentar es exactamente la contraria «cómo llegamos desde el significado social concreto de las cosas hasta el significado individualmente intencionado» que postula Max Weber. Concluye Mannheim que el significado se fundamenta en la situación cooperativa, en la acción colectiva. La aproximación social común genera los símbolos comunes, fija la noción común para un grupo social. Las ideas, por tanto, se derivan de la naturaleza social del significado.

La distinción entre espíritu subjetivo y espíritu objetivo de Hegel es útil para comprender que el significado tiene un carácter suprapersonal, social, y sirve también para generar una sociología estructural. Por una parte existen actos subjetivos (espíritu subjetivo) de generación de conocimiento y, por otra parte, un proceso de objetivación cuyo efecto es el distanciamiento de lo ya producido, que se acumula históricamente como parte del espíritu de la sociedad (espíritu objetivo). Hegel además se fijó en las correlaciones que se producían entre los significados en ese contexto de subgeneración a nivel de espíritu subjetivo, y observó también el modo en que se independizaban, se autonomizaban y pasaban de algún modo a objetivarse como parte de la trabazón histórica de la sociedad. Señala Mannheim que Hegel subrayó que a partir de estas correlaciones se genera una trabazón colectiva que ya es social, estructural. De aquí que el objetivo de la sociología de la cultura, a la hora de analizar el significado, sea el de «intentar comprender el significado de los significados procurando reconstruir el contexto donde tienen lugar las acciones y percepciones individuales» (Mannheim 1962: 106). El análisis de Hegel permite así una comprensión de los significados en términos estructurales gracias al análisis de las correlaciones existentes entre los significados microscópicos generados en el ámbito de la interacción. La nueva comprensión estructural lograda revierte nuevamente sobre las unidades de análisis, favoreciendo una mejor comprensión de tales significados microscópicos.

El sociólogo de la cultura que desea comprender una determinada «obra» (creación cultural o artística) debe remitirse por tanto a la búsqueda de los esquemas interdependientes de la acción concertada que originaron el «consensus de acción» (Mannheim 1963: 122-123) necesario para la realización de tal obra creativa. Asimismo, debe analizar las correlaciones entre los significados y motivaciones que aparecen en los contextos básicos de asociación y de interacción donde los actores sociales desarrollan sus papeles sociales, mutuamente entrelazados. Únicamente a partir de aquí, como explicaré a continuación, puede surgir el análisis comparativo e histórico ulterior.

D) Partes principales de la sociología de la cultura

Mannheim, como ya había señalado anteriormente, establece una división tripartita tanto en la sociología general como en la sociología de la cultura, de la cual ésta es una «contrapartida» necesaria para dar cuenta de lo social. Recordemos que el primer nivel de la sociología general era el que se ocupaba de las formas de asociación, y aquí Mannheim tenía como modelo a Simmel. Pero ¿cuál es la contrapartida en el ámbito de la sociología de la cultura de este primer nivel que él denomina axiomático? Mannheim (1963: 126 ss; 133-134) se refiere al concepto capital de tradición y a la cuestión de las generaciones que la transmiten a partir de grupos sociales. En primer lugar, va a diferenciar entre asociaciones que producen tradiciones y otras que no. Así, hay asociaciones «amorfas», que son discontinuas y no generan una transmisión a través de las generaciones. A él le interesan las asociaciones continuas: se trata de aquellos pequeños grupos que hacen cristalizar tradiciones al asegurar la continuidad en el tiempo.

Este concepto de continuidad es fundamental para nuestro autor: si no hay continuidad no hay transmisión a través de las generaciones de los pequeños grupos para poder generar tradiciones. La continuidad en el tiempo depende de la comunicación y la continuidad en el espacio depende de los contactos, del nivel de proximidad. Mannheim insiste en que sin tener en cuenta estos hechos —que haya tradiciones que se sostengan mediante una continuidad asentada en la comunicación y los contactos a través de las generaciones— no pueden haber corrientes de pensamiento ni tradiciones culturales. Por tanto la primera categoría fundamental es la de *continuidad* y *discontinuidad.* La segunda categoría es la de *innovación*, que se produce como consecuencia de un cambio en la situación colectiva o en la correlación de los grupos. Pero hay una tercera categoría básica para Mannheim: que se produzca la generación de un proceso de *estereotipación*, de significados, de símbolos, una repetición y una regularización, que haya cohesión. Menciona también la categoría de *regresión,* pero no la explica en absoluto. Finalmente se refiere a la categoría de *corrientes de transmisión*, a la dinámica histórica del pensamiento, que puede ser única o multilineal.

La transformación social puede ser de dos tipos: el *cambio dinámico*, que incluye las categorías de continuidad, discontinuidad, innovación y estereotipia y, por otra parte, la *mutación*, de la cual no explica ningún detalle. Existen unas características de los grupos que hacen posible que existan corrientes dirigidas de tipo cultural y de pensamiento. Así el hermetismo de un grupo, que está habitualmente generado por la necesidad de seguridad y por la división del trabajo, impide que el individuo se mueva de un modo ilimitado. Paradójicamente, esto ayuda a que continúe la tradición. En la medida en que el grupo pierde la cohesión se produce una disolución de esa corriente continua y surgen variedades, puesto que crece la libertad de elección. En ese caso, se pierde esa forma compacta de la tradición, de aquí que ocurra frecuentemente que grupos altamente comunicativos se cierren, sin embargo, a otras demandas, a otros impulsos alternativos, para poder sostener la tradición de un modo compacto. Señala Mannheim que cuando los grupos son cohesivos hay una mayor tendencia a sostener la evolución y la dinámica. En la medida en que hay mayor impermeabilidad y hermetismo, aparece una mayor uniformidad de pensamiento y un tipo de configuración muy predominante. Concluye que estas son las categorías básicas del nivel axiomático, cuyo bosquejo proporciona «algunos fragmentos de una ontología del espíritu». El nivel axiomático concierne así exclusivamente a la transmisión de la tradición en los grupos.

El segundo nivel en que opera la sociología de la cultura o sociología del espíritu es el nivel comparativo, que coincide igualmente con el nivel correspondiente, también comparativo de la sociología general, pero ahora refiriéndose a los aspectos de carácter cultural. Subraya Mannheim (1963: 130,134) que aquí la sociología de la cultura realiza tipologías racionales, con el menor número de variables posibles, para dar cuenta de esos elementos simbólicos, de significado, imágenes, obras, que estudia aquí la sociología de la cultura de modo comparativo. Las comparaciones pueden tener distintos ámbitos, aunque se refiere específicamente al contraste entre las formas elementales de la asociación, que constituyen el molde para cualquier proceso histórico.

Finalmente (Mannheim 1963: 131,134) se refiere a el tercer nivel estructural de individualización histórica. Esta sociología de la individualización consta de dos partes: la génesis y la dinámica de las estructuras. La génesis analiza la correlación de las motivaciones sociales con las estructuras del pensamiento y también la «significación de las agrupaciones sociales para la génesis de los puntos de vista, así como la importancia de las situaciones estructurales para la formación de los conceptos». La dinámica de las estructuras analiza el cambio social y sus implicaciones para la transformación del pensamiento.

Mannheim desarrolló algunos estudios empíricos siguiendo sus ideas, destinados a fundamentar una sociología de la cultura. Estos trabajos, no obstante, constituyen también una complementación empírica para su sociología del conocimiento puesto que, como dije antes, teóricamente la sociología de la cultura se concibe como un complemento de la sociología del conocimiento, subordinada a ésta. Como la sociología de la cultura se ocupa de establecer la relación entre las formas sociales básicas en el ámbito de la sociedad y los ideales culturales generados por los grupos existentes en las mismas, realizará una serie de estudios que tienen el objetivo de mostrar esta articulación. Entre éstos cabe destacar «La democratización de la cultura», que constituye la tercera parte de su libro *Ensayos de sociología de la cultura* (Mannheim 1962) y su ensayo sobre la *Intelligentsia*, también publicado en la obra anterior, en el cual se analiza la relación entre las ideas procedentes de estos grupos intelectuales y su base social de conocimiento.

3. CONCLUSIÓN: CONOCIMIENTO Y CULTURA EN LA SO-CIOLOGÍA DE MANNHEIM

En Mannheim hay una única ontología de la existencia como existencia social. Esta concepción de la realidad implica la dependencia de cualquier cosa que aparezca en el mundo de la vida como generada a partir de las relaciones sociales establecidas entre los seres humanos. Así, tanto el conocimiento como la cultura dependen de circunstancias histórico-sociales y de formas de asociación (grupos) generados a partir de la acción y la interacción social. No existen entidades ideales o culturales autosuficientes, ni tampoco formas a priori o capacidades valorativas independientes de la experiencia social.

Sin embargo, este énfasis en explicar la determinación social del conocimiento y de la cultura conduce a Mannheim a infravalorar el modo en que las ideas o los valores culturales pueden incidir también en la situación social. De aquí que Mannheim constituya un ejemplo de lo que en el capítulo 1 denominé «paradigma de la determinación social del conocimiento».

El modo en que Mannheim articula su sociología de la cultura con su sociología del conocimiento es una consecuencia de ese énfasis en la determinación social. La sociología de la cultura, pese a presentarse inicialmente como un marco de referencia más amplio para la sociología del conocimiento, queda situada finalmente como dependiente de ésta puesto que de lo que se trata al final es de encontrar los orígenes histórico-sociales y grupales de las formas culturales. Consiguientemente, la sociología de la cultura, que podría haber contribuido a ampliar el horizonte —muy vinculado a la ideación política— de la sociología del conocimiento hacia otras áreas (como el arte, la religión, la moralidad, etc.) no adquiere tal protagonismo en su obra.

En cualquier caso, Mannheim elabora una sociología de la cultura que tiene como axioma el modo en que los significados, símbolos y obras creativas, se trasmiten mediante tradiciones, sostenidas por formas básicas de asociación. Cualquier otra aproximación (comparativa, histórica, estructural) deberá partir del modo en que se produce la transmisión cultural a través de estas formas simples de asociación.

Esta perspectiva de Mannheim se encuentra incorporada en la propuesta teórica para el estudio sobre las tradiciones y la sociabilidad (Simmel) que trato en un próximo capítulo de este trabajo. Ahora bien, sitúo la propuesta de Mannheim en un orden ontológico distinto al suyo.

Interpreto la «existencia» no únicamente como «existencia social» sino principalmente como «existencia mundana» (que incluye la existencia social). De este modo, otros aspectos de la realidad mundana, como la naturaleza o lo sagrado, disponen teóricamente de un margen de autonomía relativa y de cierta capacidad para incidir en la «existencia social». Así pues, para eludir las implicaciones del paradigma de la determinación social es necesario ampliar los presupuestos ontológicos de partida que nos permitan comprender mejor la realidad mundana.

Capítulo 10
El funcionalismo

1. TALCOTT PARSONS

A) *La acción ritual: origen de lo normativo y lo simbólico en la cultura*

Parsons, en una primera etapa, representada por *La Estructura de la Acción Social*, encontró en Durkheim las ideas centrales para oponerse al paradigma utilitarista y positivista. La idea durkheimiana de que, subyaciendo a los contratos, existen valores y relaciones sociales previas que los hacen posible, evidenciaba las limitaciones del pensamiento individualista utilitario para resolver el problema del «orden social». Parsons interpreta los conceptos fundamentales del sociólogo francés como sistema organizado de valores que incluye fines últimos. Este sistema genera condiciones estables para la regulación permanente de la conducta e incluye reglas normativas que no sólo sirven directamente como fines de actos específicos y de cadenas de los mismos sino que regulan en su conjunto, o en gran parte, el complejo de acción del individuo (Parsons 1968: 497).

Estos sistemas comunes de valores constituyen una característica emergente de los «sistemas de la acción», cuya estructura constituye el objetivo de estudio de *La Estructura de la Acción Social*. En este libro, el autor defiende que existe una «convergencia» entre varios autores y escuelas hacia la dirección apuntada por él. Dada la importancia que la religión tiene en cuanto a la generación de los fines últimos del sistema de valores comunes, debe mostrar la convergencia entre la sociología de la religión de Durkheim y de Weber.

Esta perspectiva de síntesis incorpora una articulación entre el concepto de ritual de Durkheim y de Weber[1]. Parsons inicia sus comen-

---

[1]   Como explicaré después, Habermas reformula la síntesis de Parsons enriqueciendo especialmente el concepto de «acción» y el de «relación simbólica», que en Habermas

tarios sobre Durkheim señalando que éste se ocupa del ritual con la intención de mostrar la cualidad de «alteridad» de lo sagrado, de fin en sí y de objeto de respeto, a diferencia de lo meramente utilitario: el ritual expresa un fin en sí normativo y proporciona unidad como una consecuencia del respeto. Su carácter sagrado y simbólico es irreducible a una relación intrínseca de medios-fines, propia de un análisis utilitario. Parsons (1968: 96) pretende desarrollar una racionalidad «normativa» que regule la relación medios-fines: «el carácter del elemento normativo de la relación medios-fines en el acto unidad». Lo «normativo» tiene relación con «el sentimiento atribuible a uno o más actores de que algo es un fin en sí, (prescindiendo de su status como medio para cualquier otro fin), (1) para los miembros de la colectividad, (2) para alguna parte de los miembros de la colectividad o (3) para la colectividad como una unidad» (Parsons 1968: 117). Este elemento normativo procede de lo sagrado y aparece en el ritual.

Las acciones rituales no son irracionales o de racionalidad intrínseca (medios-fines), sino que relacionan lo sagrado con la acción simbólica, y tienen, por tanto, un componente normativo:

> Como se ha visto, la importancia, para Durkheim, de las cosas sagradas para los intereses humanos no es intrínseca sino simbólica. Pero lo que define a las prácticas rituales es, precisamente, su relación con las cosas sagradas. De ahí que sea un error básico incluso el intentar encajar tales acciones en el esquema intrínseco medio-fin, porque su misma definición excluye que tengan un puesto en él. En la medida en que las cosas sagradas estén implicadas en la acción, la relación medio-fin es simbólica, no intrínseca. Lo que Durkheim ha hecho, pues, es ampliar el esquema medio-fin, hasta incluir un componente normativo fundamental de los sistemas de acción que los positivistas descartaron como meramente «irracional» (Parsons 1968: 532).

Según Parsons (1968: 533) las ideas religiosas generan «actitudes activas», el impulso para «hacer alguna cosa». Las acciones que son expresión de esta actitud activa, procedente de los valores últimos de lo sagrado, configuran el ritual religioso. De esta manera su discutido voluntarismo aparece ya en el propio ritual, como pura acción manipuladora de símbolos[2]:

> Y, puesto que este conocimiento adopta predominantemente la forma de un sistema de símbolos sagrados, la acción correspondiente adopta la forma de manipu-

---

se articulan mediante la «acción comunicativa». En Habermas (1987), la «hipótesis de la lingüistización de lo sagrado» depende de esta discusión.

[2]   Esta idea será elaborada por Habermas como «acción comunicativa».

lación de tales símbolos, es decir, el ritual. Así, el ritual es la expresión en la acción, en cuanto distinta del pensamiento, de las actitudes activas de los hombres hacia los aspectos no empíricos de la realidad (Parsons 1968: 534).

Parsons comprende el ritual como el ámbito donde la acción que nace de la conexión con lo sagrado deviene acción simbólica. El elemento normativo específicamente social, la unidad de lo social, la expresión de los valores humanos, aparece a través del ritual y se manifiesta en acción manipuladora de símbolos. La actividad simbólica ritualizada expresa el trasfondo trascendente de lo sagrado de una «comunidad moral»: «Toda comunidad, si es algo más que una mera «balanza de poder» entre individuos y grupos es, en grado significativo, tal comunidad moral y, como tal, cabe decir de ella que tiene una religión común» (Parsons 1968: 536). Dicho esto, queda tan solo un pequeño paso para cerrar una interpretación que pone el énfasis en el orden social y en el control que expresa la uniformidad de la fe regenerada en la efervescencia de las ceremonias rituales de la comunidad: «... es a través del ritual como las actitudes de valor último, los sentimientos de los que la estructura y solidaridades sociales dependen, se mantienen «armonizados» con un estado de energía que hace posible el control efectivo de la acción y la ordenación de las relaciones sociales» (Parsons 1968: 538). Parsons cree que esta «armonía» depende del voluntarismo y del esfuerzo, así como que la realización de los fines últimos es una cuestión de acción, de energía activa. Apoya su interpretación voluntarista en algunos textos de Durkheim de *Las Formas Elementales de la Vida Religiosa* y en otros donde aparece la influencia del pragmatismo. Concluye que en Durkheim la importancia central de la religión radica en su relación con la acción (Parsons 1968: 543).

Explica también (Parsons 1968: 820) el tratamiento de Weber sobre el ritual. Comenta, de entrada, que Weber no tiene un análisis explícito y sistemático, como sí que encontramos en Durkheim, pero insiste en que su tratamiento empírico y dinámico de la religión, a pesar de encontrarse disperso a lo largo de toda su obra, es análogo al de Durkheim. Weber asocia siempre el ritual al carisma y al tradicionalismo. En este contexto, Parsons (1968: 820-825) señala los puntos de afinidad entre la concepción de la tradición y del ritual en Durkheim y Weber. En este último el concepto de ritual se encuentra escondido en la categoría de acción tradicional, aplicando además el calificativo de sagrado a la tradición. Esto es congruente con Durkheim, puesto que en él las prácticas rituales se relacionan con las cosas sagradas y, al ser el ritual una fuente de la sacralidad de la tradición, señala que entonces puede hablarse al menos en Durkheim de la «tradición ritual».

El concepto weberiano de carisma, que Parsons asimila al de sacralidad, está directamente relacionado con el tradicionalismo, sea éste preprofético o posprofético. La tradicionalización es un proceso de transferencia de las cualidades carismáticas del profeta a normas y portadores de la autoridad tradicional. Por tanto, concluye: «La asociación entre el carisma y el tradicionalismo es muy íntima. No hay razón para que esto no se aplique al ritual» (Parsons 1968: 822).

Según él (1968: 823), el papel clave de la relación simbólica es también idéntico al de Durkheim. Weber la pone en relación particularmente con el carisma. El eslabón final de la cadena que une a Weber con Durkheim es el carácter activo del ritual: el ritual incluye acciones en asociación con la producción de relaciones simbólicas. Tras pasar la etapa inicial de la encarnación del mana en carisma, aparece la segunda etapa del significado, del simbolismo. Las cosas y acontecimientos se interpretan como representaciones simbólicas de entidades sobrenaturales, representan cosas sagradas. Por tanto, lo sagrado cae fuera de la relación medios-fines intrínseca ya que lo sagrado es algo específicamente inalterable e irreducible. Consiguientemente, la definición del ritual de Durkheim como «acciones relativas a cosas sagradas» coincide con la idea de Weber. El momento esencial de la aparición del simbolismo hace posible que las cosas y los sucesos que tengan un significado sean interpretadas como representaciones simbólicas de entidades sobrenaturales, las acciones son un caso particular de estos símbolos significativos de entidades sobrenaturales (Parsons 1968: 822).

Insiste además en el hecho de que Durkheim y Weber entienden igualmente el ritual sagrado como una relación simbólica producida por las acciones de los participantes. Esta relación simbólica implica un estereotipamiento realizado por la tradición: «estos símbolos sólo pueden funcionar cuando se acepta la convención, o sea, cuando son tradicionalmente estereotipados. El tradicionalismo es el elemento estabilizador de las relaciones simbólicas» (Parsons 1968: 823). Cuando se demuestra que una práctica es «eficaz» aparece estereotipada rápidamente y entra en el ámbito de trasmisión de la tradición que sostiene su vinculación con respecto a la alteridad sacral. Por tanto, esta estabilización no es técnica (y de medios-fines intrínseca): en la tradición, señala

(Parsons 1968: 822-823), permanece el componente simbólico irreducible a la racionalidad utilitaria e intrínseca[3].

Otro tema importante es el del nivel explícito y de auto-consciencia en la relación entre el actor y el símbolo. Así, comenta Parsons (1968: 519 ss) «en las religiones más sofisticadas, especialmente por parte de sus miembros más sofisticados, hay una vasta proliferación de este simbolismo auto-consciente. Pero está muy claro que no hay motivo, en principio, para que este nivel de simbolismo sea el más significativo para la comprensión de la acción». Acepta con Pareto que la explicación consciente puede ser una racionalización simbólica de residuos o complejos implícitos o incluso reprimidos. De aquí que la interpretación simbólica explícita del actor no es preciso que esté de acuerdo con la del observador. Solamente se producirá un ajuste en el caso límite del tipo de «racionalidad simbólica», donde habría una tendencia al acuerdo en el límite mismo (Parsons 1968: 519)[4].

Hasta aquí hemos recogido la síntesis parsoniana del ritual y su articulación con la «relación simbólica» como una clave esencial que manifiesta el trasfondo normativo de lo sagrado. La articulación parsionana de Durkheim y de Weber ha tenido una gran influencia. Así, como explicaré después, Habermas recoge este planteamiento del ritual, e intenta enriquecerlo con el modelo de la «acción comunicativa», que sustituye a la «racionalidad simbólica» normativa de Parsons. El modelo de la acción comunicativa sirve entonces para reconstruir, ontogenética y filogenéticamente, la competencia comunicativa. La teoría de la acción y de la individualización mediante socialización de Mead atiende esencialmente la parte ontogenética, mientras que la filogénesis exige la participación de la sociología de lo sagrado de Durkheim. De aquí que en el contexto filogenético sea fundamental el modo en que Habermas introduce lo normativo a través de su consideración de los rituales, así

---

3   Parsons (1968: 277) introduce aquí una problemática que Habermas reelaborará, en sus términos de «acción comunicativa» y «acción instrumental», mediante la contraposición de aquél entre «racionalidad simbólica» y «racionalidad intrínseca».

4   Habermas situará este componente residual no-consciente en el trasfondo no tematizado del mundo de la vida y remitirá la acción consciente a las situaciones de problematización que se resuelven a través de la tematización en el contexto del desempeño discursivo de las pretensiones de validez. A diferencia de Parsons, en Habermas la consideración del lenguaje abre la posibilidad de conectar con el concepto fenomenológico de mundo de la vida lingüísticamente estructurado (pragmáticamente constituido).

como el modo en que lo normativo pasa a vincularse con la «relación simbólica». La transición de la vida regida por instintos a lo simbólico es realizada por Habermas con la ayuda de Mead. Cuando lo simbólico adquiere una mayor sofisticación relativa entonces «recibe» el impulso de las fuerzas de los rituales (que articulan las pulsiones), cuya transformación traduce el consenso religioso en acuerdo social donde se produce el reconocimiento intersubjetivo.

B) La internalización de valores y normas culturales

En *La Estructura de la Acción Social* presentó la convergencia entre una serie de tradiciones y escuelas en términos de una síntesis donde tenían primacía la intencionalidad o el voluntarismo, por un lado, y las reglas normativas que afectaban a la orientación de la acción del individuo por el otro. En una segunda fase de la obra, representada por *El Sistema Social* y otros escritos, va a proponer una teoría sociológica general en la que va a adquirir un predominio mayor el conjunto de patrones de la acción colectiva que cabe agrupar bajo las normas y los valores. Esta cultura común, presentada como un orden moral, es interiorizada por la personalidad, especialmente por el super-ego. En este sentido, propone una complementación (que llama de nuevo convergencia) entre el psicoanálisis de Freud y la teoría durkheimiana de orden moral común, o de la integración en términos de «valores comunes», expresión mediante la cual Parsons resume su interpretación de Durkheim (Hamilton 1983: 85-87). En esta segunda fase reorganiza el concepto de acción y de sistema de la acción que había utilizado en su obra anterior *La estructura de la Acción Social*. La acción es situada en términos de la interacción de un ego y de un alter; y los complejos de interacción repetidos y articulados constituyen sistemas de la acción. La mutua relación entre estos sistemas genera la estructura social y existen relaciones funcionales entre los distintos sistemas que la componen.

En este contexto va a desarrollar un concepto de cultura y de interiorización en los que se observa una fuerte presencia de su peculiar interpretación de Durkheim. La acción se apreciará siempre como orientada a partir de normas procedentes de este sistema de valores comunes, que siempre constituye un prerrequisito para la interacción establecida entre los individuos.

La cultura aparece situada como sistema dentro del nivel denominado «latencia» de su sistema AGIL. La latencia se refiere a un conjunto de procesos a través de los cuales la energía motivacional se acumula y distribuye para el sistema. De este modo la latencia ha de sustentar los modelos básicos a través de los cuales se mantiene en equilibrio el sistema; esto es, ha de proporcionar símbolos, ideas, gustos y juicios de tipo cultural. Por otra parte, la latencia se responsabiliza del manejo de la tensión del sistema o de la personalidad de los individuos. No hay que olvidar, que el esquema AGIL es generalizado, sirviendo tanto para la estructura de la personalidad como para el propio sistema de la acción. En términos de la personalidad cabe asociarlo con la motivación, pero éste es el mismo papel que cumple la cultura. De aquí que hable del «sistema cultural-motivacional». Es importante señalar que no variará ostensiblemente esta idea en las obras subsiguientes que presentan un nuevo modelo neo-evolucionista, donde traduce su teoría en términos de una cibernética social, muy influida por la biología moderna, donde los principios básicos son la energía y la información. Me referiré brevemente a los conceptos principales de esta sociología de la cultura de Parsons.

El ser humano se distingue de los animales porque tiene una peculiar sensitividad que le hace posible transformar el signo en símbolo, condición necesaria para que aparezca la cultura. El proceso de simbolización acompaña o emerge junto con el desarrollo de la estructuración de la interacción. El significado del signo ha de ser abstraído y generalizado a partir de la interacción, y ha de adquirir una estabilidad sosteniendo esta abstracción. Únicamente cuando hay una pluralidad de actores que participan en la interacción es posible esta estabilización, la cual es llamada por Parsons (1999: 24) «tradición cultural»: «A ese sistema de símbolos compartidos que funciona en la interacción es a lo que llamaremos aquí tradición cultural». Así pues la tradición cultural hace posible un orden compartido de significados simbólicos que está presente de antemano en la interacción de los actores sociales, condicionando la mutualidad de sus expectativas y su orientación normativa (Parsons 1999: 24).

Este orden compartido de significados simbólicos, eje del sistema motivacional-cultural de la latencia, tiene tres elementos modales que aparecen tanto en el sistema de la personalidad como en el sistema cultural: el cognitivo, el catético y el evaluativo. En el terreno de la personalidad (Parsons 1970: 20), la percepción cognitiva y la conceptualización son la respuesta a la cuestión sobre lo que el objeto es; la catexis, una vinculación o aversión, es la respuesta a la cuestión sobre lo que el objeto significa en el sentido emocional; la evaluación moral es el modo a través del cual la persona se orienta hacia un objeto e integra los modos anteriores (el cognitivo y el catético). De este modo los aspectos morales tienen la primacía en su consideración de esta cultura común, o sistema de valores comunes, que preside la cultura y el proceso de internalización de ésta en la personalidad. Evidentemente, como he señalado, estas tres modalidades que forman parte del sistema motivacional de la personalidad constituyen también las modalidades del sistema cultural.

Estos tres elementos modales rigen también lo que Parsons denomina «orientación de valor». El valor, señala (Parsons 1999: 24), es un «elemento de un sistema simbólico compartido que sirve de criterio para la selección entre las alternativas de orientación que se presentan intrínsecamente abiertas en una situación». Los valores siempre se entienden en relación con una tradición cultural compartida. Así pues a la hora de orientarse en su acción el actor social tiene valores dados procedentes de la tradición cultural que le sirven para escoger entre cursos distintos de acción. La orientación de valor incide en el contenido de los criterios mismos para realizar selecciones que se canalizan a través de las tres modalidades motivacionales anteriores. De nuevo, en este aspecto de la orientación con respecto a un valor, es la orientación referida a criterios morales la que tiene primacía sobre la orientación referida a criterios cognitivos o catéticos (emocionales y expresivos):

> En particular, desde el punto de vista de cualquier actor dado, la definición de las pautas de derechos y obligaciones mutuos, y de los criterios que los dirigen en su interacción con los otros, es un aspecto crucial de su orientación general hacia su situación. A causa de esta relevancia especial para el sistema social, los criterios morales llegan a ser el aspecto de la orientación de valor que tiene mayor importancia directa para el sociólogo (Parsons 1999: 26).

No obstante, la orientación moral incluye para él las otras orientaciones que nunca se desvinculan de ésta: la orientación cognitiva y catética. Estas tres modalidades dan cuenta de la variabilidad de intereses del actor social con respecto a la cultura. Parsons entiende que hay tres notas fundamentales que caracterizan la cultura: que es trasmitida, como herencia o tradición social; que es aprendida, no proviene de la constitución genética del hombre; y que es compartida. La cultura es tanto un producto como un determinante de los sistemas de la interacción social (Parsons 1999: 27).

Como decía anteriormente, la cultura es constitutiva de las personalidades, siendo internalizada por éstas. En este sentido la cultura constituye un prerrequisito, en cualquiera de sus niveles (técnico, instrumental, ideas existenciales, símbolos expresivos) para la constitución tanto del sistema social como del sistema de la personalidad, proporcionando un imput motivacional que sirve para orientarse en la acción (Parsons 1999: 44-45). El lugar donde ha expuesto mejor su teoría de la interiorización de la cultura en el sistema de la personalidad es su obra *Social Structure and personality*, especialmente en los cuatro primeros ensayos teóricos que discuten la teoría freudiana del super-ego, el símbolo del padre, el tabú del incesto y los conceptos de identificación y elección de objeto.

Este conjunto de trabajos está presidido por dos ideas: (1) que se ha producido una convergencia entre Freud y Durkheim respecto a la interiorización de la cultura normativa en la personalidad del individuo y (2) que es necesario reformular el concepto de interiorización de la cultura de Freud puesto que éste confinó al super-ego esta interiorización cultural y, en cambio, para Parsons ésta debe extenderse a todas las esferas estructurales de la personalidad (Parsons 1970: 2). Por otra parte, la personalidad está en relación con la cultura común, e indica que Freud no analiza suficientemente estos componentes de la cultura que se expresan en la estructura de la personalidad. Recordemos que existían tres modalidades a través de las cuales el individuo orientaba su acción: la cognitiva, la catética y la moral. Parsons apunta que al no tener en cuenta suficientemente esta dimensión cultural vinculada a la personalidad, Freud se circunscribe únicamente al super-ego, analizándolo sólo desde la perspectiva de la interiorización de la moralidad. Señala que Freud indicó bien que esta dimensión moral es la fundamental; no obstante Freud no se da cuenta de que las otras modalidades, la cognitiva y la catética, hacen también presencia vía interiorización en la personalidad, y se encuentran también en el super-ego. Esto puede apreciarse cuando se observa que estas dimensiones cognitivas, catéticas y morales son aprendidas en contextos de interacción a través de las relaciones con los otros, principalmente los miembros de la familia. A partir de aquí (Parsons 1970: 32-33) propone una modificación del esquema que Freud sugiere en «El Yo y el Ello». En el esquema modificado de Parsons aparece la estructura dual de la interacción (que expresa la doble contingencia de la acción), con un ego y un alter, cada uno de los cuales ha interiorizado el sistema cultural. Esta interiorización afecta a los tres niveles en que se divide el sujeto (ello, yo, super-yo). Tanto ego como alter incluyen las tres modalidades a través de las cuales se interioriza la cultura, que es presupuesta por ambos en la situación de interacción (Parsons 1970: 22-33).

Esta interpretación de Freud es, no obstante, muy discutible. Es cierto que el elemento predominante en la interiorización para Freud es el super-ego, pero no lo es que los elementos de la cultura dejen de tener una relación tanto con el ego como con el ello, pues el ego es una instancia de mediación entre ambos. Por otra parte, los aspectos cognitivos y emocionales o catéticos son contemplados también por Freud en cuanto a la formación del super-yo. Así por ejemplo, en referencia a los emocionales, Freud indica que durante la formación del super-yo se produce una ambivalencia emocional, expresada en relación con el proceso de identificación con el padre. Freud (1974[1923]: 2.714) señala además que esta dualidad emocional, con respecto al padre, se refleja en un modelo a imitar y a evitar al mismo tiempo; esto es, surgen en el individuo sentimientos ambivalentes tras la constitución del super-yo. Por otra parte, para Freud (1974 [1923]: 2.715), el super-yo es el heredero del complejo de Edipo, por lo que surge de la represión de dicho complejo, actuando a la vez sobre él una serie de influencias, entre otras, aquellas provenientes de figuras de autoridad, la religión, la enseñanza, las lecturas, etc., según lo cual vemos que existe una fuerte dimensión cognitiva en la formación del super-yo. De aquí que los elementos cognitivos formen parte también de su estructuración. Así pues, Parsons no parece tener razón al insistir en que los elementos cognoscitivos y emocionales están ausentes de la consideración freudiana del super-ego. Al contrario, la interiorización de la autoridad moral está totalmente vinculada con elementos emocionales y cognitivos en Freud.

Por otra parte, señala que Freud no atiende adecuadamente a la interacción, como proceso de aprendizaje que se produce en el niño y a través de la cual entra la cultura común, y así el niño aprende también de roles sociales existentes en la sociedad. Pero Freud (1974 [1923]: 2.712-2.713) dice que todos estos procesos están mediados por relaciones que se producen entre el niño, la madre y el padre; estas relaciones son evidentemente relaciones sociales, aunque Freud no utiliza este vocabulario sociológico. El hecho de que Freud no tematice con un discurso sociológico estas relaciones interpersonales no significa que deje de tenerlas en cuenta. No parece así que la modificación del esquema freudiano que Parsons propone deba ser tomada muy en serio.

El análisis de Parsons se caracteriza por su propia preocupación por sostener la idea de una cultura común, un sistema integrado de valores, que precede, y debe presuponerse, para comprender la estructura motivacional de los individuos que participan en la interacción. De este modo, las normas y los valores ya están dados en esa cultura común y poco pueden hacer los individuos para orientarse y regir su acción de un modo alternativo, o para inventar nuevas normas a través del propio ejercicio de su interacción.

C) *Sistema social, sistema cultural y sociología del conocimiento*

La perspectiva de Parsons sobre la sociología del conocimiento aparece en lo que podemos considerar como «tercera fase» de su obra, caracterizada por un intento de situar toda su conceptuación anterior en el marco de una teoría cibernética de la sociedad. No es posible explicar con detalle este desarrollo teórico. Me referiré únicamente a la posición que ocupa la cultura en este contexto, con el objetivo de explicar después las ideas de Parsons sobre la sociología del conocimiento, puesto que en él esta disciplina tiene su objeto en el lugar de interpenetración (donde hay tensiones) entre el sistema cultural y el sistema social. La sociología del conocimiento es así una parte de la sociología de la cultura. Resumiré primero brevemente algunas ideas centrales sobre la cultura de esta tercera fase.

Como decía anteriormente, en esta última fase del pensamiento de Parsons la cultura sigue situada en el nivel motivacional denominado «latencia» y tiene la función de manejar los elementos de naturaleza simbólica del sistema y disminuir y controlar las tensión y contradicciones del mismo. La cultura es uno de los cuatro subsistemas de la acción, siendo los otros tres el sistema social, el sistema de la personalidad y el organismo del comportamiento. Por otra parte, existe un sistema general de la acción que queda enmarcado por los llamados «entornos de la acción», configurados por la «realidad última», relacionada en primera instancia con el «sistema cultural», y el entorno «físico-orgánico», relacionado con el organismo del comportamiento. La interacción social forma el sistema social, que constituye el núcleo del sistema general de la acción humana. Pero como la interacción está organizada en términos simbólicos (culturales), el sistema social se convierte en vínculo primordial entre la cultura y el individuo (como personalidad y organismo). El sistema social se interpenetra con los otros subsistemas. A través del organismo del comportamiento, la personalidad y el sistema social se vinculan con el entorno físico-orgánico y a través del sistema cultural se relaciona con la «realidad última» (la religión). Parsons entiende que la comunidad societal es el ámbito de integración práctica de estos subsistemas y que esto se produce en términos de solidaridad (Durkheim).

Otro aspecto característico de esta tercera fase de su pensamiento es la elaboración de los medios de intercambio, que se asocian con los subsistemas: el dinero, el poder, la influencia y la vinculación. La cultura se encuentra conectada predominantemente al medio de la vinculación, que según Parsons «alude a la especificación de los patrones de valores generales a los niveles necesarios para que su combinación práctica con los demás factores requeridos para su ejecución en una acción concreta sea válida». Cada medio de intercambio tiene lo que denomina un «código». En el caso del sistema cultural y de la vinculación este código viene dado por la serie de instituciones que constituyen la base de la solidaridad mecánica de la sociedad. Este código específico, junto con los otros códigos de los restantes medios de intercambios, se integra con los valores primarios del sistema cultural, como código integrador del sistema social. En la sociedades muy diferenciadas este código integrador del sistema social es el sistema legal.

Existen otros medios de intercambio que intervienen en las zonas de interpenetración entre el sistema social y los subsistemas primarios de la acción. Así por ejemplo, entre el sistema social y el de la personalidad existen los medios del placer erótico y del afecto; entre el sistema social y el entorno orgánico-físico existe el medio de la destreza (tecnología); y entre el sistema social y el cultural existen los medios de la ideología (conciencia), la reputación y la fe. Para él el estudio de este conjunto de medios puede clarificar puntos fundamentales acerca del ajuste en los subsistemas y entre ellos.

En la tercera fase biográfica-académica de Parsons, la cultura se hace dependiente de un sistema cibernético que tiene una mayor o menor cantidad de energía e información. Dado que los sistemas con mayor orden son más ricos en información y los menos ordenados son más ricos en energía, el análisis del sistema cultural se simplifica aquí en términos de orden, información y energía. Esto constituye a mi entender una vuelta atrás con respecto a su concepción de la cultura expuesta tanto en *La Estructura de la Acción Social* como en *El Sistema Social* donde, a pesar del énfasis en una cultura común que generaba orden, era fundamental una comprensión de la cultura en términos de lo simbólico y del lenguaje que quedaban estabilizados en tradiciones culturales.

Parsons (1999 [1959]) elabora su aproximación a la sociología del conocimiento en «An Approach to the Sociology of Knowledge» («Una aproximación a la sociología del conocimiento»). En este texto señala que los sociólogos del conocimiento han situado su problema central, el de la ideología, en el contexto de la relación entre los valores y los hechos empíricos. Pero al hacer esto no observan la relación, estudiada por Weber, entre las bases del significado y la motivación personal, que es un problema de interés para la sociología de la religión. En este sentido sugiere que los sociólogos del conocimiento deberían incorporar también este aspecto a la disciplina (Parsons 1959: 84-85). Así indica que el objetivo de su artículo es:

> ... enfatizar la distinción entre el nivel de la ideología, que vincula las concepciones de la ciencia social con la evaluación de los desarrollos sociales macroscópicos del pasado reciente, de la vida contemporánea y de las tendencias futuras; y, por otra parte, el análisis de los componentes culturales más básicos del proceso social que estaban en el centro de la sociología de la religión de Weber (Parsons 1959: 139).

Pero, además, argumenta que los problemas de la sociología de la ideología no pueden clarificarse sin una referencia a la cultura. De este modo reconduce el problema de la ideología a lo que él denomina «tensiones estructuradas» generadas por discrepancias entre los subsistemas sociales. Estas tensiones que subyacen a la ideología se generan entre «las concepciones empíricas [cognitivas] de la sociedad y sus subsistemas, los valores sociales y sus especificaciones» (Parsons 1959: 95). En este sentido Parsons sitúa a la universidad como ámbito central donde se ha producido la institucionalización de la ciencia en Occidente. Por este motivo, la universidad expresa estas tensiones estructuradas que contribuyen a la generación de ideologías (Parsons 1959: 97).

Como observaremos más adelante, la concepción parsoniana de la cultura ejerció una gran influencia, incluyendo a representantes de la teoría crítica como Habermas. He señalado ya que la síntesis del ritual producida por Parsons a partir de Durkheim y de Weber es esencialmente recogida por Habermas (añadiendo la teoría de la interacción de Mead). Igualmente, la idea de las tres modalidades que caracterizan el sistema motivacional cultural (cognitiva, catética y moral) será incorporada por Habermas en su teoría en términos de acción (constituyendo las tres raíces de la acción comunicativa en un experimento mental, que explicaré en el capítulo correspondiente, dedicado a probar una hipótesis fundamental de su cambio de paradigma). Pero igualmente, la concepción inicial de Parsons, que entiende fundamentalmente la cultura en términos simbólicos y lingüísticos, será reelaborada por Habermas con la ayuda de otra tradición de estudios del lenguaje (Humboldt, Wittgenstein, Austin, Searle, etc). Y el concepto de sistema común de valores será redefinido por Habermas en términos de la cultura que opera en el mundo de la vida.

2. E. SHILS: LA TRANSMISIÓN DE LA TRADICIÓN

E. Shils es comúnmente conocido como uno de los colaboradores más sobresalientes de Parsons, con quien escribió algunas de las obras más influyentes del funcionalismo estructural relacionadas con la cultura, pero su obra incluye otros trabajos independientes de gran interés. Este es el caso de su artículo «Tradition», posteriormente expandido y convertido en libro. Entre los sociólogos interesados por el tema de la tradición, este trabajo de Shils es uno de los clásicos. En «Tradition» Shils (1971) sienta las bases de una teoría de la transmisión de la tradición que anticipa una serie de temas que serán desarrollados posteriormente por otros autores, como es el caso de la capacidad de la tradición para re-inventarse (Hobsbawm y Ranger 1988).

Shils (1971: 122-124) es consciente de que el tópico de la tradición no ha sido adecuadamente analizado por la sociología y señala que, en contraste con la gran cantidad de trabajo dedicado a estudiar una variedad de aspectos culturales e institucionales de la modernidad, todavía no se ha desarrollado una sociología que atienda a la transmisión de la tradición. Y en esto se dirige realmente al corazón de lo que es la tradición: transmisión. Señala que en contraste con el hecho de que los contenidos sustantivos de una diversidad de tradiciones han sido efectivamente estudiados en sociología, una ciencia que además hace un uso frecuente de los términos «tradición», «sociedad tradicional», etc., no ha mostrado un interés efectivo por estudiar cómo ese contenido sustantivo es trasmitido de hecho, por cómo es reproducido en la práctica. En este aspecto particular de analizar cómo se produce la trasmisión de las tradiciones los sociólogos han estado despreocupados: «Los modos y mecanismos de la reproducción tradicional de las creencias se dejan sin examinar». En cambio, estos mecanismos son para él de gran importancia dado que están en el núcleo del modo particular en que las tradiciones persisten en un contexto de cambio, perduran al cambiar. No podemos comprender así la transformación de la tradición si no estudiamos sus mecanismos y propiedades de trasmisión. Otra de las consecuencias de esta ausencia de análisis de los procesos de trasmisión de la tradición es el hecho de que el sociólogo no puede realmente estudiar adecuadamente los modos en que se transforman las sociedades llamadas tradicionales; se dice que la tradición las determina pero en cambio no se puede analizar cómo las está configurando o determinando: «La tradicionalidad de las "sociedades tradicionales" se asume y las estructuras de estas sociedades se describen y estudian sin referencia a los modos en que la tradición las determina» (Shils 1971: 124).

Sin embargo, muchas de las tradiciones están en continuo cambio, puesto que hay persistencia en y sobre el cambio: «Hay persistencia en el cambio y sobre el cambio, y los mecanismos del cambio demandan la operación de los mecanismos de la persistencia» (Shils 1971: 124). Es decir, en cualquier caso tanto si hay persistencia como cambio, o persistencia en el cambio, se hace necesario un análisis de los procesos de trasmisión de la tradición.

Además señala (Shils 1971: 124) que frecuentemente los sociólogos hacen explicaciones «ad hoc» y le dan un status residual a la categoría de la tradición debido a que no prestan atención a la categoría de tiempo en sociología. Insiste así en que es necesario estudiar la forma secuencial temporal que marca la trasmisión de la tradición como filiación, como una trasmisión de creencias de una generación a otra que la recibe. Así, lo constitutivo de una tradición es la «filiación intertemporal de creencias» (Shils 1971: 127).

Tras subrayar esta ausencia de la consideración del tiempo en el estudio de las tradiciones, podría esperarse un tratamiento detallado de este tema, pero Shils va a ofrecer unas pocas e incompletas ideas. Indica que el tiempo interviene para hacer del pasado un «objeto de vinculación». Se refiere al tiempo fundacional de la tradición como relevante para los miembros, señalando una «imagen elemental de una conexión con el principio del universo, con el origen del tiempo, el punto en que la humanidad estaba más en contacto con las fuentes de lo sagrado que lo ponen en movimiento y proporcionan el esquema para su forma ordenada adecuada» (Shils 1971: 132). Evidentemente, esta consideración del tiempo es insuficiente, sobre todo si consideramos que hace de esto su primer argumento crítico y, más aún, si comparamos sus ideas sobre el tiempo con aquellas que han elaborado otras escuelas, como la sociología francesa de lo sagrado o la discusión realizada por la hermenéutica (Evento). No obstante, es preciso decir que al menos Shils se encuentra de acuerdo con la fenomenología hermenéutica al indicar que sin hacer un análisis del tiempo es imposible comprender los procesos de historicidad que subyacen a las tradiciones.

Esta no elaboración del concepto de tiempo tiene consecuencias para la definición de la tradición de Shils, una filiación intertemporal de creencias. Al entender la tradición únicamente en el sentido de ser trasmitida de mayores a niños y jóvenes, como filiación, no atiende la posibilidad de que la tradición sea trasmitida en las otras direcciones, entre adultos o de los niños a los adultos. Sin embargo como he mostrado en otro lugar (Costa 1999a) existen tradiciones sustantivas actuales, como las Fallas de Valencia, donde la trasmisión se produce tanto a nivel vertical (en los dos sentidos, de mayores a niños y de éstos a los mayores), como horizontalmente (entre sujetos de la misma generación). Otro de los problemas de esta definición de Shils concierne a su énfasis en las creencias (*beliefs*). Opina que aquello que se trasmite en una tradición son sistemas de creencias. No obstante, esta apreciación es discutible desde la perspectiva empírica. En otro lugar (Costa 1999a) he mostrado que los mecanismos fundamentales de la trasmisión de las tradiciones festivas se asocian con la sociabilidad, que es más amplia que las creencias y puede incluirlas en su seno en el contexto de las actividades sociables.

Como decía antes, para él la tradición no se opone en general a la innovación y a la originalidad. La tradición, por el contrario, constituye una base previa necesaria para poder desarrollarlas. Pero la innovación y la originalidad dependen también del tipo de personas que participan en la tradición, así como de las características del tipo de tradición de que se trate. La gente puede ser pasiva, ambivalente, puede haber participantes ávidos de novedades, también guardianes centralizados o gente marginal con respecto al núcleo de las creencias, etc (Shils 1971: 145). Además, las tradiciones pueden diferir según sus propiedades y formas tradicionales de trasmisión; y en este sentido señala que existen tradiciones de la ciencia, del arte, etc, que «viven en los ámbitos institucionales». Pero las tradiciones también pueden variar según su contenido tradicional, y en este sentido hablamos de una diversidad de «tradiciones substanciales». Otras características de las formas de trasmisión de la tradición, tales como ser difundida de un modo oral o escrito, son también relevantes para analizar el potencial para la innovación. Pero, para él, es esencial el poder de algunas «personalidades fuertes» para crear la causa de la aparición de una «nueva tradición», que siempre emerge como una «modificación de tradiciones ya existentes» (Shils 1971: 144-145). Como podemos comprobar, Shils ha elaborado un discurso sobre la innovación de la tradición que con el tiempo devendrá más popular gracias al trabajo *La invención de la tradición* de Hobsbawm y Ranger.

La capacidad de la tradición para reelaborarse constantemente proviene del «sistema de la personalidad», que hemos analizado anteriormente en relación con Parsons. Shils señala que el proceso está basado en una «necesidad» que nos caracteriza específicamente: «Esta presión procede de una necesidad para hacer que éstas [las tradiciones] encajen en el sistema de la personalidad individual». Las tradiciones son así modificadas generalmente a través de la «re-enunciación» y «re-trasmisión» de los individuos puesto que hay una diversidad de gente que las interpreta y las aplica, y que tienen distintas «necesidades para la individualidad» (Shils 1971: 152).

De esta manera establece una clara diferencia entre lo que llama «tradiciones substanciales» y las tradiciones que únicamente tienen propiedades «no substanciales» formales, como la ciencia y la tecnología. Las tradiciones formales, que ahora viven en instituciones como las universidades, hacen uso de lo racional y lo empírico. Las tradiciones substanciales, también llamadas por Shils «tradiciones tradicionales», tienen relaciones mucho más problemáticas con lo racional y lo científico. Tiende a asignar a estas tradiciones substanciales una condición más «fuerte» de tradición, en el sentido de ser «aceptadas como dadas», y opone los mecanismos de trasmisión de sus creencias correspondientes a la razón y al experimento (Shils 1971: 134). No obstante, como he mostrado en otro lugar (Costa 1999a), existen tradiciones festivas, como las Fallas, que son «tradiciones substanciales» y, sin embargo, no se oponen necesariamente a muchos aspectos de la racionalidad moderna. Sus mecanismos básicos de trasmisión se basan en la sociabilidad festiva, la cual es capaz de incorporar características de la modernidad en la tradición. De aquí que la oposición que establece entre tradiciones substanciales y formales no sea suficientemente sólida.

3. R. K. MERTON

Merton (1999 [1945]) realizó una evaluación de la historia de la sociología del conocimiento, proponiendo un «paradigma» para integrar de un modo mas organizado los temas principales de la disciplina en «The Sociology of Knowledge». En este trabajo, aboga por que se ponga más atención en una serie de temas, relativamente nuevos para la disciplina, relacionados con la sociología de la ciencia (un área que discutiré en otro capítulo, incluyendo a Merton). Pero, más allá de la sociología de la ciencia, es también autor de una serie de trabajos que cabe incluir en la sociología del conocimiento y de la cultura; al menos encajan dentro de los apartados propuestos en su propio paradigma (Merton 1999[1945]: 34-35). A continuación, tras una explicación general de su concepción sociológica, me referiré a los que considero más importantes.

A) Teorías de alcance medio

Merton (1980: 16-18) protagoniza una reacción contra los excesos de generalidad teórica que encarna para él la obra de Parsons. Por su inmadurez, sobre todo si se la compara con el estado de otras ciencias, la sociología no puede permitirse hacer teorías generales, obras arquitectónicas conceptuales inservibles en la práctica por su dificultad en ser contrastadas empíricamente. Por este motivo Merton se considera partidario de «teorías intermedias» o «teorías de alcance medio».

Esto no significa que no deban hacerse teorías generales para pasar a hacer siempre teorías de alcance medio. Se debe partir de las teorías de alcance medio para intentar después congruentemente ir haciendo generalizaciones más amplias: «la teoría sociológica debe avanzar sobre estos planos interconectados: a través de teorías especiales suficientes para campos limitados de datos sociales, y a través de la evolución de un sistema conceptual más general, adecuado para unificar teorías especiales» (Merton 1980:20)[5].

Existen no obstante unos conceptos fundamentales para elaborar estas teorías. Entre éstos son importantes los de función, disfunción, motivo y equivalente funcional. La función se entiende como «consecuencias (objetivas) observadas que favorecen la adaptación o ajuste del sistema»; la disfunción, por el contrario se refiere a las «consecuencias (objetivas) que aminoran la adaptación o ajuste del sistema». El motivo es una disposición subjetiva, el móvil o propósito que se expresa también

---

5   Parsons (1977: 108) realiza también una crítica a Merton en el capítulo titulado «La situación presente de la teoría estructural-funcionalista en la Sociología», de su libro *Sistemas sociales y la evolución de la teoría del acción* (The Free Press, New York 1977) en el sentido de que, primero, no está interesado por clarificar bien el concepto de sistema, ni tampoco por la teoría abstracta ni por los sistemas de referencias múltiples. Además, en segundo lugar, Merton nunca ha intentado de modo serio, según Parsons, atender con detalle las funciones primarias del sistema social, algo que el propio Parsons dice, en cambio, haber hecho a lo largo de más de 20 años. Así, menciona su esquema AGIL como un logro teórico que no ha sido igualado por Merton. Señala Parsons (1977: 108): «Otro modo en que no estoy de acuerdo con Merton es en el hecho de que, hasta dónde llega mi conocimiento, no ha intentado nunca seriamente atender las implicaciones de conjunto de funciones primarias del sistema social. Yo he intentado, en cambio, hacer esto mediante el paradigma de las cuatro funciones, AGIL, que he estado utilizando extensivamente durante más de 20 años».

en términos más amplios de todo el sistema social. Además, conviene distinguir entre funciones manifiestas y latentes. En las primeras el propósito subjetivo coincide con la consecuencia objetiva: «consecuencias objetivas que contribuyen al ajuste o adaptación del sistema y que son buscadas y reconocidas por los participantes en el sistema»; en las segundas no existe un propósito aparente, divergen los motivos y las consecuencias objetivas, que no son buscadas ni reconocidas (Merton 1980: 61-62).

Las estructuras particulares de tipo social no son indispensables funcionalmente; caben otras alternativas equivalentes o sustitutos funcionales. Merton (1980: 42-43) critica el postulado funcionalista de la indispensabilidad por ser ambiguo. En la formulación de Malinowski, por ejemplo, no se sabe si la indispensabilidad es de la función o de la cosa que la desempeña o de ambas. El postulado contiene dos afirmaciones: (1) la «existencia de condiciones previas funcionalmente necesarias» y (2) las formas culturales o sociales indispensables para la realización de cada una de esas funciones (estructuras sociales irremplazables). Merton desarrolló el concepto de equivalente funcional para criticar la segunda de estas afirmaciones. De este modo, tenemos el siguiente teorema de análisis funcional: «Así como la misma cosa puede tener múltiples funciones, así puede la misma función ser desempeñada diversamente por cosas diferentes (alternativas funcionales, sustitutos funcionales, o equivalentes funcionales)». Sin embargo, es consciente (Merton 1980: 62) de que este concepto de equivalente funcional plantea el problema de cómo averiguar los posibles márgenes de variación entre supuestos equivalentes, puesto que es difícil que existan las condiciones ideales de experimentación en sociología.

B) Cultura, anomia y grupo de referencia

Merton entiende la integración social de modo análogo a Parsons. Existe la necesidad de un depósito de valores, mutuamente compartido por los individuos que se influyen unos a otros, para que exista sociedad:

> El engranaje de expectativas que constituye todo orden social se sostiene por la conducta moral de sus individuos que representa conformidad con las normas de cultura consagradas, aunque quizás secularmente cambiantes. En realidad, sólo porque la conducta se orienta en forma típica hacia los valores básicos de la sociedad podemos hablar de una agregado humano como constituyente de una sociedad. (Merton 1980: 150).

Existen sin embargo disfunciones sociales, que son las consecuencias observadas de carácter social que aminoran el ajuste del sistema. Una parte de éstas se asocia tradicionalmente en sociología con el concepto de anomia. Merton propondrá un modo peculiar de explicarla en relación con un desajuste entre las metas culturales existentes en una sociedad y los medios institucionalizados como normas que permiten acercarse a aquellas metas ideales. Evidentemente, esta propuesta se aproxima a la idea de Parsons (1999: 45) consistente en analizar las tensiones que se producen entre los ideales culturales aceptados institucionalmente y el sistema social. Se aleja así (Merton 1980: 140) de lo que entiende que es la interpretación de Freud predominante en la teoría psicológica y en la sociología: la de atribuir las fallas del control social y cultural a los imperiosos impulsos biológicos del hombre que se abren paso a través del orden social dado.

Existen dos elementos de la estructura cultural que hay que diferenciar como fines y medios. Por una parte, están los objetivos e intereses culturales sustentados como legítimos en una sociedad; estos objetivos están más o menos unificados y ordenados en una jerarquía de valores. Por otra parte, la estructura cultural regula y controla los modos admisibles para conseguir tales objetivos establecidos como metas culturales de la sociedad, y especifica los procedimientos y normas aceptables para intentar alcanzarlos; estas normas se hallan institucionalizadas. La hipótesis de Merton (1980: 143) es que la anomia se produce como síntoma de la disociación entre metas definidas y normas institucionalizadas para alcanzarlas: «en realidad, mi hipótesis central es que la conducta anómica puede considerarse desde el punto de vista sociológico como un síntoma de disociación entre las aspiraciones culturalmente prescritas y los caminos socialmente estructurados para llegar a dichas aspiraciones».

En el caso de la sociedad americana y en relación con la cultura predominante, que estimula la ambición para conseguir el éxito y el dinero, no se dan los caminos adecuados para garantizar el cumplimiento de este objetivo, lo cual queda velado por el énfasis puesto en la explicación del fracaso como resultado de la ausencia de talento o ambición. Esta situación es el origen de una desmoralización y de una desinstitucionalización de los medios que pueden conducir a la anomia: «El proceso mediante el cual la exaltación del fín engendra una desmoralización literal, es decir, una desinstitucionalización de los medios, ocurre en muchos grupos en que los dos componentes de la estructura social (objetivos, medios) no están muy integrados» (Merton 1980:143). Frente a esta situación de disociación los individuos ensayan distintos modos de adaptación, que Merton (1980: 149-164) caracteriza mediante una tipología de cinco reacciones posibles: conformidad, innovación, ritualismo, retraimiento y rebelión. Su objetivo es mostrar que las estructuras sociales ejercen una presión sobre ciertas personas para que sigan una conducta no conformista. De este modo la conducta anómica se interpreta como un producto de la disociación estructural entre los dos niveles establecidos de la cultura (las «metas» culturales y los medios normativos institucionales para conseguirlas) y la estructura social.

Esta problemática anterior, de la conformidad y de la anomia, puede asociarse con la teoría mertoniana del grupo de referencia y de la movilidad social. La sociedad estará más integrada en la medida en que el número de individuos que comparten el sistema de valores predominante, y los medios institucionales para alcanzarlos (esto es, los conformistas) sea elevado. Así pues, el grupo de los conformistas es el de referencia para analizar las situaciones anómicas. En «Teoría del grupo de referencia y movilidad social» caracteriza la conformidad con respecto al grupo de referencia (la jerarquía militar oficial). Los individuos que siguen las normas oficiales del ejército estando en un estrato inferior (reclutas) tienen más posibilidades de promoción. Es importante señalar que «el comportamiento del grupo de referencia está relacionado con la legitimidad adscrita a los arreglos institucionales y ello afecta al orden de comparaciones entre grupos o entre individuos». Finalmente cabe decir que el grado de movilidad social está relacionado con las situaciones de anomia, si la estructura es cerrada el número de individuos que pretendieron cambiar de grupo y no lo consiguieron aumenta considerablemente y se produce un mayor grado de anomia por frustración de expectativas.

C) La profecía que se cumple a sí misma

En formulación de Thomas: «Si los individuos definen las situaciones como reales, son reales en sus consecuencias» (1980: 419), Merton escoge un elemento concreto para relacionar este teorema con la estructura social, el Last National Bank, un banco que naufraga porque se formula una definición negativa falsa en cuanto a su situación financiera, resultando consecuencias reales comprobables: el banco entra en crisis financiera. Ya en versión mertoniana, nos da la enunciación del teorema como «parábola sociológica», una profecía que se cumple a sí misma: «la profecía que se cumple a sí misma es, en el origen, una definición falsa de la situación que suscita una conducta nueva, la cual convierte en verdadero el concepto originariamente falso». Las creencias sociales por tanto, tienen el poder de configurar realidad social.

Merton (1980: 422) valora de nuevo la capacidad de estas profecías para explicar aspectos importantes de la estructura social americana, como el problema racial. Nos explica el caso de los trabajadores negros y los sindicatos. Se extiende la creencia de que los negros frustran las huelgas y así los sindicatos no los admiten; la ausencia de protección fuerza a los negros a trabajar.

La educación no sirve para cambiar la definición falsa de la situación social, al menos como base principal, aunque puede ser una ayuda operativa. Quien dirige y realiza la educación ya posee la definición falsa. Es necesario, por tanto, cambiar la definición falsa inicial, pero ello no depende de una acto de la voluntad. Por otra parte, a nivel social las ideas falsas tardan mucho en desvanecerse (como ya había señalado Tocqueville en su tiempo). Para demostrar esto analiza las «virtudes del intragrupo y vicios del extragrupo» en relación con las «funciones y disfunciones sociales». Concluye que se confirma la idea de que los «extragrupos étnicos son condenados si adoptan los valores de la sociedad protestante blanca y son condenados si no lo hacen». En cualquier caso se produce una condena. Las Midletowns rechazan al negro que no tiene las virtudes ideales de los americanos blancos, pero también rechazan, transmutando sus propias virtudes en vicios de los negros, al negro que posee las mismas virtudes de éstos. Una vez que el intragrupo ha formulado la definición falsa da igual que el negro posea o no los valores del blanco, siempre es rechazado, con lo que «la condena en los dos casos desempeña una misma función social».

Merton únicamente cree en un cambio institucional de la definición falsa por decreto: «la profecía que se cumple a sí misma, por la cual los temores se traducen en realidades, funciona sólo en ausencia de controles institucionales deliberados». Así, reivindica (como Tocqueville) un mejor aprovechamiento de las posibilidades de las instituciones, pues ellas deben posibilitar que «lo que es, sea posible».

D) Comunicaciones e influyentes locales y cosmopolitas

Uno de los aspectos en que Merton creyó necesario insistir para desarrollar una sociología del conocimiento es el tema de la opinión pública y los medios de comunicación. El tema de los influyentes locales y cosmopolitas y de su conducta ante las comunicaciones constituye un ejemplo en esta dirección. Merton construye una tipología dual que recoge dos formas distintas de ejercer influencia social que se corresponden con dos modos de vincularse con las comunicaciones. En general puede decirse que el influyente local utiliza las relaciones personales en el contexto de su comunidad; disponiendo de un gran conocimiento de anécdotas, tiende a leer periódicos locales. El influyente cosmopolita está más orientado hacia la gran sociedad, fuera de su comunidad, es elitista en cuanto a sus relaciones, orientando sus lecturas hacia periódicos y revistas de alcance más general e impersonal. Sistematizo los tipos de influyentes locales y cosmopolitas en el siguiente cuadro:

CUALIDADES DEFINITORIAS		
Criterios	Locales	Cosmopolitas
Orientación hacia la ciudad donde viven	Limita sus intereses a la comunidad (Parroquial)	Tiene poco interés por la comunidad, sólo en la medida en que vive allí
	Muestra poco interés por asuntos de la gran sociedad	Orientado de forma importante hacia la gran sociedad
Relaciones personales	Utiliza muchas relaciones personales para tener influencia (cuantitativista)	Las relaciones personales son consecuencias de su influencia (cualitativista y elitista)
Participación en organizaciones voluntarias	Participan para contactar y no tanto por los fines	Se preocupan por los fines Figuran en más organizaciones profesionales
Cargos	Políticos	Profesionales
Vías de influencia	Complicada red de relaciones personales (comprende)	Prestigio profesional Experiencia mundana (sabe)
Ritmo de ascenso	Lento	Rápido
Relevancia de su ocupación para ascender	Poca (asciende por relaciones personales)	Mucha (medio para ascender)
Lectura de revistas ilustradas, de alcance nacional (de «clase»)	Bajo nivel de lectura	Alto nivel
Contenidos de revistas	Interés por anécdotas personales, noticias de la comunidad (personalización)	Satisfacción subjetiva, noticias más generales (impersonalización)
Radio	Escucha a comentaristas «lanzadores de noticias» y anécdotas personales	Escucha a comentaristas analíticos y recoge información más impersonal

Merton articula en esta tipología dos tipos de personalidad, reflejados en las dos formas de influyentes, que se corresponden con dos modos distintos de entender tanto las relaciones personales como las profesionales. Las modernas comunicaciones constituyen un criterio fundamental para establecer estas distinciones.

Capítulo 11

La teoría crítica de la escuela de Frankfurt

En este capítulo vamos abordar una forma especial de hacer teoría y sociología, la de la Escuela de Frankfurt. En la primera sección se tratan asuntos generales de la Escuela, como sus temas principales, el origen y la evolución generacional, la diferencia entre teoría crítica y teoría tradicional y la aparición de nuevas perspectivas en el seno de la teoría crítica. La segunda y tercera sección abordan respectivamente los temas principales de la «primera generación» de la Escuela (especialmente en Adorno y Horkheimer) y de la «segunda generación», cuyo máximo representante es Jürgen Habermas.

1. ASPECTOS GENERALES DE LA ESCUELA DE FRANK- FURT

A) ¿Vamos hacia un mundo totalmente regulado o adminis- trado?

Durante el Siglo XX se han escrito muchas novelas que presentan la imagen de una sociedad muy regulada y organizada, totalmente administrada por unos pocos con la ayuda de la técnica moderna. El libro *Nosotros* de Yevgeni Zamyatin, la novela *Brave New World* (*Un Mundo Feliz*) de Aldous Huxley o la obra *Nineteen Eighty-Four (1984)* de George Orwell se encuentran entre las obras literarias que presentan estos temas. El cine también se ha hecho eco de esta cuestión. Por ejemplo, en las películas *Metrópolis* de F. Lang o en *Tiempos Modernos* de Ch. Chaplin aparecen algunos de los temas más característicos de lo que podemos llamar la anti-utopía del «mundo administrado».

En las sociedades descritas en estas obras las personas han perdido su vitalidad y autonomía, poniéndose a disposición de los imperativos organizacionales de un sistema social administrado, que ejerce una violencia sobre el ser humano. En la sociedad que Huxley construye en

Un Mundo Feliz los niños no nacen naturalmente. La ciencia de la genética permite diseñar y desarrollar embriones humanos hasta convertirlos en clases distintas de sujetos formados para desarrollar una tarea específica hasta la perfección. Los individuos son educados para cumplir con tal papel y la tecnología proporciona una droga denominada «soma» para sentir tranquilidad, placer y felicidad. Todo está organizado racionalmente y los sujetos obedecen ciegamente las normas de la organización en función de su eficacia para el funcionamiento del sistema. Los individuos son felices en este mundo organizado tecnológicamente. Fuera, en unas reservas, se encuentran los salvajes, que son los seres humanos imperfectos que no se han ajustado a este sistema. Al contactar con los «salvajes», el protagonista de la novela descubre su potencial para la libertad.

Recientemente ha aparecido una película, *Matrix*, que vuelve a tratar estos temas en el contexto de un mundo regido por máquinas de una nueva era informática. Las máquinas han desplazado ya al ser humano, y solamente existe una colonia humana que vive escondida dentro de la tierra, luchando por la supervivencia contra las dominantes máquinas y sus programas informáticos. Los individuos en *Matrix* son solamente programas informáticos dirigidos desde un centro; las personas no existen, pues los sujetos son realidades virtuales, programas que caminan con apariencia de seres humanos, con un aire de normalidad y regularidad. Los agentes de policía en este mundo son «super-programas» que pueden mutar e invadir cualquier otro sujeto-programa dado que todos llevan los mismos chips y se comunican mediante idénticas reglas. Todo el mundo es pues potencialmente un policía en *Matrix*. Al igual que en *Un Mundo Feliz*, el protagonista escapa de *Matrix* para unirse con los humanos resistentes.

¿Responden estas novelas, películas y otras obras de arte a tendencias realmente existentes en las sociedades modernas del Siglo XX? Y si es así: ¿cómo y en qué medida nos han afectado estas tendencias autoritarias de las «sociedades administradas»?; ¿podemos todavía reivindicar una opción reflexiva de liberación, de emancipación humana? Los teóricos sociales de la Escuela de Frankfurt se propusieron desarrollar una teoría crítica de la sociedad que contribuyera a dar respuestas para estas preguntas y para otros problemas políticos, sociales y existenciales vinculados con estas cuestiones. Por ejemplo, muchas de sus ideas son consecuencia del hecho de que fueron testigos del desarrollo de los regímenes autoritarios europeos, como el Nazi, cuyo origen intentaron explicar, así como algunas de sus actividades más siniestras —en particular, el exterminio planificado en los campos de concentración—. Su análisis crítico incluye también la preocupación por las diversas formas de violencia existentes en las instituciones y formas culturales de las llamadas «democracias capitalistas».

Estas formas distintas de violencia y autoritarismo tienen, para los teóricos de la Frankfurt, un origen común que se encuentra en tendencias de dominio y de exclusión que están inscritas en la Ilustración. El movimiento ilustrado impulsa un conjunto de tendencias sociales que apuntan hacia una igualación y unificación regida administrativamente con ayuda de la tecnología y que nos conducen hacia un mundo administrado totalitariamente en el que todo acabará siendo igual. Dice Max Horkheimer (1976: 59), un autor prominente en la Escuela de Frankfurt: «Hemos llegado a la convicción de que la sociedad se desarrollará hacia un mundo administrado totalitariamente. Que todo será regulado, ¡todo!,..., entonces acabará siendo todo igual. Entonces podrá regularse todo automáticamente, tanto si se trata de la administración del Estado, como de la regulación del tráfico o de la regulación del consumo». En este contexto los regímenes de Hitler y Stalin son síntomas catastróficos de una radicalización de estas tendencias puesto que, continua Horkheimer, «en cierto modo, quisieron realizar la unificación demasiado deprisa y exterminaron a los que no se ajustaban a ella».

¿Piensan lo mismo todos los autores de la tradición crítica? Evidentemente no. Coinciden en muchas cosas, pero hay diferencias entre ellos, que se manifiestan principalmente con el cambio generacional. Como explicaré después, el énfasis en estos aspectos autoritarios de la Ilustración es predominante en los teóricos de la «primera generación» de la Escuela. Otros autores, como Jürgen Habermas, perteneciente a una «segunda generación», van a insistir también en otros aspectos, como la Democracia y las prácticas de debate racional en una esfera pública. Pero, ¿cómo se origina la Escuela de Frankfurt? ¿quiénes eran los componentes de esta escuela de teoría crítica y cómo evolucionaron como grupo? ¿cuáles son los representantes más destacados de las generaciones sucesivas de teóricos críticos?

B) *El origen de la Escuela de Frankfurt: la crítica de la «modernidad organizada»*

El origen del escuela de Frankfurt se encuentra en una serie de reuniones en las que los participantes debatían nuevas ideas para renovar el pensamiento de Marx. En el siglo XIX Marx explicaba que en la sociedad capitalista el ser humano no podía desplegar la globalidad de sus posibilidades para realizar su socialidad y creatividad humana. Se refería a una «alienación» del ser humano, a un perderse a sí mismo o extrañarse de sí mismo y dejar de vivir plenamente la propia experiencia, como consecuencia del trabajo maquinal, repetitivo y cosificante que realizaba en condiciones de explotación capitalista. Esta manera maquinal de trabajar de las personas reduce su ser sociable y creativo a un mero objeto. El trabajador no se identifica así con aquello que produce, que es de otro; y además el proceso de diseño y creación de la totalidad del producto le es ajeno, pues también lo ha realizado otro por él. Por otra parte, hay una división del trabajo, con una organización tecnológica, que no obedece exactamente a criterios de coordinación (que son necesarios) sino más bien a una asimetría de poder que se origina en la propiedad de los medios de producción.

La teoría de Marx había sido una herramienta eficaz para analizar y criticar la modernidad liberal, cuya comprensión de la sociedad estaba muy limitada a las formas de intercambio existentes en el mercado capitalista. Las transformaciones de la sociedad hacían necesario el concurso de nuevas ideas. Así, otros autores, como por ejemplo Freud o Max Weber, también ocupaban el centro de las conversaciones. Estos debates fueron sin duda estimulados por las novedosas aportaciones de Korsh y de Luckaks a la tradición marxista.

Los teóricos de la Escuela de Frankfurt se enfrentaron a nuevos problemas en una sociedad distinta a la que Marx conoció. En la vertiente del cambio de siglo comienza a hacerse sentir la necesidad de una renovación teórica que pueda hace frente a una serie de transformaciones que van a consolidarse a lo largo del siglo XX. Me referiré solamente a tres de estas tendencias. Primera, el desarrollo y consolidación de los grandes aparatos de dominación racional-burocrática, dirigidos desde una acción estratégico-instrumental. Como explicaré después, Max Weber, uno de los sociólogos clásicos que más influyó en la teoría crítica a comienzos del siglo XX, denominó «jaula de hierro» a la configuración de estos aparatos. Segunda, las transformaciones en la cultura con la llegada de las «masas» a un consumo cultural dirigido y estandarizado por la industria. Tercera, la consolidación del papel de las ciencias sociales, especialmente en su vertiente cuantitativista, como parte de la elite organizacional y legitimadora. Su misión es obtener conocimiento a partir de estudios estadísticos de la población con vistas a una clarificación, convencionalismo y estandarización de prácticas sociales que favorezca el control y previsión para garantizar la «gobernabilidad» de los ciudadanos. Estas características (y otras que no mencionamos aquí en aras de la brevedad) constituyen una nueva forma de modernidad, que podemos denominar la «modernidad organizada». Los teóricos de la escuela de Frankfurt se dirigen especialmente a analizar y a criticar las formas culturales a institucionales de la modernidad organizada. Este nuevo análisis es condición necesaria para continuar el interés de Marx por la emancipación humana, entendida como libre expresión del potencial del ser humano para la sociabilidad creativa y reflexiva.

No obstante, pese a continuar las líneas principales del proyecto marxiano, hay un reconocimiento expreso de que la teoría de Marx estuvo equivocada en muchos puntos. A este respeto Horkheimer (1976: 58), miembro fundador de la escuela de Frankfurt, pone dos ejemplos:

> A la clase trabajadora le va ahora mucho mejor que en tiempos de Marx. Muchos trabajadores se convierten de simples obreros manuales en empleados con una categoría social más elevada y con mejor tenor de vida. Además, el número de empleados aumenta constantemente con respecto al de los obreros. El segundo lugar, es evidente que las crisis económicas graves son cada vez menos frecuentes. En gran parte pueden impedirse mediante intervenciones de tipo económico-político.

La teoría crítica, por tanto, toma el impulso fundamental del concepto de emancipación humana de Marx, pero es consciente de que el análisis de Marx debe ser corregido y puesto al día para dar cuenta de las características de las nuevas formas culturales e institucionales de lo que hemos llamado «la modernidad organizada».

C) La evolución de la Escuela de Frankfurt

Los miembros del grupo procedían en su mayoría de familias burguesas de origen judío y tenían una concepción pluralista e interdisciplinar del trabajo intelectual. Max Horkheimer se convirtió rápidamente en el líder del colectivo, que inició una fase de institucionalización cuando consiguió financiación para crear un Instituto de Investigación Social en Frankfurt (1924) gracias a la ayuda de Félix Weil, un miembro del grupo que era hijo de una rica familia de comerciantes judíos. El Instituto creó una revista y empezó pronto a publicar obras de sus miembros. Por ejemplo, apareció el libro *Autoridad y Familia*, que se ocupaba de buscar las raíces del autoritarismo existente en las sociedades Occidentales a través de un análisis de las relaciones de autoridad en la familia. El propio Horkheimer (1976: 55) recuerda así estos primeros momentos en unos párrafos de su libro *Sociedad en transición: estudios de filosofía social*:

> El instituto de investigación social fundose hace casi cincuenta años en Frankfurt, porque un hombre muy rico quiso hacer una donación y nosotros éramos amigos de su hijo. Propusimos que fuese una institución «privada», independiente del Estado, en la que se reunieran personas que quisieran investigar en común algo que fuese importante para la sociedad en el momento histórico actual. Después de que el primer director, al cabo de unos pocos años, sufriera un ataque de apoplejía, fui yo el director de este instituto. Publicó, como uno de sus primeros libros importantes, una obra colectiva que aún hoy es actual: *Autoridad y Familia*. El sentido de la autoridad se creó en la familia, y todos ustedes saben el abuso de que luego fue objeto este sentido de la autoridad por «líderes» tales como Hitler, Mussolini, Stalin.

Posteriormente, y como consecuencia de los excesos del Nazismo, el grupo tuvo que emigrar. Así comienza un segundo periodo en esta primera generación de la escuela de Frankfurt. Sobre esta circunstancia nos sigue explicando Horkheimer (1976: 56):

> Comoquiera que ya en los años veinte vimos claramente los peligros que representaba el nacionalsocialismo, nos marchamos oportunamente de Alemania; primero fuimos a Suiza y luego a América, a la Columbia University. Incluso en América hablábamos alemán y en alemán publicamos una revista, porque decíamos que lo que significa cultura alemana no se hallaba en tiempos del nacionalsocialismo en Alemania, sino entre nosotros. Nosotros la cultivábamos.

Los miembros más conocidos de esta primera generación de la escuela de Frankfurt son Max Horkheimer, Theodor W. Adorno, F. Pollock, Erich Fromm, L. Löwental, Walter Benjamin y H. Marcuse. Al finalizar la Segunda Guerra Mundial, algunos de los que habían emigrado, como Adorno y Horkheimer, regresaron de nuevo a Alemania y reiniciaron de nuevo los trabajos del Instituto de Investigación Social en Frankfurt en una tercera etapa. Las ideas de algunos representantes de la Escuela, como en el caso de Marcuse, fueron un referente para las propuestas críticas de los jóvenes que protagonizaron las revueltas estudiantiles de Mayo del 68. Evidentemente se trataba de una movilización frente a los excesos de una modernidad organizada, y los teóricos de la escuela de Frankfurt habían proporcionado ya una perspectiva crítica de ésta.

Cabe hablar de una «segunda generación» de teoría crítica, cuyo representante más conocido es Jürgen Habermas, un antiguo ayudante de Adorno en la Universidad. En Habermas continúan presentes los motivos principales de la teoría crítica, pero intenta producir un esquema más amplio que pueda comprender los aspectos de la racionalidad humana que se expresan mediante el lenguaje y la comunicación. Esta «razón comunicativa» se entiende como una propiedad del lenguaje, como estando inscrita en el lenguaje natural. Esta racionalidad se expresa pues en la comunicación lingüística en un mundo vital de experiencias y también en la argumentación racional, como medio para realizar una crítica en la esfera pública moderna. Los sujetos modernos pueden hacer uso de la argumentación racional, del intercambio de opiniones en un debate, que es la esencia de la esfera pública democrática. Consiguientemente, para Habermas, no hay únicamente aspectos autoritarios en la modernidad ilustrada, sino también posibilidades abiertas para el ejercicio de la democracia y de la autonomía.

D) Teoría crítica y teoría tradicional

Los representantes de la escuela de Frankfurt insisten que en que su teoría es «crítica» y distinta a la «tradicional». La teoría tradicional pretende una asepsia respecto a los valores, una especie de neutralidad de la ciencia y de la técnica frente a intereses e ideologías. De este modo no se plantea el contexto social en que brota el saber científico. Esta teoría tradicional se auto-entiende como pura y desvinculada de la praxis: confía en la limpieza de su método para obtener conocimiento. Pero vayamos despacio y veamos qué quieren decir los teóricos de Frankfurt con la expresión «teoría crítica». Para ser breve señalaré únicamente tres matices de esta expresión.

En primer lugar, los teóricos de Frankfurt se referían a una actitud crítica fundamental consistente en cuestionar el estado de cosas que se nos aparece como preestablecido, natural, en una sociedad dada. El individuo conformista, sin embargo, está tan separado de su propia sociabilidad creativa que no ve la naturaleza construida de los ámbitos sociales, los cuales se le presentan como obvios, naturales. Este individuo tiende a aceptar como evidentes las orientaciones existentes en la sociedad, que son sin embargo consecuencia de un desarrollo histórico-social. Así, por ejemplo, puede creer que tiene «un puesto en la sociedad» —quizás entendido como un papel social importante que intenta mejorar incluso compitiendo con otros—. Sin embargo, no observa que esa división del trabajo fue creada por otros y no está exenta de criterios planificados desde una decisión estratégica que le es ajena y «exterior» a sí mismo. En este sentido dice Horkheimer (1974: 139):

XAVIER COSTA

> la separación entre individuo y sociedad, en virtud de la cual el individuo acepta como naturales los límites prefijados a su actividad, es relativizada en la teoría crítica. Ésta concibe el marco condicionado por la ciega acción conjunta de las actividades aisladas, es decir, la división del trabajo dada y las diferencias de clase, como una función que, puesto que surge del obrar humano, puede estar subordinada también a la decisión planificada, a la persecución racional de fines.

Existe un segundo sentido para la expresión «crítica» que hace referencia a un esfuerzo para reconocer y asumir los propios límites, la propia incompletud que es sin embargo fuente de creación. Este aspecto incluye el saber de que nunca se está completamente «limpio» o «puro» puesto que las contradicciones sociales se encarnan en nosotros mismos. El teórico crítico se autoentiende, por un lado, como parte del todo social, pero, por otro lado, advierte que esa totalidad es el resultado de formas de lucha y de opresión inhumanas que no presuponen una voluntad unitaria y armónica. De aquí que sea necesario un esfuerzo para hacer conscientes las contradicciones que esa totalidad social, regida por el capital, hace presentes en la propia personalidad. Señalaba Horkheimer (1974: 240) en *Teoría Crítica*: «El carácter escindido, propio del todo social en su configuración actual, cobra la forma de contradicción consciente en los sujetos del comportamiento crítico». Esto se puede decir de otro modo más sencillo señalando que el teórico crítico deberá estar realizando un trabajo permanente de auto-cuestionamiento, de «limpieza» constante de sí mismo, dado que recibe, como cualquier otra persona, los impactos de una sociedad que incluye rasgos inhumanos. Esta actitud de auto-cuestionamiento es uno de los aspectos que hay que tener en cuenta para valorar la importancia que en la teoría crítica adquiere la obra de Freud y el descubrimiento del inconsciente.

El teórico crítico desconfía de aquellos que se presentan como los «buenos» o proponen una utopía de sociedad absolutamente «buena» o «correcta». Todos hemos recogido una parte de la crueldad que expresa la historia de ser humano. Dice Horkheimer (1976: 62): «Que en la tierra, en muchos lugares reinan la injusticia y la crueldad y los seres felices que no tienen que sufrir se aprovechan de que su felicidad depende del infortunio de otras criaturas, tanto hoy como en el pasado... Todos nosotros debemos unir la tristeza a nuestra alegría y a nuestra dicha; debemos saber que tenemos parte de esa culpa.» Prosigue Horkheimer señalando que esta actitud de la teoría crítica procede de una afinidad con aquella característica de la teología judía que propone la máxima que dice «No debes hacer para ti ninguna imagen de Dios», la cual se entiende como «No puedes decir lo que es el absoluto Bien, no puedes representarlo». El trabajo de la teoría crítica se plantea entonces en términos de indicar el mal, pero no lo absolutamente correcto.

La teoría crítica se distingue de la teoría tradicional en un tercer sentido, que está relacionado con el que hemos señalado en primer lugar para el individuo. Existe un déficit de auto-reflexión en la ciencia, pues ésta no vuelve su mirada hacía los contextos históricos y motivos sociales que la impulsan en una dirección o en otra, hacia unos hechos y objetos u otros. Por ejemplo, el dinero y el trabajo destinado a financiar investigación en armamento o en ir a Marte podría destinarse a causas e investigaciones de índole muy distinta. Pero este problema de la ciencia lo es también para el individuo. Así, dice Horkheimer (1976: 57): «Lo que yo dije de la ciencia no es válido sólo para ella, sino también para el individuo. El individuo forja en su mente pensamientos, pero qué es lo que le induce a tales pensamientos, por qué tiene esos pensamientos y no otros, por qué se ocupa apasionadamente de esas cosas y no de otras, de ello no sabe nada, de la misma manera que tampoco sabe nada la ciencia acerca de los motivos que la impulsan a elegir tal o cual dirección en su investigación».

En particular, la ciencia social suele aducir una «neutralidad valorativa», una asepsia respecto a los valores, para justificar un ciego metodologismo ateórico y acrítico que pone el énfasis en las técnicas. Esta asepsia respecto a valores y el énfasis en las técnicas pretende dotar a la ciencia de un carácter puro e incontaminado de intereses. Pero de este modo, la ciencia social corre el riesgo de convertirse en instrumento de poder al servicio de los aparatos de dominación burocrática y de la industria. En este aspecto los teóricos de Frankfurt proponen enriquecer la relación entre teoría y praxis, lo cual implica atender a las mutuas relaciones que se producen entre una variedad de disciplinas.

Los teóricos críticos se alinean junto a otros autores, como Husserl y Heidegger, que habían advertido en los años treinta de una crisis de las ciencias en Europa, que estaba generada, entre otras cosas, por el exceso de especialización y por la influencia de unas tecnologías que no atendían la estructura del mundo vital de experiencias en que se encuentran los seres humanos, un mundo existencial y concreto que era fundamental para las personas. La teoría tradicional había abandonado una buena parte del potencial de auto-reflexión de la teoría y ya no podía acercarse al mismo suelo mundano y terrenal sobre el que construía sus edificios conceptuales. La teoría tradicional se había alejado de la vida. Además, sin un sentido crítico, la teoría tradicional corría el riesgo de emparejarse con un modo de ver el mundo en el que predominaba lo que nuestros autores llaman «racionalidad instrumental». A continuación vamos a ver qué quiere decir este concepto y cómo está relacionado con tendencias inscritas en la Ilustración.

2. LA PRIMERA GENERACIÓN DE LA ESCUELA DE FRANK-FURT

A) *La Dialéctica de la Ilustración. El dominio de la racionalidad instrumental*

Se dice a veces que cada escuela tiene un libro fundamental. Si esto es así, habrá que decir que en el marco del Escuela de Frankfurt este libro es *Dialéctica de la Ilustración*, una obra escrita conjuntamente por Adorno y Horkheimer (1947). Uno de los puntos de referencia para comprender la compleja temática de este libro es la obra de Hegel. Este genial filósofo se había referido ya, en la *Fenomenología del Espíritu*, a un punto ciego, violento, en el proceso dialéctico a través del cual una forma de libertad formalista y utilitaria, inscrita en la Ilustración, acaba en el terror y en la muerte al «realizarse» en términos históricos. Esta forma de libertad utiliza la ciencia y la tecnología para producir una igualación y homogeneización realizada desde criterios utilitarios.

Hegel pensaba evidentemente en el paso de la Revolución Francesa al terror. La Revolución preconizaba el uso de la razón y de la ciencia para extender los ideales de la libertad, la igualdad y la fraternidad; sin embargo, pasó pronto al Régimen del Terror en el que se hizo un significativo uso de la tecnología de la guillotina para proteger los logros revolucionarios. Además: la Revolución se transformó en voluntad de dominio sobre Europa y el Mundo. Adorno y Horkheimer tienen en la mente los casos recientes de los campos de concentración y de exterminio. Estos lugares son espacios perfectamente administrados desde presupuestos científicos, tecnológicos y de utilidad que están destinados a planificar la muerte. Pueden encontrarse otros ejemplos en la arquitectura y en el urbanismo. Los grandes edificios con pequeños pisos construidos en la antigua URSS, cuyo sentido de la utilidad y de la igualdad se eleva todavía más con el uso generalizado de un mismo color para sus fachadas: un color triste, grisáceo, mortecino. Se trata de espacios diseñados para excluir todo aquello «heterogéneo» que pueda escapar de las formas utilitarias, igualadoras y niveladoras. Las sociedades capitalistas, sin embargo, sufren un proceso similar, aunque no salta tan fácilmente a los ojos como en los ejemplos anteriores. Para Adorno y Horkheimer este mismo efecto instrumental de igualación y estandarización, con la perspectiva puesta en el cálculo estratégico de la utilidad, se produce en la industria de la cultura en la sociedades occidentales. No debemos olvidar que las tendencias de la Ilustración son generales en Occidente; el caso Nazi o Soviético constituyen síntomas catastróficos que son el producto de una radicalización y aceleración de estas tendencias.

Los efectos de la Ilustración impregnan la totalidad de las sociedades modernas. Adorno y Horkheimer disponen del análisis de Max Weber para situar las ideas anteriores de Hegel en un marco histórico más cercano y afín a las ciencias sociales. Nuestros autores conocen muy bien los trabajos de Weber, y están haciendo uso de su imagen de la sociedad moderna como «jaula de hierro». Weber se refirió a la dominante presencia de una forma de racionalidad que impregnaba esta «jaula de hierro» en la que vivimos, la racionalidad instrumental, que se imponía en las sociedades modernas en detrimento de la espontaneidad vital del ser humano.

La racionalidad instrumental deja de entender a las personas como seres humanos plenos y abandona una perspectiva de las cosas que las entiende como estando unidas a la naturaleza y a los otros misterios del cosmos y de lo sagrado. La racionalidad instrumental reduce a las personas, a las cosas y a la naturaleza a un simple «medio», a un objeto que es tratado estratégicamente con vistas a «fines» de maximización de la utilidad económica y de dominio. Para referirse a este imperio creciente de la racionalidad instrumental Weber usaba la imagen de una «jaula de hierro» o «estuche de acero». Los grandes aparatos burocráticos y la conducta económica del mercado capitalista y de las grandes organizaciones industriales constituían «estuches de acero» que estaban impregnados de esta racionalidad estratégico-instrumental. El ser humano se encuentra encerrado en una jaula cuyos barrotes han sido construidos paradójicamente por él mismo mediante el repetido ejercicio de esta forma instrumental de racionalidad. La sociedad moderna es entonces una jaula de hierro que se mueve: una máquina social. Weber situaba el énfasis en la racionalidad instrumental en conexión con las formas de conducta ascética del puritanismo. La Ilustración se entendía como heredera de estas tendencias, que habían cuajado de forma muy clara en el pensamiento del utilitarismo Inglés, cuyo máximo representante fue Jeremy Bentham.

La racionalidad instrumental se ha extendido tanto que se ha convertido en «normal», y a veces no se la ve pues tiñe las cosas con el mismo color que antes ha puesto en las «lentes» de los individuos que se le someten. Sin embargo, en las sociedades actuales siguen existiendo establecimientos construidos a partir de un criterio de utilidad que exige una administración y organización eficaz que se apoya en la tecnología y en una comprensión reducida de las potencialidades sociales del ser humano y de su creatividad. Estos establecimientos se han convertido en algo tan «normal» que parece que todo esto no va con ellos. Por ejemplo, podemos observar los espacios y los ritmos de las plantas industriales de montaje, en la arquitectura de algunas prisiones, escuelas y universidades o en la manera de organizar los pisos en los edificios-colmena. Así, basta fijarse en como se organiza una masa de alumnos universitarios en aulas iguales, pensadas para un alto número de personas sentadas en filas de modo que se maximice la utilidad del espacio, para darnos cuenta de que las premisas del utilitarismo siguen teniendo una influencia hoy en día. Otro tanto ocurre con los ritmos de sucesión de clases, con la *ratio* profesor-alumno, etc.

Tras estos ejemplos puede quedar más claro el modo en que Adorno y Horkheimer interpretan las ideas anteriores de Hegel con la ayuda de Max Weber y su idea del creciente dominio y extensión de la «racionalidad instrumental» en una «jaula de hierro». El proceso dialéctico mediante el cual la propuesta de liberación de la Ilustración acaba en una calamidad, en una «triunfal desventura», se sintetiza en el primer párrafo de *Dialéctica de la Ilustración* de un modo irónico mediante un juego lingüístico con la palabra Ilustración y el resultado de su iluminación en una «tierra enteramente iluminada»: «La Ilustración, en el sentido más amplio de pensamiento en continuo progreso, ha perseguido siempre el objetivo de quitar el miedo a los hombres y de convertirlos en amos. Pero la tierra enteramente iluminada resplandece bajo el signo de una triunfal desventura.» (Adorno y Horkheimer 1947: 15).

La imagen que responde a la Ilustración la proporciona la ciencia; lo no-científico se excluye. Para conseguir aquellos objetivos de quitar miedo y dar poder a los hombres la Ilustración toma la bandera de la ciencia, del método y de las operaciones tecnológicas para plasmarse y realizarse históricamente en hábitos, instituciones y ámbitos sociales concretos. Excluye las cosas ajenas a su propia imagen cientificista. Esto es: segrega (destruye) la magia, el mito, la fiesta, la tradición y la religión. Así, el corazón del proyecto ilustrado se resume en un empuje hacia el «desencantamiento del mundo» mediante la ciencia y la racionalidad instrumental tecnológica. Señalan Adorno y Horkheimer (1947: 15,17): «El programa de la Ilustración era el desencantamiento del mundo. Pretendía disolver los mitos y derrocar la imaginación mediante la ciencia». No olvidemos que se trata de iluminar, de hacerlo todo transparente y de eliminar tanto el misterio como el deseo de que éste exista (y se revele). Prosiguen nuestros autores: «No debe existir ningún misterio, pero tampoco el deseo de su revelación».

En esta parte de la obra, Adorno y Horkheimer se apoyan en los temas y estudios de Max Weber relacionados con el desencantamiento del mundo. La racionalidad instrumental provoca un desencantamiento del mundo. ¿Qué es este desencantamiento? Se trata del hecho de que las cosas pierden su halo de misterio-sacralidad como consecuencia del empuje de la racionalidad instrumental (afín a la mentalidad del protestantismo ascético emergente para Max Weber), que somete a imperativos de dominio estratégico a las personas y a la naturaleza. Las personas y las cosas dejan de estar unidas entre sí y con el mundo; la racionalidad instrumental lo puede separar y disgregar todo; cualquier cosa, persona o elemento de la naturaleza se entiende como reducible a un objeto que puede ser sometido a control y es susceptible de ser modificado a voluntad mediante la acción instrumental (guiada desde la ciencia y la tecnología). A partir de esta actividad se intenta aumentar el control sobre la vida y aprovecharla utilitariamente. Pensemos en las grandes obras que sacan a los ríos de sus cauces naturales, en la tala de árboles y en la transformación de la selva, en la clonación, los alimentos transgénicos, etc. El dominio de la racionalidad estratégico-instrumental no se pone límites; es un poder que es un saber tecnológico. Señalan nuestros autores:

> El saber, que es poder, no conoce límites, ni en la esclavización de las criaturas ni en su fácil aquiescencia a los señores del mundo. Se halla a disposición tanto de todos los fines de la economía burguesa, en la fábrica y en el campo de batalla, como de todos los que quieran manipularlo, sin distinción de sus orígenes... La técnica es la esencia de tal saber... Lo que los hombres quieren aprender de la naturaleza es la forma de utilizarla para lograr el dominio integral de la naturaleza y de los hombres. Ninguna otra cosa cuenta. (Adorno y Horkheimer 1947: 16).

La extensión de este saber tecnológico con la Ilustración se expresa en la modernidad organizada a través de sistemas regidos por la acción instrumental, las «jaulas de hierro» en la terminología de Max Weber, que someten a los seres humanos a su poder. La Ilustración es el Imperio de la racionalidad instrumental. Cualquier otro principio que pareciera contener la propia Ilustración ha sucumbido ya al poder de la racionalidad instrumental: «Sin miramientos hacia sí mismo, la Ilustración ha quemado hasta el último resto de su propia autoconciencia» (Adorno y Horkheimer 1947: 17).

La obtención de este poder-saber tecnológico que ayuda a los hombres a superar el miedo mediante una forma tan dura de dominio se paga, sin embargo, de forma muy cara. Adorno y Horkheimer señalan una gran variedad de «costes» o pérdidas[1], pero aquí nos referiremos únicamente a tres pérdidas fundamentales. En primer lugar, la vida se reduce a equivalentes contables, a unidades aisladas que pueden intercambiarse, eliminando o reduciendo todo aquello heterogéneo a abstracciones y a números. Así, la Ilustración se caracteriza por la reducción de todo a lo «uno-idéntico»; reduce cualquier diferencia en equivalente en términos contables. Si algo no entra dentro de este esquema se entiende como falso, supersticioso o apariencia. Así, afirman nuestros autores: «La sociedad burguesa se haya dominada por lo equivalente. Torna comparable a lo heterogéneo reduciéndolo a grandezas abstractas. Todo lo que no se resuelve en números, y en definitiva en lo uno, se convierte para la ilustración en apariencia.» (Adorno y Horkheimer 1947: 20).

En segundo lugar, el ser humano se extraña con respecto a la naturaleza y las cosas, y también en relación consigo mismo. Pierde una habilidad para establecer una «cercanía» respecto al mundo, para crear una proximidad o familiaridad con la cosas que respete su misterio. Las relaciones interpersonales pierden así su espontaneidad vital y se hacen problemáticas en nuevos sentidos. Este tema del extrañamiento, de una lejanía, con respecto a la propia experiencia aparece en otras obras de la escuela crítica en relación con temas específicos. Así, por ejemplo, en *Sociológica*, Adorno y Horkheimer (1966: 189 ss) analizan el alejamiento con respecto a la experiencia propia que presuponen los horóscopos de las revistas. La persona que lee los horóscopos acepta una autoridad abstracta en vez de enfrentarse a una profundización sobre las experien-

---

[1]   Adorno y Horkheimer (1947: 35 ss, 61 ss, 74 ss) explican el modelo de individualización ilustrado mediante el caso del «apolíneo Odiseo». Utilizan el concepto de sacrificio de Mauss y Hubert, aplicándolo al ascetismo característico del autodominio de esta subjetividad. Su interpretación se origina en Hegel y, especialmente, en los temas vinculados al *Origen de la Tragedia* de Nietzsche. Como puede apreciarse aquí, a diferencia del uso del ritual existente en Parsons (y en Habermas), que está destinado a fundamentar lo normativo y los valores compartidos, el ritual también puede estar asociado con la violencia y la exclusión.

cias de su propia vida, algo que evidentemente comporta mayores riesgos.

En tercer lugar, este sujeto que rige su comportamiento desde actitudes instrumentales renuncia a la plenitud de la vida, y por tanto a su propio ser. Irónicamente, el propio sujeto que quiere acrecentar su poder mediante el uso de la racionalidad instrumental pierde su fundamento viviente y se autodestruye como tal sujeto. Como máximo, este sujeto que renuncia a la vida pasa a ser una pieza de un engranaje mecánico. Podría decirse que ha perdido el rostro y la voz del ser humano: su fe en la racionalidad tecnológica se confunde con el ruido de la máquina. La cultura, como fuente de creatividad, no puede ya socorrer a este individuo puesto que también está sometida a procesos industriales que lo asemejan y nivelan todo. Así, este sujeto tiene dificultades para construir y encontrar su identidad personal, para ser singular y diferente a los otros.

B) La industria cultural

Adorno y Horkheimer exponen sus ideas sobre la industria cultural en el célebre ensayo, titulado «La Industria Cultural», que forma la parte central de la *Dialéctica de la Ilustración*. La industria cultural acuña y produce ítems culturales que tienen el carácter de mercancías, dando lugar a una homogeneidad en la que predomina un sentido de lo semejante. De este modo se refuerza lo «uno-idéntico» del sistema social administrado y la cultura deja de contribuir a expresar lo singular y lo diferente. La cultura está también encerrada en la «jaula de hierro» del sistema; la cultura se produce ahora en los «estuches de acero» de la industria. Los distintos escenarios culturales se han convertido en sistemas que armonizan entre sí y con la totalidad del sistema. La racionalidad instrumental del sistema penetra los ámbitos culturales con su «ritmo de acero». Adorno y Horkheimer niegan de este modo una tesis sociológica contraria que consiste en afirmar que vivimos en un «caos cultural». Para nuestros autores no hay tal caos, sino semejanzas. Las tendencias hacia la igualación y la unificación utilitarias inscritas en la Ilustración se expresan también en la cultura:

> La tesis sociológica, según la cual la pérdida de apoyo en la religión objetiva, la disolución de los últimos residuos precapitalistas, la diferenciación técnica y social y la extremada especialización han dado lugar a un caos cultural, se ve diariamente desmentida por los hechos. La cultura marca hoy todo con un rasgo de semejanza. Cine, radio y revistas constituyen un sistema. Cada sector está armonizado en sí mismo

y todos entre ellos. Las manifestaciones estéticas, incluso de las posiciones políticas
opuestas, proclaman del mismo modo el elogio del ritmo de acero (Adorno y
Horkheimer 1947: 146).

Como en el caso de la Ilustración, cuyas tendencias se manifestaban
tanto en los países autoritarios como en los democráticos, también para
el caso específico de la cultura se produce una igualación de los rasgos
en una variedad de sociedades. Dicen nuestros autores: «Los organismos
decorativos de las administraciones y exposiciones industriales apenas
se diferencian en los países autoritarios y en los demás.» Otro tanto
acontece en el caso de la arquitectura, de la vivienda y del urbanismo.
Tanto las «pequeñas viviendas higiénicas» como los «nuevos chalés a las
afueras de la ciudad» obedecen a criterios de semejanza. Además,
insisten Adorno y Horkheimer, estas viviendas se caracterizan por su
impronta tecnológica y por un carácter mercantil que invita a destruir-
las como objetos cuando han cumplido su papel. De este modo, señalan
que estas viviendas «proclaman como las frágiles construcciones de las
muestras internacionales, la alabanza al progreso técnico, invitando a
liquidarlas, tras un breve uso, como latas de conserva.» Además, la
concepción de estas viviendas se haya vinculada a una escisión generada
en el sistema entre trabajo y ocio, que constituye el criterio funcional
subyacente para el diseño urbanístico de complejos organizados de
viviendas, áreas de producción y zonas de diversión (Adorno y Horkheimer
1947: 146-147).

Los medios de comunicación de masas utilizan técnicas de reproducción que presuponen una satisfacción de las mismas necesidades a
través de bienes estandarizados. Y existe una manipulación en relación
con esas necesidades, que se realiza técnicamente desde las posiciones
de los grupos económicamente poderosos. Estos grupos siguen siendo los
agentes del extrañamiento, de la enajenación, de la mayor parte de la
población. Consiguen sus objetivos a través de la reproducción tecnológica en serie. De aquí que, señalan nuestros autores, «la racionalidad
técnica es la racionalidad del dominio mismo. Es el carácter coactivo de
la sociedad alienada de sí misma.» Está racionalidad técnica elimina
cualquier otra necesidad que pudiera escapar de su orden mediante un
férreo control de la conciencia individual.

Al llegar aquí ya podemos observar el enriquecimiento que los
teóricos de Frankfurt han dado al concepto de alienación de Marx. Ahora
la pérdida de sí mismo, la imposibilidad de hacer la propia experiencia
debida a un trabajo maquinal, pasa a generalizarse más aún. La industria

cultural, con sus pautas de consumo de masas para los productos culturales, se hace cargo también del «secuestro» de la posibilidad de la experiencia propia y singularizante de la persona. Ahora, el individuo también se extraña de sí mismo al consumir según los criterios de la máquina social. El sujeto dominado por la racionalidad instrumental que había creado la «jaula de hierro» se encierra también a consumir en su interior e invita a otros a entrar.

Esta invitación puede ser explícita en unos casos o estar encubierta, incluso de modo laberíntico, en otros. La racionalidad instrumental dominante ejerce un planificado disimulo mediante la creación y manipulación de diferencias estandarizadas: «Las diferencias son acuñadas y propagadas artificialmente»; por ejemplo, las películas de serie *a* o *b* sirven para «clasificar y organizar a los consumidores» (Adorno y Horkheimer 1947: 149). Otro tanto suceden con las pequeñas diferencias que existen en los automóviles. Encontraremos otros ejemplos si nos fijamos en muchos anuncios de productos actuales. La propia búsqueda de la diferencia puede pasar a constituir un engañoso lema para vender una mercancía y se dice: «tú puedes hacer una diferencia si compras mi producto». En otras ocasiones se presenta el producto como necesario, dicen, «para ser tú mismo». Recientemente se ha puesto de moda el engañoso lema de «personalizar» los productos para referirse a las leves modificaciones (de aspectos sin importancia) que el comprador puede solicitar.

Podemos observar de nuevo, como en el caso de los horóscopos, que encontrar una singularidad biográfica se hace engañosamente fácil: basta con comprar para ahorrarse el penoso esfuerzo de trabajar en labrarse una personalidad que reflexione sobre su propia experiencia. La solución fácil la vende siempre otro y es más cómoda. La misma publicidad, sin embargo, sabe muy bien, y lo reconoce implícitamente en los anuncios, que la persona tiene un deseo de singularización, pero lo manipula para el propio beneficio de la industria cultural a la que sirve.

3. LA SEGUNDA GENERACIÓN DE LA ESCUELA DE FRANKFURT

A) *Sistema y mundo de la vida. La razón comunicativa*

Habermas está de acuerdo con Adorno y Horkheimer en que la racionalidad instrumental, que había cuajado en una «jaula de hierro» es una característica fundamental de las sociedades modernas. Habermas denomina «sistema» a la configuración de aparatos presididos por la racionalidad estratégico-instrumental (la jaula de hierro de Weber)[2]. Ahora bien, Habermas piensa que la racionalidad instrumental del sistema es únicamente uno de los componentes de la modernidad; y no es el único que la caracteriza. En su obra fundamental, *Teoría de la Acción Comunicativa* (1987) Habermas señala que el énfasis excesivo en la racionalidad instrumental (de Adorno y Horkheimer) hace posible entender una buena parte de las características de la modernidad ilustrada, pero impide observar otras tendencias y facetas de la modernidad que también son importantes.

¿A qué otras realidades y tendencias de la modernidad se refiere Habermas? Para Habermas se trata de lo que llama «mundo de la vida», un concepto que había sido desarrollado por Husserl en filosofía y por Shütz y sus principales seguidores, Berger y Luckmann (*La Construcción Social de la Realidad*), para la sociología. A partir de la comunicación realizada entre las personas en el mundo de la vida es posible también ejercer una discusión y un contraste de argumentos. Habermas vincula esta capacidad para la crítica racional con una esfera pública donde puede ejercerse la Democracia. Por eso en Habermas hay dos conceptos fundamentales: sistema y mundo de la vida. Ambos son necesarios para dar cuenta de las tendencias, a veces ambivalentes y contradictorias, de la modernidad ilustrada. La coexistencia entre sistema y mundo de la vida en las sociedades modernas no es nada fácil para el mundo de la vida. Para Habermas la racionalidad estratégico-instrumental del sistema tiende a colonizar el mundo de la vida, creando patologías y disfunciones en éste. Y ¿qué es el mundo de la vida?

El mundo de la vida es el mundo vital de experiencias concretas de la vida cotidiana. Los seres humanos somos los constructores de los «edificios» de ese mundo. Cuando entramos en interacción con otras personas y conversamos estamos poniendo los «ladrillos» para rehacer los hábitos, prácticas sociales e instituciones que se forman en nuestro mundo de la vida. Constantemente fabricamos estos ladrillos (normalmente los reconstruimos), pero estamos tan habituados a este ejercicio que no apreciamos nuestro protagonismo ni tampoco el modo en que participamos en esta reconstrucción permanente. De este modo damos

---

[2]   Para describir el sistema Habermas hace uso de la teoría sociológica de sistemas, desarrollada por el funcionalismo de T. Parsons.

por supuestas una gran cantidad de nuestras acciones, y su realización se hace obvia, tácita, se «naturaliza» tanto que pierde para nosotros la perspectiva de su «fabricación», de su «construcción social» originada en interacciones sociales que repetimos constantemente.

Habermas le da una gran importancia a la interacción comunicativa (y a la racionalidad) en el mundo de la vida: todo el mundo de la vida está estructurado comunicativamente. Hasta tal punto es así que para Habermas la razón es entendida como una propiedad del lenguaje natural, y proviene de la comunicación lingüística que tiene lugar en el mundo de la vida. Esta propiedad del lenguaje constituye su «reflexividad» o racionalidad. A estas alturas queda ya bastante claro que Habermas ha realizado una ampliación del concepto de racionalidad en relación con el restrictivo uso de «racionalidad instrumental» realizado por Adorno y Horkheimer. En Habermas hay una racionalidad más amplia, que se denomina «racionalidad comunicativa». Esta racionalidad procede de nuestras capacidades para comunicarnos, mediante el lenguaje natural, en el mundo de la vida. Esta racionalidad se expresa en un ámbito común y público de discusión democrática: la esfera pública.

B) La esfera pública burguesa en Habermas

La esfera pública constituye el corazón de los principios democráticos modernos. Además, es uno de los modos de que dispone el mundo de la vida para protegerse de las disfunciones (anomia, patologías psicológicas, desintegración familiar, etc) que le crea la racionalidad instrumental del sistema. El modelo de esta esfera pública es la esfera pública liberal burguesa, que está caracterizada por la argumentación racional y por un público de individuos, habituados a la lectura y a la información de la prensa, que discuten racionalmente los asuntos mediante un debate.

En general, la explicación de Habermas está restringida al tipo de individuo que puede establecer la ecuación entre razón y juicio público, siendo capaz de leer y escribir. Los protagonistas de esa «esfera pública de la sociedad civil» son los burgueses: «Esa capa «burguesa» es la verdadera sostenedora del público, el cual es, desde el principio, un público de lectores» (en *Historia y crítica de la opinión pública*, 1986: 61). Estos individuos desarrollan ideas universales de libertad e igualdad para la comunidad de «los seres humanos», y se dedican a razonar y a debatir críticamente bajo los criterios de la racionalidad y de la vida pública. Habermas se refiere constantemente a la pretensión de poder que se presenta en el debate público racional, siempre entendiendo que se trata del poder del mejor argumento.

Habermas estudia únicamente la esfera pública liberal. No deja ningún lugar para otros espacios públicos, como el de la esfera pública satírica y popular de la vieja tradición europea del Carnaval y de la cultura popular. Habermas señala (en *Historia y crítica de la opinión pública*, 1986: 38) que «La investigación se limita a la estructura y a la función del modelo *liberal* de la publicidad burguesa, a su origen y transformación; se remite a los rasgos que adquirieron carácter dominante en una forma histórica no presta atención a las variantes sometidas, por así decirlo, en el curso del proceso histórico, de una publicidad *plebeya*». De este modo Habermas no analiza las formas de consideración crítica de las cosas comunes que caracterizan a la publicidad plebeya, vinculadas con la cultura popular europea y el Carnaval.

Sin embargo, y esta es una crítica que podemos hacer a Habermas, hay otras esferas públicas, como la que ha generado la tradición de la cultura popular europea de Carnaval, que pueden demandar el mismo derecho y quizás son más fieles al sentido antiguo de la «cosa pública» común a todos. Por ejemplo, los carnavales, como en el caso de las «Chirigotas» de Cádiz, y otras fiestas populares (como las Fallas de Valencia), orientan su crítica social desde esta concepción popular de la esfera pública, y son excluidos por el planteamiento de Habermas. Estas formas de esfera pública popular incluyen otros aspectos, distintos a la argumentación racional, como el chiste y el juego, para realizar una consideración de las «cosas comunes» y una crítica social. Estas formas populares de cuestionar las cosas son de mayor alcance para la totalidad de la población pues se basan en una sociabilidad común a todos. Por ejemplo, el chiste lo puede hacer todo el mundo, incluidas las personas que no han aprendido a leer y a escribir.

C) Conclusión

La teoría crítica nos ha ayudado a comprender una serie de tendencias que acompañan al desarrollo de la Ilustración y de la vida moderna. La primera generación insistía en los aspectos violentos asociados a la racionalidad instrumental. Habermas añadía la consideración de una racionalidad más amplia, la racionalidad comunicativa, que se asociaba con nuestras capacidades para el debate racional en una esfera pública liberal. Pero la teoría crítica no ha atendido suficientemente las formas populares de crítica y de sociabilidad que son, sin embargo, tan importantes en muchas zonas del Mediterráneo y en Latino-América.

Todo aquel que pretenda leer y practicar la teoría crítica en España y en Latino-América tendrá que partir del hecho de que las personas y los colectivos presentan una singular habilidad para la práctica de la sociabilidad en general y de la sociabilidad festiva en particular; y también tendrá que confrontar la circunstancia de que las tradiciones populares y sus formas de crítica social persisten y evolucionan. De esta manera, existe probablemente una variedad peculiar de formas de modernidad entre nosotros que todavía no hemos investigado en toda su amplitud. Sin embargo, la teoría crítica no ha ofrecido muchas ideas para considerar esta pluralidad de formas de comprender la modernidad. Más bien, ha presupuesto una forma única y monolítica de modernidad. Pero la omnipresencia e intensidad de la sociabilidad constituye un síntoma, y una característica distintiva, de nuestra forma peculiar de interpretar la experiencia moderna.

Capítulo 12
Fenomenología sociológica

1. UNA REELABORACIÓN DE LA FENOMENOLOGÍA DE SCHÜTZ: SOCIOLOGÍA DEL CONOCIMIENTO Y MUNDO DE LA VIDA EN BERGER Y LUCKMANN

Berger y Luckmann (1968) presentan una propuesta de renovación de la sociología del conocimiento en *La construcción social de la realidad*. La sociología del conocimiento había exagerado, según los autores, el papel de las ideas y del teórico, y había menospreciado la relevancia de la realidad de la vida cotidiana. Aquí, en esta realidad de la vida cotidiana, inscrita en el mundo de la vida, se encuentran, sin embargo los fundamentos del conocimiento. De aquí que el primer capítulo de *La Construcción Social de la Realidad*, realizado mediante conceptos esenciales de Alfred Schütz, se titule así: «los fundamentos del conocimiento en la vida cotidiana». De hecho, como se indica en el subtítulo inglés del libro, se trata de un tratado de sociología del conocimiento. Los autores parten de los conceptos básicos de Husserl y de Schütz para ir desarrollando progresivamente otros nuevos. Veamos en primer lugar cómo reelaboran estos conceptos básicos.

Schütz estudió la «vida cotidiana» en el marco del mundo de la vida. La realidad de la vida cotidiana, o realidad del mundo de la vida cotidiana, aparece ya como una realidad interpretada y coherente para los participantes que la conforman y construyen, los miembros ordinarios de la sociedad. Para explicar estos fundamentos del conocimiento en la vida cotidiana hay que proceder a clarificar «las objetivaciones de los procesos (y significados) subjetivos por medio de los cuales se construye el mundo intersubjetivo del sentido común» (Berger y Luckmann 1968: 37). Esto se realiza mediante un análisis fenomenológico, que es un método descriptivo y empírico. Nos acercamos a esta realidad caracterizada por el sentido común utilizando el «paréntesis fenomenológico», que nos permite captar las abundantes interpretaciones pre-científicas, pre-teóricas, que se dan por supuestas en el mundo de la vida.

Un buen modo de darse cuenta en la práctica de qué es todo esto consiste en poner en cuestión alguna de estas interpretaciones firmemente establecidas para los participantes en su mundo de la vida cotidiana. Para ello procedemos a «aislar» un contexto, situación y actores sociales, que ponemos «entre paréntesis» mientras éstos realizan sus constructos sociales habituales, rutinas establecidas y tipificaciones. Observaremos que los actores se encuentran desconcertados si osamos contrariar sus expectativas, hábitos y rutinas en una determinada situación social a la que están acostumbrados en su mundo de la vida. Un ejemplo de una de estas actividades que sirve para poner el paréntesis fenomenológico y, además, contrariar la estructura normativa del mundo de la vida, es preguntar la hora y, a continuación, no seguir la dinámica de la interacción del modo usual (por ejemplo, mirar a la persona y dar las gracias). Los actores sociales en general, y esta persona del ejemplo en particular, están esperando de modo natural y confiado una determinada respuesta por nuestra parte que, sin embargo, no realizamos «como es requerido», no la llevamos a efecto adecuadamente o sin llamar la atención. Observamos consiguientemente que el mundo de la vida posee una organización, un orden, que los participantes dan por supuesto. Está formado a base de un conocimiento tácito, implícito, dado por supuesto. En algún caso los actores sociales nos recordarán con sus propias palabras las características de esta organización, de tal expectativa o hábito puesto en cuestión, exigiéndolo de algún modo. Al hacerlo, algunos tendrán que esforzarse bastante para reconstruir su auto-comprensión de tal orden tácito, lo cual es en algunas ocasiones un poco molesto. Otros se mostrarán profundamente desconcertados, como habiendo perdido provisionalmente una «estabilidad ontológica», un sentido de la realidad, que parece desvanecerse por unos momentos. Otros actores sociales pueden etiquetar de entrada nuestra actividad como una broma, una muestra de insensatez, etc.

Para la fenomenología es fundamental la intencionalidad, entendida en el sentido de que nuestra conciencia «siempre apunta o se dirige a objetos» (Berger y Luckmann 1968: 38). Lo que aprendemos es nuestra conciencia de tal o cual cosa, no un supuesto sustrato de nuestra conciencia o nuestra conciencia en cuanto tal. Esta variedad de objetos que aparecen ante la conciencia configuran las «diferentes esferas de la realidad» o, como las llamó Schütz, las «múltiples realidades» del mundo de la vida. Al pasar de una realidad a otra he de realizar una «transición» que necesariamente me produce una conmoción, un impacto, de mayor o menor intensidad y de distintas cualidades, según la naturaleza de las realidades implicadas, de las situaciones y de las características de las personas que la realizan. Ejemplos de estas realidades son el sueño, el juego, el humor, la fiesta, el cine o el teatro, la sexualidad, el comensalismo, etc. La vida cotidiana se presenta como realidad por excelencia entre estas múltiples realidades que configuran el mundo de la vida. La tensión que ejerce la realidad respecto a la conciencia se manifiesta aquí en el más alto grado pues la vida cotidiana se imponen sobre la conciencia «de manera masiva, urgente e intensa en el más alto grado» (: 39). Pero existen otras características de la vida cotidiana que explico brevemente a continuación:

(a) La vida cotidiana viene ya con una ordenación dada. Las pautas en que se representan los fenómenos y la designación de los objetos como tales objetos mediante lenguaje son cosas que ya están dadas de antemano, se me imponen, parecen independientes de mi propia manera de acceder. El lenguaje es fundamental en este marcaje de coordenadas.

(b) La vida cotidiana se experimenta a través de distintos grados de proximidad y alejamiento, espacial y temporal. Por una parte, tenemos la inmediatez del cuerpo y del presente, centrados en el «aquí» y «ahora». Esta área cercana tiene una mayor realidad para la conciencia. Por otra parte, hay zonas lejanas no accesibles de este modo, y que despiertan menos interés.

(c) La vida cotidiana se presenta como un mundo intersubjetivo compartido con otros. Cada individuo se sostiene gracias a la interacción y a la comunicación con los otros que genera la seguridad de que el otro también tiene su «aquí y ahora», y que los significados tienen correspondencia con los de los otros. Esta seguridad produce una «actitud natural» que es la que caracteriza al sentido común de este mundo compartido con otros.

(d) La vida cotidiana se divide en sectores no-problemáticos y problemáticos. Las cosas compartidas constituyen «rutinas normales y auto-evidentes de la vida cotidiana». No voy por la calle, digámoslo así, haciendo «verificaciones adicionales» sobre un aspecto de la vida cotidiana. De aquí que sea muy difícil conseguir un esfuerzo consciente para escapar de esta realidad. En algunas ocasiones, la experiencia que se impone para realizar una transición de salida es extrema, como el caso de la teoría, de la ciencia o de la religión. Habitualmente, sin embargo, el modo en que salimos de la rutinas establecidas tiene que ver con la aparición de un problema, cuando se requiere una habilidad nueva, por ejemplo para enfrentarse a una circunstancia distinta. Pero también cuando alguien a nuestro alrededor hace algo inconveniente para nuestra presuposición de las cosas, nuestro sentido del orden o las rutinas que conocemos bien. En esos casos se interrumpe momentáneamente la apariencia de auto-evidencia de la vida cotidiana, lo cual es un poco molesto en ocasiones. Esa zona de la realidad se vuelve problemática hasta que desarrollo nuevas habilidades para reintegrar el área problemática en la no-problemática, convirtiendo otra vez aquello nuevo que surgió en rutinas obvias y dadas por supuestas.

Cabe añadir aquí alguna cosa a los comentarios de Berger y Luckmann. Primero, es difícil saber hasta qué punto los problemas me salen al encuentro o se originan a partir de la propia actividad del sujeto. Así, diciéndolo con sencillez, hay por ejemplo personas que disfrutan multiplicando los problemas. Además, hay modos de producir «tematizaciones» que no se presentan asociadas a la formulación de un problema. Por otra parte, hay que tener en cuenta que, en el modo de resolver estas situaciones que se salen de lo común, las personas utilizan recursos que van más allá de la deliberación racional o de la clarificación lingüística consciente. Por ejemplo, los recursos humorísticos y emocionales (entre otros) son esenciales aquí en muchas ocasiones.

(e) Anteriormente me he referido a la existencia de múltiples realidades en el mundo de la vida, siendo la vida cotidiana la realidad suprema. Hay algunas realidades, rodeadas por la de la vida cotidiana, que Schütz denominó «zonas limitadas de significación». Me parece, no obstante, que esta denominación no es demasiado acertada dado que muchas de estas zonas tienen una gran cantidad de símbolos significantes, incluso una mayor densidad y riqueza de significación que la realidad de la vida cotidiana. Para entrar y salir de estas zonas se realiza una transición de entrada y de salida. Berger y Luckmann mencionan los sueños, el pensamiento teórico, los juegos, el teatro (con su metáfora de subir y bajar el telón para explicar la transición), la experiencia estética y religiosa. En estos casos se produce un desplazamiento extremo en cuanto a la tensión necesaria para producir la transición, que frecuentemente se ha denominado «un salto» (:43).

(f) Existe una estructuración temporal del mundo de la vida. Por una parte, de modo intra-subjetivo, los individuos tienen conciencia de un fluir interior del tiempo, cuya ordenación está estructurada en niveles de temporalidad. Por otra parte, el mundo de la vida, la dimensión de intersubjetividad, tiene una temporalización. Esta no se corresponde con la de la hora marcada usualmente por el reloj. La «hora oficial» de un mundo de la vida es el resultado, según Berger y Luckmann, de «la intersección del tiempo cósmico o su calendario establecido socialmente según las secuencias temporales de la naturaleza, y el tiempo interior, en sus diferenciaciones antes mencionadas (: 44). Esos distintos niveles de temporalidad no producen normalmente una simultaneidad. Unas cosas van primero que otras, de modo necesario. No puedo cambiar su orden a voluntad. La vida cotidiana obliga a realizar correlaciones y «ensamblajes» cuya viabilidad depende en gran medida de la comprensión de la rutinas establecidas. El tiempo de la vida cotidiana es continuo y limitado. Los autores recogen aquí una idea de Heidegger: la inevitabilidad de mi muerte demuestra que mi tiempo es limitado, «este conocimiento inyecta una angustia subyacente en mis proyectos».

(g) Dentro de la vida cotidiana hay una experiencia fundamental, y la más importante que comparto con los otros: la situación cara a cara. Es la que da al individuo mayores dosis de realidad. Otros medios de interacción, tales como el teléfono o la correspondencia, no proporcionan la misma densidad de realidad. En esta situación el otro se me presenta en mi propio presente, y yo sé que el otro está también en su propio presente. Hay un compartir temporal y, también, espacial puesto que el otro está a mi alcance y se produce un intercambio de expresividades. Por otra parte, la situación cara a cara está altamente pautada: contiene tipificaciones que intervienen en la situación. Los esquemas tipificadores recíprocos, que veremos con mayor detalle después, tienen también un distinto margen de realidad. Estas tipificaciones se vuelven más anónimas en la medida en que van alejándose progresivamente de la situación cara a cara. Hay tipificaciones que se establecen con personas que conozco bien, todos los días, y que me producen una alta dosis de realidad y confirmación de la normalidad. Cuando las tipificaciones son más anónimas puedo perder interés y confianza en las mismas. Sin embargo, muchas de estas tipificaciones incluyen a personas en el pasado, que en muchas ocasiones ya han muerto. Consiguientemente la realidad social construida en el pasado tiene una influencia sobre el presente. Las tipificaciones constituyen un *continuum* de experiencias, que va de las más reales y asentadas en la interacción cara a cara en mi círculo de familiares, amigos y personas de trato regular hasta llegar a las abstracciones anónimas. La estructura social es la suma de todas las tipificaciones.

Los autores explican el lenguaje, que es fundamental para el conocimiento en el mundo de la vida, a partir del concepto hegeliano de «objetivación». Las objetivaciones son productos de la actividad humana que realizan los hombres al vivir en un mundo presidido por el sentido común. La realidad de la vida cotidiana es el conjunto de estas objetivaciones. Un caso particular de objetivación es la significación, la producción de signos por parte de los seres humanos. El signo se diferencia de otras objetivaciones por su «intención explícita de servir como indicio de significados objetivos». El lenguaje es definido como «un sistema de signos vocales, es el sistema de signos más importante de la sociedad humana. Su fundamento descansa, por supuesto, en la capacidad intrínseca de expresividad vocal que posee el organismo humano» (:55). Según Berger y Luckmann, este sistema de signos tiene que hacerse accesible objetivamente, es decir tiene que salir de la subjetividad del «aquí y ahora», para ser lenguaje. El lenguaje se origina en la situación de reciprocidad que implica la interacción cara a cara. Sin embargo, solamente hay realmente un símbolo cuando la expresión trasciende las dimensiones espaciales, temporales y sociales del «aquí y ahora» para formar parte de un acopio social de conocimiento.

El resultado de mi interacción con los otros, una interacción generadora de conocimientos, es lo que nuestros autores denominan el acopio social de conocimiento. Este cúmulo social de conocimiento presenta el mundo de modo integrado, diferenciando entre franjas de familiaridad y de lejanía. Cuando se ilumina una parte del paisaje en la realidad otras muchas quedan en la oscuridad. En este acopio de conocimiento predomina el «conocimiento de receta». El conocimiento, además, está socialmente distribuido.

2. LA INSTITUCIONALIZACIÓN: OBJETIVACIÓN DE PRIMER ORDEN

La diferencia fundamental entre el ser humano y los animales consiste en las formas que adopta el organismo en su relación con el «ambiente». En los animales el capital biológico del organismo se fija en una relación estricta y determinada con los instintos y con un ambiente particular cerrado. No importa que este ambiente se modifique, o que los animales se desplacen; la relación con el ambiente esta estructurada firmemente por los instintos. Los animales están siempre ajustados de modo necesario a su ambiente (cerrado), encontrándose tal ajuste regulado biológicamente por los instintos. No pueden establecer variaciones con respecto a su ambiente. En este sentido, me parece que es posible decir que el grado de fijación de los animales con respecto a su ambiente es «completo».

El «ambiente» peculiar del ser humano, su mundo de la vida, es más complejo, así como la relación entre este mundo de la vida y su capital biológico e instintivo. Berger y Luckmann denominan a esta relación del ser humano con su mundo una capacidad de «apertura de mundo». En comparación con los animales, la organización de instintos en el ser humano se encuentra poco desarrollada. De aquí que su relación con el mundo sea abierta, aunque por eso mismo me parece que es «incompleta» en el sentido anteriormente mencionado. Esta falta de fijación, esta incompletud, es paradójicamente, repito, lo esencial para comprender la capacidad de apertura de mundo. La relativa carencia de instintos ha de suplirse en el ser humano mediante la intervención de la sociedad. Los instintos del hombre, además, deberán de ser suficientemente flexibles para ajustarse a una variedad de mundos de la vida social.

Esta característica humana se evidencia, en primer lugar, en el desarrollo ontogenético. Muchos autores y escuelas de pensamiento se han referido a esta incompletud del ser humano. En este tema, Berger y Luckmann siguen principalmente la antropología de Gehlen que complementan con aportaciones de otros autores. A diferencia de lo que ocurre con los animales, el organismo acaba de completarse en el ser humano fuera del claustro materno. El período fetal, señalan los autores utilizando los estudios de Portmann, llega en el ser humano aproximadamente hasta el primer año de vida (:68). El desarrollo biológico continúa en el ser humano al tiempo que se produce una relación con el mundo, cuyo ambiente es tanto natural como social. De aquí que la completud biológica del animal se transforme en el ser humano en una tendencia hacia la «completud socio-vital». Los «otros significantes» (padre, madre, etc.), un concepto que Berger y Luckmann toman de Mead, son aquí esenciales para darle una primera dirección social al organismo que es fundamental. Además, una determinada variación socio-cultural, en un mundo de la vida, se encargará de dar un mayor contenido a esas primeras «direcciones», moldeando de un modo general la humanidad.

Este período de coexistencia, en mutua relación, del desarrollo del organismo humano en un ambiente-mundo es, para Berger y Luckmann, inspirándose en las ideas de Mead sobre la génesis del yo social, también el periodo esencial en la configuración del yo. Como ya era el caso en Mead, existe aquí una reflexividad de la persona con respecto a su cuerpo. En Mead, la persona, como *self*, tiene una capacidad para desdoblarse como sujeto y objeto, y así de distanciarse de sí misma, entendiéndose como objeto de sí misma; de este modo sabe que tiene un cuerpo también. Berger y Luckmann toman aquí el concepto de «excentricidad» de Plessner, que viene a recoger en esencial lo ya expresado por Mead (:71). Así, el ser humano es un cuerpo y, además, sabe que tiene un cuerpo (y se experimenta como persona sabiendo que lo tiene a su disposición).

Una vez llegados aquí tenemos posibilidades de pensar qué le ocurriría a un niño que crece de modo solitario, un «niño salvaje». Evidentemente no tendría opciones para completar su humanidad mediante un mundo-ambiente humano, donde se incluyan otros relevantes como el padre o la madre. De este modo, su potencial capacidad de apertura de mundo no se llenaría de contenido socio-vital humano. En todo caso, podría aventurarse la hipótesis de que la versatilidad de los instintos para ajustarse a una variabilidad de contenidos culturales podría reorientarse para incorporar una variedad de contenidos de otros ambientes naturales con vistas a la supervivencia. De todos modos, este ser encontraría serias dificultades para sobrevivir pues no cuenta con un bagaje de instintos ajustado a un determinado ambiente, y así, sin una mediación social, estaría peor dotado que cualquier animal de una determinada especie para relacionarse con un ambiente, propio de tal especie con la que pudiera convivir, siempre fuera de un mundo humano. Como señalan Berger y Luckmann, y otros autores entre los cuales se cita aquí a Durkheim: «la humanidad específica del hombre y su socialidad están entrelazadas íntimamente. El *homo sapiens* es siempre, y en la misma medida, *homo socius*» (:72).

La cuestión ahora es saber cómo se organiza ese sentido del orden, esa dirección y estabilidad ontológica, que tiene el ser humano. En primer lugar, como ya vimos al hablar del mundo de la vida, esa realidad está ya ordenada de entrada. En segundo lugar, cabe decir que es esa realidad ordenada la que ha de producir la peculiar «clausura», o fijación más completa, del organismo humano con respecto a su mundo (es decir, con respecto esa misma realidad ordenada). Al encontrarnos, como diría Heidegger, «lanzados» en el mundo, es en nuestra relación con el mundo donde puede aparecer el margen ideal de clausura y completud que pudiera ocupar el lugar de la relación fija (completa y perfecta) que el animal tiene con su ambiente.

Pero ¿como se produce este mismo orden social? Para Berger y Luckmann, es un producto humano y se deriva de la actividad de continúa «externalización» (Hegel-Marx) que realiza el ser humano. Los productos sociales tienen, además, como sugirió Durkheim, una realidad *sui generis que* los distingue del organismo y de su ambiente (:73). Berger y Luckmann sitúan esta peculiar externalización en el contexto antropológico con la ayuda de Gehlen (:74). La externalización es una necesidad antropológica que se fundamenta en las características del equipo biológico del hombre, en particular es una necesidad que proviene de la «inestabilidad inherente al organismo humano». El orden social no deriva de datos biológicos, pero surge como consecuencia de esta ausencia de completud, de la falta de fijación pre-determinada instintiva con respecto a un ambiente. El orden social es la consecuencia de la incompletud del equipo biológico humano de instintos. El ser humano no tiene más remedio que «especializar y dirigir sus impulsos».

Como resultado de esta interpretación de Hegel y de Marx en términos de Gehlen, concluyen los autores que el hombre se produce a sí mismo, y esta auto-construcción es una empresa social. Berger y Luckmann amplían así la antropología de Marx, muy limitada por su énfasis en el trabajo. La autoproducción del ser humano se basa en una amplia actividad social, y no únicamente en el trabajo, e incluye una capacidad para «construir la realidad» socialmente al participar en procesos de objetivación (institucionalización y legitimación) y de interiorización (socialización primaria y secundaria) en un mundo de la vida. La autoproducción de Marx se entiende así en términos de procesos de «construcción social», como «auto-construcción social», generadora además del sentido de realidad y del «orden social» que el propio ser humano ha de crear en el mundo de la vida. Consiguientemente, a diferencia de los animales que encuentran un ambiente al que se ajustan por los instintos, los seres humanos construye socialmente sus propias guías y orientaciones para estar en el mundo.

Una idea muy simple puede servir para entender los orígenes de la institucionalización. Digamos que el ser humano inventa los sustitutos de los instintos que le faltan. Esto lo hace mediante la habituación social: sustituye la repetición de los instintos por la repetición social. El ser humano crea pautas como consecuencia de repetir actos. Estas pautas, consolidadas con la habituación, permiten además un ahorro energético y reducen las opciones existentes (disminuyendo el peso de tener que tomar decisiones constantemente). La habituación ahorra el proceso de volver a definir, y a explicar, cada uno de los pasos necesarios para actuar; hace posible situar las acciones en «paquetes» que admiten una respuesta anticipada aproximadamente similar. Estos paquetes son frecuentemente «rutinas» y «conocimiento de receta» que se encuentran en «el depósito de conocimiento» (Schütz) del mundo de la vida. La habituación da dirección a esa necesidad de especializar y dirigir los impulsos humanos no específicos, que han quedado fuera de nuestra pobre fijación orgánica de instintos:

> La habituación provee el rumbo y la especialización de la actividad que faltan en el equipo biológico del hombre, aliviando de esa manera la acumulación de tensiones resultantes de los impulsos no dirigidos; y al proporcionar un trasfondo estable en el que la actividad humana pueda desenvolverse con un margen mínimo de decisiones las más de las veces, libera energía para aquellas decisiones que puedan requerirse en ciertas circunstancias. En otras palabras, el trasfondo de la actividad habitualizada abre un primer plano a la deliberación y la innovación (:75).

La habituación se hace más compleja, y se convierte en institución, cuando hay una tipificación social que implica una reciprocidad de «acciones habitualizadas por tipos de actores». Hay que destacar aquí, primero, la reciprocidad de las tipificaciones, esto es su naturaleza compartida y accesible en un grupo. Segundo, en las instituciones se tipifican tanto las acciones como los individuos que puedan realizarlas. Las tipificaciones recíprocas de las instituciones constituyen, por tanto, unas repeticiones o pautas más complejas para producir una estabilidad ontológica. El ser humano es consiguientemente un ser que necesita practicar la institucionalización.

Observemos algunas consecuencias que pueden derivarse de estas ideas de Berger y Luckmann sobre la institucionalización. Primera, la búsqueda de guías y orientaciones que palien la pobreza humana de instintos exige un trabajo constante de realización de pautas, tipificaciones, con los otros en el seno de grupos sociales[1]. Una segunda idea, derivada de la anterior, es que cuando no se institucionaliza adecuadamente puede brotar el «vacío» en aquellos espacios e impulsos de comportamiento no dirigidos anteriormente mencionados, poniéndose en cuestión la naturaleza sociable humana. Evidentemente, con esta reducción o pérdida de la socialidad hay una puerta abierta para una

---

[1]   Esta es la forma humana de «ajustarse al mundo» para obtener una estabilidad ontológico existencial; en los animales, en cambio, el ambiente está ya dado y el ajuste está ya hecho mediante instintos. Es muy probable que el ser humano no pierda la perspectiva de este ajuste animal «completo», que se le presenta transfigurado en términos imaginarios a través de ideales y fantasías, de la ciencia, la religión y las utopías, así como en las pretensiones patológicas de «clausurar la apertura de mundo».

opción de «apertura» violenta hacia el mundo y hacia sí mismo. Este potencial para la violencia en el ser humano que, como vimos con anterioridad, constituía una preocupación fundamental para Freud y para Gehlen, no es discutido explícitamente por Berger y Luckmann, quienes están más interesados en mostrar la importancia de las instituciones para generar «estabilidad ontológico-existencial», orden y control. Esta tarea de las instituciones no es fácil pues, como vamos a ver, las instituciones son históricas y tienen un origen «arbitrario» que, sin embargo, ha de ser justificado (legitimado) como «natural» u «obvio».

La institución no surge instantáneamente, ni siquiera una tipificación puede consolidarse inmediatamente. El conjunto de tipificaciones reciprocas se construye históricamente por parte de un colectivo. Es importante conocer los orígenes de estas tipificaciones, así como su historia en general, para comprender una institución. Podríamos decir que, como señalaba Durkheim, en los orígenes está ya la «forma básica» de una determinada institución. Esta configuración inicial produce ya de entrada una selección de la actividad que «cuenta para los miembros», una estructura de relevancias, etc. Otras alternativas, sin embargo, que no son contempladas por los miembros, hubieran sido teóricamente posibles. De aquí que todas las instituciones tengan un componente de arbitrariedad que, como veremos después, la estructura de legitimación institucional se ocupa de justificar o de ocultar. De esta manera, la institución ya cuenta desde un comienzo con un mecanismo primordial de control social. La necesidad de controles adicionales se hace sentir especialmente cuando estas formas básicas de control institucional no acaban de tener todo el éxito requerido en un momento o espacio determinado.

Esta idea de Berger y Luckmann tiene implicaciones en relación con las formas de crítica que pueden realizarse dentro de las instituciones. Por ejemplo, es muy frecuente la crítica a las propias instituciones por parte de algunos miembros que, sin embargo, no pueden (o no quieren) interpretar su propio papel de eficaces controladores (quizás incluso de pequeños dictadores) por una diversidad de motivos, entre los cuales y como parte de un complejo articulado de disposiciones, puede intervenir el hecho de desconocer los mismos orígenes de la institución, la evolución de la peculiaridad y arbitrariedad de sus tipificaciones, acciones y roles existentes, y también el no disponer de otros puntos de referencia institucionales para comparar.

Las instituciones se originan a partir de las tipificaciones recíprocas establecidas entre los actores sociales. La repetición de estas tipificaciones, y de las acciones asociadas con las expectativas mutuas de comportamiento que incluyen, genera progresivamente una estructura de roles, donde determinados tipos de actores realizan unos determinados conjuntos de acciones, los roles se remiten unos a otros en el marco de la institución (:78-82). Poco a poco, aquello que empezó a través de una serie de interacciones adquiere una objetividad en el mundo institucional. Pese a construirse, como hemos visto, desde las tipificaciones realizadas por los actores, la realidad institucional se le presenta al individuo, de un modo ya señalado por Durkheim, como estando «fuera» de sí mismo. Es algo persistente, una facticidad histórica y social, que tiene un poder de control. El mundo institucional es resultado de esa actividad humana objetivada: «el proceso por el que los productos externos de la actividad humana alcanzan el carácter de objetividad se llama objetivación» (:83). Es importante señalar aquí que estos productos objetivados no tienen una realidad ontológica separada de la actividad humana de su producción. Para Berger y Luckmann, la relación entre el ser humano, como productor, y el mundo social, como su producto, es dialéctica: «el producto vuelve a actuar sobre el productor» (:83). Está interacción continua entre la actividad humana y su mundo social tiene «momentos de un proceso dialéctico continuo». Por una parte, la externalización y la objetivación dan lugar a mundos sociales, con sus instituciones y estructuras de legitimación. Por otra parte, el mundo social se proyecta en la conciencia mediante la internalización.

Estos dos «momentos» (objetivación e internalización) de la construcción de la realidad social sirven para organizar la estructura principal del libro en sus dos grandes partes. El proceso de objetivación puede dividirse *analíticamente* en «institucionalización» y «legitimación». Es importante subrayar esta naturaleza analítica de la división puesto que en la práctica social efectiva ambos procesos se encuentran entremezclados. Hasta aquí hemos visto la institucionalización, a continuación me referiré a la legitimación

3. LEGITIMACIÓN: OBJETIVACIÓN DE SEGUNDO ORDEN

El proceso de objetivación que, partiendo de las tipificaciones, crea y consolida las instituciones y el mundo social requiere una legitimación. Cabe recordar que la selección de tipificaciones que está en el origen de ese proceso tenía un margen de arbitrariedad, puesto que otras actividades hubieran sido teóricamente posibles. Los hábitos recíprocos que son en origen las instituciones sirven, sin embargo, para dar una salida social a aquel conjunto de impulsos no dirigidos que, como vimos anteriormente, quedan sin regulación instintiva y necesitan de las pautas socio-culturales. El entramado institucional es necesario para que aquel «vacío» (y una «carencia» o «incompletud») esencial del ser humano no presente una falta de dirección en cuanto a los «impulsos» que demandan una «exteriorización». De aquí que, para el individuo, sea necesario también creer y confiar en sus propias instituciones, pues le garantizan una buena parte de su estabilidad ontológica.

Esta creencia, «sentido de plausibilidad», significa así que el individuo piensa que lo que hace en la institución tiene un sentido para su vida (y que también lo tiene para los otros miembros); admite las normas de acceso, promoción y evaluación institucionalmente establecidas; conoce los hitos principales de la historia de la institución; reconoce el vocabulario, máximas y figuras simbólicas que la representan, etc. Estas creencias únicamente se mantienen en el tiempo si una mayoría de miembros comparte este conjunto ensamblado de creencias que constituye la «estructura de plausibilidad» de la institución. No obstante, el trabajo de mayor elaboración intelectual está destinado a una elite: los «legitimadores» que crean ideas (y símbolos «unificadores») y los «pedagogos» o «educadores» que las divulgan y aplican.

En suma, la legitimación se ocupa tanto de generar cohesión, integración, en la institución para una mayoría de los miembros como, además, y en relación, de establecer una estructura de plausibilidad. De un modo sencillo podríamos decir que mediante la legitimación la institución se ordena (legitimación, ley) y justifica ante sí misma y ante la sociedad, es decir, se «presenta en orden» y «da la cara». Por este motivo, la legitimación se hace necesaria en la medida en que se ha producido primero un desarrollo institucional que hay que cohesionar y justificar. Consiguientemente Berger y Luckmann se refieren a la legitimación como un proceso de «segundo orden», superpuesto a la actividad primaria de institucionalizar.

La estructura de plausibilidad de la legitimación admite un diferenciación analítica en dos niveles, que en la práctica interaccionan: por una parte, hay un componente subjetivo, vinculado con el ejercicio de papeles sociales y la autocomprensión individual; por otra parte, existen niveles de plausibilidad socialmente estructurados. Estos dos componentes admiten nuevas subdivisiones analíticas. Observémoslas a continuación.

Cabe distinguir dos niveles dentro del componente de plausibilidad subjetiva: el nivel horizontal y el vertical. El primero tiene que ver con la concurrencia de distintos procesos institucionales en términos de roles, que pueden ser desarrollados a veces incluso por una misma persona. Por ejemplo, un profesor entiende las dificultades del papel de un padre de familia en su mundo de la vida, especialmente si tiene hijos. La plausibilidad vertical se refiere a la biografía individual; las personas interpretan (y legitiman) ciertas fases o contenidos de su evolución personal, re-construyen sus recuerdos, etc. Por ejemplo, una estudiante universitaria sigue contenta consigo misma porque obtuvo sobresaliente en los estudios primarios, y todavía se acuerda de las felicitaciones de sus padres. Cuando piensa en eso, aunque sea socióloga, quizá no recuerda que le hubiera podido ir mucho peor en otro tipo de escuela, en un país diferente o habiendo nacido en otra familia.

Los autores diferencian analíticamente cuatro niveles de legitimación en las instituciones y en el propio mundo de la vida. Primero, el vocabulario. Segundo, las proposiciones teóricas rudimentarias, o máximas. Tercero, teorías explícitas que contienen conocimiento para legitimar al menos una parte de la institución. Cuarto, los universo simbólicos. Los tres primeros niveles no plantean dificultad alguna de comprensión (:122-124). Para entender el concepto de universo simbólico Berger y Luckmann (: 124, también la nota nº 69) nos remiten especialmente a la sociología de la religión de Durkheim, así como al concepto de «zona limitada de significación» que vimos anteriormente (Schütz).

El universo simbólico es el aspecto de la legitimación que tiene mayor poder de integración de zonas de significación diversas, tanto en una institución como en el mundo de la vida. Es representado frecuentemente a través de figuras y emblemas que condensan una multiplicidad de significaciones, emociones y valoraciones del grupo. El universo simbólico integra una gran diversidad de marcos institucionales pues hace posible incorporar toda experiencia humana: «el universo simbólico se concibe como la matriz de todos los significados objetivados socialmente y subjetivamente reales; toda la sociedad histórica y la biografía de un individuo se ven como hechos que ocurren dentro de ese universo» (:125). Otras teorías de legitimación se han de integrar también como partes (:126). El universo simbólico es fundamental para generar el sentido del orden para la propia comprensión biográfica, ayudando a integrar experiencias que acontecen en distintas esferas de la realidad, así como a superar los miedos que acontecen en ciertas transiciones entre esferas distintas de la realidad. Además, esta naturaleza ordenadora del universo simbólico interviene para poner coto a las experiencias «sombrías», a las fantasías, para contener el terror o la angustia. Además, el universo simbólico ordena y legitima los roles y una jerarquía (:129).

Pero donde un universo simbólico, digámoslo así, «se la juega» en términos de legitimación es en la formulación del problema de la muerte. No es nada fácil la justificación de la muerte, especialmente su legitimación en términos del «componente subjetivo de la estructura de plausibilidad». De este modo, observaremos que los mundos de la vida proporcionan ideas más o menos complejas sobre la «muerte correcta». En algunos casos esta idea se refleja en el discurso religioso cotidiano; por ejemplo, recordemos el caso tan típico entre nosotros de «el Cristo de la Buena Muerte». Finalmente, los universo simbólicos organizan la historia y sitúan los acontecimientos colectivos mediante el ejercicio de la memoria (:133). El universo simbólico protege frente a la percepción de la precariedad de la realidad, del hecho de que más allá se encuentra el caos y puede aparecer el «terror anómico».

4. LA INTERIORIZACIÓN DE LA REALIDAD SOCIAL: SOCIALIZACIÓN E IDENTIDAD

Hasta aquí hemos visto los procesos de exteriorización y de objetivación, que daban lugar a la institucionalización y a la legitimación. Aquí me voy a ocupar del otro momento de la dialéctica entre individuo y sociedad, la interiorización, a través de la cual la sociedad se hace presente en el individuo y se produce la creación de la realidad subjetiva y la identidad. La socialización es el conjunto de procesos a través de los cuales el individuo adquiere el mundo social y el conjunto de instituciones existentes en éste. La socialización primaria se ocupa de producir la asunción del mundo, durante los primeros años de existencia del sujeto, mientras que en la secundaria se produce la interiorización por parte del individuo de los procesos institucionales y de otras áreas generadas por la división del trabajo. La socialización primaria es la más importante y básica puesto que el individuo adquiere aquí a través de los otros significantes los aspectos del mundo y de la estructura social donde crece. Estos otros significantes, los miembros de la familia, mediatizan o filtran el mundo que aprende el niño a través de los procesos de identificación que desarrolla el niño respecto a ellos (: 164-166).

Berger y Luckmann explican el proceso de socialización de un modo que denominan «dialéctico». Explican la generación del yo a través de los conceptos fundamentales de Cooley y de Mead. El niño construye un proceso de identificación mediante el cual genera un yo que es una entidad «reflejada», porque «refleja las actitudes que primeramente adoptaron para con él los otros significantes; el individuo llega a ser lo que los otros significantes lo consideran» (:167). Pero éste no es un proceso mecánico y unilateral puesto que existe una dialéctica entre esta identificación con los otros y la auto-identificación que realiza el niño. Mediante este proceso dialéctico, el niño particulariza el mundo social dando lugar a su realidad subjetiva. El proceso de desarrollo de la identidad supone una progresiva abstracción en cuanto a los roles, a la capacidad del niño de desarrollar el papel del otro. Este proceso de abstracción concluye cuando el niño es capaz de abstraer de tal modo que asimila el «otro generalizado», un momento en que estabiliza su propia auto-identificación, al mismo tiempo que asume un conjunto de signifi-cados procedentes de toda la sociedad. En estos primeros años el mundo se le presenta al niño como masivo; la socialización primaria consolida así las estructuras de confianza y el sentido de la certeza que le acompañarán después como adulto (: 169-171).

La socialización secundaria presupone una cierta división del trabajo y por tanto también una cierta distribución social del conocimiento. Consiste en la interiorización de los submundos institucionales. El individuo asume así una parte del mundo. Presupone siempre un proceso previo de socialización primaria, es decir, un yo y un mundo ya existentes. Ahora bien, para ser coherente, la socialización secundaria debe superponerse a los esquemas generados a partir de la socialización primaria.

La socialización secundaria no deja un acento de realidad tan profun-do como la primaria; de aquí que este sentido de la realidad deba ser reforzado frecuentemente mediante técnicas pedagógicas. Frecuente-mente estas técnicas tienen en cuenta que debe existir una continuidad con aquellos esquemas básicos procedentes de la socialización primaria (: 178-181).

La realidad subjetiva, no obstante, ha de ser constantemente reafir-mada mediante el vínculo con otros significantes, principalmente aque-llas personas pertenecientes al mundo familiar del individuo, y con lo que Berger y Luckmann denominan el «coro», esto es, otras personas que son menos significativas. La relación entre los otros significantes y el coro es dialéctica, unos se refuerzan a los otros, de tal modo que confirman en conjunción esta realidad subjetiva. Ésta se mantiene, modifica y renueva constantemente gracias al diálogo, originado en un «aparato conversacional». Como ya vimos anteriormente, el lenguaje, especialmente en la realidad cara-a-cara, tiene una gran fuerza generadora de realidad (:189-193).

Finalmente, los autores abordan la relación entre el organismo y la identidad. La vinculación del ser humano y el organismo no desaparece con la socialización, sino que se transforma. Existe una coexistencia en el ser humano de animalidad y socialidad. Esta relación se entiende básicamente como de mutua limitación: el organismo pone límites a lo que es socialmente posible y, a su vez, lo social implica límites para el organismo. La sociedad, sin embargo, además de poner límites afecta directamente a muchas funciones del organismo; por ejemplo, a la sexualidad, a la nutrición, etc. La «animalidad» del ser humano sin embargo, se defiende: existe una resistencia del niño, por ejemplo, para ajustarse a la estructura temporal de la sociedad. En este sentido, los autores insisten, en consonancia con Freud, en la «resistencia del sustrato biológico a su amoldamiento social» (: 223-226). Esta resistencia del organismo debe ser continuamente sojuzgada, y señalan aquí Berger y Luckmann que esto entraña tanto legitimación como institucionalización. De este modo, existe una continua dialéctica entre la identidad y su sustrato biológico. Un «yo superior» se encuentra sojuzgando y castigando a un «yo inferior». Concluyen los autores planteando la existencia de una dialéctica entre la naturaleza y el mundo socialmente construido que se manifiesta en el propio organismo humano.

5. CONCLUSIÓN

Berger y Luckmann elaboran sociológicamente las principales ideas de la fenomenología de Schütz para desarrollar un nuevo paradigma constructivista en la sociología del conocimiento. Es imposible detallar aquí las innumerables aportaciones de La construcción social de la realidad, así como señalar sus carencias y dificultades. Me referiré únicamente a lo que considero la aportación principal del libro y, también, su mayor dificultad. El aspecto más interesante y novedoso de esta obra consiste, a mi entender, en el modo en que se vincula el concepto de «apertura de mundo» con el de institucionalización y, particularmente, el de legitimación, siendo la creación teórica más importante el concepto de «universo simbólico». Los autores muestran cómo mediante los procesos de objetivación de la realidad, construidos a base de hábitos, el ser humano consigue canalizar el conjunto de impulsos no dirigidos que están inscritos en su propio carácter de ser abierto al mundo. En este sentido el concepto de «universo simbólico» se manifiesta como aquel que da orden a la existencia y, en última instancia, pone el dique para la contención y canalización de estos impulsos. Existe una gran diversidad de elementos que, sociológicamente, se vinculan con el modo en que se pueden canalizar estos impulsos orgánicos básicos. No es necesario así postular un reino normativo y cultural, absoluto y homogéneo, algo que caracterizaba al sistema cultural del funcionalismo. En todo este conjunto de procesos sociales predomina el conocimiento tácito, con lo que los autores inevitablemente infravaloran otros tipos de conocimiento, fundamentalmente aquel que procede del inconsciente y del consciente. En relación con esto aparecen las principales dificultades de la propuesta, pero me referiré únicamente a una de ellas.

En la medida en que los autores no utilizan la tradición psicoanalítica para caracterizar y diferenciar esos impulsos, que como vimos anteriormente en relación a Freud son sumamente variados y complejos, no pueden vincular esta diversidad de impulsos con el desarrollo institucional y de las estructuras de legitimación. Esta dificultad aparece de un modo muy evidente en la sección final dedicada a la relación entre el organismo y la identidad. Los autores se ven obligados a entender esta relación o como limitación mutua o en el sentido en que la sociedad afecta al organismo; unas relaciones que de modo ambiguo caracterizan como «dialécticas». Sin embargo, las pulsiones, como ya vimos en Freud, vinculan lo orgánico con lo cultural, participando tanto del ámbito de lo corporal como de lo «espiritual». Al no realizar una explicación de la diversidad de impulsos no específicos que existen en el hombre como ser abierto al mundo, no pueden explicar cómo éstos se vinculan con las instituciones, con los procesos de legitimación y de socialización. Así pues, la caracterización dialéctica de la identidad originada en Cooley y en Mead, en que el yo se entiende como producto de la dialéctica entre la identificación con los otros y la autoidentificación en el niño, no es suficiente para explicar la diversidad de elementos asociados con las pulsiones «y el narcisismo» que pueden vincularse con la vida institucional y con los procesos de legitimación, y en general, con la cultura. Esto es particularmente importante en los ámbitos institucionales donde se realiza la socialización secundaria, pues aquí, ya más allá de la niñez, siguen existiendo pulsiones (y narcisismo), que son transformadas, canalizadas o contenidas en las instituciones, y a través de relaciones con los otros.

Capítulo 13
Giddens y Habermas: reflexividad, esfera pública y tradición

Este capítulo analiza las perspectivas teóricas de Giddens y de Habermas a partir de las implicaciones de mi trabajo empírico y teórico sobre las tradiciones (principalmente en Costa 1996, 1999). Mi perspectiva está basada fundamentalmente en los conceptos esenciales de la fenomenología hermenéutica y en el trabajo de Georges Simmel sobre la sociabilidad. Incluye también a otros autores en su desarrollo, que no puedo citar aquí en aras a la brevedad. El núcleo de esta perspectiva (que expongo con más detalle en un próximo capítulo) está iluminado por una idea central y otras dos que se derivan de ésta. Primera: *la naturaleza lúdica y artística de la sociabilidad puede interpretarse como «sociabilidad festiva» en el contexto de una comunidad que «cuida» reflexivamente de su Fiesta como una tradición.* Segunda: *la sociabilidad festiva tiene una esfera pública específica, como una expresión de su reflexividad, que incorpora el juego y el arte.* Tercera, *las tradiciones festivas, siendo «tradiciones substanciales», no se oponen necesariamente a las formas modernas de experiencia y de reflexividad, sino que pueden incorporarlas como parte del diálogo que la tradición establece con la experiencia de hoy en día.* Este es un diálogo más rico que el que caracteriza, según autores tales como Habermas y Giddens, a la racionalidad moderna y a su esfera pública.

Habiendo establecido ya la especificidad de la sociabilidad que puede encontrarse en las tradiciones festivas (Costa 1999a), debo considerar ahora hasta qué punto las ideas sociológicas dominantes sobre la situación de la tradición en la vida moderna pueden arrojar luz sobre esta sociabilidad. Para este propósito, me concentraré en la evaluación de las perspectivas que autores tales como Anthony Giddens y Jürgen Habermas tienen sobre la tradición. Su trabajo constituye un indicador influyente acerca de la medida en que «lo festivo» continúa ausente en la sociología de hoy. En ambos casos mi crítica será la misma: una perspectiva restringida del papel de la tradición y de sus mecanismos de transmisión se corresponde con una comprensión disminuida de la reflexividad y de su esfera pública. Sus teorías no pueden dar cuenta de las características de la sociabilidad festiva y de su esfera pública. No pueden explicar el modo en que las tradiciones festivas realizan una experiencia que incorpora lo moderno y lo contemporáneo. Como consecuencia, las tradiciones tienen una relación pobremente definida con la modernidad. Además, ambos autores cuentan con poca investigación empírica para justificar sus ideas.

En correspondencia con esta falta de preocupación por los mecanismos de transformación de las tradiciones, ambos autores tienden a subordinar la tradición a sus modelos de justificación reflexiva racionalista (y de legitimación) en una esfera pública que se caracteriza por la racionalidad dialógica moderna. Estos mismos modelos de reflexividad preestablecidos se usan para explicar el modo en que las tradiciones declinan, persisten o se transforman. Consiguientemente, tanto Giddens como Habermas tienen dificultades para comprender los mecanismos específicos de transmisión de las tradiciones festivas tales como el Carnaval o las Fallas, que incluyen un tipo especial de reflexividad y de esfera pública. Argumentaré que las tradiciones festivas, como tradiciones substanciales, pueden incorporar características de la reflexividad moderna como parte de una nueva síntesis de la propia tradición, que no se opone necesariamente a la modernidad.

1. A. GIDDENS: VIVIENDO EN (HACIENDO UNA) SOCIEDAD POST-FESTIVA

A) *Reflexividad y esfera pública sin arte ni fiesta*

Anthony Giddens (1979, 1984, 1991, 1994a, 1994b) sitúa la reflexividad básicamente a tres niveles: en el plano de la capacidad humana de acción (*agency*), en la vinculación de esta capacidad activa del ser humano con los contextos institucionales y, finalmente, en la construcción reflexiva del proyecto biográfico. En los tres casos su imagen de la reflexividad está caracterizada principalmente por un énfasis en las capacidades cognitivas e informacionales de los actores sociales. Los aspectos emocionales de la conducta están conectados también con esta comprensión de la reflexividad. Esta naturaleza cognitiva e informacional de la reflexividad está presente en su explicación de la capacidad humana consistente en dar una «dirección reflexiva de la acción» (*reflexive monitoring of action*) en los niveles denominados «discursivo» y «práctico», que se vinculan respectivamente con los aspectos «conscientes» y de conocimiento «tácito» (1984: 3 ss). Pero las normas también tienen un papel en esta concepción de la reflexividad, dado que la idea de ésta propuesta por Giddens (1984: 23) procede en gran parte de la interpretación que realiza del concepto de norma generado por la escuela etnometodológica de Garfinkel. Por otra parte, esta escuela sociológica se ha referido también a la capacidad reflexiva de los actores para producir explicaciones (*accounts*) sobre sus actividades, presuposiciones normativas y conocimiento tácito.

Así pues, para Giddens los actores sociales pueden hacer «explicable» (*accountable*) su propia actividad en los ámbitos institucionales. Esta «reflexividad institucional» puede producir una «re-capacitación» (*reskilling*), que es necesaria para «re-apropiar» la experiencia «secuestrada» por los sistemas expertos y abstractos. El fracaso en esta actividad de re-apropiarse la experiencia puede generar compulsiones y una necesidad para reconstruir la biografía mediante la terapia (Giddens 1991: 179). Este es un ejemplo de la manera en que la reflexividad forma parte también del «yo», en su dimensión de proyecto biográfico reflexivo, algo que implica moralidad y autonomía (Giddens 1991: 71 ss). La perspectiva de la reflexividad es aquí también ética y política, encontrándose conectada con una «política de la existencia». Hay otros ejemplos de reflexividad en asuntos que conciernen al cuerpo, tales como las dietas y regímenes de salud (1991: 99). En estos casos la reflexividad no es solamente cognitiva sino que está también vinculada con las emociones. Incluso la reflexividad institucional articula lo cognitivo con lo emocional: «Como yo entiendo la reflexividad institucional, ésta tiene virtualmente siempre una relación con las emociones; no es exclusivamente algo cognitivo» (1994b: 197). No obstante, al haber reducido la reflexividad a los aspectos «discursivo» y «práctico» —y no incluyendo el nivel inconsciente de la personalidad en esta dilucidación de la reflexividad— parece que Giddens no dispone de muchos medios para clarificar el papel de lo emocional en relación con la reflexividad.

La reflexividad institucional, que considera nuevos riesgos en relación con las transformaciones del tiempo y del espacio, así como el «yo reflexivo», cuya existencia se basa en la duda radical, son dos elementos centrales en la concepción de Giddens de la reflexividad de la modernidad: están ambos ligados a la naturaleza «destradicionalizante» de ésta. La modernidad reflexiva conlleva un «orden postradicional» donde «la transformación del espacio y del tiempo /.../ empuja a la vida social más allá de sus preceptos y prácticas sustentadas de modo preestablecido» (Giddens 1991: 9).

En resumen, la concepción de la reflexividad de Giddens se encuentra restringida principalmente a las dimensiones cognitiva, informacional, ética y política. El arte y lo festivo no tienen relevancia para Giddens en relación con la reflexividad. Aún más, no hay tal reflexividad artística: «¿Existe una cosa tal, como una reflexividad artística? No lo creo, o al menos no pondría la cuestión en estos términos. No estoy seguro en absoluto de que exista, como dice Lash, «otra economía entera de signos en el espacio» que funcione separadamente de los signos cognitivos» (Giddens 1994b: 197). Su rechazo de la reflexividad artística está asociado así con el uso post-estructuralista de lo que entiende como una «paradójica idea». Sin embargo, la cuestión de la reflexividad artística no tiene por qué situarse únicamente en el contexto especial del cuestionamiento post-estructuralista de las narrativas de la razón sino con el carácter del arte en general y de la fiesta[1]. No puede encontrarse en el trabajo de Giddens ninguna preocupación por las tradiciones festivas, con lo que pierde la posibilidad de comprender el arte y lo festivo en relación con la reflexividad y las tradiciones.

Es difícil hacer una conexión entre esta perspectiva de la reflexividad y la esfera pública pues Giddens, a diferencia de Habermas, nunca ha realizado un estudio destinado a tratar extensamente la «cosa pública». Pero es posible discernir esta conexión a través de algunos de sus comentarios sobre la persistencia de la tradición en relación con la justificación discursiva y con la legitimidad. Como idea general, cabe decir que para Giddens hay dos tipos de tradiciones. Primero, las «tradiciones tradicionales» que presentan una comprensión de la verdad que depende de fórmulas fijadas y defendidas por «guardianes». Éstas pueden persistir en la modernidad como fundamentalismos que rechazan la comprensión reflexiva de la tradición. Segundo, las tradiciones que pasan el test del modelo dialógico de la verdad, que se basa «en el debate dialógico de ideas en un espacio público» (1994a: 6). Giddens argumenta que en un «orden social postradicional» la tradición no desaparece sino que cambia su estatus (Giddens 1994a: 5). En una sociedad destradicionalizada cada tradición está compelida a pasar por los cánones de la reflexividad moderna en la esfera pública, para

---

[1]   Estoy de acuerdo con Lash (1999: 111) cuando indica que la reflexividad artística es parte de la cultura popular y de la existencia biográfica.

persistir y ser legítima. Esto es lo que diferencia lo premoderno de lo moderno. En una sociedad pos-tradicional las tradiciones han de ser explicadas y justificadas discursivamente: «las tradiciones solamente persisten en la medida en que se someten a una justificación discursiva y están preparadas para entrar en un diálogo abierto no solamente con otras tradiciones sino con modos alternativos de hacer cosas» (Giddens 1994b: 105).

Giddens asume así que las tradiciones han de adaptarse a los cánones de la justificación racional como una condición de su persistencia y legitimación. En una sociedad pos-tradicional la tradición cesa de operar en su «modo tradicional», mientras que la reflexividad social de los individuos en una «sociedad destradicionalizada» hace posible para ellos decidir sobre lo que cuenta como tradición. El predominio del decisionismo cognitivista es también evidente cuando defiende una similitud entre el papel de la tradición y de la naturaleza: «La tradición, como la naturaleza, era, digamos, un ámbito externo para la actividad humana que «tomaba» muchas decisiones por nosotros. Pero ahora tenemos que decidir sobre la tradición: qué intentar sostener y qué descartar. Y la tradición misma, aunque frecuentemente importante y valiosa, puede ser de poca ayuda en esto» (Giddens 1994a: 49).

Esta afirmación anterior, no obstante, debería probarse empíricamente. Lo que usualmente ocurre en las tradiciones festivas es exactamente lo opuesto: su sociabilidad persiste en la medida en que retienen su ambigüedad, poniendo coto a un exceso de contenidos cognitivos que podrían destruirla. Este problema surge porque Giddens contrasta la justificación discursiva con la «verdad formulaica» (*formulaic truth*), sin asignar ningún lugar para otras posibilidades tales como la ambigüedad del humor, el lenguaje poético y el arte, que tienen un espíritu crítico y unas tematizaciones reflexivas peculiares. En correspondencia con esto, y de modo contrario al hecho de que las Fallas son monumentos críticos contemporáneos que conservan su ambigüedad original continuando el uso de mitos y chistes, Giddens cree que «los monumentos se convierten en reliquias una vez que las verdades formulaicas son debatidas o descartadas, y lo tradicional deviene algo meramente costumado y habitual» (Giddens 1994b: 104). Pero Giddens no tiene suficiente evidencia empírica para probar esta idea.

Consiguientemente Giddens, como Habermas, está proponiendo someter las tradiciones al discurso racional. Esta actitud puede ser útil para hacer un escrutinio de las prácticas violentas de algunas tradiciones, especialmente si se mantiene también una actitud vigilante con respecto a los excesos violentos, y paradojas, de la propia «fe en la razón». Pero, como un modo general de tratar los mecanismos de persistencia de la tradición, y de las tradiciones festivas en particular, esta actitud corre el riesgo de una mala comprensión de la naturaleza de las tradiciones y de las celebraciones. Un modo más aceptable para comprenderlas es el de adoptar una implicación participativa en ellas: la comprensión de la fiesta no es algo que pueda adquirirse independientemente de lo festivo. Una reflexividad cognitivista y decisionista no es la mejor perspectiva para dar cuenta de las complejidades de la sociabilidad festiva, que tiene un carácter lúdico y artístico.

Finalmente, la explicación de Giddens de la transformación de la tradición está distorsionada por su perspectiva reduccionista sobre la reflexividad y la esfera pública, que no incluye el arte y la fiesta. Como consecuencia, no hay lugar para la posibilidad de una conexión ambigua entre las tradiciones festivas y los sistemas expertos de la modernidad. Sin embargo, podrían existir al mismo tiempo prácticas autónomas y sintéticas. Contrariamente a la opinión de Giddens, las tradiciones festivas locales pueden devenir más elaboradas y complejas en la modernidad avanzada o «globalizada», como es el caso de la Fiesta de las Fallas.

Giddens enfatiza la transformación de la tradición en nuevas rutinas compulsivas de los «sistemas expertos» y de los ámbitos institucionales de la modernidad, pero no contempla el modo en que la tradición puede evolucionar en la dirección de lo artístico o de lo poético[2]. También, con muy poca evidencia para fundamentar sus opiniones, Giddens entiende la globalización como destructiva de las tradiciones locales y como una causa de su «evacuación». Las Fallas, por el contrario, se han hecho más elaboradas, se han expandido hacia otras localidades, incrementando notablemente su número, precisamente en tiempo de globalización. Más que encontrar la compulsión neurótica, la recreación cognitiva, la evacuación y las reliquias en las Fallas, percibimos un empuje hacia una forma de expansión, y hasta cierta medida de «globalización», de una tradición festiva que forja una vinculación con la experiencia moderna y contemporánea. Consiguientemente, Giddens no puede explicar la particularidad de la fiesta, que es una característica constante de los

---

[2] Freud (1998: 1.343 ss), en su breve escrito «El poeta y los sueños diurnos», explica también que el arte y la poética contemporáneos tienen una relación con los mitos y las tradiciones. Pero Giddens no atiende esta posibilidad de sustitución, o vinculación, de la tradición con la fiesta, el arte y la poesía.

seres humanos, y que está más allá de las oposiciones conceptuales implicadas por etiquetas tales como tradición, modernidad, alta modernidad, sociedad avanzada y orden pos-tradicional. La fiesta está, por supuesto, también más allá de la derecha y la izquierda, rebasando el estricto marco de una «política de la existencia».

2. J. HABERMAS: UNA REFLEXIVIDAD QUE NO VA DE FIESTA

Argumentaré en esta sección que la tradición se transforma en Habermas de acuerdo con una preconcepción de la racionalidad, entendida como reflexividad del lenguaje, y atendiendo a una perspectiva restringida de la esfera pública moderna. En primer lugar, realizaré una crítica del modelo de esfera pública presentado por Habermas, el cual, según nuestro autor, está en el núcleo de la manifestación de la razón moderna. En segundo lugar, me referiré al modo en que interpreta la razón, como reflexividad del lenguaje natural, y también a su teoría de la verdad. Clarificaré aquí el papel de lo sagrado en relación con la verdad, explicando la distinción que establece entre lo «transcendente» y lo «factual», dos aspectos que se encuentran en una peculiar «tensión».

Finalmente, mostraré que la transformación de la tradición es unilateral en Habermas, entendiéndose como una racionalización que se produce a través de la «lingüistización». El autor presenta dos hipótesis empíricas que conciernen a la naturaleza y transformación de los rituales y de la tradición. Estas hipótesis constituyen el eje de su «cambio de paradigma hacia la comunicación» (1987 a). Se trata de la hipótesis fundamental de la «lingüistización de lo sagrado» y de la hipótesis adicional de las «tres raíces de la acción comunicativa». Me propongo evidenciar algunos límites en estas hipótesis, que están situadas en el centro de la propuesta de cambio de paradigma. Ambas constituyen el núcleo del argumento de Habermas, el cual constituye a mi entender una teleología circular que es característica del Idealismo.

A) *La exclusión de lo festivo de la esfera pública*

Habermas estudia únicamente la esfera pública liberal. No deja ningún lugar para otros espacios públicos, como el de la esfera pública satírica y popular de la vieja tradición europea del Carnaval y de la cultura popular. Señala que: «La investigación se limita a la estructura y a la función del modelo *liberal* de la publicidad burguesa, a su origen y transformación; se remite a los rasgos que adquirieron carácter dominante en una forma histórica y no presta atención a las variantes sometidas, por así decirlo, en el curso del proceso histórico, de una publicidad *plebeya*» (Habermas 1986: 38).

Comprende aquí esta «publicidad plebeya», de un modo restringido, en relación con movimientos sociales donde actúa el «pueblo sin instrucción». Esta publicidad plebeya funcionó durante la fase revolucionaria de Robespierre, sobreviviendo de un modo sumergido en otros movimientos como el Cartista y el Anarquista. Por otra parte, nuestro autor no ve una diferencia esencial entre esta publicidad plebeya y la forma burguesa: «También esa publicidad plebeya,…, está orientada según las intenciones de la publicidad burguesa. Histórica e intelectualmente es, como ella, una herencia del siglo XVIII» (Habermas 1986: 38). De este modo no analiza las formas de publicidad plebeya vinculadas con la cultura popular europea y el Carnaval. Como consecuencia de esto tampoco puede explorar otros movimientos sociales y de trabajadores que han integrado aspectos de esta vieja esfera pública orientada desde la sátira y el Carnaval[3].

Habermas se refiere ciertamente a la fiesta en el estrecho contexto de las gentes de la aristocracia y de la burguesía, que son capaces de leer y escribir; pero no atiende las tradiciones festivas populares. Sin embargo, incluso en el contexto de la gente cultivada, su explicación de la fiesta es frecuentemente unilateral. Señalaré aquí dos ejemplos. Primero, y excluyendo a Göethe, no hay ninguna consideración de la tradición literaria o artística de la sátira y del Carnaval. Segundo, cuando narra el proceso en el que lo festivo se retrae al «interior» y deja de salir a la calle, su apreciación de ciertos periodos se apoya únicamente sobre consideraciones locales y parciales. Este es el caso, por ejemplo, de su generalización sobre los festivales barrocos que «se retiran de las plazas públicas a los jardines, de las calles a los salones de palacio» (Habermas 1986: 49)[4].

---

[3]   R. Reig (1982, 1986, 1988), por ejemplo, ha estudiado las conexiones entre el movimiento valenciano denominado Blasquismo y la cultura popular local.

[4]   P. Pedraza (1981) ha analizado las fiestas estudiantiles de calle, las procesiones carnavalescas y el arte efímero en el Barroco valenciano. Además, Habermas se olvida de la floreciente procesión del Corpus Christi, que tiene un componente

En general, su explicación está restringida al tipo de individuo que puede establecer la ecuación entre razón y juicio público, siendo capaz de leer y escribir. Los protagonistas de esa «esfera pública de la sociedad civil» son los burgueses: «Esa capa «burguesa» es la verdadera sostenedora del público, el cual es, desde el principio, un público de lectores» (Habermas 1986: 61). La figura paradigmática de Habermas es Kant, cuyo discurso le ayuda a introducir su ecuación de razón, democracia y comunicación, como núcleo de la esfera pública moderna (Habermas 1986: 136 ss.). En este contexto se incluye también la esfera de influencia del amplio movimiento europeo de La República de las Letras que, como Habermas indica con acierto, considera el «Mundo» como el «mundo de las letras», y lo asimila a la esfera pública. Esta emergencia de la esfera pública depende también de una separación previa entre lo público y lo privado, así como del desarrollo de una nueva subjetividad, un tipo de individuos que «en el proceso comunicativo de la publicidad literaria, se cercioran de su subjetividad procedente de la esfera íntima» (Habermas 1986: 90).

Estos individuos desarrollan ideas universales de libertad e igualdad para la comunidad de «los seres humanos», y se dedican a razonar y a debatir críticamente bajo los criterios de la racionalidad y de la vida pública. Aparece un nuevo «poder» que, como veremos, está también en el centro de la teoría de la verdad de Habermas: es el poder del mejor argumento, un poder que crece con conciencia de sí mismo. Además, la idea de Habermas de una «pretensión de validez», como centro del ejercicio activo de la crítica en un debate que tiene condiciones públicas, se encuentra prefigurado ya aquí, aunque será más tarde cuando le dé un pleno desarrollo en su obra. El autor se refiere constantemente a la pretensión de poder que se presenta en el debate público racional, siempre entendiendo que se trata del poder del mejor argumento (Habermas 1986: 66, 91), pues la razón tiene una fuerza peculiar (Habermas 1986: 137). Pone el énfasis en lo moral y en lo político a partir de Kant (Habermas 1986: 136), unos aspectos que van a ser la guía para su comprensión de la razón y, como mostraré después, de la comunica-

---

carnavalesco. Tampoco considera la vida festiva popular que, como demuestran Bakhtin en general y Pedraza en particular para Valencia, está impregnada por la cultura de Carnaval. Aún hoy los estudiantes persisten con la fiesta satírica destinada a dar la bienvenida a los nuevos alumnos, que es una variante de la popular diablada.

ción y del habla. Esta asignación de un papel director a la moralidad en la orientación de los individuos tendrá una importancia especial para el modo en que se entiende la transformación de los rituales, pues la evolución de la moralidad adquiere prioridad sobre los cambios en lo artístico, lo lúdico o lo festivo.

Habermas está preocupado por las condiciones recientes de la esfera pública. Ésta sufrió una crisis como resultado de diversos impactos sociales, especialmente de la extensión de la cultura de masas y de la sociedad de consumo. Consiguientemente, debe ser reconstruida: «hoy hay que crear motivos de identificación: la publicidad tiene que «hacerse», no está dada» (Habermas 1986: 228). La esfera pública contemporánea tiene dos escenarios que han de ser reconstruidos porque han perdido las capacidades críticas que el modelo liberal tuvo. Estos dos ámbitos se establecen desde la perspectiva de su relevancia política como espacios de comunicación. Se trata de los espacios «formales» e «informales», que se encuentran conectados con un tercer factor: los medios de comunicación de masas.

(a) El ámbito informal es definido, quizás ambiguamente, como aquel que contiene «opiniones personales, no públicas» (Habermas 1986: 269). El autor es muy escéptico sobre el poder de este ámbito informal para hacer frente a los efectos de los medios de comunicación de masas y a su orientación consumista. Las opiniones se configuran en una red de grupos que no pueden finalmente elaborar «ideas sostenidas por la convicción». Estos grupos son la familia, el pequeño grupo de amigos y otras relaciones laborales y de vecindad. Los asuntos devienen tópicos y son regulados por la moda, bajo la influencia de los medios de comunicación de masas y de los líderes de opinión. Habermas realiza un comentario muy revelador que manifiesta sus prejuicios sobre la naturaleza no reflexiva de la tradición: compara las características de «producto preparado» de la opinión informal con las formas de «vieja opinión» que era asegurada por la tradición en la sociedad pre-burguesa (Habermas 1986: 271).

(b) La parte formal e institucionalizada de la esfera pública se encuentra igualmente lejos del modelo liberal de un proceso público de debate crítico racional (Habermas 1986: 272). Los medios de comunicación social entran en conexión con los dos ámbitos de la esfera pública, la cual cae entonces en una descomposición: «El público no está ya solicitado a través de la comunicación pública, sino que a través de la comunicación de las opiniones públicamente manifestadas, el público de las personas privadas no organizadas es reclamado por la notoriedad pública «representativa» o manipuladoramente desarrollada» (Habermas 1986: 272). Esta publicidad manipuladora sitúa el ámbito informal en mutua dependencia, haciendo imposible su autonomía. Finalmente, Habermas sugiere, como una solución coherente con su modelo liberal, que los individuos deberían participar privadamente en la creación de una opinión pública crítica que pudiera conducir formalmente la comunicación en y entre las organizaciones. Estos espacios públicos intraorganizacionales tendrían que incorporar el dominio de lo informal en el proceso participativo (Habermas 1986: 272-4).

Esta descripción de la esfera pública me parece restrictiva. Las tradiciones no deberían entenderse como ausentes de reflexión. La parte informal de la esfera pública puede enriquecerse mediante la sociabilidad festiva y la sátira. Las conversaciones aparentemente banales, por ejemplo, pueden servir para mantener las relaciones sociales. La descripción de Habermas no nos permite diferenciar el contenido de los productos culturales preparados para la manipulación de los elementos relevantes para la sociabilidad que ayudan a mantener la relación (independientemente de la substancia del contenido). En general, el componente crítico de fiestas tales como las Fallas es más poderoso de lo que Habermas estaría dispuesto a conceder. La perspectiva crítica de las Fallas tiene un grado de autonomía relativa, lo cual se demuestra también en su relación con los medios de comunicación social de masas. Las Fallas, por ejemplo, realizan una sátira tomando como objetivo a la televisión.

El modelo liberal de Habermas, concentrado en el contenido de las opiniones, no puede dar cuenta de los aspectos artísticos y festivos de la esfera pública popular. Sin embargo, propone este modelo para constituir el criterio que sirva para legitimar cualquier cosa en la esfera pública. Esto significa que las tradiciones han de someterse a su comprensión de la esfera pública liberal para poder gozar de legitimidad. Es decir, las tradiciones han de pasar la prueba de un debate racional en la esfera pública liberal para obtener el «permiso» para su transmisión. Las Fallas, no obstante, son capaces de incorporar el debate racional dentro de su tradición festiva, pero no es un imperativo liberal de legitimación lo que las anima a hacerlo. El marco más amplio de transmisión de la tradición festiva, regida por la sociabilidad, comprende el debate como un aspecto más que ha sido incluido por la tradición como consecuencia de su constante diálogo con la experiencia presente.

B) *Reflexividad sin sociabilidad festiva*

El núcleo del giro lingüístico de Habermas descansa en una idea de Humboldt: la fuerza de síntesis del lenguaje que genera unidad entre las diferencias de los participantes en la conversación. Esta fusión de perspectivas en el lenguaje significa, según Habermas, que es posible abandonar la idea de la existencia previa de una conciencia individual[5]. Las ideas de Humboldt se enriquecen con las contribuciones de Mead, Chomsky y Wittgenstein y con la inclusión de la semántica de Frege y de la filosofía de lenguaje ordinario de Searle y de Austin. A la luz de este trabajo teórico, que no puedo detallar aquí, Humboldt puede ser reinterpretado del siguiente modo: la interacción de «ego» y de «alter» constituye un acto de habla, la unidad mínima de la conversación.

En este contexto debo centrarme en los dos elementos que son necesarios para comprender el modo en que Habermas caracteriza la reflexividad del lenguaje. Primero, la semántica nos proporciona una manera de asociar el significado con la validez, y esto es importante para él dado que lo que está intentando es situar la validez en el propio proceso de comprensión de un acto de habla. La estrategia es muy simple: Habermas sustituye «1» y «0», que realizaban su papel en las funciones (Frege), por el activo «sí» y «no» de un hablante, que manifiesta de este modo su comprensión de un acto de habla al responder a su correspondiente pretensión de validez con una aceptación o con una negación (Habermas, 1990: 112-3). Dicho de otro modo: la validez y el significado se implican mutuamente en el acto de habla, y éste puede ser afirmado o negado en el contexto de una conversación.

---

[5]   Habermas toma prestada una idea de Humboldt. El lugar que ocupaba la apercepción trascendental en Kant queda sustituido en Humboldt por una «unificación no coercitiva en la conversación». De este modo el lenguaje es anterior a la conciencia aislada: «Estas perspectivas de hablante y oyente no discurren ya hacia el centro de una subjetividad centrada en sí misma; se entrelazan en el centro del lenguaje —y como tal centro señala Humboldt la "mutua conversación en que de verdad se intercambian ideas y sensaciones"—» (Habermas 1990: 202). Sin embargo, como mostraré después, Habermas se verá obligado a postular una forma de sujeto, un substituto de la apercepción transcendental, para garantizar la mutua conversión entre los distintos componentes de los actos de habla cuando produce una historización de la acción comunicativa. Consiguientemente, su perspectiva difícilmente puede escapar de las tautologías que aparecen con este tipo de estrategias argumentativas de origen idealista.

Segundo, los actos de habla tienen «tres funciones» y una «doble estructura». Cada acto de habla manifiesta tres funciones lingüísticas: objetiva, normativa y expresiva. Además, los actos de habla tienen una «doble estructura» dado que «dicen» algo sobre el mundo (las tres funciones previas corresponden a partes del mundo) y al mismo tiempo «hacen» algo en el mundo. Habermas se refiere también a esta «doble estructura» como a la cualidad «auto-referencial» de los actos de habla. La capacidad de decir algo sobre el mundo está conectada con el contenido proposicional, el primer componente. La cualidad de hacer alguna cosa en el mundo se relaciona con un segundo componente: el ilocucionario. Una característica relevante de esta doble estructura del habla es que «ambos componentes, el proposicional y el ilocucionario, pueden variar independientemente uno del otro» (Habermas 1976: 341).

Habermas sitúa la reflexividad de la razón, ahora inscrita en el lenguaje natural, precisamente en estas propiedades del lenguaje: «Con la doble estructura del habla guarda relación un rasgo fundamental del lenguaje, a saber: la reflexividad que le es inmanente» (Habermas, 1976: 342). Como consecuencia, queda identificado el cometido de su «pragmática universal» como la «reconstrucción de esta doble estructura del habla» (Habermas, 1976: 344, 1990: 69). El ejercicio teórico de Habermas consiste pues en una reflexión sobre la razón, que es entendida ahora como reflexividad inmanente al lenguaje ordinario. La racionalidad proviene de la comunicación lingüística; consiguientemente, su evolución histórica podrá seguirse atendiendo a las transformaciones de la competencia comunicativa de la especie y del correspondiente nivel de reflexividad del lenguaje ordinario.

Esta reflexividad se manifiesta, y tiene su núcleo fundamental, en una teoría argumentativa de la verdad. La validez deviene un conjunto de «pretensiones de validez» en una conversación. Los participantes proponen pretensiones de validez que pueden ser negadas o criticadas, aportando nuevas razones al contexto discursivo. De este modo esta teoría conecta el significado y la validez, la comprensión y la dinámica del ejercicio de estas pretensiones de validez en una argumentación discursiva. Esta teoría de la verdad es también el centro de la crítica en la esfera pública moderna de Habermas, un espacio discursivo de debate que, como señalé anteriormente, incorporaba ya estas «pretensiones» que empujan hacia la emergencia del mejor argumento. La argumentación discursiva, que lleva aparejado el poder del mejor argumento, ofrece criterios para la crítica racional y para la legitimación de cualquier cosa en el mundo, incluyendo así también la consideración de la tradición.

Explicaré después cuáles son las fuentes de este poder, así como la cualidad de su «fuerza» peculiar.

La teoría de la verdad de Habermas puede entenderse en términos fenomenológicos como un modo de confrontar un problema en el mundo de la vida, como una «tematización» crítica, que puede validarse en la conversación a través del uso de argumentos. De este modo, cuando aparece algo problemático en el mundo de la vida (o cuando algo merece ser examinado), podemos ejercer la argumentación discursiva por medio de pretensiones de validez susceptibles de crítica, que pueden ser desarrolladas en el espacio del discurso por los participantes que intervienen en la interacción. Estas pretensiones de validez corresponden a formas de acción social que se conectan con los tres componentes del mundo de la vida[6]. Su articulación puede resumirse así: 1) la acción instrumental se relaciona con la posibilidad de afirmar o negar algo existente en el mundo objetivo, 2) la acción expresiva se relaciona con la veracidad en el mundo subjetivo y 3) la acción comunicativa se relaciona con la conformidad respecto de las estructuras normativas del mundo de la vida (Habermas, 1976: 328).

En estas condiciones particulares de la argumentación, el mejor argumento se impone a los otros, en la medida en que la orientación se dirige a la consecución de un acuerdo. Esto es posible porque, según Habermas, la argumentación se produce en condiciones de una tensión especial entre dos polos, que pueden ser denominados aquí «transcendente» y «factual»; se trata de una tensión peculiar que depende de la «doble estructura» del lenguaje. La distinción entre estos dos polos es fundamental en este contexto y da cuenta, además, de la singularidad del proyecto global de Habermas. Primero, hay un consenso idealizado, «transcendente», representado por la «comunidad ideal de comunicación», que ejerce una «fuerza» peculiar sobre las pretensiones de validez que se manifiestan en la conversación discursiva. Como mostraré después, esta fuerza será caracterizada —finalmente en *La Teoría de la Acción Comunicativa*— en términos de la fuerza de lo sagrado, entendido desde la perspectiva de Durkheim: Habermas tiene en mente la dinámica histórica del ideal compartido por un grupo social. Se trata en concreto del ideal democrático, humanista y racionalista de Occidente que ya había sido caracterizado inicialmente en su estudio sobre la

---

6   Estos tres ámbitos del mundo, y sus funciones lingüísticas correspondientes, se toman de Popper y de Bühler respectivamente.

esfera pública. Segundo, la autonomía del componente proposicional de los actos de habla y la capacidad de los hablante para decir «sí» o «no» garantiza la conexión con lo factual y empírico.

La diferenciación entre, por una parte, la «armonía de las mentes», que depende directamente de lo sagrado, y, por otra, la «armonía de las cosas», factual y dependiente del contexto, es habitualmente enfatizada por Habermas cuando cree conveniente insistir en lo esencial de su aportación. Señala así que existe una tensión entre el ideal y lo factual (que recuerda los movimientos entre la trascendencia y la inmanencia de lo sagrado en Durkheim) que hace innecesario tener que elegir entre Kant y Hegel[7]. Indica, además, en contra de lo que argumentaré a continuación, que esta estrategia le permite escapar de una tautología o *petitio principi*.

Al llegar aquí nos encontramos con una posible contradicción de pensamiento de Habermas. Ésta aparece cuando nos preguntamos si la racionalidad es universal (para todo lenguaje y mundo de la vida) o particular (para algun/os lenguaje/s-mundo/s). Por un lado, la racionalidad, entendida como inmanente a la reflexividad del lenguaje ordinario en general, se encontraba en todo lenguaje y mundo de la vida. Por otro lado, queda claro ahora que la reflexividad y la verdad no son neutrales en relación con las creencias, o con la fe, en aquel sentido de M. Weber que incluía a la propia «fe en la razón». La fuerza de las «pretensiones» de validez y del «mejor argumento», la peculiar presión hacia un acuerdo racionalmente fundado, tienen sus orígenes en un modo específico de comprender lo sagrado, que a su vez tiene su punto de referencia emblemático en la comunidad ideal de comunicación, el núcleo de un ideal social característico por algunos grupos sociales originarios de Occidente. Anteriormente, encontramos el mismo ideal en evolución en el centro del modelo de esfera pública propuesto por Habermas. En la sección siguiente me ocuparé del modo en que nuestro autor intenta dar respuesta a esta posible paradoja.

---

[7]   «El gradiente trascendental entre mundo sensible y mundo fenoménico ya no ha de superarse en términos de filosofía de la naturaleza o de la historia; antes se atempera reducido a esa tensión inmigrada al mundo de la vida de quienes actúan comunicativamente, que se da entre la incondicionalidad de las pretensiones de validez que trascienden y son capaces de quebrar todo contexto, por un lado, y la facticidad de las tomas de postura de afirmación o negación, dependientes del contexto y relevantes para la acción, las cuales crean in situ hechos sociales» (Habermas 1990: 183).

Ahora, la cuestión es saber si esta reflexividad y teoría de la verdad segregan aspectos de la sociabilidad festiva. En el caso de que sea así, e independientemente de cómo resuelva Habermas la dificultad teórica que acabo de señalar, habrá que pensar que su propuesta de racionalidad no es suficiente para dar cuenta de un amplio abanico de fenómenos empíricos relacionados con la fiesta. En primer lugar, el énfasis en la argumentación separa excesivamente dos polos en la actitud de los actores sociales, dejando un amplio espacio vacío en medio: o bien se concentran en una tematización racional para resolver un problema (crítica argumentativa) o bien dan por supuesto de modo rutinario los *stocks* de conocimientos, reglas, etc., que se encuentran depositados en el mundo de la vida. No hay lugar aquí para una «tematización sociable», más amplia que la argumentativa, que tenga la capacidad de retener la sustancia del contenido de un modo subordinado a las formas, expresiones y contextos de la sociabilidad. Ejemplos de ésta en la fiesta son las críticas satíricas del monumento fallero o las cabalgatas de crítica social donde se produce una manifestación de emociones en el contexto de un alegre movimiento cuyo protagonista es el cuerpo. El inconsciente y la risa, que juegan un papel en el humor o en el juego, no pueden reducirse como características expresivas de la sociabilidad a la búsqueda de la veracidad de una pretensión de validez en una argumentación.

Segundo, Habermas restringe excesivamente a un «sí» y a un «no» el modo en que los actores sociales «responden» en la conversación reflexiva o en la crítica social. Así, por ejemplo, estas respuestas no encajan con lo que realmente es importante para los participantes en la fiesta. Como el contenido es menos importante en la sociabilidad, los actores festivos se expresan de otros modos tales como reír, llorar, gritar, etc. También pueden responder a través del humor y del chiste o ironizando sobre el vocabulario o la alta cultura de alguien que se hace aburrido e insociable cuando manifiesta una excesiva preocupación por los «hechos». Este último ejemplo también demuestra, y ésta es mi tercera observación, la amplia naturaleza de la reflexividad de la sociabilidad, cuya «tematización sociable» desborda el marco restringido de un debate racionalista. Lo expresivo, lo festivo y lo artístico escapan esencialmente de un discurso regido por las pretensiones de validez. Como Heidegger y Simmel mostraron, gozan de una reflexividad que se fundamenta en el movimiento entre la proximidad, y la distancia, respecto a la vida.

C) La racionalización de la tradición como «Lingüistización de lo Sagrado»

El carácter restringido de las nociones de reflexividad y de esfera pública en Habermas lleva aparejada una explicación reduccionista de ciertos aspectos centrales en cualquier consideración de las tradiciones: los rituales y lo sagrado. Estos aspectos evolucionan de un modo sesgado, siempre de acuerdo con las características que se han asignado a la reflexividad, la teoría de la verdad y la esfera pública. Habermas establece un paralelismo con Max Weber: lo sagrado experimenta un desencantamiento, como era el caso en Weber, pero ahora ese proceso se entiende como una racionalización «comunicativa» en el proyecto de Habermas. Lo sagrado evoluciona así hacia una «lingüistización», se transforma en el lenguaje: se «disuelve» o «fluidifica» en el medio del lenguaje ordinario que, como expliqué anteriormente, incluye una reflexividad inmanente, la racionalidad comunicativa. En suma: lo sagrado y los rituales, como núcleo duro de las tradiciones, dan lugar a estructuras racionales en términos comunicativos y lingüísticos.

Consiguientemente, y como corolario de lo anterior, la tradición queda drásticamente dividida en dos tipos, atendiendo al criterio racionalista de reflexividad de Habermas: o tienen aún un núcleo duro sin disolver o ya se han reflexivizado lingüísticamente. Así, por un lado, existe la parte aún no lingüistizada de lo sagrado, que se encuentra depositada en los contenidos culturales de las tradiciones que aún no han devenido reflexivos y no han sido todavía objeto de problematización crítica racional. Por otro lado, están las estructuras ya lingüistizadas y reflexivas, que pueden someter a una consideración crítica argumentativa (cuya resolución discursiva otorga legitimidad) a aquellos componentes todavía «duros» que anidan en el mundo de la vida. De este modo, y en contra de la evidencia empírica que presento aquí sobre la reflexividad sociable de las tradiciones festivas, no parece existir en Habermas una forma de reflexividad de las tradiciones que sea distinta a la de su reflexividad lingüística.

Me propongo mostrar ahora que esta lingüistización de lo sagrado, sin el soporte de investigación empírica necesario por parte de Habermas —y con la evidencia presentada aquí sobre la reflexividad de las tradiciones festivas—, es una tautología. Pero antes es conveniente recordar que esta idea de la lingüistización de lo sagrado se plantea como una hipótesis empírica, dentro de una reconstrucción teórica más amplia que incluye una gran variedad de aspectos relacionados con la sociología política, con el derecho, etc. Esta hipótesis, sin embargo, constituye un presupuesto central para la realización de tan amplia reconstrucción teórica, entendida como el «cambio de paradigma hacia la comunicación» que propone nuestro autor.

Ocurren al menos tres cosas en relación con esta hipótesis. Primera, Habermas no tiene suficiente base empírica para contrastarla. Realmente sólo cuenta con los estudios ontogenéticos, muy criticados ya por cierto, de Khölberg. En segundo lugar, la hipótesis es muy restrictiva y depende, como mostraré a continuación, de un planteamiento tautológico que inunda la perspectiva global de Habermas. Finalmente, y como consecuencia de lo anterior, la hipótesis no da cuenta de otros fenómenos de transformación de los rituales, tales como la tradición festiva de las Fallas, que salen del marco de la reflexividad lingüística propuesta por nuestro autor y no presuponen una prioridad de la moralidad y de la conciencia práctica. Dado que la primera cuestión ha sido ya muy debatida, me referiré a continuación a las dos últimas puntualizaciones.

a) Defiendo que el planteamiento de Habermas es tautológico: tiene una petición de principio que constituye un círculo cerrado. Por una parte, la racionalidad moderna se deriva de los rituales y, sin embargo, esa misma racionalidad (y el sujeto que la encarna) se presuponen ya en el origen de la especie humana. Él mismo es consciente de esta amenaza de petición de principio cuando señala en relación con este problema que es necesario tener «un cuidado suficiente para que nuestra mirada no quede distorsionada por nuestra precomprensión moderna» (Habermas 1987: 111). Pues bien, me parece que Habermas no ha podido evitar esta distorsión. La racionalidad viene de lo sagrado y regresa después, presupuesta como racionalidad moderna, como mecanismo explicativo de esa misma evolución. Vamos a ver esta cuestión con más detalle.

Por un lado, la racionalidad es el producto de la lingüistización de lo sagrado. La hipótesis de la lingüistización constituye un punto crucial en la conjunción que Habermas efectúa entre Durkheim y Mead. Concierne al momento en que lo «normativo» y el sujeto práctico-moral hacen su aparición en la historia de la especie humana, la filogénesis. Además, Habermas considera estos aspectos morales de la evolución como fundamentales en comparación con otros, tales como lo artístico-expresivo, que son secundarios y dependientes. La hipótesis dice: «El desencantamiento y depotenciación del ámbito de lo sagrado se efectúa por vía de una lingüistización del consenso normativo básico asegurado por el rito, y con ello queda a la vez desatado el potencial de racionalidad contenido en la acción comunicativa» (Habermas 1987: 112). Consiguientemente el consenso alcanzado mediante la cooperación en la teoría de la verdad de Habermas ocupa el lugar que previamente tenía el consenso que se originaba en los rituales sagrados. Resumiendo, podemos decir que la racionalidad comunicativa deriva de los rituales.

Por otro lado, sin embargo, la racionalidad comunicativa también se «pone» en los orígenes. Lo normativo y la moralidad se colocan en el origen de la especie, lo cual, como voy a mostrar ahora, depende a su vez de presuponer el sujeto práctico moderno, cuya individualización depende de la tradición judía y cristiana, aquellas tradiciones que están detrás de la modernidad social. La prioridad que Habermas asigna a la moralidad emerge así de la evolución de lo sagrado. El autor está convencido de que la esfera normativa es el primer ámbito donde se manifiesta el legado de lo trascendente y de lo sacro: «en la medida en que el ámbito de lo sacro ha sido determinante para la sociedad, no son ni la ciencia ni el arte los que recogen la herencia de la religión; sólo una moral convertida en «ética del discurso», fluidificada comunicativamente, puede en este aspecto sustituir a la autoridad de lo santo «(Habermas 1987: 132).

Esta prioridad de la moralidad se fundamenta en un tipo de sujeto, cuya estabilidad en términos de identidad se presupone a lo largo de toda la filogénesis. Este sujeto hace su aparición cuando Habermas (1987: 91 y ss.) necesita sostener una «hipótesis adicional», denominada «las tres raíces de la acción comunicativa», que garantiza el paso entre los componentes objetivo, expresivo y normativo de los actos de habla mediante una lógica modal. De un modo simplificado podemos decir que esta lógica modal permite, gracias a la «doble estructura» del lenguaje, mantener constante el contenido semántico proposicional. Esta hipótesis adicional permite explicar el modo en que surge una «actitud decentrada» que «desocializa» el contenido proposicional, permitiendo la aparición de un grado de separación entre lo sagrado y lo profano[8]. En este contexto señala que es necesario presuponer un tipo de identidad, una forma de sujeto, que garantice esta mutua conversión de los tres componentes del habla mientras existe una autonomía del contenido proposicional. Este sujeto peculiar, en el que la conciencia práctica predomina sobre otros aspectos, como el expresivo por ejemplo, asegura

---

[8]   Una detallada explicación de esta parte de la argumentación de Habermas y una crítica puede encontrarse en Costa (1995, 1996).

la unidad en el cambio mutuo entre los tres componentes (Habermas 1987: 110).

Este sujeto, como vamos a ver ahora, está relacionado con una manera de comprender lo sagrado. Habermas, al igual que otros idealistas tales como Fichte, sitúa su comprensión del sujeto con la perspectiva puesta en los conceptos de libertad, autonomía y responsabilidad que proceden de la herencia de la tradición protestante y judeocristiana. La atalaya de la Comunidad Ideal de Comunicación constituye ahora el punto de referencia que ocupa el núcleo del ideal social de los grupos que recogen el testigo de esta herencia. En este aspecto Habermas practica una teoría social que se diferencia de la concepción crítica de algunos representantes de la primera generación de la Escuela de Frankfurt. A diferencia de la recomendación de Horkheimer, originada en la tradición judía, de no caer en el autoritarismo que supone derivar una idea buena de sociedad a partir de una imagen de Dios —y también de un modo distinto a la estrategia de la dialéctica negativa de Adorno—, en Habermas encontramos la postulación de una Comunidad Ideal de Comunicación como eje de una utopía cuyas raíces se encuentran en la tradición religiosa de Occidente.

Pero la continuidad de esta herencia se reclama aquí para resolver los problemas de continuidad y posible cambio de la identidad, así como los criterios que la definen, que pueden presentarse en cualquiera de los estadios de las transformaciones de la identidad que generan los rituales. Esta identidad descansa en última instancia en una idea de Dios, cuya espada apunta hacia una idea específica de individuación, justicia y libertad. Este sujeto es capaz de asumir una responsabilidad al identificarse como «yo»:

> Puede ser identificado genéricamente como un sujeto capaz de actuar con autonomía y puede ser identificado numéricamente por medio de datos que iluminan la continuidad de una biografía que asume responsabilizándose de ella. En esta dirección apunta, por lo demás, el *concepto occidental, articulado en la tradición judeocristiana, de un alma inmortal de creaturas* que se saben enteramente *individuadas* ante la mirada que todo lo penetra de un *creador omnipresente* y que está por encima del tiempo (Habermas 1987:154, énfasis mío).

Mi argumentación concluye aquí, cuando está claro que este individuo moderno, como heredero de una fe particular, se coloca como origen, eje y garantía de la especie y de su evolución. En este sentido cabe decir que Habermas no puede evitar caer en lo que filosóficamente podríamos denominar «la historización de un trascendental». Las características especiales de este individuo moderno de Habermas, particularmente su orientación responsable normativo-moral (una forma de intelectualismo moral) y su concentración en contenidos de la argumentación discursiva, se entienden como esenciales para la emergencia de la competencia comunicativa de la especie, un momento restrictivamente caracterizado por la normativización y la separación del contenido proposicional del habla. Estas son las características del individuo que protagoniza la esfera pública de Habermas, aquel que participa en la construcción del ideal social racionalista occidental. Pero al colocar las formas de este sujeto en los orígenes de la especie el autor produce una petición de principio, pues también deriva la racionalidad y las características de este sujeto a partir de los momentos originarios de la especie en relación con los rituales. Se trata, además, de una estrategia argumentativa no informativa en términos empíricos al no existir suficiente investigación sobre la cuestión.

Pero la crítica a Habermas puede ser también una crítica interna, ejercitada desde sus mismos presupuestos teóricos. Curiosamente, se puede llegar también a la conclusión anterior desde la propia idea que preside todo el pensamiento de Habermas, y que he expuesto en la sección anterior: la de que existe una tensión entre lo trascendente y lo factual. Como no tiene suficiente información empírica, el polo factual de la tensión está carente de peso, pues no hay el «sí» y/o «no» de los actores sociales que puedan ejercer un papel de contrapeso empírico. De esta manera toda la fuerza en la balanza se va hacia lo trascendente, y Habermas parece estar simplemente postulando una nueva fe, una ampliación de la fe en la razón de Weber. Ésta tiene ahora un tótem que ejerce como ideal nuclear de una religiosidad cívica, manifestándose entre otras cosas en el laico «patriotismo de la constitución»: se trata de la racionalidad comunicativa y de la Comunidad Ideal de Comunicación.

b) Este círculo cerrado —que lleva de la racionalidad comunicativa moderna a los orígenes de la especie, y que retorna de nuevo en evolución hasta el presente— se presenta como explicación de la evolución del único ideal social existente en Occidente. De este modo se excluyen otras formas de comprender la transformación de lo sagrado, así como otras tradiciones diferentes. Uno de ellos se encuentra cerca de Habermas y viene manifestado en la «Oda a la Alegría» de Schiller (y de Beethoven) donde aparece un Dios de la alegría que puede dialogar con los dioses, en plural, dado que la alegría es inicialmente «una brillante chispa de los dioses».

Por otra parte, y quizá de modo compatible con respecto al contenido de la Oda de Schiller, existen formas elaboradas de religiosidad popular en vinculación con las tradiciones festivas europeas que han persistido y se han transformado con el advenimiento de la modernidad social. Este es el caso de Las Fallas, una tradición festiva que muestra que hay otras formas de lo sagrado que son suficientemente maleables para coexistir, y superponerse, con las derivaciones del monoteísmo cristiano y del humanismo racionalista. Como Durkheim (1982: 32) señaló, cualquier teoría que deje de considerar esta religiosidad folclórica no hace justicia a la totalidad de lo sagrado en todas su formas. Habermas restringe la transformación de lo sagrado a la emergencia de un único ideal social, cuando hay otros que pueden demandar el mismo derecho[9]. Sin embargo, pretende tener criterios universales para discutir sobre la persistencia y legitimidad de la tradición.

Los actores festivos tienen habilidades para crear las prácticas sintéticas y de superposición que son necesarias para llevar a buen término la fiesta, cuya tradición desarrolla un constante diálogo con el presente. Esto muestra que la cuestión acerca de la existencia de un vacío que separara, o que opusiera, la tradición y la vida contemporánea no existe como tal para los propios actores sociales dado que aún preservan el antiguo modo de participar en una celebración.

3. CONCLUSIONES

Las perspectivas teóricas de Giddens y de Habermas son demasiado estrechas para explicar esta constante reelaboración de la tradición. No tiene mucho sentido explicar esta compleja configuración de la «tradición en la modernidad» en términos de una reflexividad cognitivista o de nociones racionalistas de lo sagrado vinculadas con el lenguaje. En cambio, como argumentaré en otro capítulo referido a las tradiciones, estas explicaciones restrictivas de la modernidad y de sus transformaciones pueden ser enriquecidas mediante una perspectiva que muestre la singular relación, entre formas tradicionales y modernas, que se produce gracias a la sociabilidad que actúa como medio de trasmisión de las tradiciones festivas.

---

[9]   Una explicación más detallada de esta segregación de la fiesta, los mitos y los rituales satíricos en relación con lo sagrado, incluyendo la consideración de la tradición y de la modernidad, puede encontrarse en Costa (1995,1996).

Capítulo 14
La sociología francesa de la cultura

Este capítulo se ocupa de Bataille, Foucault, Girard y Bourdieu, esto es, de los autores que han desarrollado los conceptos fundamentales de la sociología francesa del conocimiento y de la cultura generada a partir de los trabajos de Durkheim y de Mauss. Por este motivo debe ser situado en relación con el capítulo anterior en el que nos referimos a tales autores. Pretendo mostrar la relevancia que algunas ideas centrales de Durkheim y de Mauss han tenido para comprender el trabajo actual de la sociología francesa de la cultura, por ejemplo en los casos de Foucault y Bourdieu. Los conceptos de lo sagrado, técnicas del cuerpo, ritual sacrificial, *habitus*, etc, siguen siendo utilizados, si bien de modo específico y con nuevas elaboraciones, hoy en día por la sociología francesa de la cultura.

1. BATAILLE: EROTISMO, PODER Y RELIGIÓN

Georges Bataille aplica los conceptos fundamentales de la sociología de lo sagrado al amor erótico, a la economía, a la religión y a la fiesta. En particular, el ritual sacrificial y la donación configuran la esencia de su comprensión de la sexualidad. En las páginas iniciales de *El Erotismo* explica su propósito de entender el acto sexual en términos del sacrificio. El modo en que formula la continuidad y discontinuidad, orden y desorden, de la actividad sexual coinciden exactamente con la manera en que se entienden estos conceptos en el esquema sacrificial de Mauss, que he explicado anteriormente.

Bataille entiende la experiencia del sexo como experiencia interior del ser. La transgresión configura la posibilidad de romper la objetivación (o exteriorización) de la «cosa». Si no nos oponemos al sacrificio erótico podemos recibir «el movimiento del ser en nosotros mismos» (Bataille 1992: 55). La «vuelta» reconocedora de este movimiento es la transgresión. El ser adviene en Bataille como poema de los cuerpos en sacrificio sexual. El límite de este poema es también la destrucción, la muerte, en su afinidad con la reproducción. Las manifestaciones eróticas y orgiásticas son interpretadas como rituales de transgresión. La orgía, en particular, se sitúa en las civilizaciones agrarias.

El cristianismo, por el contrario, se opone al espíritu de transgresión, apareciendo el cálculo. Con ello se forma una exterioridad, un mundo donde la «cosa» es ya algo ajeno al movimiento interior del ser en el erotismo transgresor. El ascetismo produce una reducción de la experiencia sacrificial erótica. Sin embargo, Bataille muestra la unidad de la experiencia erótica y la mística con referencias a una variedad de culturas. El sexo está vinculado con lo sagrado: hace posible la intimidad con la «cosa», el movimiento interior del ser. Pero en la sexualidad hay también una economía de la pérdida, del gasto, que puede entenderse mejor elaborando una teoría económica general orientada a partir del gasto o consumo. Bataille (1987: 63-77, 81-111) encontrará estas reglas generales de la economía del gasto a partir de datos históricos y antropológicos, especialmente relevantes en los rituales sacrificiales y de donación, estudiados anteriormente por Durkheim y Mauss.

En su reformulación de la teoría del don de Mauss, Bataille (1987: 63-77) señala, en *La parte maldita*, que, frente a la economía de la utilidad, es necesario hacer una economía del gasto, de la pérdida. Fundamenta su teoría en datos históricos y antropológicos que, como en el caso de la sexualidad, muestran la naturaleza globalizadora, de orden sagrado, de la economía general del «gasto». Éste procede del ofrecimiento, de la entrega. Adquiere su manifestación ejemplar en la donación, particularmente en el caso del *potlach*. El gasto confiere un poder, señala Bataille (1987: 104), poniendo a Mauss como punto de partida para su teoría del poder (o soberanía) como gasto o pérdida que procede de un ofrecimiento.

La sociedad industrial adecua al hombre al sentido de utilidad, que tiñe así la naturaleza de las «cosas». En esta sociedad las obras dedicadas al trabajo se ajustan a esa exterioridad de las cosas. La globalidad anterior se pierde, separándose los animales y las plantas del cuerpo humano, anteriormente unidos, señala Bataille (1991: 42) en su *Teoría de la Religión*. El orden íntimo se ajusta a partir de ese momento a compromisos «que le permiten seguir siendo íntimo» (Bataille 1991: 99). Esta separación se disuelve momentáneamente en la fiesta, que devuelve la presencia de la globalidad de lo sagrado (la vieja soberanía), aunque lo hace, como veremos, de un modo ambivalente.

La reflexión de Bataille sobre el erotismo y el gasto conducen a una contemplación de las restricciones, y compromisos, que la «intimidad» (la unión del mundo, los seres y el hombre en una globalidad) ha sufrido con el advenimiento del mundo de los bienes. La intimidad se representa culturalmente en términos corporales y eróticos, pero se expresa en la fiesta en términos de actividad. Las representaciones que Bataille ofrece en *El Erotismo*, procedentes de otras culturas, no son diferentes a las que podemos encontrar en los monumentos característicos valencianos, tales como las representaciones escultóricas, de tema sexual, que podemos observar en las puertas de la Llotja de Valencia. La cultura satírica recogía también esos temas sexuales, donde aún persistían elementos de la previa relación globalizadora, relacionada con el mito. La exteriorización de la intimidad será objeto de una genealogía por parte de Foucault, que observará una transformación de las técnicas del cuerpo (Mauss) asociadas a la conducta sexual y al cuidado del cuerpo.

Bataille sitúa a la fiesta en el centro de su teoría de la religión. Recordemos que su concepto de poder procede del «gasto» implicado en el exceso festivo cuyo modelo es el *potlach*. Para Bataille (1991: 58) «la fiesta es el momento de fusión de la vida humana». Allí se recupera la vida íntima, pero no exactamente igual que antes, en la globalidad del mito, sino que en la fiesta hay una doblez, una ambivalencia. Por una parte, mantiene la intimidad, pero por otra, la disuelve en un hecho social efectivo porque tiene la perspectiva de los ritos de una comunidad concreta y se dirige también hacia aquello que la concierne en el lado de lo útil: sus cosas. Y Bataille entiende esta «cosa» como algo susceptible de vinculación con la obra útil: la fiesta de hecho dialoga operacionalmente (obtiene recursos) con el amplio marco de la sociedad. Consiguientemente, la fiesta presenta una naturaleza paradójica: sustenta tanto la intimidad de lo sagrado como su concreción en cosa comunitaria concreta, articulable con lo útil. Por esto señala Bataille que, en su contexto sacrificial, la fiesta entrega la víctima a lo «operatorio» y «eficaz»: la comunidad es cosa en el sentido de «individualización determinada y obra común en vista de la duración» (Bataille 1991: 59). Bataille sitúa la ambigüedad festiva entre la intimidad, la fusión, y la obra común de una comunidad que concierne a todos para persistir.

La fiesta articula la trascendencia de lo sagrado y la actividad común, que puede devenir cosa útil. Esta ambigüedad se añade a algo característico de la fiesta: su ausencia de claridad es condición necesaria para recordar. Bataille (1991: 59) señala esto diciendo que «la condición del retorno es la oscuridad de la conciencia». En la fiesta están los contenidos molestos, lo que es rechazado, aquello de lo que se aparta la conciencia clara. Lo que molesta es la oscura intimidad de la propia conciencia:

aquella fusión previa, mitológica y trascendente, con la naturaleza (vegetales, animales, cuerpo, tierra). El propósito de la religión, para Bataille, es esta «intimidad perdida». De aquí que la fiesta sea el centro del sacrificio y el tema principal de la teoría de la religión de Bataille.

A través de la fiesta la conciencia clara vive su propio temor, su drama. Para tener conciencia de la intimidad esta conciencia tendría que abandonar «operaciones» y «sentido de la duración»; pero, si lo hace, pierde la claridad. Por esto la fiesta siempre es el retorno de lo molesto y oscuro, propio de la intimidad trascendente, que no puede ser comprendido desde la claridad.

La religión, como la fiesta, tiene una posición paradójica en la sociedad burguesa: en esta sociedad se produce el abandono del ser humano a la utilidad de la cosa, pero al mismo tiempo la religión cobra autonomía (al existir libertad de cultos garantizada constitucionalmente). La consecuencia es que la religión, que se origina en el deseo de recuperar la intimidad perdida, únicamente puede recuperar la intimidad de un modo exteriorizado (Bataille 1987: 161-162).

2. MICHEL FOUCAULT: LIBERTAD Y DISCIPLINA EN LA MODERNIDAD

La historia de la restricción del sacrificio erótico, de la intimidad, en la sexualidad moderna, como ciencia y discurso, en relación con técnicas disciplinadoras del cuerpo y conformadoras del yo, constituye el trabajo de Michel Foucault, continuador en gran medida de los trabajos de Bataille sobre estos temas. Además, estas nuevas técnicas sexuales están en relación con la génesis de las modernas libertades (y disciplinas) del Estado moderno. La nueva soberanía contractualista desplaza a la vieja soberanía de la intimidad y del gasto. La paradoja de esta soberanía contractualista, que combina la libertad formal y la disciplina (control y seguridad en la población), se expresa igualmente en el ámbito de la sexualidad y de la constitución del yo.

Foucault tiene además otros puntos de referencia que son esenciales para comprender su obra Como expliqué anteriormente en el capítulo dedicado a la teoría crítica, el análisis de la Ilustración y de la sociedad burguesa en términos antinómicos —principalmente entre la libertad formal y la disciplina (control y administración de la población y violencia)— se remonta inicialmente a Hegel, siendo proseguido después por los sociólogos clásicos (Marx, Weber y Durkheim) y Nietzsche, con una diversidad de matices que no puedo detallar aquí. Finalmente, como vimos antes, este análisis cobra un nuevo vigor en *La Dialéctica de la Ilustración* de Horkheimer y Adorno. Mi primera hipótesis es que Foucault reelabora esta problemática (que también atendió Bataille) a partir de los conceptos fundamentales de la tradición sociológica francesa desarrollada por Durkheim y Mauss, especialmente preocupada por lo sagrado. Esta estrategia ya había sido utilizada por Adorno y Horkheimer, por ejemplo, cuando analizan el proceso moderno de subjetivación mediante el autodominio a través de una discusión del ritual sacrificial en relación con Odiseo. Una segunda hipótesis es que el análisis de Marx de las contradicciones asociadas con el estado moderno (y la sociedad civil) es fundamental para entender cómo Foucault (y después Girard) utiliza la tradición francesa de la sociología de la religión para continuar la idea marxiana del «rodeo teológico» del Estado. Por este motivo introduciré, primero, la discusión marxiana sobre el Estado en relación con la sociología de lo sagrado y, después, me referiré a los temas de Foucault anteriormente mencionados. La crítica de Foucault puede leerse en términos de la crítica marxiana a la ideología de la teología de la razón o «religión de la humanidad».

A) *Una crítica a la religión de la humanidad: libertad y control*

J. A. Prades (1987: 1992) ha explicado en diversas obras la evolución de la «Religión de la Humanidad» desde Saint-Simon y Comte, Durkheim y la sociología francesa de lo sagrado, hasta las nuevas formulaciones de Bellah[1]. Prades nos relata la construcción, y problemas, de una religión laica de la humanidad, donde se sitúa, entre otras cosas, el Estado moderno. Foucault realiza una crítica a las paradojas de esta religiosidad, cuyas antinomias ya habían sido detectadas en gran parte por Durkheim[2]. Para ello va a partir de los presupuestos marxianos acerca

---

[1]   Principalmente en Prades, J. A., *Persistance et métamorphose du sacré. Actualiser Durkheim et repenser la modernité* (Paris, P.U.F.,1987). El conjunto de la evolución de la religión civil es explicado en «Sobre el concepto de religión civil. Una relectura de la socio-religiología durkheimiana». Ponencia en el Congreso Español de Sociología. Madrid.1992.

[2]   No puedo extenderme aquí en este tema. Por ejemplo, en sus escritos sobre historia de la educación en Francia, Durkheim señala que el ideal educativo jesuítico ha conducido a una serie de excesos racionalistas que forman parte del sistema

de la naturaleza de «rodeo» religioso del Estado, comprendidos desde la tradición etnológica francesa (aunque también hay elementos procedentes de Heidegger y de Nietzsche en esta orientación). Por esto, para comenzar, vamos a ver cómo sitúa Marx el problema religioso del Estado.

En *La Cuestión Judía* Marx plantea el problema de la contradicción del Estado, entre el ciudadano abstracto limitado y el hombre burgués, insistiendo en que la liberación política, que no es la liberación humana o emancipación, constituye un «rodeo teológico», un «medio» necesario, que es el Estado. Marx asimila este rodeo o «mediación» del Estado al producido engañosamente por la religión. La paradoja de la formalidad abstracta de la vía política del Estado se pone en relación con la servidumbre religiosa.

El hombre está obligado así a una doble existencia: la vida como ser colectivo en la comunidad política y la vida en la sociedad civil, en la que actúa como particular. La entidad de la política formal, el Estado, manifiesta en su seno la escisión del hombre en la sociedad civil. Marx utiliza las formas de la religión para explicar este nuevo «rodeo» formal, «espiritualista» del Estado. El Estado se comporta de manera espiritualista, como el cielo con la tierra. En el Estado el hombre tiene soberanía, universalidad; pero en la sociedad civil «pasa ante sí mismo y ante los otros por un individuo real y manifestación carente de verdad». La emancipación política supone, en cuanto a la religión, la esencia de la diferencia. El rodeo religioso del Estado se comporta con la misma religión de modo político, de modo acorde con su naturaleza disgregadora: multiplica el hecho religioso privado, ahora puesto en el mismo corazón de la sociedad civil.

Esa realidad espiritualista del Estado proviene, no obstante, del grado de «desarrollo del espíritu humano del cual es expresión religiosa», que se hace profana. Marx detecta, así, la especial religiosidad «laica», profana, del Estado. Esa religiosidad es la falsa conciencia ideal con respecto al grado humano de espiritualidad. Su falsedad se manifiesta en una doblez: la vida individual, de sujetos aislados, que compiten en el mercado, se opone a una vida genérica, encubierta en el rodeo

educativo y del carácter de ciertos grupos. Por esto propone una serie de transformaciones pedagógicas (re-orientación reflexiva del ideal a partir de los análisis realizados por la sociología).

de la abstracción del derecho burgués. En el caso del Estado político sus miembros son religiosos (en el sentido de una creencia en el Estado mismo) en la medida en que el hombre se comporta con respecto a la vida del Estado, localizada en el más allá de su individualidad real, como con respecto a su verdadera vida. En cambio, en la sociedad civil, aparece perdido de sí mismo, está enajenado, entregado al imperio de las relaciones y elementos más inhumanos.

El rodeo de la vía política se manifiesta, incluso explícitamente, en las constituciones, donde se atiende tanto aquella «libertad política» como la protección que hace necesaria. El contrapunto de la relación religiosa de reconocimiento a través del Estado, que es necesario desarrollar para acceder a las libertades, derechos del hombre y del ciudadano en la aparición de la política, es la necesidad de seguridad y de protección, garantizada por los nuevos servicios gestionados de control y policía. Marx cita el artículo 8 de la Constitución de 1795, que se refiere a la seguridad: «La seguridad es el concepto social supremo de la sociedad burguesa, el concepto de policía, de acuerdo con el cual toda la sociedad existe para garantizar a cada uno de sus miembros la conservación de su persona, de sus derechos y de su propiedad». Esta contradicción básica, encarnada por el Estado, supone una mutua exigencia de libertad y de control. La paradoja entre libertad y dominio constituye el intríngulis del Estado.

Foucault reelabora esta problemática en muchos lugares. Es especialmente claro en *Vigilar y Castigar*, donde se refiere a Marx, y a la tradición crítica de estudios sobre la prisión, como punto de anclaje de su investigación. La paradoja de Marx se traduce en términos del bio-poder, que en el Panóptico tiene energía y estructura de sacrificio moderno de donación. El Foucault llamado «genealogo» es, por tanto, el mismo que el «arqueólogo», y también, como vamos a ver, se preocupaba por el mismo tema al comienzo de su carrera. Foucault ha transformado el rodeo fantasmagórico de la religión humana (restringida) del Estado en términos de los conceptos etnológicos de lo sagrado: el dispositivo Panóptico es el ritual sacrificial de la modernidad, cuyo altar es la prisión, y el *reo* es el cuerpo del encerrado, que no paga o no cumple con la norma tecnológica de su misma «docilización». En el apartado siguiente sobre sexualidad explicaré su búsqueda de la dicotomía, entre libertad y dominio, en los orígenes griegos, para verla poco a poco desarrollarse hasta llegar al control poblacional por parte del Estado.

B) Sexualidad

Estamos habituados a hablar del sexo en términos de «liberación» versus «represión». Foucault se ha interesado en buscar los orígenes de esta oposición inevitable en el discurso de la burguesía. Está interesado en denunciar que la hipótesis de la represión se presenta con máscara, pues forma parte del discurso ambivalente sobre el sexo, que aparece con la burguesía. El discurso de la liberación forma parte del mismo poder y lo reproduce. No obstante, la práctica de hablar sobre la verdad que encierra el secreto de la carne procede inicialmente de las prácticas de la confesión. Va apareciendo una pasión nueva, hablar sobre sexo, que tiene una estructura de «dispositivo» como ciencia de la sexualidad con el advenimiento de la modernidad social. La sexualidad se pone en relación con la forma de análisis científico, contabilidad, clasificación y especificación, en forma de investigaciones cuantitativas o causales.

El Estado atiende tanto a la libertad y a los derechos de los ciudadanos como a la seguridad y protección. El sexo deviene asunto de administración de la «policía», en el sentido clásico general de actividades de cuidado y atención de la ciudadanía. Así el sexo se reglamenta «mediante discursos útiles y públicos». Aparecen frases tales como la «población-riqueza», la «población-mano de obra» o la capacidad de trabajo del pueblo, la población en equilibrio entre su propio crecimiento y los recursos de que dispone, etc. Los gobiernos han de tomar cuidado de las variables de población. En el centro está el sexo: «Hay que analizar la tasa de natalidad, la edad del matrimonio, los nacimientos legítimos e ilegítimos, la precocidad y la frecuencia de las relaciones sexuales, la manera de tornarlas fecundas o estériles, el efecto del celibato o de las prohibiciones, la incidencia de las prácticas anticonceptivas, etc.» (Foucault 1987 a: 35). En este sentido proliferan campañas para regular e intervenir sobre el discurso del sexo, y las prácticas sexuales. Una nueva articulación entre el Estado y la intimidad aparece, mediada por la administración y la economía política: «Que el Estado sepa lo que sucede con el sexo de los ciudadanos y el uso que le dan, pero que cada cual también sea capaz de controlar esa función. Entre el Estado y el individuo, el sexo ha llegado a ser el pozo de una apuesta, y un pozo público, invadido por una trama de discursos, saberes, análisis y comunicaciones» (Foucault 1987 a: 36).

Las ciencias son el instrumento que legitima el nuevo discurso sobre el sexo. En particular, la medicina inventa las áreas patológicas de incompletud, desviación o perversión. Las prácticas «normales» se reglamentan higiénicamente en el lecho reproductor de la familia. La preocupación por el sexo durante el siglo XlX genera un discurso apropiado para las ciencias modernas de estudio y control de la población. En el primer volumen sobre la *Historia de la Sexualidad* Foucault insiste en que el sexo es un discurso creado desde el poder, que articula la disciplina de los cuerpos por parte de los individuos con la regulación de las poblaciones que asume el Estado. El cuerpo y el sexo se convierten en el punto de articulación entre el cuerpo individual, las tecnologías del yo, y el cuerpo social poblacional. El discurso del sexo y del cuerpo se convierte en elemento fundamental para la organización, motivación y modificación de comportamientos y prácticas de la población.

A esta propuesta responden análisis del tipo planteado por Giddens (1992) quien, expone en *The Transformation of Intimacy* una crítica a Foucault en este tema. Pese a estar de acuerdo con Foucault en la negación de la «hipótesis de la represión», Giddens acepta que hay un discurso del sexo, del cuerpo y de las dietas que tiene una doble función, un tanto ambivalente, paradójica o dialéctica. Por una parte, de acuerdo con Foucault, hay una administración y política económica del sexo y del cuerpo. Pero, por otro lado, critica la ceguera de Foucault ante la actividad e iniciativa del sujeto: Giddens cree que el actor social moderno puede hacer un proyecto de construcción de identidad ligado con unas prácticas sexuales que suponen un alto nivel de reflexividad en condiciones de modernidad avanzada. Señala, por otro lado, la aparición del principio democrático como guía para la relación personal y sexual. El capítulo final de este libro relaciona intimidad y democracia. Giddens destaca así el componente de reflexividad que se desarrolla enormemente con la sexualidad moderna. La simetría y democratización de las relaciones interpersonales en la vida cotidiana aparece como otro componente importante.

La crítica de Giddens hacia Foucault parece a primera vista consistente. Sin embargo, Foucault, en los volúmenes siguientes de la *Historia de la sexualidad*, realizó unas matizaciones importantes señalando que estos principios democráticos, y de reflexividad y simetría, aparecen solamente en la tradición occidental. Insistió, además, en que la «liberación» o «emancipación» nacieron ya en Grecia acompañadas del dominio de sí y de la seguridad que proporciona la buena disciplina según dietas, consejos, etc. De este modo, otras culturas no han tenido este discurso sobre el sexo y el cuerpo como propio. En todo caso, lo reciben como un regalo más de Occidente, uno de los discursos favoritos de la burguesía civilizadora, que reelabora «la confesión de la carne» y construye una manera científica de hablar sobre el sexo.

C) La locura

En *Enfermedad mental y personalidad* Foucault se encuentra profundamente influido por la fenomenología existencial. Reivindica la intuición frente a la lógica discursiva, frente al análisis naturalista objetivador, «que encara al enfermo con el distanciamiento propio de un objeto natural», y frente a la reflexión histórica, que «lo mantiene en una exterioridad que permite explicarlo, pero difícilmente comprenderlo». En oposición a ellas reivindica una psicología que parte de la intuición: «La intuición, saltando al interior de la conciencia mórbida, trata de ver el mundo patológico con los ojos del enfermo mismo: la verdad que busca no corresponde al orden de la objetividad, sino de la intersubjetividad» (Foucault 1992b: 64).

El método de la psicología fenomenológica se fundamenta en comprender qué «quiere decir reunir, captar y penetrar al mismo tiempo», para así restituir la experiencia que el enfermo tiene de su enfermedad: «comprensión de la conciencia enferma y reconstitución de su universo patológico: éstas son las dos tareas de una fenomenología de la enfermedad mental» (Foucault 1992b: 66). El enfermo tiene una conciencia original de su enfermedad, aunque no puede tener la perspectiva y constancia del médico respecto de sí mismo. La conciencia de la enfermedad está prisionera en el interior de la enfermedad: está anclada en ella y, en el momento en que lo precise, la expresa dando formas de interpretación y significación. Foucault está interesado en subrayar que no hay una distinción *a priori* entre lo normal y lo patológico. Sí hay, no obstante, condiciones exteriores objetivas que hay que interrogar para saber cómo se produce la existencia patológica, caracterizada por la forma especial de abandono del mundo:

> Al perder las significaciones del universo, al perder su temporalidad fundamental, el sujeto aliena esta existencia en el mundo en el que estalla su libertad; no puede comprender el sentido y se abandona a los acontecimientos; en ese tiempo fragmentado y sin porvenir, en ese espacio sin coherencia vemos la señal de un derrumbe que abandona al sujeto al mundo como a un destino exterior. En esta unidad contradictoria de un mundo privado y de un abandono a la inautenticidad del mundo, se encuentra el nudo de la enfermedad. O, para emplear otro vocabulario, la enfermedad es a la vez retiro a lo peor de las subjetividades y caída en la peor de las objetividades.

Foucault señala dos puntos esenciales, la educación y la religión, donde aparecen las formas sociales patológicas que no pueden transformar el pasado para enfrentar un problema del presente, o que impiden asimilarlo al contenido actual de la experiencia, por existir una contradicción en el seno de las estructuras sociales. El niño se ahorra los conflictos de los adultos al precio de abrir una contradicción mayor entre su vida de «niño», y ocultación de los sueños de la sociedad, y su vida real (presente real de las mismas sociedades). A nivel religioso se produce un conflicto en la medida en que «la cultura de un grupo no permite asimilar las creencias religiosas o místicas al contenido actual de la experiencia» (Foucault 1992b: 97).

Los primeros escritos de M. Foucault, especialmente *Enfermedad mental y personalidad* (1992b [1955]), ofrecen una perspectiva fundamentada en la fenomenología, que recoge el planteamiento marxiano. La sociedad burguesa, dice Foucault, impulsa al hombre a ver en su semejante lo paternal y lo hostil al mismo tiempo. Para Foucault, el complejo de Edipo es la versión reducida de esta paradoja, que se expresa también en la neurosis de guerra, donde al pulsión de vida se le opone la fuerza negativa del pulsión de muerte.

Así, continua Foucault, «sólo en la historia podemos descubrir las condiciones de posibilidad de las estructuras psicológicas». El demente es la contradicción viva y real de la sociedad burguesa, pues «la revolución burguesa ha definido la humanidad del hombre por una libertad teórica y una igualdad abstracta». Los enfermos mentales, como hombres reales y concretos, muestran la contradicción: pues no gozan de libertad e igualdad. De ahí que los enfermos sean expulsados al exterior de los límites de la ciudad (1992b: 115). Ésta es la ambivalencia de la concepción humanista, que excluye al enfermo de la sociedad de los hombres como, «práctica inhumana de la alienación» (1992b: 91). El propio enfermo no se reconoce en tanto que hombre en las mismas condiciones de existencia que el hombre mismo ha instituido» (1992: 114). Foucault acaba proponiendo terapias que supongan formas concretas de superar su situación de conflicto, produciendo nuevas relaciones con el medio. Se trata de abandonar un psicologismo que sigue en la abstracción de la internación, pues, dice Foucault (1992b: 122): «la verdadera psicología debe desembarazarse de ese psicologismo, si es verdad que, como toda ciencia del hombre, debe tener por finalidad desalienarlo». Los enfermos mentales, así como los prisioneros (recordemos las opiniones de Marx sobre la provisión de «moralidad» de los delincuentes para el Estado), y el cuerpo «domesticado» del plebeyo, apuntan en conjunto hacia esa paradoja básica del «rodeo «religioso del Estado: señalan la vía disgregante, y violenta, de la libertad que promete unos derechos que exigen un nuevo control poblacional, nuevos instrumentos de venganza y de orden, anteriormente ofrecidos globalmente por el viejo ritual. Por eso a Foucault le interesa la esencia del utilitarismo (Bentham) y de la religión reductora de la humanidad (del Estado). Aquí están los orígenes de las «nuevas enfermedades».

Para explicar los comienzos de Foucault en *Enfermedad mental y personalidad*, así como para trazar su marco general, era necesario recordar los presupuestos de Marx, en la *Cuestión Judía,* sobre la religión y el Estado. Sin embargo, para situar *La Historia de la Locura en la Época Clásica* es necesario hacer intervenir, además, presupuestos weberianos y durkheimianos. Foucault retoma el tema de la ética protestante y establece una nueva relación de afinidad entre las sectas ascéticas y la cultura policial, para el caso inglés. En el caso francés, hay un apoyo, no explícito, en los estudios de Durkheim sobre la *Evolución Pedagógica en Francia*, y en su caracterización de los «ideales educativos» de ese periodo, especialmente reelaborados o generados por los jesuitas. Foucault describe la consolidación de la tendencia a lo formal y abstracto en el pensamiento, la importancia de la supervisión, o vigilancia, y el enjuiciamiento constante, sin amenazas, pero con autoridad: «el vigilante actúa sin armas, sin instrumentos de constreñimiento, con la mirada y el lenguaje solamente» y «en el Retiro el loco era mirado y se sabía visto» (Foucault 1972: 229). Foucault todavía no ha olvidado el lenguaje de la *Cuestión Judía*: «En este fin del siglo XVIII no se trata de una liberación de los locos sino de una objetivación del concepto de su libertad». Cuando compara a Pinel (médico francés educado con los jesuitas) con Tuke (médico cuáquero inglés) es más claro aún:

> Con un solo y mismo movimiento, el asilo, entre las manos de Pinel, llega a ser un instrumento de uniformidad moral y de denuncia social. Se trata de hacer reinar bajo las especies de lo universal una moral, que se impondrá desde el interior sobre aquellos que no la conocen, y en los cuales la alienación está dada desde antes de manifestarse en los individuos. En el primer caso, el asilo deberá actuar como un despertar y una reminiscencia, invocando una naturaleza olvidada; en el segundo, deberá actuar por desplazamiento social para arrancar al individuo de su condición. La operación, tal y como se hacía en el Retiro, era aún más sencilla: segregación religiosa con fines de purificación moral. La que practica Pinel es relativamente compleja: se trata de lograr síntesis morales, de asegurar una continuidad ética entre el mundo de la locura y el de la razón, pero practicando una separación social que garantice a la moral burguesa una universalidad de hecho y le permita imponerse como derecho sobre todas las formas de alienación (Foucault 1972 [1964]: 238).

En la locura «descubre el hombre su verdad»: «el loco descubre la verdad terminal del hombre: muestra hasta dónde han podido empujarlo las pasiones, la vida de sociedad, todo aquello que lo aparta de una naturaleza primitiva que no conoce la locura». Foucault (1972: 264 ss) descubre el círculo antropológico del discurso de lo «humano», que ya había denunciado antes en *Enfermedad mental y personalidad*, como ambivalencia de lo humano: humanidad inhumana del internamiento en su primer libro. El círculo está aún formulado en términos de experiencia, percepción. Pero aquí la locura se entiende ya en conexión con el desarrollo del concepto de humanidad que produce la Ilustración, un concepto en el cual coexiste una doble dimensión que explicita el énfasis en la vigilancia y la mirada: se trata de una liberación formal, objetivada, que implica una disciplina. La locura expresa la naturaleza de identidad de este doble mediante el cual se expresa la razón moderna. En el *Nacimiento de la clínica* la nueva mirada médico-policial tiene a la muerte como *a priori* concreto de la experiencia médica. Así nace la medicina moderna y la experiencia de la individualidad en la cultura moderna, como estructura antropológica del humanismo:

> La posibilidad para el individuo de ser a la vez sujeto y objeto de su propio conocimiento, implica una inversión en la estructura de la finitud. Para el pensamiento clásico, ésta no tenía otro contenido que la negación de lo infinito, mientras que el pensamiento que se forma a fines del siglo XVIII le da los poderes de lo positivo: la estructura antropológica que aparece entonces desempeña a la vez el papel crítico de límite y el papel fundador de origen (Foucault 1966 [1963]: 277).

D) *El Panóptico: el sacrificio en la Religión de la Humanidad*

En *Las Palabras y las cosas* Foucault reivindica más claramente el papel de la etnología y del psicoanálisis para saber acerca de este *a priori* histórico de todas las ciencias del hombre. Forman parte de un saber que «sabe» de lo inhumano de lo «humano». Contribuyen a detectar las grandes cesuras, los surcos, las particiones que, en la episteme occidental, han dibujado el perfil del «hombre» y lo han dispuesto para un posible saber. Así pues, era muy necesario que ambas fueran ciencias del inconsciente: no porque alcancen en el hombre lo que está por debajo de su conciencia, sino porque se dirigen hacia aquello que, fuera del hombre, permite que se sepa, con un saber positivo, lo que se da o se escapa a su conciencia. Estas ciencias (o anti-ciencias) apuntan a esas posibilidades no realizadas en la restricción del ser social operada en lo «humano» del rodeo del Estado, desde el ejercicio sacrificial de la nueva venganza protectora, encarnada en el conjunto de instituciones de la «red del encierro»: el asilo, la escuela, la prisión, etc.

Foucault sigue pensando que hay que destruir el «cuadrilátero antropológico» para salir del «duplicado analítico-trascendental» (tan bien representado por Kant) en que se ha convertido el hombre. Para ello es necesario «volver a interrogar a los límites del pensamiento». Éste es el objetivo del último Foucault, volviendo de nuevo a su pregunta más básica, procedente del análisis marxiano del rodeo del Estado. ¿Cómo engaña el Estado en la sustentación de su contradicción entre libertad y dominio? ¿cómo perpetua su naturaleza trascendente que, como lo sagrado, impide ver a sus creyentes? La combinación entre la etnología y el marxismo es la confesada síntesis que hay detrás de su esfuerzo por desentrañar el Panóptico, el modelo típico ideal (imaginario y efectivo al tiempo), del sacrificio moderno de naturaleza utilitaria («humana»). El Dispositivo Panóptico «encierra» la contradicción esencial detectada por Marx para el Estado: la promesa de libertad (política) mediante el ejercicio del control policial. El «bio-poder» devuelve, programa y mide, la seguridad para el egoísta racional que «paga». Ésta es la esencia de la «soberanía» del contractualismo moderno, una derivación de los antiguos entendimientos con los dioses.

Los viejos rituales, sin embargo, entendían la soberanía de otro modo. El poder de lo sagrado procedía de la energía de la fusión colectiva, vinculada con la naturaleza: la soberanía venía del movimiento del ser en la intimidad (Bataille). La variedad de estas formas de concebirla generaba una pluralidad de poderes, canalizados por el ritual sacrificial y por el gasto de la donación. Estas formas, como vio Foucault, todavía están en la plebe y en el cuerpo, que son los objetivos de la reducción de la soberanía (de lo sagrado) a contrato benthamita entre ciudadanos (soberanía contractualista moderna de la igualdad). El sacrificio Panóptico los escoge como víctimas propiciatorias, algo que ya explicó Marx al hablar de la «delincuencia» en su relación con el Estado.

La intensificación del control policial (la transformación de la vieja atención policial en la moderna policía de uniforme) fue diseñada por Bentham, con objetivos de atender a la plebe inglesa del modo más barato posible. La red del encierro consta de la multiplicidad de las instituciones modernas, pues lo esencial son sus técnicas del cuerpo peculiares, que toda hipostatización trascendente genera (Mauss). La sangre utilitaria del colectivo sacrificante del Estado disfraza a la víctima con una parte de sus técnicas. El prisionero es así medido en términos de dinero y grados de libertad por parte de los sacerdotes de la religión utilitaria de la humanidad (jueces, policía, ciencias y ciencias sociales acríticas). Su cuerpo es situado en la prisión, altar del sacrificio humanitario, cuya dimensión circular transita, como muro ambiguo de continuidad y de separación respecto a la víctima, entre los juzgados y los parlamentos. La prisión es el lugar donde se garantiza la seguridad que ofrece la libertad formal de la «humanidad». El brazo ejecutivo, tribunales y policía, tienen el saber de la ambigüedad de la víctima. La destrucción, deterioro, o muerte del plebeyo encarcelado renueva la promesa de libertad del colectivo estatalizado (formalizado, diría Marx). Los orígenes ascéticos del utilitarismo apuntan a los progresos de una forma de sacrificio del dios agrario que produce la «máquina calculante» (Mauss). En el sacrificio del dios agrario, la víctima, el dios y el colectivo coinciden, convirtiéndose además algunos sacerdotes en santos. De esto nos habló Huizinga, en *J. J. Rousseau, The making of a saint*. Pero es necesario un desdoblamiento, que oculta frecuentemente una colaboración en el combate (Mauss): por eso el espíritu trascendente del Estado se desdobla en libertad (parlamento) y dominio (prisión). El espíritu es, sin embargo, de todos, y se hipostatiza. Las nuevas tecnologías del yo se encargan de normalizar y uniformar, en términos utilitarios, al cuerpo de todos. Resiste esa parte de la víctima, que siempre goza de una ambigüedad: está representada por la irreductibilidad plebeya del cuerpo del prisionero. Pero esa misma ambivalencia está en todos los cuerpos. La vieja soberanía, la perspectiva totalizadora de la existencia, aún está en esa parte oscura de la memoria, que la conciencia clara no quiere reconocer, o no puede (Bataille).

La radical exteriorización de la cosa, como útil, produce nuevos efectos en su relación con lo sagrado y con lo mitos. Este tema ha sido objeto de preocupación en su relación con el ritual sacrificial. Heidegger había señalado que el sacrificio, como eje del «Evento de Apropiación» de lo que permanece en la memoria latente, constituía el ámbito de la *res publica* donde, aparte de hablar y tratar de asuntos comunes, se resolvían litigios. Pero la nueva comprensión tecnológica de la cosa genera el Dispositivo. El Dispositivo cibernético, en Heidegger, usa el concepto restrictivo de la «cosa» como objeto útil (tras la reducción operada por la metafísica sobre el concepto de «cosa), manifestándose los excesos consiguientes a través de la tecnología moderna, destructora de la tierra. Adorno y Horkheimer ya adelantaron una explicación de los efectos desencadenados por la razón instrumental, poniendo en conexión sus tesis con el sacrificio en la *Dialéctica de la Ilustración*. Foucault ha señalado hacia el Panóptico en una dirección similar. El resultado de los excesos de este ritual de lo útil, de la razón identificante, queda condensado en la experiencia del Holocausto y del Gulag. Girard, igualmente, muestra en *La Violencia y lo Sagrado*, así como en *El Chivo Expiatorio*, la vinculación entre el sacrificio y la destrucción, especialmente cuando el ritual pierde su «lógica» habitual.

3. GIRARD: LA CRISIS DE LAS DIFERENCIAS Y LA VIO-LENCIA SACRIFICIAL

El objetivo de Girard, es continuar el análisis del sacrificio efectuado por la tradición de Mauss y Durkheim, para ponerlo en relación con el sistema moderno de justicia. Ésta es la idea directriz *de La Violencia y lo Sagrado* (1972). El libro comienza señalando la deuda respecto a los trabajos de Hubert y Mauss (Girard 1972: 21). Al tiempo señala su matiz peculiar: se trata de comprender la naturaleza del sacrificio como «una auténtica operación de *transfert* colectivo que se efectúa a expensas de la víctima y que actúa sobre las tensiones internas, los rencores, las rivalidades y todas las veleidades recíprocas de agresión en el seno de la comunidad (Girard 1972: 15). Girard escribió esta obra con anterioridad a la publicación de *Vigilar y Castigar*. Sin embargo, ofrece una serie de ideas que, siendo compatibles con la interpretación de Foucault del «sacrificio Panóptico», complementan algunos aspectos relacionados con la naturaleza del «doble» substitutivo del sacrificio del dios agrario. Girard trata de averiguar el proceso de transformación del papel de la víctima, del *pharmakos*, la figura concentradora de los «desechos» que es destruida para el reajuste y la curación del orden colectivo.

La modernidad no es ajena a estos procesos, que aparecen transformados en ésta, manteniendo no obstante la misma estructura. El sistema judicial también «cura», pero ha racionalizado la violencia de la venganza: «el sistema judicial racionaliza la venganza, consigue aislarla y limitarla como pretende; la manipula sin peligro, la convierte en una técnica extremadamente eficaz de curación y, secundariamente, de prevención de la violencia»(Girard 1972: 29). Esta manipulación de la antigua venganza se consigue al presentarse de otro modo (mediante la «razón»), para lo cual el sistema judicial depende de otra hipostatización social, de otra trascendencia. Por esto puede «engañar» a sus propios sujetos «creyentes» respecto a la continuidad de la violencia destructiva. El sistema judicial, como el sacrificio, depende de lo sagrado. Marx nos había dicho que depende del «rodeo» religioso humano de la política abstracta del Estado, cuya doblez se manifiesta en la mutua exigencia de liberación y de control. Girard estaría de acuerdo, añadiendo, además, la idea de Mauss de que estas transcendencias producen técnicas propias:

> Así, pues, el sistema judicial y el sacrificio tienen, a fin de cuentas, la misma función, pero el sistema judicial es infinitamente más eficaz. Solo puede existir asociado a un poder político realmente fuerte. Al igual que todos los procesos técnicos, constituye un

arma de doble filo, tanto de opresión como de liberación, y así es como se presenta ante los primitivos cuya mirada, respecto a este punto, es sin duda más objetiva que la nuestra (Girard 1972: 30).

Estas técnicas, apoyadas en un credo (Mauss), ofrecen, según Girard, una verdad: «De igual manera que las víctimas sacrificiales son ofrecidas, en principio, a la complaciente divinidad, el sistema judicial se refiere a una teología que garantiza la verdad de su justicia» (Girard 1972: 31). La trascendencia de esta teología del rodeo del sistema judicial del Estado permite el disimulo. Así, el ciudadano no percibe su propio ejercicio de la violencia, su transferencia destructiva. La creencia en esta trascendencia, en esta verdad de la justicia, proporciona el nuevo *pharmakos* que evita aparentemente la espiral de la venganza. Al introducirnos dentro de la nueva trascendencia laica del Estado no percibimos la amenaza latente de la venganza:

> Sólo la trascendencia del sistema, efectivamente reconocida por todos, sean cuales fueren las instituciones que la conectan, puede asegurar su eficacia preventiva o curativa distinguiendo la violencia santa y legítima, e impidiendo que se convierta en objeto de recriminaciones y de contestaciones, es decir, que recaiga en el círculo vicioso de la venganza (Girard 1972: 31).

El sentido crítico de la propuesta de Girard y de Foucault consiste precisamente en esto: mostrar la naturaleza de la trascendencia y su encubrimiento disimulado. En esto continúan el trabajo de Marx, aunque parten de presupuestos de la sociología francesa de lo sagrado. El Estado garantiza la religiosidad privada, en coexistencia plural; pero observemos que si desapareciera la transfiguración del Estado, su rodeo, estas religiones, ahora privadas, demandarían un sistema propio de ejercicio de violencia. Evidentemente, estos autores no pretenden que ocurra eso; su objetivo es probablemente hacernos un poco más incrédulos, o críticos, respecto a nuestro propio credo: se trata de pensar mejor qué significa el hecho de que estamos dentro de la religiosidad restrictiva de la «humanidad». Sin embargo, la extensión de la incredulidad respecto a este credo provocaría su posible disgregación y/o reelaboración, pues se ponen en claro los fundamentos efectivos de la fe en el sistema judicial.

El truco para eludir la clarificación consiste en presentar esta trascendencia como algo nuevo y de todos: un producto natural de nuestra razón. Así se inventa una violencia que rompe la cadena del combate vengativo entre dioses: «se trata de concebir una violencia que no resulte a las violencias anteriores lo que un eslabón más, ..., se piensa en una violencia terminal» (Girard 1972: 34). Por eso el castigo judicial es un sacrificio que utiliza la legalidad, encubriendo la latencia destructiva de la violencia particular, con una violencia nueva, aplastante, de los «todos iguales». Este truco constituye, no obstante, la propia dificultad del sacrificio de los iguales y libres. La pretensión de igualdad formal no encaja bien con un tipo de sacrificio que depende de la ambigüedad y de las diferencias. Girard muestra este problema al considerar la estructura básica del sacrificio del dios agrario, tal y como fue expuesta por Hubert y Mauss (aunque en este punto no los cita). Recordemos que esta variedad de sacrificio demandaba una ambigüedad de la víctima que se generaba mediante la creación de narrativas y mitos. Por este motivo, en este sacrificio se produce una «crisis sacrificial» cuando se pierden las diferencias. El mecanismo del doble protegía, según Hubert y Mauss, la propia reproducción del sacrificio mítico. Las leyendas y mitos, narrados por la comunidad, se encargaban de producir la nuevas variaciones, de tal modo que permanecía la ambigüedad esencial entre víctima, dios y colectivo sacrificante. Por eso el sacrificio del dios agrario era altamente mitológico. Girard elabora estas ideas de Hubert y Mauss, muy exploradas también por Bataille y Foucault, del siguiente modo:

> Si aparece una excesiva ruptura entre la víctima y la comunidad, la víctima no podrá atraer hacia sí la violencia; el sacrificio dejará de ser «buen conductor» en el sentido en que un metal es llamado buen conductor de electricidad. Si, por el contrario, existe un exceso de continuidad, la violencia circulará con demasiada facilidad, tanto en un sentido como en otro. El sacrificio pierde su carácter de violencia santa para mezclarse con la violencia impura, para convertirse en el cómplice escandaloso de ésta, en su reflejo o incluso en una especie de detonador (Girard 1972: 46).

La salida de la lógica de este sacrificio, su crisis violenta, sobreviene, por tanto, cuando desaparecen las diferencias, constructoras de narraciones, de nuevas ambigüedades para los «dobles» que combaten. El sacrificio deja entonces de catalizar el *pharmakos*, de hacer curación, para contribuir al «suicidio social», desencadenando la violencia desordenada, como detonante. La igualdad mimética de la identificación, la ausencia de diferencias, desvirtúa, por decirlo en términos heideggerianos, la fusión de lo «Mismo», convirtiéndolo en lo «Igual». La «cosa pública» ya no procede de las diferencias, deviniendo cosa útil, objetos e instrumentos. Para el caso de la fiesta, centro del sacrificio para Bataille, acontece su gestión mercantil y burocrática: se acentúa su necesaria dimensión de «operatividad» hasta extremos utilitarios. El doble deja de ser elaborado mediante el mito, la leyenda o la narración; ahora es «comprado» en función del mercado de la cultura de masas. La memoria de los residuos, que actualiza la fiesta, como «vuelta» del recuerdo de lo olvidado por la comunidad, se sustituye por un nuevo monstruo estandarizado.

Mientras la víctima recoge la pulsión transferencial de la comunidad contribuye a la purificación, expulsando la violencia del interior del colectivo hacia sí, como objeto que constituye el *pharmacos*. Éste recibe el impacto de la violencia grupal, permitiendo, gracias al credo de la transcendencia de lo sagrado, disimular el mismo ejercicio violento. La transferencia se basa en este «no saber» del creer, en la fe: hace posible que el grupo ignore su propia violencia. Cuando se borran las diferencias entre los dobles aparece la «crisis de las diferencias» o «crisis sacrificial». Se ha producido una identificación, desapareciendo la variedad narrativa: es la «indiferenciación violenta» (Girard 1972: 80). La violencia deja de transferirse completamente hacia el objeto, volviendo, con gran intensidad, hacia el colectivo mismo, que se disgrega en la violencia, desencadenada en su interior. Girard pone multitud de ejemplos acerca de la monstruosidad de esta violencia, que deviene, incluso, el «suicidio social».

Cuando el chivo expiatorio no cataliza adecuadamente, y no es *pharmacos*, reaparece la violencia que era anteriormente «sustituida» por la víctima. El doble pierde las diferencias y deviene gemelo monstruoso, producto de la identificación, de la «crisis de las diferencias»; se configura así una «segunda sustitución sacrificial» donde el objeto deja de «ordenar» la violencia, que circulará libremente en desvertebración: «La víctima coincide con el doble monstruoso. Ha absorbido todas las diferencias y, especialmente, la diferencia entre el interior y el exterior, ..., [la violencia] pasa por circular libremente de dentro a fuera» (Girard 1972: 281). Foucault también había explicado la naturaleza violenta del moderno duplicado (libertad y disciplina), una identidad que comparaba a los gemelos. Es el Leviatán del Panóptico que ocupa el antiguo «Lugar del Rey».

4. BOURDIEU: *HABITUS*, CAPITAL CULTURAL Y LA VIOLENCIA SIMBÓLICA

En esta sección me refiero a los conceptos fundamentales de Bourdieu en relación con la tradición sociológica francesa, originada por Durkheim y Mauss, y continuada por Bataille y Foucault. Mi intención no es la de ofrecer un análisis exhaustivo de la obra de Bourdieu, sino mostrar que sus principales conceptos pueden comprenderse mejor si se remiten a las formulaciones anteriores dadas en el contexto de la sociología francesa de la religión y de la cultura.

Como expliqué en el capítulo correspondiente a Durkheim y Mauss, el concepto de *habitus* (de origen aristotélico) fue desarrollado en sociología por estos autores, siendo especialmente utilizado por Marcel Mauss para explicar el impacto de las técnicas del cuerto en *l'homme total*. El concepto de *habitus* permite la triple consideración del ser humano (psicológica, biológica y social) en su dimensión de razón práctica y así pone en entredicho la doctrina cristiana del alma y, subsiguientemente, niega la oposición alma-cuerpo. Bourdieu sigue desarrollando sociológicamente el concepto de *habitus* en esta dirección. Así pues, lo reelaborará dentro de una teoría de la práctica que cuestiona las antinomias estériles que han canalizado a la sociología: mente-cuerpo, sujeto-objeto, teoría-práctica y acción-estructura. No obstante, va a darle nuevas particularidades a este concepto en el contexto de su sociología de la educación y de la cultura.

En *Esquisse d'une théorie de la pratique, precedé de trois études d'ethonologie kabyle*, Bourdieu define el *habitus* como un «sistema de disposiciones» que es tanto el resultado de una acción organizada (estructura) como un estado habitual del cuerpo generador de predisposiciones:

> La palabra disposición parece particularmente apropiada para expresar lo que recoge el concepto de *habitus* (definido como sistema de disposiciones): expresa, primero, el resultado de una acción organizada, con un significado muy próximo a palabras tales como «estructura»; puede denotar también una manera de ser, un estado habitual (especialmente del cuerpo), y, en particular, una predisposición, tendencia, propensión o inclinación (Bourdieu 1972: 247).

El *habitus*, nos dice Bourdieu (1977: 39) en *La Reproducción*, es el producto de la cultura de un grupo; en particular, de la «arbitrariedad cultural» establecida a partir de un poder arbitrario. Se genera mediante un largo y gradual proceso de inculcación de disposiciones, que se inicia en la infancia, según el cual se produce la «interiorización de los principios de una arbitrariedad cultural». Esta interiorización de disposiciones es el resultado de muchos procesos de aprendizaje que incluyen el cuerpo, y constituyen por tanto una segunda naturaleza. Las disposiciones están estructuradas en asociación con las características y condiciones sociales de la cultura del grupo, siendo así distintas en la clase obrera y en la clase media. Consiguientemente, estas condiciones sociales se expresan en el *habitus*, aunque evidentemente no de un modo completamente homogéneo en los individuos procedentes de los mismos orígenes sociales. Por otra parte, las disposiciones generan prácticas, y el *habitus* se perpetua a través de éstas, contribuyendo así a reproducir la «arbitrariedad cultural» de que depende. Bourdieu compara así el *habitus* con el capital genético. Al igual que hacía Mauss, Bourdieu asigna a la educación el papel crucial en la trasmisión de este capital: «La Educación considerada como un proceso a través del cual una arbitrariedad cultural se reproduce históricamente a través del medio de producción del *habitus* productor de las prácticas que se conforman con esta arbitrariedad» (Bourdieu 1977: 32). Como consecuencia de lo anterior, aparece la primera característica del *habitus*: su capacidad para perpetuarse, su durabilidad. Ésta hace posible que el *habitus* «tenga tiempo» para generar las estructuras objetivas, de las que por otra parte es también resultado al ser definido «como principio generador de las prácticas que reproducen las estructuras objetivas» (Bourdieu 1977: 33). En esta tarea puede apreciarse otra característica del *habitus*: su productividad.

La productividad del *habitus* depende de su capacidad para «teñir» el conjunto de estructuras objetivas con las prácticas que genera. Esta capacidad se mide por el grado en que el *habitus* se puede «trans-poner» en distintos campos. Por ejemplo, las disposiciones que generan prácticas en el campo religioso también pueden orientar elecciones en los campos económico y político (Bourdieu 1977: 34).

La tercera característica del *habitus* se asocia con el grado de exhaustividad o completud con que reproduce la arbitrariedad cultural de un grupo a través de las prácticas que genera. Su nivel de completud dependerá del grado en que se haya inculcado (del «trabajo pedagógico») y en relación con ello genere un *habitus*. Así pues, existe por parte del grupo una «autoridad delegada» («autoridad pedagógica») que delimita el contenido y realiza la definición de la forma de inculcación, así como el grado de «trabajo pedagógico» necesario para generar un determinado grado de completud del *habitus* (Bourdieu 1977: 234).

Otra característica del *habitus* es su orientación práctica (*le sens pratique*). Sus características anteriores se expresan en «esquemas de percepción, pensamiento, apreciación y acción» (Bourdieu 1977: 35). El *habitus* puede reproducir prácticas y opiniones distintas e incluso contradictorias: «el mismo *habitus* que engendra la opuesta cuando su principio es la lógica de la «di-similación» (Bourdieu 1977: 35). Esta naturaleza práctica rompe con la dualidad mente-cuerpo. De hecho, Bourdieu insiste más bien en la naturaleza encarnada de las disposiciones, interpretando la «*hexis*» aristotélica como ya lo había hecho Mauss en su estudio sobre las técnicas del cuerpo. El ejemplo más claro de esta participación del cuerpo —y de ruptura de la oposición mente-cuerpo, así como de la oposición libertad-determinación— es el lenguaje.

Bourdieu (1992) discute la naturaleza del lenguaje en *Language and Simbolic Power*[3]. En Bourdieu el lenguaje depende de las prácticas generadas por el *habitus*. Por este motivo, se desarrolla en el amplio marco de las disposiciones constitutivas de éste, e incluye (como las disposiciones del *habitus*) una expresión del dominio (que en el lenguaje es «violencia simbólica») de la arbitrariedad cultural generada por un grupo o clase. El lenguaje, y el nivel consciente de la acción, no son sin embargo los aspectos más influyentes para la formación del *habitus*. Éste, más bien, se configura por una infinidad de prácticas desarrolladas en la vida cotidiana, la mayor parte de ellas corporales, gestuales y desarrolladas en silencio:

> Así, las modalidades de las prácticas, los modos de mirar, sentarse, estar de pie, estar en silencio, o incluso de hablar («miradas o tonos de reproche», «gestos de desaprobación», etc) están repletos de interdictos que son difíciles de resistir porque son silenciosos e insidiosos, insistentes e insinuantes. Es el código secreto que se denuncia explícitamente en las crisis características de la unidad doméstica, tales como las crisis maritales o de adolescencia: la desproporción aparente entre la violencia de la rebelión y las causas que la provocan procede del hecho de que la mayor parte de las acciones o palabras anodinas se ven ahora como lo que realmente son —como interdictos, intimidaciones, advertencias y amenazas— y son denunciadas como tales, y de modo más violento en la medida en que continúan actuando bajo el nivel de la conciencia… (Bourdieu 1992: 51).

Esta violencia de las disposiciones (lingüísticas) se encuentra por tanto más allá de la libertad y de la determinación, está más allá de la conciencia. El *habitus* realiza elecciones lingüísticas que incluyen un componente corporal. Bourdieu (1992: 51-52) pone el ejemplo típico de la lengua francesa de la opción «r» uvular «recibida» en presencia de hablantes legitimados. En castellano puede ponerse el ejemplo del uso de la «d» en las terminaciones «ado» y «ada» en palabras como cansado/a (cansao/cansá). Esta elección no es consciente, pero implica un acto de intimidación donde se expresa la violencia simbólica del lenguaje. Estas elecciones son tácitas y agrupan a hablantes de diversas clases, aunque

---

3   Esta versión inglesa de *Ce que parler veut dire: l'economice des éxchanges lingüistiques* (Paris: Librairie Arthème Fayard, 1982), constituye de hecho un nuevo libro; incluye cinco nuevos ensayos, elimina dos de los anteriores y presenta varias modificaciones de los ensayos originales.

todos ellos reconocen sentir el dominio de la forma correcta al ejercitar auto-correciones.

Este énfasis de Bourdieu en aspectos de la formación del *habitus* que se sustraen a la conciencia tiene precedentes en la sociología francesa de lo sagrado, que van, como vimos antes, de Durkheim y Mauss a Foucault y Girard. Evidentemente, esta idea se origina en el concepto de representación colectiva y en la idea de lo sagrado de Durkheim. El individuo no sabe exactamente del proceso colectivo (génesis de la arbitrariedad cultural en el grupo) a través del cual se generan estas representaciones ideales grupales y formas de lo sacro (y una autoridad legitimada); sin embargo, este proceso colectivo lo constituye en términos de personalidad.

Bourdieu (1977: 13-14) va a particularizar esta idea, reelaborándola en el terreno de su sociología de la educación y de la cultura en relación con la arbitrariedad del poder cultural y su delegación en una autoridad legitimada. Los agentes sociales reconocen a esta autoridad como objetivamente legitimada, al tiempo que no pueden observar y reconocer el poder de la arbitrariedad cultural que radica en el propio grupo, clase o sociedad; esto es, de las relaciones de poder como tales. Este reconocimiento de la legitimidad de la «autoridad delegada» refuerza el poder de la arbitrariedad cultural que oculta. Sin embargo, son tales arbitrariedades culturales las que generan globalmente el *habitus*, mediante una inculcación primaria; la autoridad delegada, y legitimada, únicamente se ocupa de establecer selecciones de contenido y de forma. La asignación de legitimidad a la autoridad conlleva un no darse cuenta del origen amplio y global del proceso de inculcación.

Finalmente debo ocuparme del concepto de «capital cultural». Bourdieu explica en «Le trois états du capital cultural» que los economistas de la cultura, principalmente Gary Becker en su obra *Human Capital* (1964), no tienen en cuenta la «trasmisión doméstica del capital cultural». Entiende que los economistas no han dado relevancia a las aptitudes y habilidades que se generan como consecuencia de la inversión de tiempo y dinero durante un largo periodo. Señala tres tipos de capital cultural: (1) el que está en un «estado incorporado» en las disposiciones durables del organismo (esto es, en el *habitus*); (2) el que tiene una forma objetivada en la forma de bienes culturales, como los libros, cuadros, instrumentos, etc; (3) el que se encuentra institucionalizado y puede movilizarse en las instituciones (Robbins 2000: 33-34).

Si bien es cierto que, como señala Robbins (2000: 35), Bourdieu utiliza claramente la terminología económica, que se ajusta mejor al movimiento de las formas objetivadas de capital cultural en el mercado libre (bienes culturales no institucionalizados) o en el mercado con tasas fijas de intercambio (capital cultural institucionalizado), existen otras influencias en Bourdieu que pueden hacerse explícitas. El primer tipo de capital cultural (relacionado con la durabilidad de las disposiciones del *habitus*) encuentra en la consideración de las categorías de Durkheim un claro precedente. En *Las Formas Elementales* señala Durkheim (1982: 17) que las categorías constituyen lo mejor del «capital intelectual» de la humanidad, fijado por los grupos humanos a lo largo de los siglos. Pero, además, continua diciendo que existe un parentesco entre las herramientas, las categorías y las instituciones: «Es ésta la razón por la que es legítimo comparar las categorías con las herramientas; pues la herramienta, por su lado, es capital material acumulado. Por otro lado, entre las nociones de herramientas, categoría e instituciones hay un estrecho parentesco». Observamos pues que Durkheim, como Bourdieu, observó también las relaciones de este «capital intelectual» con las formas objetivadas (herramientas e instituciones).

Capítulo 15

El realismo sociológico: Popper, Jarvie y Archer

En este capítulo abordo el realismo social de M. S. Archer quien representa actualmente, en sociología de la cultura y de la educación, una de las líneas de desarrollo de los planteamientos afines a Popper. El realismo tiene dificultades para desarrollar una teoría de la acción y del significado, algo necesario para poder explicar la transmisión y diversidad de las tradiciones culturales. En primer lugar explico la concepción de la cultura del Popper del III Mundo y del original replanteamiento de I. C. Jarvie de las relaciones entre objetividad y subjetividad en *Concepts and Society*. Después exploro el desarrollo teórico de la sociología de la cultura de M. S. Archer.

1. LA CULTURA EN EL III MUNDO DE POPPER

Todo científico social tiene que contestar la pregunta acerca de los orígenes del mundo social. Popper pretende crear un universo autónomo de contenidos objetivos de existencia independiente (el III Mundo), separable del mundo subjetivo (II Mundo) y de los acontecimientos naturales (I Mundo):

> Podemos distinguir los tres mundos o universos siguientes: primero, el mundo de los objetos físicos o estados físicos; segundo, el mundo de los estados de conciencia, o estados mentales, o quizás de las disposiciones conductuales para actuar; y tercero, el mundo de los contenidos objetivos de pensamiento, especialmente de los pensamientos científicos y poéticos y de las obras de arte (Popper 1972: 106).

Esta primera presentación no da mucha luz para conocer a) qué es posible poner en el III Mundo y b) cuál es la naturaleza de las relaciones entre los tres mundos, particularmente entre el segundo y el tercero. Hay en Popper una posición ambivalente por lo que respecta a la primera cuestión. Frecuentemente da prioridad al universo estrictamente cognitivo: los sistemas teóricos, los problemas, las situaciones problemáticas y los argumentos críticos son aceptados como los «habitantes» más importantes del III Mundo. Pero es posible encontrar también un énfasis en asuntos más generales como los «contenidos de revistas, libros y bibliotecas». Así pues, en otras ocasiones el III Mundo incluye contenidos objetivos de carácter mucho más amplio. En el III Mundo:

> Incluimos el arte y, de hecho, todos los productos humanos en los que hemos inyectado algunas de nuestras ideas, y que incorporan el resultado de la crítica, en un sentido más amplio que el meramente intelectual. Nosotros mismos podemos estar incluidos, en la medida en que hemos absorbido y criticado las ideas de nuestros predecesores, e intentado formarnos a nosotros mismos; y así pueden formar parte también nuestros hijos y alumnos, nuestras tradiciones e instituciones, nuestras formas de vida, nuestros propósitos y nuestras finalidades (Popper 1974: 155).

Siendo entendido en este sentido amplio, el III Mundo incluiría también los mitos y otras ficciones (Popper 1974: 155). La idea clave de esta concepción más espaciosa del mundo objetivo reside en la idea de un *feed-back* en su relación con el mundo subjetivo de los procesos de pensamiento; existe una «interacción entre nuestras acciones y sus resultados objetivos, de tal manera que podemos trascendernos a nosotros mismos y a nuestros propios talentos». Este *feed-back* puede ser extendido con nuestra crítica de lo que ya hemos hecho, lo cual contribuye a que nuestros productos sean rápidamente independientes de nosotros (Popper 1972: 155). El III Mundo es pues un producto de la actividad humana, es hecho por el hombre, pero, al mismo tiempo, es sobrehumano porque trasciende a sus hacedores (Popper 1972: 155). J. C. Eccles (1974: 362) lo caracteriza básicamente como un mundo de «almacenamiento» (*storage*); y produce una formulación de éste todavía más amplia que la de Popper. A. E. Musgrave subraya la naturaleza evolutiva del III Mundo, más en la línea del *feed-back* que en la de la versión restrictiva intelectualista, y pone el acento en el papel del lenguaje:

> Popper contempla el «tercer mundo» como un producto evolutivo o efecto de la conducta humana inteligente, más que como un reino de verdades y falsedades eternas. Su tercer mundo es generado por nuestra conducta lingüística, y especialmente a través de nuestro uso del lenguaje para describir y para argumentar; para producir descripciones y argumentos. Las descripciones y argumentos poseen propiedades objetivas, como la verdad o falsedad y la validez o invalidez (Musgrave 1974: 586).

Para Popper, la función primordial del lenguaje consistiría en la creación de conocimiento objetivo, pues los «sujetos cognoscentes» tratan continuamente con contenidos objetivos. La mente humana interacciona con los objetos del tercer mundo a través del lenguaje, de manera que el segundo mundo, la plena consciencia del yo («self»), es un producto del *feed-back* implicado en la actividad teórica. Pero de nuevo aquí tiende a subrayar la versión restringida, dando además una particular significación al uso descriptivo del lenguaje: «Todo esto se hace posible a través de un lenguaje descriptivo altamente desarrollado —un lenguaje que no solamente ha conducido a la producción de un tercer mundo, sino que también ha sido modificado a través del *feed back* generado a partir del tercer mundo—» (Popper 1974: 152).

La ambivalencia entre un sentido estrictamente cognitivo y otro más amplio (*feed-back* total con autonomía parcial) se desequilibra hacia el primero cuando Popper se refiere al lenguaje. Aún así, como observaremos después, sus ideas sobre las relaciones entre el problema «mente-cuerpo», el lenguaje y el III Mundo podrían permitir una reelaboración amplia e interesante (Popper 1974: 149-153). Popper analiza los niveles diferentes de consciencia y distingue entre:

a) Un estado de intensa actividad que no es consciente de sí mismo.

b) Un periodo de «descanso» para la consciencia.

c) Actividades mentales inconscientes.

d) Un estado disposicional.

e) Un nivel fisiológico y automático.

Esta diversidad de estados de conciencia está, sin embargo, presidida por lo consciente en su relación con el lenguaje. Si entendemos que el lenguaje constituye el eje del *feed-back* entonces hemos de fijarnos en su papel en la mediación entre los diversos estados y el III Mundo. Sin embargo, subordina de nuevo los procesos no conscientes y «automáticos» a los relacionados con el descubrimiento de problemas: «las situaciones aprendidas calan en el cuerpo, dejando presumiblemente libre a la mente para nuevas tareas».

Cabe concluir pues que Popper es consciente del importante papel del lenguaje como mediador en las relaciones entre los tres mundos, desde el segundo. No obstante, si bien pienso que el esquema global popperiano admite una reelaboración interesante, hay que insistir en que realmente el propio autor restringió las funciones del lenguaje a la «descripción» y «argumentación» y, de otro lado, dio cierta prioridad a los procesos de descubrimiento sobre el papel de las «situaciones aprendidas que calan en el cuerpo». Popper está pensando probablemente en el científico como modelo y por eso da prioridad a las estrategias de descubrimiento de problemas.

J. Habermas ha criticado el modelo popperiano, señalando básicamente que Popper queda atrapado en un cognitivismo unilateral porque tiene en mente el prototipo conceptual de la ciencia (Habermas 1987: 111-115). No obstante, este autor reduce demasiado el discurso de Popper: «con las teorías e instrumentos, Popper menciona también a las instituciones sociales y a las obras de arte como ejemplos de entidades del III Mundo; pero sólo las entiende como variedades de encarnaciones de contenidos proposicionales» (Habermas 1987: 115). Ahora bien, Popper reconoce también el papel relevante de las áreas no intelectualizadas de la vida y plantea un esquema abierto a reformulaciones. Es ciertamente posible sacar una foto de Popper con una apariencia no tan acusadamente cognitivista.

Vamos a considerar seguidamente dos propuestas interesantes de construcción teórica que tienen su punto de partida en la ontología popperiana. La primera es la realizada por I. C. Jarvie y la otra es la que presenta M. S. Archer. Jarvie situará las instituciones en el III Mundo como producto de la actividad subjetiva (II Mundo). Con ello se topará con dificultades para pasar al contexto de la acción. Algunas de ellas han sido analizadas por Habermas, con el objeto de ejemplificar el hecho de que la perspectiva popperiana conduce inevitablemente a un callejón sin salida (Habermas 1987: 115-120). Archer, sin embargo, recoge el modelo amplio de *feed-back* (interpretación menos cognitivista) y entiende la génesis institucional como una relación «a dos bandas» entre el mundo objetivo y el subjetivo. Este hecho le permite introducir un mundo social-cultural cambiante y con «tiempo», junto con otras cosas terrenales como el poder, los intereses y los valores. Este mundo social, que está en la base de las instituciones, se encuentra exactamente «en el medio» de la interacción de los dos niveles ontológicos, como una especie de eje para el *feed-back* popperiano. Pero el tema es un poco más complejo: los grupos sociales median, muchas veces en conflicto entre el ámbito del actor social y las instituciones. El análisis cultural demanda aquí la complementación del estructural para explicar el cambio (D. Lockwood).

2. CONCEPTOS Y SOCIEDAD EN I. C. JARVIE: MAPAS CULTURALES E INSTITUCIONES

I. C. Javie (1972: 46-66) comienza criticando la posición de Winch; en ésta los conjuntos de reglas lingüísticas son conectadas a bloques de actividades regularmente reproducidas en formas de vida autocontenidas. Para Jarvie, Winch exagera la naturaleza recursiva de esa reproducción, en detrimento de la capacidad de decisión del sujeto. Por tanto, está decidido a evidenciar que el actor social se encuentra frente a una situación de elección («the actor faces a shock of choice») entre alternativas de imágenes del mundo diferentes. La racionalidad consistiría en cambiar y mejorar ideas, criticándolas y «aprendiendo de la experiencia, especialmente de las equivocaciones» (Jarvie 1972: 47). Jarvie está reivindicando la habilidad del actor de «reconocer» imágenes del mundo, subrayando los aspectos complementarios, antitéticos o, frecuentemente, entremezclados que existen en (y entre) éstas. En la superposición de estas imágenes del mundo (y de sus estándares respectivos) radica el potencial para la apreciación o evaluación (Jarvie 1972: 49). Además, el ser humano es capaz de orientarse en términos sociales y culturales porque elabora «mapas» mentales que, por coordinación, producen la cultura y las instituciones.

Jarvie (1972: 49) señala los orígenes de la posición de Winch «en una imagen que parece tener de la sociedad primitiva como claramente limitada, internamente coherente y engranada, con todas las partes reforzándose mutuamente». Además, es posible añadir que sus fundamentos radican en una uniformidad y aislamiento de la ciudad wittgensteiniana del lenguaje que, sin embargo, es diversa, compleja y laberíntica. Aunque Jarvie no lo afirma con claridad, ve perfectamente el problema: Winch no halla una mediación cultural entre formas de vida diversas porque ignora las reglas de traducción de sus lenguajes respectivos, y no observa los juegos del lenguaje que se solapan y entrecruzan a través de las actividades de traducción. Jarvie elige una variedad de casos para clarificar su posición, que insiste en el solapamiento de perspectivas: las situaciones de bilingüismo, el conflicto de roles, etc. Jarvie (1972: 65) está interesado en dejar claro que las formas de vida y las tradiciones no son recipientes separados ya «dados y autocontenidos», sino que se encuentran en transformación y son suficientemente porosas para permitir la consideración de otras formas de vida y tradiciones distintas.

El trabajo teórico de Jarvie tiene pues sus orígenes en la crítica al modelo lingüístico de Winch. Jarvie está interesado en mostrar que el actor «lego» es capaz de tematizar, como asunto cotidiano, su propio universo de discurso y que la realidad cotidiana se caracteriza más bien por la superposición y por la interferencia cultural y lingüística. La posición de Jarvie (1972: 139) señala la pluralidad y coexistencia de universos y subuniversos simbólicos de discurso.

La explicación de Jarvie de la génesis del orden institucional puede resumirse brevemente. Las instituciones surgirían a través de relaciones sociales de reciprocidad con origen en la interacción, tanto «cara a cara» como abstractamente: «las instituciones son colecciones de posiciones sociales, conjuntos de roles asociados, donde los actores construyen muchas relaciones sociales recíprocas, de naturaleza cara a cara y abstractas» (Jarvie 1972: 145). Pero esto es posible debido a que el lenguaje, anclado en la vida cotidiana, es coercitivo, tipifica y «anonimiza» la experiencia, siendo responsable de la transición entre «pensamiento» (objetividad) y «acción (subjetividad): «las creencias afectan a la acción y la acción a las creencias», afirma Jarvie. A través del lenguaje podemos contemplar «mapas» mentales, el concepto clave para él:

> La gente que vive en una sociedad tiene que encontrar su camino en ésta, tanto para llevar a cabo lo que quieren como para eludir lo que no quieren. Podemos decir que para hacer esto construyen en sus mentes un mapa conceptual de la sociedad y de sus características, de su propia situación en ésta, de los caminos posibles que pueden conducirles a sus objetivos, y de las cosas imprevistas que pueden acontecer a lo largo de cada camino. Los mapas son, en cierto sentido, más tenues que los mapas geográficos; son como mapas imaginarios que crean los terrenos que están cartografiando. No obstante, de algún modo, esta actividad constituye una realidad más sólida (Jarvie 1972: 161).

Es importante consignar aquí que el propio Jarvie (1972:161) nos previene señalando una dificultad: la comprensión equivocada de los mapas como algo subjetivo y, por tanto, sin posibilidades de acceder a la realidad que es «cartografiada»: «los mapas geográficos son territorios para ser estudiados y cartografiados por otras personas». Por este motivo los mapas implican una relación con los otros y son socioculturales. Por otra parte, nos dice que tenemos que considerar dos aspectos:

a) Los mapas están hasta cierto punto coordinados entre sí, aunque no totalmente: la posibilidad de descripción y de comunicación garantiza un proceso progresivo de comprobación y de coordinación que puede ser implícito.

b) Los individuos pueden comprobar la verdad o falsedad de sus mapas, pues «incluso sin coordinación explícita con otros, las personas pueden actuar, observar el resultado y aprender» (Jarvie: 1972: 161).

Aquí encontramos las razones de que en las pequeñas y grandes sociedades, de acuerdo con Jarvie, se produzcan distintos procesos de coordinación. Las pequeñas presentan una coordinación constante, pero en las grandes la comunicación total y, por tanto, la coordinación completa de los mapas de la sociedad es imposible. Aquí Jarvie tiene en mente, junto a la metáfora anterior del mapa, la pluralidad y superposición de los universos de discurso, que fue lo que originó su crítica de la perspectiva de Winch. Las categorías de las ciencias sociales se desarrollan para intentar dar cuenta de estos mapas. La actividad científica:

> ... concierne a la superposición entre los mapas mentales y las acciones y reacciones de los individuos que poseen los mapas. Las categorías de las ciencias sociales se necesitan precisamente para describir y discutir las relaciones entre los mapas de distintas personas; los modelos de la distribución de los mapas en la población; la relación de superposición de mapas en relación a los modelos de acción; y así sucesivamente. Un mapa es como un universo de discurso: para describir y evaluar un universo de discurso se tiene que ir un paso fuera del universo de discurso ((Jarvie 1972: 170).

La relación entre los mapas de los actores «legos» y los del sociólogo es grande: los mapas de éste incluyen los mapas del actor ordinario «como parte del paisaje». Definitivamente, Jarvie presenta su conclusión sobre los mapas del científico social: estos «también se entrelazan, en gran medida, con los de la gente ordinaria que cohabita en la sociedad con ellos».

La crítica de Habermas de la transición de Jarvie al ámbito de la acción (Habermas 1987:117) le ayuda posteriormente a ofrecer una explicación de su posición ontológica particular, que constituye la clave principal de su perspectiva y origina la estructura de su último pensamiento. Su crítica, sin embargo, no clarifica que Jarvie está particularmente preocupado por la presentación de una diferente perspectiva de las relaciones entre discurso y realidad a través de sus mapas «superpuestos». Jarvie pretende cuestionar la perspectiva de Winch para llegar a una conexión contingente, con múltiples esquemas, entre los subuniversos de discurso. Habermas presenta a Jarvie como a un heredero del «cognitivismo restringido» de Popper, pero los esquemas múltiples de Jarvie representarían lo opuesto a la apelación habermasiana (derivada de Parsons) a una cultura e imágenes del mundo comunes a través de los cuales coordinar las acciones y validar un consenso normativo. De aquí que las objeciones de Habermas, contenidas en las dos primeras secciones de su crítica, no sean independientes de una parte de su teoría que muy posiblemente Jarvie no hubiera aceptado en absoluto (Habermas 1987: 117-118). A pesar de esto, me parece que Habermas está completamente en lo cierto cuando afirma que Jarvie no encuentra un lugar adecuado para las normas y valores.

Efectivamente, es muy difícil para Jarvie hallar una distinción entre los valores culturales y la materialización institucional de los valores en normas. Jarvie da una explicación de las instituciones como productos objetivados de la persona humana, pero su pobre explicación de la «coordinación» dificulta toda posibilidad de comprender los valores como teniendo una significación motivacional para el actor y orientando en buena medida su acción. No están en un mundo social dinámico, las instituciones no pueden explicarse ya que restringe la naturaleza de los procesos de coordinación al área de los procesos conscientes. En este sentido, la propuesta de M. S. Archer implica una creación de un mundo cultural que no existe en Jarvie. De ahí que se encuentre en una mejor posición que Popper y Jarvie para eludir los problemas que Habermas indica. Los valores y las normas estarán en una esfera cultural dinámica y conflictiva, un tanto en la tradición weberiana. Pero, como veremos después, esta cuestión depende también de una teoría de la acción social que Archer debería de desarrollar.

3. M. S. ARCHER: EL «DUALISMO ANALÍTICO» EN LA CULTURA

La siguiente sección se propone trazar la evolución del proyecto de M. S. Archer hasta *Culture and Agency*. Primero, describo los orígenes weberianos de su sociología de los Sistemas Educativos, y señalo los estadios que corresponden a cambios en el modelo original. Sitúo los trabajos de M. S. Archer entre las interpretaciones clásicas de Weber. Esto significa que: a) puede entenderse el cambio institucional como producto del conflicto entre grupos y b) no se habla de evolución social, sino de cambio o desarrollo. Por otra parte señalo también la fidelidad al planteamiento de Weber al hacer compatible el análisis de la acción social con el estudio de procesos de largo recorrido histórico y con la explicación de civilizaciones. Los conceptos de morfogénesis y de dualismo analítico reciben mayor atención para caracterizar esta fase inicial del trabajo de Archer, que parte de estudios empíricos sobre instituciones educativas para luego remontarse a la progresiva elaboración teorética que culmina en *Culture and Agency*. En esta obra el planteamiento weberiano inicial cede su ímpetu ante la mayor presencia de las ideas de Durkheim sobre elaboración ideacional y cultural que podemos encontrar en sus escritos educativos.

A) *Los orígenes weberianos: una Macro-sociología de los Sistemas Educativos*

La Sociología de los Sistemas Educativos aparece hoy relacionada con los trabajos de M. S. Archer. Inicialmente Archer desarrolló un trabajo con M. Vaughan titulado *Social conflict and educational change in England and France 1789-1848* (1971), donde proponían un primer modelo situado en la teoría del conflicto social inspirada en la obra de Weber. Segun Ivan Reid (1978:153), «Vaughan y Archer basan su modelo en la tesis de Weber de que el cambio educativo es causado por la interacción de los grupos y sus ideas en la lucha por la dominación de la sociedad». Las autoras están lejos de suponer analogías orgánicas simples en la explicación del cambio. Se encuentran en la línea de las interpretaciones clásicas de Weber, que no pone el acento en la evolución social sino en el cambio o desarrollo histórico:

> Vaughan y Archer contemplan la educación como siendo usada por los grupos en la lucha por la dominación más que sirviendo a las necesidades de la sociedad. Dado que los intereses de estos grupos son diferentes hay conflicto entre ellos y las prescripciones educativas que apoyan. El modelo remarca la importancia del rol de la ideología en el cambio educativo, que por otra parte se relaciona con el cambio social (Reid 1978: 153).

Los conceptos de «ideología», «poder» y «condicionamiento estructural» («*constraints*») son predominantes en el modelo inicial, que posteriormente será refinado por M. S. Archer.

En el libro fundamental de su carrera, *Social Origins of Educational Systems* (1979), M. S. Archer insiste de nuevo en una orientación histórica y comparativa de raíz weberiana. Siguiendo la tradición de los «Padres Fundadores» de nuestra disciplina, Archer insiste en que es conveniente trabajar a partir de los desarrollos teóricos de la sociología general para explicar los fenómenos educativos (Archer 1979: 233). Archer dice que no es posible explicar el cambio en educación con la única referencia a los grupos sociales, a sus objetivos y a su poder. Ningún grupo tiene una situación lo suficientemente clara como para imponer las definiciones de la educación que puedan ser usadas para sus propósitos, pues hay factores culturales y estructurales que condicionan su actividad (Archer 1979: 3). Hay, por tanto, un condicionamiento estructural que es lógicamente anterior a la elaboración estructural. El proceso resultante es denominado «ciclo morfogenético».

Los ciclos tienen un carácter analítico, dado que la secuencia histórica es una serie ininterrumpida de (1) interacción, (2) desarrollo estructural, (3) condicionamiento estructural, (4) interacción, (5) elaboración estructural, etc. (Archer 1979: 4). Del análisis de estos ciclos aparecen dos formas o modelos de cambio para los sistemas educativos: un sistema centralizado y otro descentralizado. Se trata de tipos, constructos formales, que obtenemos al hacer el análisis comparativo de los sistemas educativos de Francia y Rusia, Inglaterra y Dinamarca. Las diferencias entre los «orígenes sociales» y las «operaciones» de los sistemas son vitales para explicar los cambios en educación (Archer 1979: 233). El modelo da igual importancia al nivel de la «acción» y al de la «estructura» en la búsqueda de la interacción entre ambos, como pretendía Weber: «El prototipo para esta aproximación teórica es el análisis de Weber, que da igual énfasis a las limitaciones que la estructura impone sobre la interacción y a la oportunidad para la acción innovadora presentada por la inestabilidad de tales estructuras» (Archer 1979: 5). El lugar que ocupa la acción social es «en parte no condicionado».

Archer señala la aptitud de los modelos macro-sociológicos de Buckley y de Lockwood para intentar sobrepasar el dualismo «micro-macro». Hay un modelo de ciclo analítico común:

> Este reconocimiento de la importancia de la acción (no influida por el condicionamiento estructural) es bastante explícito en el ciclo analítico empleado por los macro-sociólogos a que nos referimos. Todos ellos distinguen tres amplias fases analíticas consistentes en: (a) una estructura dada (un conjunto complejo de relaciones entre las partes) que condiciona pero no determina, (b) la interacción no condicionada por la organización social, que a su vez conduce a (c), la elaboración o modificacion estructural, esto es, un cambio en las relaciones entre las partes. Y así el ciclo es repetido de nuevo (Archer 1979: 35).

La interpretación individual de la situación se entiende como «constreñimiento» o «determinación» (*constraint*) y como «predisposiciones», que generan las marcas y diferencias de poder y de sistemas de valores (Archer 1979: 29). Pese a esta reducción de la capacidad interpretativa del individuo a «constreñimiento» o «predisposición», Archer pretende seguir la estela de Weber en su comprensión de la acción:

> Uno de los aspectos más importantes del trabajo de Weber es el intento de trazar un camino metodológico que condujera desde la «comprensión» de la conducta individual hasta el análisis de las amplias combinaciones de interacción, procesos y estructuras. En su intento de realizar la transición desde la discusión y explicación de la acción hasta la explicación y discusión de las civilizaciones, Weber persiguió la reducción de las fórmulas sobre estructuras sociales a otras en términos de sus elementos componentes de la acción (Archer 1979: 8).

B) *Morfogénesis y dualismo analítico*

En *Culture and Agency* (1988) Archer rompe con toda reminiscencia de las tradicionales teorías de sistemas, pero no incorporará una nueva categoría de sentido. Para ello introduce los conceptos durkheimianos de «compatibilidad» y «contradicción» en el contexto de la dinámica contingente del ideal social generado por los grupos sociales. Propone una nueva interpretación de los escritos, tradicionalmente ignorados, de historia de la educación y de las ideas pedagógicas de Durkheim. El holismo de Durkheim es aquí compatible con un énfasis en el conflicto de grupos. La dinámica cultural e ideacional de Durkheim descansa en la ontología popperiana del tercer mundo y en una teoría de la verdad como correspondencia en la tradición de Tarski.

En *Culture and Agency* (1988) M. S. Archer ha realizado un trabajo considerable de revisión, crítica y exploración de nuevas maneras de establecer presupuestos sociológicos acerca de la realidad. Archer propone el uso de lo que llama «dualismo analítico» como un artificio metodológico de conveniencia, que pretende ser útil en el análisis, estableciendo una distinción entre lógica y dinámica correspondiente a dos niveles: el Sistema Cultural (CS) y el nivel Socio-Cultural (S-C). El sistema Cultural está formado por todos los items culturales susceptibles de formulación proposicional en términos de lógica: contiene todo lo que puede ser «captado» proposicionalmente (*catched in propositionally*). El nivel Socio-cultural, de otro lado, se compone de lo que es no proposicional y queda fuera de la lógica. El Sistema Cultural es pues un subconjunto de la esfera cultural en el que la universalidad de la ley de la contradicción puede aplicarse, de manera que es posible encontrar el grado de consistencia lógica entre las partes y componentes de la cultura: el Sistema está constituido por una arquitectura indefinida e infinita de proposiciones, por la lógica de sus relaciones y por las nuevas que se deriven.

La comprensión hermenéutica y «lo casual» son situadas en el nivel de la dinámica, en la subárea «Socio-Cultural» de la esfera cultural de la «sociedad». El nivel «Socio-Cultural» es un nivel y no un sistema. Archer reproduce aquí, en la esfera cultura, la distinción de D. Lockwood entre integración social e integración sistémica:

> Obviamente nosotros no vivimos únicamente a través de las proposiciones (y mucho menos vivimos lógicamente); además, generamos mitos, nos conmueven los misterios, nos hacemos ricos en símbolos y prevenidos ante los persuasores ocultos que manipulan. Pero todos estos elementos son precisamente la materia de la interacción

Socio-Cultural. Pues estos son asuntos de influencia interpersonal, tanto si estamos hablando del extremo de la comprensión hermenéutica (incluyendo la experiencia religiosa en el extremo más distante) o del asalto manipulador de una batería de ideas usada ideológicamente (Archer 1988: XVII).

Esta diferenciación parece bastante difícil de establecer; como la propia Archer nos dice, D. Lockwood ya encontró problemas para separar las «partes» (*parts*) de la gente (*people*) (Archer 1988: XVI). Pero Archer confía en las reglas de la lógica para dividir el ámbito cultural en una parte sin sujeto (CS) y otra con éste (S-C). La intención es crear un área teórica contemplando su mutua interacción en el «medio». Esto es únicamente posible dando autonomía a cada nivel. Si no hay independencia de los niveles se produce una falacia para la cual Archer usa el difícilmente traducible término de «*conflation*», que consiste en amalgamar inadecuadamente los dos niveles.

La falacia tiene lógicamente tres direcciones de aparición en función del «sentido y lugar» de la «fusión» de los niveles y, podría decirse siguiendo con la útil alegoría metalúrgica, que depende también del porcentaje relativo en la aleación resultante. Si predomina el CS hay «upwards conflation», si el S-C absorbe al CS tenemos la «downwards conflation», si hay, digamos, mitad-mitad «en el centro» se produce el «central conflationism». Archer dirige abundantes críticas a los tres tipos de «conflation» en la primera parte de su trabajo, donde alude también a las causas. Principalmente, la falacia se produce como consecuencia de la amplia extensión en la literatura del «Mito de la Integración Cultural», que hunde sus raíces en la imagen omnipresente de coherencia cultural que los estudios en pequeña escala de comunidades primitivas han producido.

La crítica de Archer acerca del «conflationism» precede a una construcción de nuevas propuestas ontológicas. Aquí, la parte metodológica del dualismo analítico conlleva necesariamente otra de carácter epistemológico y ontológico. Esta es la cuestión que Archer desarrolla en el capítulo V de *Culture and Agency* con la ayuda del último pensamiento de Popper y de la filosofía «racionalista». El resto del libro irá dedicado al origen, no siempre integrado sino más bien dinámico y conflictivo, de la parte cultural-ideacional de las instituciones. Esto es realizado analizando el mundo cultural-social que surge en la interacción entre el CS y el nivel S-C, la cual presupone una reelaboración de los mundos popperianos de la que me ocupo a continuación.

El capítulo V de *Culture and Agency* da explícitamente una base ontológica al dualismo analítico, lo cual es realizado a través de una nueva interpretación del *feed-back* de Popper. Archer introduce la teoría popperiana del III Mundo y subraya el carácter autónomo e independiente de sus contenidos objetivos, que son los «intelligibilia» del Sistema Cultural. Entramos así en dos dominios ontológicos:

> (...) un sistema cultural se entiende como equivalente a lo que Popper llamó el tercer Mundo del conocimiento. En cualquier tiempo dado, un sistema cultural está constituido por el corpus de elementos inteligibles («*Intelligibilia*») —por todas las cosas capaces de ser captadas, descifradas, comprendidas o conocidas por alguien—. La inclusión de estos componentes depende únicamente de esta capacidad disposicional, y no de si los actores sociales contemporáneos desean o son capaces de captarlas, conocerlas o comprenderlas, lo cual son asuntos de la contingencia característica del sistema Socio-Cultural (Archer 1988: 104).

El carácter antitético entre objetividad y contingencia procede de la distinción popperiana entre experiencias mentales subjetivas e ideas objetivas. Archer cita y comenta la distinción de Popper:

> Por tanto tenemos estos dos mundos diferentes, el mundo de los procesos de pensamiento, y el mundo de los productos de los procesos de pensamiento. Mientras el primero tiene relaciones causales, el último tiene relaciones lógicas. La formulación precisa de estos debe subrayarse: las relaciones causales son contingentes («pueden» producirse). Pero las relaciones lógicas están dadas (Archer 1988: 105).

Archer insiste en rechazar el inadecuado amalgamiento, «conflation» entre los dos niveles, el lógico (CS) y el hermenéutico-causal (S-C). Su interacción y conexiones van a constituir un área de teorización y exploración intensivas, cuyos resultados deberían decir mucho sobre las condiciones de integración. Estas condiciones, dadas por supuestas por los que caen en el error de entremezclar inadecuadamente los dos niveles, son las que tienen que ver con la génesis del mundo cultural-social de la «interacción» de aquellos niveles. Están detrás de la dinámica cultural y funcionan a través de ciclos morfogenéticos, los cuales preservan la contingencia en las condiciones de la génesis de este nuevo mundo donde las instituciones tienen sus raíces.

Por esta razón la perspectiva no es determinista sino todo lo contrario: pretende el mantenimiento de la contingencia en las relaciones entre cultura y actividad humana, entre la dinámica institucional y la labor de mantenimiento y modificación por parte del actor. El carácter contingente y condicional de la dinámica del cambio cultural es garantizado porque son objeto de estudio «tipos particulares de interconexiones en los dos niveles diferentes y entre los dos niveles diferentes» (Archer 1988: 106). La explicación de esta génesis de las instituciones es el objeto de la segunda parte de *Culture and Agency*. Aquí Archer usa los conceptos durkheimianos de contradicción y de complementariedad para dar entrada a los estadios iniciales de una serie de proposiciones generales que esta parte final del libro va a desarrollar con detalle:

(I)   Existen relaciones lógicas entre los componentes del Sistema Cultura (SC).

(II) Existen influencias causales ejercidas por el SC sobre el nivel Socio-Cultural (S-C).

(III) Existen relaciones causales entre los grupos e individuos en el nivel SC.

(IV) Existe elaboración del SC debida al nivel S-C que modifica las relaciones lógicas actualmente existentes e introduce otras nuevas (Archer 1988: 143).

4. CONCLUSIÓN

M. S. Archer ha elaborado una reinterpretación sofisticada de la ontología de Popper con la intención de conciliar el análisis institucional con las sociologías especialmente preocupadas por la acción social. Para ello postula y fundamenta un área cultural «dinámica-y-no-siempre-coherente». Voy a señalar a continuación algunos de los aspectos que inevitablemente se derivan de la etapa actual de teorización.

a) Tiempo, instituciones y actividad humana. Archer enfatiza el tiempo y podemos encontrar muchas referencias acerca de este tema en su obra. Pero sería interesante disponer de una teorización más sistemática.

b) Acción social, significado y tradiciones. *Culture and Agency* no proporciona una teoría sistemática de la acción social, aunque apunta claramente hacia ella y añade las ideas básicas acerca de una teoría del sujeto. El capítulo VIII ofrece una serie de indicaciones valiosas al respecto, subrayando básicamente el papel de la motivación y de los intereses. Pero hace falta una perspectiva global de la acción social. Su ausencia es quizás una de las causas de que haya pocas indicaciones sobre los valores y normas, así como de su lugar en el esquema ontológico. Hasta el momento presente, sin embargo, hay que señalar un gran esfuerzo teórico que persigue la creación de un mundo social dinámico, con la libertad y la responsabilidad como ejes valorativos que pueden preservarse gracias al «dualismo analítico» (Fielding 1988: 3).

c) Valores y acción. El lugar asignado a los demás valores debe ser determinado con más claridad. Es evidente que se encuentran en cierta manera en la «subjetividad» y en la «interacción», que constituye el mundo social donde la génesis y el producto de la cultura aparece. La creación de este mundo cultural hace posible situar allí los valores. Pero

¿cómo? ¿con qué clase de relaciones con las instituciones, la acción y la competencia de los individuos? Hay otro problema además: los valores están también «escritos» en la biblioteca del III Mundo. ¿Cómo se entrelazan estos con los que han calado al mismo tiempo en las instituciones? ¿cómo pueden motivar para la acción? o ¿es que son estrictamente procesos subjetivos? La apelación al conflicto de grupos para contestar a la primera cuestión demandaría una clarificación de la imbricación de los valores y normas con la acción. El mayor problema aquí es que los valores, e igualmente las obras de arte, no pueden ser «captados proposicionalmente» y, en cambio, penetran en las instituciones, en el actor, en la sociedad y en la biblioteca del III Mundo. La introducción de la comprensión hermenéutica en el nivel S-C puede dar una explicación sobre esto (Archer 1988: XVII). Pero ello comportaría nuevamente el paso necesario de desarrollo de un esquema teórico de la acción. Sin la resolución de estas cuestiones no es posible enfrentar la comprensión de la tradición.

Capítulo 16
Sociología de la ciencia

El capítulo comienza discutiendo el tema del ethos de la ciencia a través de una comparación entre la obra de Merton y la de Weber. A continuación explico una serie de aspectos de la obra de Merton que giran alrededor del tópico del papel del reconocimiento en la organización de la ciencia. Finalmente me refiero a la aportación de Kuhn en *La estructura de las revoluciones científicas* y a las nuevas sociologías del conocimiento científico.

1. MERTON Y WEBER: EL *ETHOS* DE LA CIENCIA

Es difícil establecer analogías y diferencias entre Merton y Weber respecto al ethos de la ciencia. Weber no legó una sociología de la ciencia, fue Merton quien comenzó esta tarea y elaboró el primer paradigma importante. Según cree Merton, ese ethos de la ciencia existe y es funcional para la institución social de la ciencia y su objetivo es la extensión del conocimiento. Weber, en cambio, intenta delimitar los componentes de la ciencia que habrían de tenerse en cuenta para poner en situación a cualquier individuo de optar o no libremente por la «vocación científica». En consecuencia, nos encontramos ante dos objetivos diferentes. Merton está haciendo sociología y Weber está clarificando el sentido de una vocación. Sin embargo, al hilo de su conferencia, Weber toca temas que sí pueden ser puestos en relación con el paradigma mertoniano y con uno de sus ingredientes: la cuestión del ethos de la ciencia.

A) *Ciencia y puritanismo*

Merton recoge un tema que Weber animó a investigar. En *La ética protestante* encontramos literalmente su invitación a realizar el trabajo que más tarde hizo Merton. Dice Weber (1977: 260) que debería estudiarse la relación del puritanismo «con el racionalismo humanista... y ulteriormente con el desarrollo del espíritu filosófico y científico, con el desenvolvimiento técnico...». Además, Weber (1979: 205) le entrega en bandeja la tesis a Merton en «La Ciencia como vocación»: «el trabajo científico, indirectamente influenciado por el protestantismo y el puritanismo, se consideraba a sí mismo en aquel tiempo como el camino hacia Dios... En las ciencias exactas de la naturaleza,... en donde sus obras podían captarse físicamente, se esperaba poder hallar las huellas de sus propósitos respecto del mundo». Sin embargo, estas palabras de Weber no restan importancia a Merton; el mineral en bruto, pulido adecuadamente, fue aprovechado.

A efectos de sus desarrollos posteriores interesa destacar que Merton (1977 [1938]) en «El estímulo puritano a la ciencia» ya vio la existencia de dos ingredientes básicos de la ciencia como institución social: un ethos específico y unos elementos motivacionales. Poco importa por ahora el hecho de que ese ethos no fuese concretado en el citado artículo (o fuese explicado de modo muy general) y que esos elementos motivacionales cambiaran después; nos interesa el hecho de que ya encontramos un ethos y unos elementos motivacionales en la ciencia. Por otra parte, no debemos olvidar que Merton se encontraba en estos momentos bajo la influencia de la sociología del conocimiento de Sorokin; esto quizás explique por qué Merton no pudo todavía concretar más ese ethos. La obsesión de Sorokin por los sistemas socioculturales (una teoría macrosociológica) olvidaba cuestiones decisivas relativas a lo que podía pasar «dentro» de la institución científica. Así, el análisis de Merton se quedó en un nivel de valores muy generales, de «sentimientos» y «creencias» del ethos científico, legitimado por el puritanismo y sus valores (semejantes e integrados a los de la ciencia). Merton reproduce para la ciencia la tesis a que llegó Weber (1977: 242) respecto al capitalismo. En *La ética protestante* habla de esta legitimación del capitalismo por la ética puritana.

También Weber y Merton están de acuerdo acerca del componente motivacional (uno respecto al capitalismo y otro respecto a la ciencia). Weber (1977: 243) en *La ética protestante* nos habla de que la aspiración a la riqueza tenía su origen en preceptos divinos: «la utilización racional y utilitaria [de la riqueza] querida por Dios, para los fines vitales del individuo y de la colectividad». Merton (1977: 314) en «El estímulo puritano a la ciencia» nos dice lo mismo respecto a la ciencia. El científico encuentra un motivo y una legitimidad y autoridad en la asignación puritana a la ciencia de tres objetivos: 1º establecer pruebas prácticas del estado de gracia del científico (fin individual); 2º dominar la naturaleza (fin social); 3º glorificar a Dios (fin trascendental).

Así pues, Merton recoge también los dos elementos —de legitimación y de motivación— que Weber había asignado a la ética puritana para el caso del capitalismo, con el objetivo de hablar de elementos éticos y motivacionales específicos de la ciencia.

Seguidamente voy a mencionar otros aspectos, que desarrollaré después, en los que Merton depende claramente de Weber en esta cuestión:

1º El análisis del proceso de secularización.

2º El hecho de que no pretende sugerir que el desarrollo de la ciencia derivase únicamente del puritanismo. Esto coincide con la actitud de Weber con respecto al capitalismo y parece dar a entender que Merton ha realizado un tipo de carácter similar al weberiano, pero en este caso «realza» el elemento de la ética protestante para otro fin: explicar el desarrollo de la ciencia en la Inglaterra del siglo XVIII.

3º La cuestión de la integración del ethos de la ciencia y de la ética puritana. Para Weber, por ejemplo, se abandona la ascesis monacal para optar por la asesis del ahorro y del trabajo en la profesión que el puritanismo conllevaba. Para Merton (1977: 322), «se abandonó la contemplación monacal y se introdujo la experimentación activa» que el puritanismo legitimaba y motivaba. Otra vez Merton sigue el mismo esquema de Weber: éste integra el ethos del primer capitalismo y el del puritanismo; Merton integra el ethos del protestantismo y el etos de la ciencia. Más aún, a la hora de discutir la cuestión de si la ciencia es la variable dependiente, señala que esto es equivocar la pregunta, pues ambas (ética puritana y ética científica) eran «elementos de una cultura que se centraba en gran medida en los valores del utilitarismo y del empirismo». De la misma manera Weber comentará que el ethos del puritanismo y el del capitalismo son dos ingredientes del proceso de racionalización. Quiso decir con esto que en ambos casos hay mucha cautela a la hora de asignar posibles dependencias inmediatas. Por ejemplo, según Merton (1977: 333): «El puritanismo y la ciencia eran componentes de un complicado sistema de variables mutuamente de-pendientes». En realidad Merton sólo sostiene que hubo una influencia social legitimadora y motivadora, no se trata de una dependencia simple.

4º Merton señala dos supuestos tácitos en la ciencia y en el puritanismo: (1) La existencia de una ley inmutable, y (2) el someter a la prueba de la razón y la experiencia las creencias religiosas. El supuesto básico de estos dos anteriores sería la racionalidad. Y aquí estaría Weber también de acuerdo para el caso del capitalismo.

En resumen, Merton tomó muchas ideas de Weber, pero supo sacar consecuencias que luego le servirían para edificar su paradigma de la sociología de la ciencia: dio con el ethos y con el problema de la motivación.

B) El liberalismo de Weber y Merton

La idea de la neutralidad valorativa, con sus implicaciones metodológicas y éticas es en Weber la expresión de un liberal que quiere preservar el limitado margen de libertad del que las universidades alemanas podían gozar en aquel tiempo. Otros principios clásicos liberales inundan también la ética personal de Weber sobre la ciencia. Así, por ejemplo, nos habla de una acción responsable y de una reflexión, de una libertad para criticar, etc.

Podemos distinguir en Weber, por un lado, normas relacionadas directamente con la metodología y, por otro, normas, sentimientos y valores de una implicación fundamentalmente moral, vinculados con el liberalismo. La idea de neutralidad valorativa está conectada con ambos tipos de funciones. Otras normas morales —de origen inmediato— tendrán una relación más directa pero menos elaborada con los elementos del complejo moral del científico en Weber. No obstante, queremos señalar que no hay límite claro entre las normas que tienen relación con la metodología y las que tienen implicaciones directas con el ethos; hay estrechas interdependencias entre ellas.

Merton se expresa como un liberal también. A pesar de sus alusiones a la democracia (no hace una distinción entre democracia y liberalismo) queda patente que es liberal. Las ideas de Merton a este respecto tienen su origen en lo que él denomina un supuesto provisional: «se brinda oportunidad de desarrollo a la ciencia en un orden democrático que se halle integrado con el ethos de la ciencia». No se trata de que sólo sea posible el desarrollo del conocimiento en una sociedad democrática, pero de hecho —descriptivamente— es evidente que los periodos más importantes de desarrollo científico han coincidido con estructuras sociales democráticas, y —normativamente— parece que puede concluirse que el orden democrático es el más adecuado para el desarrollo de la autonomía de la ciencia y de sus objetivos. No obstante, a pesar de lo dicho anteriormente, Merton mantiene una posición ambivalente respecto a dos cuestiones: la intervención estatal y la ciencia pura. Las ya frecuentes intervenciones prekeynesianas del Estado y la existencia cada vez mayor de «utilizaciones» de la investigación para fines militares y del Estado en general («la ciencia es poder») le hacen dudar de algunos supuestos liberales y positivistas, lo cual contrasta con otras afirmaciones paralelas a favor del liberalismo y del canon positivista.

Si bien la norma de la pureza de la ciencia es funcional para la autonomía y el fin de la ciencia, puede tener otras consecuencias disfuncionales para la ciencia misma y para la sociedad; consecuencias originadas en la utilización de la ciencia, que revierten contra la investigación misma, contra la meta original. En este sentido, «el principio de la ciencia pura y desinteresada ha contribuido a elaborar su propio epitafio». Y respecto a sus consecuencias sociales, como «la investigación científica no se realiza en un vacío social, sus efectos se ramifican en otras esferas de valores e intereses». Uno de esos efectos sociales, señala Merton, podría ser «proveer de racionalizaciones cargadas de prestigio al orden existente».

Una función similar es la que Marcuse y Habermas han reconocido posteriormente a través de sus discusiones sobre el papel ideológico de la ciencia y de la técnica. No obstante, Habermas no establece una separación entre la verdad y la utilidad social; según él, la propia forma de la ciencia es susceptible de esa utilidad (hay una interdependencia). Así, ni siquiera vale la justificación que aliviaba la conciencia de los científicos para Merton, «la tesis de que el mal fruto ha sido injertado en el buen árbol por los agentes del Estado y de la economía». En resumen, Habermas contempla una situación que Merton podía prever: «la autoridad tomada de la ciencia se convierte en un poderoso símbolo de prestigio para las doctrinas no científicas» utilizando la propaganda y el papel social positivo popularmente reconocido a la ciencia y a la técnica.

En el artículo «Dimensiones técnicas y morales de la investigación» de su *Sociología de la Ciencia*, Merton (1977) realiza algunas observaciones sobre este tema. El experto en técnicas sociales se encuentra ante un dilema: usar técnicas efectivas o violar sus normas éticas, o «debe decidir si elaborar o no técnicas para explotar las ansiedades de las masas, para usar los llamamientos sentimentales en lugar de la información o para ocultar fines privados con el disfraz de los propósitos comunes». Si elabora esas técnicas colaborará posiblemente en manipular a la gente, a desinformarla, etc. La solución que le da Merton a la cuestión es la siguiente: dado que toda investigación reposa en valores implícitos del científico, si éste eligiera los valores democráticos «no solamente se hubiera planteado qué técnicas de persuasión producen el resultado inmediato de mover a la acción a una determinada proporción de personas, sino también cuáles son los efectos ulteriores, más remotos, pero no necesariamente menos importantes, de esas técnicas, sobre la personalidad individual y sobre la sociedad». Es decir, Merton cree que la moralidad de la democracia es funcional para la moralidad de la ciencia y de la técnica. Merton se muestra, pues, excesivamente ingenuo.

Contempla la creciente intervención del Estado y la utilización de la investigación y la ciencia para fines diversos, entre otros los militares. No obstante al centrar más su atención en el totalitarismo nazi no reconoce algunos aspectos de la posible utilización ideológica de la ciencia misma por el Estado democrático liberal con fines legitimadores, para asegurar la estabilidad del propio sistema. Por otra parte, no es posible juzgar a Merton con facilidad: la intervención estatal y la interdependencia entre investigación y técnica se acrecentaron mucho más después de escribir Merton sus principales artículos.

C) *Los presupuestos de la ciencia: la zona sagrada de la ciencia*

Merton elude los aspectos metodológicos que preocupaban a Weber y se dirige a una investigación sociológica del ethos «presupuesto». Si bien reconoce que las normas, además de ser morales y, por tanto, obligatorias, poseen también una justificación metodológica, su objetivo es estudiar cómo esas normas son funcionales para el método y objeto de la ciencia como institución. En Weber encontramos en cierta medida esto último también (aunque evidentemente con un lenguaje no funcionalista), los presupuestos epistemológicos que se vinculan con la problemática del «ethos» de la ciencia. Voy a relacionar lo que para Merton sería la «zona sagrada» de la institución de la ciencia con lo que para Weber constituiría un posible «ethos» de la vocación científica.

D) *Universalismo*

Para Merton el universalismo se expresa mediante los criterios impersonales preestablecidos. Se opone a los particularismos a cualquier nivel (personal, etnocéntrico, nacional, de castas, etc), que se alejan a la objetividad de la investigación científica. El universalismo, de esta manera, es funcional para la objetividad de la metodología y el logro del fin institucional; el particularismo es disfuncional respecto a ello. El universalismo sirve al ideal de la objetividad y de la ciencia pura, cuya función es preservar la autonomía de la ciencia.

Weber estaría de acuerdo con todo ello, si bien su interés más inmediato es la preocupación metodológica de salvaguardar la objetividad. Ésta se encuentra presupuesta —según nos dice en «La objetividad cognoscitiva de la ciencia social y de la política social»— tras la distinción entre juicios de valor y relaciones de valor, siendo un modelo de objetividad distinto al de las ciencias naturales por el diferente carácter de que gozan las leyes en cada ámbito. Este modelo de objetividad ha de conjugar las premisas valorativas (relaciones de valor) y la validez de la lógica de la investigación científica, que es universal. Mediante la explicación causal y la no injerencia de juicios de valor en la lógica interna de la investigación se asegura la objetividad y la universalidad («debe ser válida hasta para un chino»). La referencia a los valores garantiza la posibilidad de una orientación personal en la investigación (Weber 1973 [1904]). Weber recurre a su idea de «tipo ideal» para conjugar ambos aspectos.

Cuando se introducen juicios de valor en la lógica interna de la investigación hay malas consecuencias para la metodología y el fin de la ciencia. Según Weber «donde un hombre de ciencia permite que se introduzcan sus propios juicios de valor, deja de tener una verdadera comprensión del tema» (Weber 1979: 214), y si se aceptasen valores (por ejemplo provenientes de la revelación) la ciencia traicionaría sus propios presupuestos. En consecuencia, Weber coincide con Merton en que cuando interviene el particularismo hay consecuencias disfuncionales para la ciencia; el presupuesto que subyace aquí es el de que la universalidad y la objetividad son funcionales para la misma. Además, el hecho de que Weber afirme que el interés científico es el que «me hace condenar esa actitud» nos da a entender que normas como el desinterés y el escepticismo organizado son reconocidas también por Weber.

Otras actitudes de Weber (1973: 228), que podemos encontrar en «El sentido de la neutralidad valorativa», nos informan más aún del hecho de que comparte la norma de la universalidad: su oposición al chauvinismo, su opinión favorable a que socialistas y anarquistas entren en las universidades, el hecho de que eluda (y critique) explicaciones basadas en las capacidades de raza, etc.

E) *Comunismo*

Según Merton, el comunismo prescribe que los hallazgos son producto de la colaboración y son asignados a la comunidad. No hay propiedad privada sobre el descubrimiento; los derechos del investigador acaban en el reconocimiento. La expresión más clara del comunismo se encuentra al expresar la dependencia de la «herencia» científica, de lo anteriormente acumulado, respecto de lo cual hay un reconocimiento de cooperación para la evolución y el progreso.

Weber también compartiría este componente del ethos mertoniano. Tomemos como ejemplo el siguiente párrafo de Weber (1979: 198): «El ser superado no es sólo el destino de todos nosotros, sino también la finalidad propia de nuestra tarea común. No podemos trabajar sin la esperanza de que otros han de llegar más allá que nosotros, en un proceso que, en principio, no tiene fin». La actitud de Weber se ve también clara cuando habla de la especialización como de la única manera de desarrollar la vocación científica, especialización que supone una diferenciación histórica de esa «herencia anterior». La posibilidad de la colaboración viene garantizada cuando no se sale de la universalidad de la «empiria», esto es, cuando respeta la norma de la objetividad y se persigue la verdad y la ciencia pura, tareas que conforma la personalidad del que tiene vocación científica. Hay dos aspectos, sin embargo, en los que Weber se distingue de Merton:

a) *El papel del reconocimiento y la propiedad*

Si bien Weber comparte con Merton el hecho de que es deshonesto un supuesto derecho de propiedad al descubrimiento y al saber (recordemos sus irónicos comentarios acerca de la verdulera americana), no tiene clara la función del reconocimiento y de la propiedad. Habla de un sentimiento de plenitud («aquí he construido algo que durará») de quien se ocupa honestamente de las tareas de la ciencia, sentimiento que contrapone al de quien se pregunta simplemente por «cómo hacer para decir algo que en su forma o en su ser hondo nadie haya dicho antes que yo» en vez de aprestarse a la dura tarea (Weber 1979: 196). Parece que está suponiendo que al científico debería de bastarle esa alegría interior del descubrimiento y opta por el valor de la modestia y la humildad. De cualquier manera, está claro que no ve la importancia del reconocimiento como incentivo reforzador de la publicación, de la comunicación de los hallazgos, y del ideal de colaboración comunitario en general.

b) El problema de la génesis de los hallazgos

Weber (1979: 193) cree que el trabajo y la pasión son importantes para la ocurrencia, pero que ésta viene cuando quiere. Se encuentra en el polo opuesto a Bacon en este sentido. La actitud individual de Weber contrasta con la de Merton, que ha entendido mejor la importancia de los factores sociales para el descubrimiento: el hecho frecuente de los descubrimientos múltiples sugiere que el azar no es tan decisivo como Weber pretendía, y que el mismo carácter comunicativo de la ciencia es decisivo para «la ocurrencia». Weber, pues, no vio esta consecuencia del «comunismo» respecto a los descubrimientos.

F) Desinterés

Weber reconoce, como Merton, que el carácter público de la ciencia ha influido en esa integridad del hombre de ciencia. Él mismo aprovecha esa posibilidad de juicio respecto a otros colegas para reprocharles a algunos su falta de probidad intelectual. No obstante, Weber cree que hay una serie de condiciones personales que hay que reunir para tener una vocación científica: imposibilidad de la defensa científica de posturas prácticas, responsabilidad, capacidad para atenerse a una tarea, etc. No entra en la cuestión de hasta qué punto la institución social de la ciencia interviene para preservarlas, obligando al científico al desinterés. No se le puede pedir más: no está haciendo sociología de la ciencia. Sin embargo, toda su conferencia es una muestra (que podría tomar Merton para ejemplificar las características de la crítica científica) de cómo una persona (Weber) está ejerciendo esa capacidad de crítica en nombre de la ciencia respecto a otros colegas. Y en este sentido el ensayo de Weber es un ejemplo del carácter de este componente del ethos de la ciencia.

G) Escepticismo organizado

De este componente de ethos de la ciencia surgen según Merton las principales fuentes de conflicto entre la ciencia y otras instituciones. Según Merton el imperativo del examen de creencia «en términos de criterios empíricos y lógicos» cuestiona la autoridad, los procedimientos aprobados y todo lo consagrado en general. Sin embargo, según Merton, establecer lógicamente el análisis de la génesis de creencias y valores no es negar su validez. El conflicto es sólo psicológico.

Weber no estaría aquí de acuerdo con Merton. Distinguió entre hechos y juicios de valor; en este sentido, más que un conflicto psicológico hay un conflicto lógico. La lealtad a la ciencia supone el análisis lógico de hechos y la lealtad a lo sagrado, por ejemplo, supone una decisión práctica. Por tanto, no puede decirse de estas creencias que sigan siendo válidas a menos que especificara más Merton qué entiende por la validez de esas creencias sagradas. Para Weber únicamente desaparece el conflicto cuando, por ejemplo, un cristiano acepta investigar lógica y empíricamente la génesis del cristianismo y deja su fe en los milagros como cosa de opción personal, esto es, cuando se somete a la lógica de la investigación científica. Esta es la única manera de asegurar la lealtad primaria a la ciencia.

H) La autonomía de la ciencia

Si bien los valores del ethos mertoniano son funcionales para la autonomía de la ciencia, tal vez el más decisivo a este respecto sea el del sentimiento por la pureza de la ciencia, por la objetividad (Merton 1977: 346). Weber coincide en esto con Merton. De hecho, su idea de objetividad y el concepto de neutralidad valorativa van en esta dirección: asegurar la pureza de la ciencia y, consecuentemente, su autonomía respecto a las instituciones políticas, religiosas, etc. Es fundamental la autonomía de la ciencia respecto a las instituciones o credos políticos lo que preocupa básicamente a Merton y a Weber. Cada cual toma casos concretos para referirse al tema: Merton estudia la cuestión respecto al nazismo; Weber expone sus ideas contraponiendo la ética del político (del caudillo) a la del científico. Ambos concluyen que el ideal de la ciencia pura es funcional para la autonomía de la ciencia, y en el curso de la argumentación ambos llegan a otras conclusiones que pueden parecer radicales. Merton concluye que el liberalismo es el orden social que mejor asegura la autonomía de la ciencia. Weber (1979: 215) cree que no es posible justificar racionalmente las decisiones prácticas. El primero postula un orden social funcional para la ciencia y el segundo eleva una cuestión metodológica a garante de la autonomía de la ciencia.

I) El ethos de la vocación científica de Weber

Decía al comienzo que en Weber hay dos tipos de presupuestos normativos de origen liberal: unos conectados con la metodología (por ejemplo la idea de neutralidad valorativa) y otros más alejados de ella pero característicamente liberales. He hablado ya de la objetividad y de la neutralidad valorativa al comparar a Weber y Merton en los epígrafes anteriores; también he incluido otros temas que ahora reaparecerán. Quisiera decir algo más sobre los componentes del ethos weberiano más claramente liberales. Los encontramos resumidos en *El Político y el científico*, cuando explica lo que aporta la ciencia para la vida práctica y personal. Weber (1979: 221 ss) dice que la ciencia proporciona las siguientes cosas: (1) conocimiento técnico; (2) métodos para pensar; (3) claridad sobre qué medios hay que utilizar para tal fin y sobre las consecuencias de los fines; (4) capacidad para decir que «tal postura práctica se deriva lógica y honradamente, según su propio sentido, de tal visión del mundo y no de tal otra» (en función de 3). Es decir, se puede ayudar a tomar conciencia al individuo a que «por sí mismo se dé cuenta del sentido último de sus propias acciones».

Al enumerarlas, Weber (1979: 223) opta por la 3 y la 4 y dice literalmente que «al hacer esto el profesor sirve a un poder ético: a la obligación de crear claridad y sentimiento de responsabilidad». Claridad y responsabilidad que podemos unir al intento de Weber de preservar la libertad del individuo de ser fiel a sí mismo, libertad que queda garantizada cuando el profesor evita juicios de valor. Weber optó pues por la verdad y la claridad, objeto de la reflexión racional, y por la libertad y la responsabilidad ante los diferentes valores existentes. Dada una lucha entre los diferentes valores, sólo la razón garantiza la posibilidad de una discusión universal: «cuando se sale de la empiria se cae en el politeísmo». Esto es compatible con la elección (libertad) sin justificación racional que cada uno pueda hacer respecto a valores fuera del ámbito de la lógica de la investigación. Así pues la racionalidad y la libertad, los dos valores clásicos del liberalismo, se encuentran presentes en el ethos weberiano del científico.

Weber optó por el tipo ideal como la mejor manera de conjugar ambos aspectos (racionalidad y libertad) para la objetividad de la ciencia. Merton, en cambio, cree descubrir una serie de elementos prescriptivos en la institución científica (que comparte Weber en muchas ocasiones) que serían interiorizados por los científicos y que actuarían como mecanismo de control en el desempeño de su rol, de manera que se seguirían pautas de conducta generalizadas en los científicos, pautas que serían funcionales para la ciencia.

Weber y Merton están intentando responder a un mismo problema: dado que los científicos tienen presumiblemente intereses y lealtades relacionados con otras instituciones, ¿cómo asegurar la autonomía de la ciencia y el desarrollo del conocimiento verificado? Weber soluciona el problema distinguiendo entre «juicios de valor» y «relaciones de valor». Merton ofrece una solución basada en la idea de Parsons de la interiorización de unos valores compartidos en la ciencia, valores que son funcionales para el objeto de la ciencia, cuya autonomía y desarrollo se encontrarían mejor garantizados en un orden liberal.

2. MERTON: EL PRESTIGIO Y LA ORGANIZACIÓN DE LA CIENCIA

A) *La ciencia como institución y el rol del científico en Merton*

La ciencia, como ya vio Merton (1977) en su estudio «El estímulo puritano a la ciencia», cuenta, como toda institución social, con un complejo normativo y con un sistema de motivación que tiene el papel de garantizar el fin institucional: el desarrollo del conocimiento unificado. Siendo vital para éste la originalidad del descubrimiento, el sistema motivacional ha de basarse en el reconocimiento por esta originalidad que es valorada extraordinariamente. Ahora bien, el valor asignado a la originalidad es a veces potencialmente incompatible con algún otro componente del ethos. En particular, existe una tensión en la institución que tiene su origen en la difícil compatibilidad entre el ethos y el sistema de recompensas que mantiene la originalidad y el fin de la institución. Esta tensión es la causa de que existan disfunciones para la misma institución, y a veces cierta desintegración.

El esquema se repite en cada científico concreto, pues se han interiorizado los valores del ethos, y acreditado el reconocimiento por la originalidad y el buen desempeño del rol establecido por la institución para cada científico. Esa misma tensión, y desintegración institucional, queda proyectada a nivel individual pues los científicos tienden a desarrollar los valores y a canalizar su motivación en la dirección que la institución define para ellos. Surge así la «ambivalencia» del científico, y aparecen conductas desviadas respecto a las reglas institucionales, desviaciones que tienen su origen en la misma estructura institucional: en la no frecuente correspondencia o unión del ethos y del valor de la originalidad para el logro del objetivo institucional. Merton aporta datos que muestran tanto las raíces institucionales de la hostilidad entre científicos por prioridades como las desviaciones. Desde esta perspectiva, Merton logra explicar en términos sociológicos los conflictos por prioridades y las consecuencias disfuncionales del énfasis en la originalidad y el prestigio. Rechaza en consecuencia las interpretaciones psicológicas que ponen el énfasis en la naturaleza humana o en un supuesto egotismo.

B) Funciones del prestigio para la ciencia

La función básica consiste en mantener el interés por la originalidad, pieza indispensable para el logro del objetivo institucional. La institución establece un derecho al reconocimiento proporcional a la importancia del hallazgo. Así mismo, el interés por el reconocimiento favorece la publicación, la comunicación científica y la realización del ideal comunitario en la ciencia, indispensable para el desarrollo del conocimiento. En consecuencia, a nivel institucional, parece que el prestigio tiene la función de asegurar el desarrollo del conocimiento, esto es, de mantener a la institución misma y a su objeto. De ahí que Merton señale que la lucha es desigual entre el valor dado a la originalidad y otros componentes del ethos (humildad, por ejemplo). Ello es necesario para la supervivencia de la institución misma. Y, ¿qué ocurre a nivel del científico concreto? Merton señala que el prestigio es el símbolo de que se ha cumplido con el rol asignado por la institución. El prestigio pues tiene aquí dos funciones. Una enlazada con el científico mismo: se encuentra realizado personalmente como tal; y una segunda, derivada de la anterior, consistente en fijar el aspecto motivacional del rol del científico; rol que queda definido, además de con el componente motivacional, con la intervención de los componentes del ethos interiorizados. Esta segunda función es esencial para el mantenimiento de la institución, pues del grado de exactitud de definición del rol depende la consecución del objetivo institucional.

No obstante, estas funciones no quedan siempre aseguradas. La dificultad de acordar el énfasis en la originalidad y el reconocimiento con el ethos (por ejemplo, la humildad) tiene frecuentes consecuencias disfuncionales para la institución científica y para el científico mismo.

C) Disfunciones del prestigio para la ciencia

En Merton hay tres líneas de explicación de cómo «la agudización de las normas funcionales», el extremado énfasis en la originalidad y el reconocimiento ha devenido disfuncional para la ciencia. La primera se basa en la dificultad de compatibilizar en la práctica los imperativos institucionales (especialmente el de la humildad y modestia) con el imperativo de la originalidad. La segunda se basa en la idea de que el énfasis en la originalidad se puede independizar y constituir un fin en sí mismo. La tercera se encontraría relacionada con la no correspondencia entre las aspiraciones y expectativas fijadas por la institución, que define el rol del científico, y las posibilidades de éste para alcanzarlas y desempeñar bien el rol impuesto.

a) La humildad y el reconocimiento por la originalidad

La tensión entre el imperativo de la humildad y el énfasis en la originalidad de la institución se interioriza y produce conflictos a los científicos. Como mínimo hay una ambivalencia en sus actitudes, que produce un autodesprecio en los científicos: el científico se debate entre entregarse sólo al descubrimiento de la verdad o al reconocimiento. No obstante, este primer elemento no es el de más trascendencia a la hora de estudiar la disfuncionalidad y la desviación de las reglas institucionales. La originalidad siempre gana en esta lucha al final; la humildad no es suficiente para compensar el énfasis en la originalidad. Entran aquí entonces prácticas no asentadas en las reglas de la institución.

b) El reconocimiento como fin en sí mismo

El reconocimiento por la originalidad en su interacción con algunos elementos del ethos sale vencedor. Se independiza y racionaliza como incentivo, se transforma en deseo inmediato de estima personal. «Se le agranda hasta un extremo disfuncional, mucho más allá de los límites de la utilidad» para el fin de la institución. Esto se ve bien claro cuando hay poca diferencia de tiempo respecto al mismo hallazgo por personas diferentes. Los criterios de probidad son altamente discriminatorios y una asignación de reconocimiento en estas circunstancias no es funcional. La inmadurez y premura en las publicaciones es otra consecuencia de esta autonomía del reconocimiento.

c) La conciencia de no estar a la altura de las exigencias del rol

La conciencia de no poder ajustarse a la altura del rol determina desviaciones diversas, que Merton clasifica en dos tipos: (1) activas (fraude, de «recorte» y de «cocina»), plagio y calumnia; (2) pasivas (paso a la enseñanza o a la administración, apatía, etc). Ambas clases de desviaciones son consecuencia del extremado énfasis en la probidad, si bien las pasivas están más directamente relacionadas con esa conciencia de no excelencia del científico frente a lo que la institución ha fijado como característico del rol. Las activas son bastante raras dado que hay un juicio crítico de los pares que colabora o garantiza una integridad moral y una serie de sociedades científicas destinadas en parte a que no se produzcan.

El problema que Merton tiene es el de precisar el grado en que el reconocimiento por la originalidad puede ser razonable para la ciencia; esto es, dónde está el límite entre su funcionalidad o disfuncionalidad. Al final, con un tono moralista, aconseja que no hay que creer en la originalidad como valor absoluto.

D) El «Efecto Mateo»

El «Efecto Mateo» expresa tal vez el problema de mayor trascendencia en cuanto a las consecuencias de la asignación de reconocimiento. El reconocimiento determina en gran medida la estratificación de las oportunidades de los científicos; esto es «hay una continua interacción entre el sistema de status, basado en el galardón y la estima, y el sistema de clases, basado en diferentes posibilidades y que ubica al científico en posiciones diferentes dentro de la estructura de oportunidades de la ciencia. El Evangelio según San Mateo enuncia la ley de esta determinación: «Pues al que tenga se le dará y tendrá abundancia; pero al que no tenga se le quitará hasta lo poco que tenga». Merton analiza las consecuencias del Efecto Mateo sobre diferentes aspectos del sistema de la ciencia.

1º Casos de colaboración: efecto positivo sobre el científico reconocido y negativo sobre el desconocido (excepto el caso del efecto retroactivo sobre el último si luego se estima su trabajo autónomo).

2º Casos de descubrimientos múltiples: se presentan pautas similares al caso anterior. En ambos casos se refuerza el prestigio del autor galardonado y se le niega al no distinguido, produciéndose una injusta asignación de recompensas que tiene consecuencias importantes para los científicos.

No obstante, a pesar de ser disfuncional para los científicos jóvenes en los dos casos anteriores, el Efecto Mateo es funcional para el sistema de comunicación de la ciencia, pues «eleva la visibilidad de las nuevas contribuciones científicas», si bien otros factores contribuyen también en esa mayor visibilidad.

La «profecía que se cumple a sí misma» (explicada en un capítulo anterior) interviene también aquí en cuanto que las publicaciones de los reconocidos son siempre mayormente estimadas, pero no sólo los científicos reconocidos hacen importantes contribuciones. Consiguientemente, el Efecto Mateo puede ser también disfuncional cuando favorece el culto a la autoridad del prestigio: viola el universalismo de la institución científica y no contribuye al logro del objetivo institucional. Es también disfuncional cuando se asignan muchos recursos a los prestigiosos o acuden muchos alumnos a sus centros. Esto impide una buena distribución de recursos y de «talento científico».

3. LA NUEVA SOCIOLOGÍA DEL CONOCIMIENTO CIENTÍFICO

En esta sección me referiré a algunas nuevas corrientes en sociología de la ciencia que suponen una revisión o crítica del paradigma de Merton. Cabe señalar aquí que este proceso de distanciamiento con respecto al paradigma funcionalista encuentra paralelismos en otras disciplinas sociológicas. En todos los casos suele hablarse de una sustitución del paradigma funcionalista por otro nuevo que se orienta desde el principio del «constructivismo». En el desarrollo de estas nuevas maneras de comprender la sociología de la ciencia han ejercido una gran influencia los paradigmas sociológicos orientados desde la fenomenología, el análisis del lenguaje, y el interaccionismo simbólico. Un punto de referencia ineludible es aquí el trabajo de Schütz, de Berger y Luckmann, de Garfinkel y de Cicourel. Por otra parte, la obra de Kuhn, *La estructura de las revoluciones científicas*, constituye el texto fundamental para esta nueva sociología de la ciencia.

En general, todas estas nuevas sociologías del conocimiento científico, tienen en común un interés por la selección de contenidos, teorías y prácticas en los ámbitos donde los científicos entran en interacción social, sean éstos departamentos de universidades, centros de investigación o laboratorios. La intención es la de «abrir la caja negra», ese ámbito de interacción social entre los científicos que había sido descuidado en el paradigma mertoniano. Esta intención, como decía, es común a otras disciplinas sociológicas; así por ejemplo, en sociología de la educación se constituye igualmente una nuevo paradigma, hecho explícito en *Knowledge and Control* por N. Young, que pretende desentrañar los procesos, también «la caja negra», que se producen en la escuela. Así pues, las nuevas tendencias existentes en sociología del conocimiento se corresponden con las que están produciéndose en general en el ámbito de la sociología.

A) Kuhn: La estructura de las revoluciones científicas

Thomas Kuhn, filósofo de la ciencia americano, llegará a la conclusión de que el falsacionismo de Popper es una descripción errónea de la ciencia. En oposición al mismo, este autor publicará una obra titulada *La estructura de las revoluciones científicas*, donde expone una concepción totalmente distinta del desarrollo científico. Kuhn niega que el objetivo último del conocimiento científico sea aumentar el contenido de verdad de nuestras teorías; según él, la ciencia no avanza acumulativamente hacia el desenvolvimiento de concepciones científicas progresivamente perfeccionadas, sino que atribuye al progreso científico un carácter revolucionario, es decir, la ciencia avanza mediante revoluciones que suponen el abandono de una estructura teórica y su sustitución por otra incompatible con la anterior. En resumen, la lógica de la evolución científica consiste en pasar de un paradigma a otro.

Un paradigma científico es una orientación general que regula la actividad científica, un modo de investigar común a un grupo de personas en épocas determinadas. Los conceptos de paradigma y de comunidad científica son indeslingables en el discurso de Kuhn, hasta el punto de que no pueden definirse el uno sin el otro, pues si los paradigmas son «lo que los miembros de una comunidad científica comparten», recíprocamente, «una comunidad científica consiste en hombres que comparten un paradigma» (Kuhn 1971: 272). Ahora bien, si un paradigma ofrece a una comunidad de científicos un conjunto seguro de creencias, valores, técnicas, etc., ¿cómo se producen los cambios científicos? A diferencia de Popper, una anomalía o refutación no constituye una crisis del paradigma y, por tanto, no implica su rechazo, a no ser que afecte a los propios fundamentos del mismo; si sucede de este modo comienza un periodo de inseguridad que abre las puertas a la posibilidad de un paradigma rival. Es entonces cuando se produce la revolución científica, cuando la comunidad abandona un paradigma y adopta uno nuevo, pero nunca será rechazado un paradigma si no existe otro que lo sustituya. Posteriormente, Kuhn realizó una serie de matizaciones a estos conceptos, imposible de explicar aquí con detalle, con el objetivo de enfrentar una serie de críticas de las que fue objeto. Entre estos cambios conceptuales, el más importante es el de la sustitución del concepto de paradigma por el de «matriz disciplinar».

Puede observarse que la aportación de Kuhn continua el énfasis de Merton en una comunidad científica y en un ethos de la ciencia, si bien insiste también en la práctica cotidiana de los científicos, en la formulación de los paradigmas en los libros de texto y en la formación científica. En este sentido, la obra de Kuhn constituye una nueva puerta hacia los estudios sociológicos relacionados con el contenido del conocimiento, con la selección de estrategias cognitivas y con la interacción y procesos de socialización de los científicos, abriendo así la puerta hacia lo que se entiende por nuevas sociologías del conocimiento científico. Me referiré aquí únicamente al denominado Programa Fuerte de sociología del conocimiento, al estudio de casos de laboratorio y, finalmente, a la teoría de las tradiciones científicas.

El Programa Fuerte de sociología del conocimiento, protagonizado especialmente por Bloor y Barnes, tiene sus raíces en una interpretación de la filosofía del segundo Wittgenstein y en la sociología durkheimiana de las clasificaciones. Las reglas que desarrollan los científicos no pueden explicarse en última instancia más que a partir de las creencias y convenciones sociales que proceden de sus propias prácticas y hábitos. Por este motivo es imprescindible el estudio de los mecanismos tácitos de aprendizaje y del conjunto de costumbres sociales que preside el quehacer de los científicos. En última instancia son creencias, hábitos y convenciones sociales las que deciden sobre lo que significan las reglas. Por otra parte, Bloor radicaliza la teoría de las clasificaciones sociales, elaborada por Durkheim y Mauss, para señalar que el lenguaje y las categorías que utilizan los científicos se originan en las redes sociales existentes. Consiguientemente el conocimiento procede de una creencia aceptada convencionalmente por los científicos y no hay más remedio que analizar el propio proceder científico para poder comprender cómo se constituye el conocimiento a partir de la actividad de los científicos (Lamo de Espinosa y otros 1994: 521-524).

La consecuencia de este planteamiento es una perspectiva relativista que vincula el conocimiento científico a los contextos sociales y temporales en que los científicos los formulan. Además, existen expectativas por parte de los científicos que se transforman en intereses, siempre vinculados a los productos cognoscitivos que elabora el grupo en cuestión y a la propia identidad del grupo social en que de un modo más amplio se inserta el grupo científico. Estos intereses están siempre asociados con determinadas formas de representación y de explicación cognitiva, de tal modo que existe un refuerzo mutuo entre los intereses y las categorías del conocimiento (Lamo de Espinosa y otros 1994: 528-530).

Los estudios de laboratorio, realizados principalmente por sociólogos anclados en el paradigma interpretativo (especialmente en la etnometodología), analizan los procesos discursivos en relación con la actividad práctica de los científicos. El análisis del lenguaje y de la comunicación, así como el modo en que construyen informes («production of reccords») es considerada una actividad fundamental para comprender la vida interna de los laboratorios.

La tradición etnometodológica insiste en que los documentos y los informes deben ser tratados como productos sociales. Así por ejemplo, señalan Hammersley y Atkinson (1983: 137) que deben ser examinados no simplemente como un recurso. Tratarlos como un recurso y no como un tema de investigación es olvidarse del trabajo de interacción y de interpretación que conllevó el proceso de su producción. El hecho de que los informes son un producto social que debe ser comprendido en su propio contexto nos advierte del peligro de darlo por supuesto, especialmente si los tomamos como indicadores sociales, como hacen tradicionalmente los positivistas. Así, por ejemplo Cicourel (1981: 74) dice:

> los procesos a través de los cuales se generan los informes tienden a ser ignorados. En el caso de un micro-estudio estos informes constituyen una fuente para identificar el modo en que la institución crea macro-información sobre la frecuencia de ciertas carreras y su distribución por edad, género, status socioeconómico, etc. Pero los informes son también un tópico para la investigación independiente cuando nos preguntamos a través de qué micro-procesos se realizó su construcción…

Igualmente Garfinkel ha investigado las prácticas en las organizaciones que dan lugar a la producción de informes, concluyendo que existe un proceso progresivo de construcción de un acuerdo o contrato con obligaciones para las partes. De este modo, los informes son el producto de un conjunto de prácticas negociadas constantemente por parte de los actores sociales (Heritage 1984: 296).

Latour y Woolgar también entienden la actividad de laboratorio principalmente en este sentido de producción de informes, entendiendo entre estos la publicación de artículos. Por este motivo analizarán toda la cadena de operaciones existentes, incluyendo el análisis literario, como un proceso destinado a construir un informe que pueda persuadir a los otros acerca de su verdad, su importancia y de que merece ser apoyado (Lamo de Espinosa y otros 1994: 543).

Geffrey C. Alexander se ha ocupado de las tradiciones de investigación. Estas tradiciones están compuestas por presuposiciones generales, modelos, conceptos, clasificaciones, etc. La tradición constituye un legado de creencias que pasa a otra generación. Alexander propone una clasificación de las tradiciones sociológicas fundamentales en términos de polaridades: racional-individualistas, racional-colectivistas, normativo-individualistas y normativo-colectivistas (Lamo de Espinosa y otros 1994: 586-867). Como en el caso de Shils, que explicamos anteriormente, la tradición tiene aquí un componente ligado a las creencias que pasa a través de las generaciones. En este sentido, Alexander olvida la dimensión propiamente interpersonal que implica esta transmisión entre generaciones de las tradiciones sociológicas. Existen otras dimensiones a tener en cuenta a la hora de contemplar las tradiciones científicas. Como observamos en el caso de Marcel Mauss, la tradición se trasmite a través de una formación que implica procesos de imitación y de confianza con respecto a otra persona que tiene autoridad. En este sentido, convendría analizar más los procesos inscritos en las relaciones que se establecen entre maestros y alumnos.

Por otra parte, la sociabilidad se encuentra presente en los grupos de investigación y tiñe las relaciones entre sus miembros. Como hemos visto anteriormente, la sociabilidad resiste la injerencia de actitudes instrumentales o estratégicas. En este sentido, la investigación de las tradiciones científicas podría analizar cómo se vinculan los procesos de trasmisión de la tradición a través de las generaciones y cuál es el papel de la sociabilidad en este contexto.

Capítulo 17

Multiplicidad de tradiciones y de modernidades

Este capítulo aborda los debates recientes sobre la relación entre tradición y modernidad; sugiere que existe una pluralidad de modos de comprender la experiencia moderna, que está en relación con la diversidad y creatividad de las tradiciones. El concepto de sociabilidad, entendido a partir de Simmel, pero situado en la vieja tradición europea del «sentido común» (donde el concepto de «gusto» es central), constituye un mecanismo esencial para comprender la transmisión de la tradición y el modo en que ésta interactúa con la experiencia del presente. El capítulo incluye una sección final sobre sociología de las tradiciones religiosas, que pone un énfasis especial en algunos modelos teóricos propuestos y en estudios empíricos existentes para dar cuenta del catolicismo. Siendo la religión una forma esencial de la cultura, las tradiciones religiosas tienen mucho que decir a la hora de explicar nuestra singularidad y los modos específicos en que se produce una interacción con la experiencia del presente. De este modo, la diversidad de las tradiciones festivas y religiosas contribuye a explicar la pluralidad de las modernidades. De la consideración de esta pluralidad resulta una teorización que denomino «mestiza».

1. INVESTIGACIÓN EN SOCIOLOGÍA DE LAS TRADICIONES Y DE LAS TRADICIONES FESTIVAS

Una comprensión de la tradición, y de las tradiciones festivas en particular, es fundamental para cualquier estudioso de la Sociología del Conocimiento y de la Cultura, particularmente en España. Sin embargo, los sociólogos hemos dedicado mucha atención a las instituciones y formas culturales de la modernidad, y estoy convencido de que aún nos queda mucho camino por recorrer a la hora de comprender y explicar las tradiciones que existen en nuestras sociedades. Por otro lado, la necesidad de una «sociología de la tradición» se hace sentir más que nunca en el momento presente, caracterizado por preocupaciones y nuevas preguntas sobre las posibilidades de entendimiento entre pueblos y civilizaciones con tradiciones culturales y religiosas distintas. Y esta necesidad es aún más determinante para la reconsideración de la propia evolución de nuestro contexto cultural de «Occidente». Lejos de presentar una homogeneidad incuestionable, el mundo Occidental presenta una variedad de tradiciones culturales y una multiplicidad de modos de comprender la experiencia moderna y contemporánea. Por ejemplo, en los pueblos del Mediterráneo y de América Latina, predominantemente católicos, persisten y se expanden una serie de tradiciones culturales y festivas que dan cuenta de una buena parte de las formas de generación de estructuras de la identidad, tanto personales como colectivas. En este contexto cabe incluir el caso de Valencia, y de España en general: entre nosotros muchas de las tradiciones más ancestrales persisten, e incluso establecen un diálogo peculiar con la experiencia presente, una parte de la cual es típicamente moderna.

El estudio de nuestras tradiciones puede dar luz sobre aspectos que han sido olvidados o menospreciados por las concepciones dominantes sobre la evolución de la modernidad social. Estoy convencido de que este es el caso en lo que concierne a la relevancia de nuestras tradiciones festivas, algunas de las cuales hunden sus raíces en la cultura carnavalesca europea y en la sátira popular, que cabe remitir en última instancia a las fiestas dionisiacas griegas y al origen de la tragedia. El estudio de estas tradiciones festivas puede ayudarnos a detectar la incompletud de algunas de las «representaciones finales» que ha utilizado la comprensión dominante de la modernidad social para auto-comprenderse y legitimarse. A continuación pondré un ejemplo para explicitar esto, aunque me veo obligado a simplificar las cosas.

En la representación imaginaria dominante de la modernidad, se trazan habitualmente los orígenes de los principios democráticos (y de una esfera pública) a partir de la reunión formal de ciudadanos libres (varones adultos) en la antigua plaza pública griega y, a partir de aquí, se puede «saltar» a otra parte: un «contrato social», un «parlamento», una debate racional en una discusión científica, etc. Esta representación dominante nos presenta una plaza pública con una reflexividad caracterizada por el debate racional. Esta representación, sin embargo, es parcial: comienza olvidando la amplitud y el dinamismo de la sociabilidad en la propia comunidad griega, donde, por ejemplo, también existían (además de «hombres libres») mujeres, niños y esclavos. Además, olvida que las fiestas dionisiacas eran fundamentales para todo el mundo: a las funciones teatrales de las fiestas asistían incluso los esclavos. En las obras satíricas se ejercitaba la crítica jocosa de los poderosos y en las tragedias se abordaban los problemas cruciales de la vida y la muerte, sin olvidar los ámbitos oscuros de las pulsiones humanas más básicas. Por otra parte, la comunidad disponía de un saber reflexivo compartido para realizar una catarsis global. Pues bien, algunas de nuestras fiestas, como es el caso de las Fallas de Valencia, conservan una buena parte de aquel saber dionisiaco. De este modo, muestran la incompletud de aquella «representación final» dominante de la modernidad, y empujan hacia una reconsideración de los conceptos predominantes de reflexividad y de esfera pública.

Una parte considerable de mis trabajos anteriores reflejan los pasos que he dado para avanzar en ese camino mediante la dedicación a la investigación teórica y empírica de la «Sociología de la Tradición», en general, y de las tradiciones festivas en particular. Mi primera aproximación al estudio de las tradiciones fue teórica y constituyó mi primera tesis doctoral, titulada *El lugar de la tradición en la sociología contemporánea*, que fue leída en el Departamento de Sociología y Antropología Social de la Universidad de Valencia (1996). Este trabajo hacía una propuesta constructiva de análisis de la tradición desde una perspectiva orientada a partir de la hermenéutica, el psicoanálisis y la sociología de lo sagrado. También incluía una parte crítica, que discutía la manera de comprender las tradiciones de autores y escuelas actuales, como era el caso de Jürgen Habermas, Anthony Giddens y el realismo sociológico. Mi segunda aportación fue de naturaleza empírica: un estudio etnográfico sobre la Fiesta de las Fallas de Valencia, que constituyó mi tesis doctoral en la Universidad de Warwick (Reino Unido). Este trabajo se tituló *Sociability and the Public Sphere in the Festival of the Fallas of Valencia* (1999), *Sociabilidad y Esfera Pública en la Fiesta de las Fallas de Valencia*. No obstante, en el contexto de este trabajo, estudié también una serie de fiestas que podían ponerse en relación con la Fiesta Fallera. De este modo, la perspectiva teórica subyacente a este libro puede ser útil para dar cuenta de una variedad de tradiciones festivas.

A partir de estos trabajos reseñados anteriormente emerge una consideración particular de la tradición y de las tradiciones festivas. Su concepto clave es el de «sociabilidad festiva». Esta sociabilidad resulta ser una mecanismo fundamental para la transmisión de las tradiciones

festivas. Además, presenta una peculiar reflexividad y una capacidad
para generar un espacio público de lo común, una esfera pública popular
en la que la presentación del cuerpo tiene un lugar fundamental. Por
otra parte, la sociabilidad festiva es un ámbito central para la interacción
entre los elementos de la tradición y la experiencia moderna y contemporánea. Lejos de oponerse sistemáticamente, tradición y modernidad
coexisten en la Fiesta, manteniendo una compleja variedad de relaciones. De todo ello surge una comprensión de la tradición que permite
cuestionar muchos de los prejuicios que habitualmente se tienen sobre
su naturaleza y características. Así, por ejemplo, es posible observar que
la tradición es mucho más flexible y maleable de lo que se había
supuesto. La tradición tiene, además, una capacidad para «dialogar» con
la experiencia del presente; este diálogo puede producirse a través de los
propios mecanismos de transmisión de la tradición, mediante las actividades centrales de su sociabilidad: el juego (en la multiplicidad de sus
formas), el comensalismo, el humor, la conversación sociable y el trabajo
dedicado a la fiesta.

El núcleo central de mi perspectiva (Costa 1996, 1999, 2001a) sobre
las tradiciones festivas está constituido por la teoría de la fiesta generada por la tradición hermenéutica, particularmente en la versión presentada por Heidegger (1982) y Gadamer (1991). No obstante, interpreto
sus conceptos fundamentales a partir de la teoría de la sociabilidad de
Simmel (1971). Sin embargo, esta perspectiva incluye a otros autores, en
los que no puedo entrar aquí en aras a la brevedad, para caracterizar las
cualidades y actividades específicas de la peculiar manifestación de la
sociabilidad en la comunidad festiva, que conceptualizo como «sociabilidad festiva». La idea central, que vincula los conceptos esenciales de la
hermenéutica y de Simmel, es que la naturaleza lúdica y artística de la
sociabilidad puede interpretarse como «sociabilidad festiva» cuando
ocurre en una comunidad que cuida reflexivamente de la fiesta como una
tradición.

El «Evento Festivo», que acontece durante los días de fiesta, se
entiende en Heidegger (1995: 243, 1982: 71-77) como un «Evento de
Apropiación» (*Ereignis*), que es, entre otras cosas, un ejercicio de
intensificación de la memoria colectiva, situado en el tiempo no lineal de
la «historia acontecida». Además, en la ontología de la hermenéutica de
Heidegger, el Evento reúne los vínculos que articulan los «Cuatro del
Mundo» (*Das Geviert*): el cielo y la tierra (la naturaleza), lo sagrado y la
comunidad. No me puedo extender, en este contexto, en una detallada

explicación de la ontología hermenéutica de los Cuatro del Mundo[1], que será explicada en el capítulo siguiente. Pero es preciso anticipar aquí brevemente que interpreto la forma lúdica y artística de la sociabilidad como parte de esos vínculos que unen a los Cuatro.

Esta interpretación sirve para hacer más «operativos» para la investigación empírica los densos conceptos de la hermenéutica, pues la sociabilidad tiene su fundamento en la interacción generada entre los actores sociales. Igualmente, otros conceptos que habían sido fundamentales para la comprensión sociológica de la fiesta, como el de «efervescencia colectiva» de Durkheim, que era un concepto difícil de hacer operativo para la investigación empírica en términos de interacción, admite ahora una interpretación a partir de la consideración de la «interacción sociable». Podríamos decir que las «burbujas» de esa efervescencia pueden ahora observarse y entenderse a partir de la interacción dado que la sociabilidad festiva se manifiesta, y reproduce, mediante el ejercicio vital de formas de interacción situadas en actividades nucleares como el juego (en la multiplicidad de sus formas), el humor, el comensalismo y el trabajo realizado para la Fiesta. Por otra parte, el concepto hermenéutico de Evento Festivo se traduce en términos sociológicos como una intensificación de la sociabilidad festiva. Otros acontecimientos como los pasacalles y cabalgatas, los rituales y otras celebraciones, son parte central del Evento Festivo, constituyendo la manifestación simbólica de una intensificación de la sociabilidad. Sin embargo, vale la pena insistir en que estos aspectos del periodo festivo son posibles como resultado de unas prácticas y de un conocimiento que se encuentran en el ámbito de mediación de la sociabilidad; este conocimiento se desarrolla originariamente a partir de la sociabilidad permanente existente en la comunidad.

Este último aspecto debe hacernos reflexionar sobre la relación entre la tradición y el conocimiento, incluyendo el conocimiento científico. La sociabilidad, como medio de transmisión de la tradición, no se opone necesariamente al conocimiento, ni a un proceso de evaluación de la información que incluye el conocimiento científico. Como he mostrado en otro lugar (Costa 1999a, 2001b), las actividades sociables incorporan una variedad de *stocks* de conocimiento que son reelaborados de modo sintético en el contexto de ámbitos dominados por la sociabilidad festiva.

---

[1]   Para la ontología de la hermenéutica, véase también Costa 1996 y 1999.

La organización, el trabajo festivo comunitario o los monumentos falleros, por poner únicamente tres ejemplos, incluyen respectivamente aspectos de la moderna economía racional, los conocimientos profesionales de la actual división del trabajo y materiales novedosos. Además, los «nuevos media» y las recientes tecnologías de la información forman parte del mundo de la tradición festiva. Estos hechos empíricos muestran que la tradición sostiene un diálogo con la nueva Sociedad Reflexiva o Sociedad del Conocimiento, que ha descrito Emilio Lamo de Espinosa (2001). Nos faltan, sin embargo, una mayor cantidad de estudios empíricos para poder conceptualizar, y teorizar adecuadamente, los mecanismos de relación entre la sociabilidad de nuestras tradiciones y las características principales de esta nueva sociedad. Esta última cuestión, junto con las que generan otros temas anteriormente reseñados, genera una amplia variedad de cuestiones abiertas, y problemas asociados, que impulsan una buena parte de mi trabajo. Algunas de estas otras cuestiones y problemas son:

a) ¿Cuál es el tratamiento que la Sociología del Conocimiento y de la Cultura (SCC) ha dado a la tradición y a su capacidad de vinculación con el presente? ¿ha supuesto la SCC la existencia de una oposición entre tradición y modernidad? y, si es así, ¿por qué razones?, ¿cómo podría superarse conceptualmente esa oposición?, ¿ha atendido suficientemente la SCC el papel de la sociabilidad en general y en el nivel específico de la transmisión de las tradiciones culturales? Parece que una de las preocupaciones centrales de la sociología (y de la SCC) ha sido la de explicar la «asocial sociabilidad» del ser humano, pero ¿ha sido esta preocupación sincera? ¿se ha concretado en la práctica sociológica en términos de conceptos y de investigaciones empíricas?

b) ¿Ha atendido la SCC suficientemente la realidad empírica de las tradiciones festivas? y, si es que no, ¿por qué razones?, ¿se trata de una exclusión consciente o de un olvido?, ¿es este olvido de una única sociedad o civilización?, ¿ no debería la SCC, tan preocupada habitualmente por la «determinación», la «exclusión» y la «ideología» en relación con lo que sabemos o no sabemos, dedicarse un poco más a analizar lo que olvidamos, algo que al tiempo «sabemos pero no sabemos»?, ¿por qué unos grupos olvidan unas cosas y otros otras?, ¿cómo «funciona» este olvido? De hecho, en la Antigüedad, la verdad del conocimiento (*Aletheia*) se vinculaba con la memoria y el olvido. Pienso que los mecanismos de la «memoria colectiva» deberían de tener probablemente una mayor relevancia en el «temario» de nuestras disciplinas. Por ejemplo, la antigua forma comunitaria de sostener tradiciones festivas ha persistido en España y en Latino-América y, sin embargo, parece estar en retroceso, incluso haberse olvidado en parte, en muchos países marcados por el protestantismo; pero ¿cómo y por qué se ha producido esta evolución de las cosas?

c) Dada la importancia, y la riqueza de matices y actividades, que la sociabilidad tiene para las tradiciones festivas, debería de ser importante para la SCC presuponer una ontología, una manera de comprender el mundo, así como las cosas y seres que lo componen, que pudiera incorporar esta naturaleza distintiva de la sociabilidad. ¿Ha sido así? ¿son estas ontologías suficientemente ricas para dar cuenta del papel de la sociabilidad? Deberían de serlo puesto que, además, las escuelas sociológicas parecen siempre sugerir que tienen una preocupación fundamental por ese problema de la «asocial sociabilidad» del ser humano. Pienso, sin embargo, que estas ontologías no han sido en general suficientemente amplias para dar cabida a este problema. De aquí que a lo largo de este trabajo me haya atrevido a realizar algunas sugerencias en esta dirección.

d) En las tradiciones festivas la sociabilidad, y su reflexividad, aparecen vinculadas al cuerpo y a la sensibilidad. ¿Hasta qué punto la «intelectualización excesiva» —que acompaña a lo que más adelante llamaré «modernismo dogmático»— ha impedido observar a la SCC la centralidad del cuerpo, del gesto y de las emociones para la vida social? Dada la importancia de estos temas para todos los pueblos de España, donde el cuerpo y su representación es tan importante (incluso en su representación sagrada en el Catolicismo, como observó agudamente Miguel de Unamuno) este asunto realmente es central para nuestra auto-comprensión colectiva y para la detección de facetas centrales que unen a nuestros pueblos. Por otra parte, y en relación con el apartado anterior, la posible falta de atención a estos aspectos expresivos del cuerpo, puede ser una de las causas que hayan dificultado la separación conceptual entre «instinto» y «pulsión», una distinción que está muy clara sin embargo en el psicoanálisis. Esta diferenciación, no obstante, es fundamental para comprender que no se hayan puesto en relación adecuadamente la pulsión y el narcisismo para explicar la violencia que acontece en relación con la desestructuración, y el «deterioro», de las formas de la sociabilidad. La integración del cuerpo (y de la sensibilidad, del gesto y de la emoción) en la SCC es pues esencial para comprender el problema de partida acerca de la «asocial sociabilidad» del ser humano. Todo esto supone dar una mayor relevancia a la problemática generada por la consideración del inconsciente en las ciencias sociales.

e) La esfera pública de las tradiciones festivas se fundamenta en la reflexividad de las actividades centrales de la sociabilidad (juego, humor, comensalismo, conversación sociable y trabajo festivo) y sitúa el cuerpo en el centro de este modo de entender la cosa común que deviene pública. Esta esfera pública, además, incorpora modos críticos de tematización, mediante el juego o el humor por ejemplo, que van más allá de la argumentación racionalista y de la restringida actitud de «resolución de problemas», sin romper la estructura básica de la sociabilidad. Por otra parte, este espacio de lo común, que es una esfera pública, incorpora a los mitos de un modo crítico en diálogo con situaciones de la vida presente. De este modo, evidencia que las comprensiones de la esfera pública que han predominado en la SCC son limitadas. Por ejemplo, suelen presuponer: a) una comunidad intelectualizada que razona y debate siguiendo los cánones de la argumentación racional y b) una oposición entre mito y crítica racional (en Habermas por ejemplo). Además, en este esquema teórico la comunidad e identidad se «desustancializan», perdiendo los componentes expresivos y siendo reducidas frecuentemente a una comunidad intelectualizada de ciudadanos racionales. En correspondencia (y a veces en una velada complementariedad que algunos podrían calificar de «ideológica»), se conceptualizan comunidades y formas de identidad que se entienden en contraposición, como «irracionales», «primitivas», «primordiales», «auténticas», «temperamentales», etc. De este modo, y ésta es una característica del «modernismo dogmático» que explicaré después, la comprensión de la política se reduce considerablemente y se la aleja de otras esferas existenciales (como por ejemplo la sociabilidad) que, sin embargo, suelen ser consideradas como muy importantes por las personas corrientes[2].

---

[2]   Podrían entenderse ciertas formas radicalizadas de nacionalismo como «modernismo dogmático impotente», incapaz de enfrentar las paradojas y desgarros de la modernidad (esto es, de asumir una actitud abiertamente moderna), el cual radicaliza ideológicamente esta «contraposición en complementariedad», entre una comunidad «intelectualizada» y otra «primordial», que requiere una destrucción de las redes globales de relaciones estructuradas de la sociabilidad.

2. DEBATE SOBRE LA MODERNIDAD Y LA TRADICIÓN: «VARIEDADES DE LA MODERNIDAD» Y CREATIVIDAD DE LAS TRADICIONES

Durante los últimos años, en paralelo al debate sobre la globalización, se está produciendo una intensa discusión teórica, y una gran cantidad de trabajos empíricos, que cuestionan una serie de supuestos comúnmente aceptados sobre la modernidad social, e intentan re-definir los términos de lo que (desde Hegel) se conoce como «problema» de la modernidad. No me es posible entrar aquí en toda la complejidad del debate, que como es sabido incluye una gran variedad de temas asociados, de autores y de escuelas. Pero quisiera resaltar que uno de los aspectos que se está desarrollando con más claridad en años recientes (especialmente en la Sociología del Conocimiento en Europa) es el cuestionamiento de una modernidad que se presenta con una única forma, unitaria, monolítica, monumental e imperial. La investigación empírica reciente muestra la existencia de distintas maneras de interpretar (y hacer) la experiencia moderna por parte de sociedades que disponen de un variado legado de tradiciones culturales y políticas. En este contexto, aparecen como especialmente importantes las evoluciones peculiares de las sociedades que salen de los procesos de colonización. De este modo cabría hablar ya de «pluralidad de las modernidades» en el momento presente[3]. Pero no es una casualidad que este debate sobre la «pluralidad de las modernidades» haya evolucionado en los últimos años en relación con otro debate: el de la creatividad de la tradición y su capacidad para vincularse con el presente.

Este debate sobre la creatividad de la tradición no es nuevo. La tradición histórica alemana (desde Herder) y la hermenéutica, desde sus mismos orígenes hasta Gadamer, había insistido en el papel central de

---

[3]   Un ejemplo reciente de debate sobre esta cuestión fue el Congreso sobre «*The Plurality of Modernities*», celebrado en *The Social Theory Centre*, Universidad de Warwick (UK), 23-25 Noviembre de 2000, en el cual se presentaron ponencias teóricas y empíricas en esta dirección. Quisiera señalar que una de las conclusiones del Congreso se refirió al protagonismo del debate sobre la Globalización como oscureciendo (y contribuyendo a desviar una parte de la atención de) estos otros procesos relacionados con la pluralidad. Al mismo tiempo, se evidenció el hecho de que las distintas sociedades realizan interpretaciones distintas de la modernidad a partir de sus respectivas tradiciones). Sobre el concepto de «pluralidad de modernidades», Eisenstadt, S. (2000) y Wagner (1999, 2001).

la tradición para el sentido de la historicidad en relación con la capacidad de ser un medio necesario para la pre-comprensión e interpretación. Por otra parte, Durkheim advirtió sobre la maleabilidad y el potencial de las fuerzas colectivas que sostienen a la tradición para regenerarse, «re-inventarse» y «re-estructurarse», y así dialogar con la experiencia moderna y contemporánea, cuando se refiere a la transformación de las fiestas «tradicionales» en «revolucionarias». También, en los trabajos principales sobre inmigración de la Escuela de Chicago, se observa que, por ejemplo en el caso de los campesinos polacos (Thomas y Zaniecki en *El campesino polaco en Europa y América*), la relación entre sus tradiciones y la modernidad no es necesariamente de oposición.

No obstante, y en general, esta comprensión de la tradición, que enfatiza su creatividad y flexibilidad, así como su capacidad de dialogar con la modernidad, no despertó demasiada atención en sociología. El mito ilustrado del progreso evolutivo de la razón, que suponía una disolución necesaria de los mitos y rituales tradicionales y su substitución por procesos «racionales», ha presidido la comprensión sociológica dominante de la modernidad, desde sus inicios hasta nuestros días. Incluso cabría señalar, de acuerdo con Gadamer (1975: 273), que este mito del progreso fue presupuesto también por los principales movimientos que reaccionaron contra este mismo universalismo abstracto ilustrado. Así, el historicismo y el romanticismo asumen, a veces implícitamente, esa línea evolutiva, creando además (especialmente el romanticismo clásico) unos reveladores puntos de referencia en un pasado tradicional idealizado, que se entiende como un tiempo ya perdido en los «orígenes». Así, en el romanticismo aparece una nostalgia de ese tiempo primordial cuando se percibe una nueva sociedad que se ve dirigida por «mecanismos», por los excesos de la razón abstracta, asimilables al «ruido de la máquina».

El debate actual sobre la creatividad de la tradición, sin embargo, tiene características muy distintas, que son producto de las transformaciones en la problemática teórica, en filosofía y teoría social, así como en la dimensión empírica, histórico-social. Haré solamente tres comentarios en aras a la brevedad, refiriéndome a la consideración actual del concepto de tradición en la hermenéutica, en la sociología y en la antropología. Cada uno de estos comentarios está destinado a situar mejor la especificidad de mi perspectiva sobre la sociabilidad, que he esbozado anteriormente en relación con la transmisión de las tradiciones, en el contexto más amplio de discusión actual.

3. HERMENÉUTICA, FENOMENOLOGÍA SOCIOLÓGICA Y SOCIOLOGÍA DEL CONOCIMIENTO

En primer lugar, la influencia de la concepción de la historia de Nietzsche, así como sus ideas sobre el tiempo, son fundamentales para la revitalización de la hermenéutica en Heidegger y Gadamer[4]. De aquí surgen nuevas ideas sobre la tradición que enriquecen considerablemente el legado de la escuela hermenéutica. Vale la pena señalar que las tradiciones festivas tienen un papel fundamental en este nuevo contexto. Es precisamente la preocupación de Nietzsche por la fiesta dionisiaca, en su consideración de la tragedia, lo que contribuye a generar un nuevo sentido del tiempo para la historia. Igualmente, la tradición festiva se encuentra en el centro de la sensibilidad y de la conceptualización de Heidegger y de Gadamer. Esta perspectiva del tiempo cuestiona radicalmente el mito evolutivo ilustrado, así como una comprensión «objetivizada» (y alejada de la vida) de la historia. Además, pone énfasis en la seminal capacidad de la tradición para dialogar con el presente a través de su periódica eventualización. Este repetido acontecer de la tradición incorpora el énfasis en el sentido del recuerdo que da una gran importancia al oído: existe una memoria histórica activa, compartida por una comunidad sustancial, que se expresa a partir de un sentido común fundamentado ontológicamente en el juego (y en el arte) y regido primordialmente por criterios comunitarios de «gusto». El lenguaje es entendido fundamentalmente en su perspectiva poemática y en analogía con esta general ontología mundana del juego y del arte, siendo fundamental como medio para la comprensión y para la interpretación hermenéutica en la «ontología regional» histórico-social de la comunidad.

Por otra parte, la hermenéutica da relevancia a temas y autores que nos resultan próximos en nuestro contexto español. Así hace posible una conexión real entre nuestro pensamiento, nuestra realidad empírica, y la tradición de pensamiento internacional. Por ejemplo, insiste en la importancia de la tradición festiva y de una comunidad sustancial a nivel de temas fundamentales y en la relevancia del pensamiento de Gracián como eje central en su marco de referencia como escuela de

---

4   No obstante, según Gadamer (1975: 69), también G. Simmel influyó mucho en Heidegger en esos aspectos.

pensamiento. Además, de un modo explícito, Gadamer (1975: 32) señala que este sentido de la comunidad sustancial es el que todavía puede encontrarse en los pueblos latinos, como una herencia de la antigüedad, los cuales han escapado de una intelectualización excesiva de la significación de la comunidad. Por otra parte, este exceso de intelectualización —que más adelante situaré en el contexto de una comprensión dogmática de la modernidad que denominaré «modernismo»— ha dificultado comprender el modo en que las tradiciones se transmiten a través de las actividades sociables realizadas por actores sociales en comunidades sustanciales.

El interés de la hermenéutica por el sentido común y los criterios comunitarios generados a partir del gusto no es ni mucho menos exclusivo de esta escuela. De hecho, la hermenéutica pretende continuar la amplia tradición del «sentido común», una línea muy extendida de pensamiento que tiene sus orígenes en la Antigüedad y que llega con fuerza hasta el Renacimiento y el Siglo XVIII. No es posible explicar aquí la perspectiva histórica de esta corriente de pensamiento[5] que incluye autores de procedencias y características muy dispares, como por ejemplo Vico, Pascal, Shaftesbury y la filosofía escocesa del sentido común (Hutchenson y Hume), Gracián, puritanos pietistas como Oetinger y, posteriormente, H. Bergson. En todos estos casos, una serie de características de la sociabilidad humana —como el humor, el ingenio chistoso, la simpatía natural o el tacto— se encuentran vinculadas a una sensibilidad, una característica de los sentidos que no pierde su vinculación con el cuerpo. Esta sensibilidad es compartida por una comunidad sustancial, siendo generadora de un «sentido común» que tiene siempre una dimensión cognoscitiva, con una pretensión crítica de validez que tiene implicaciones para la dimensión moral y política (Gadamer 1975: 38). Finalmente, hoy en día, la fenomenología sociológica de Berger y Luckmann, que recoge la herencia del concepto de «mundo de la vida» de Husserl y de Schütz, constituye un intento de incorporar una buena parte de los temas de esta tradición del «sentido común» en el contexto de la Sociología del Conocimiento y de la Cultura. Además, Berger y Luckmann realizan un análisis de la tradición, en términos de la sociología del conocimiento, en *La construcción social de la realidad*. Por

---

5   Una detallada exposición puede encontrarse en Gadamer (1975: 19-42). No obstante, Gadamer no incluye a G. Simmel en este marco de referencia, lo cual me parece discutible dado su gran interés por la sociabilidad.

otra parte, y en el ámbito de la sociología francesa, Pierre Bourdieu aparece como un autor destacado que enfatiza algunos aspectos de la tradición del sentido común, y la pone al día en sociología de la cultura de la mano de una teoría social del gusto en *La distinción*. Por otra parte, cabe recordar que otros conceptos, como el de sociabilidad y su criterio de tacto, que constituyen las líneas maestras de mi aportación en este trabajo, han sido también esenciales para la generación de este amplio marco de referencia.

El conocimiento del sentido común es mundano; esto es, el conocimiento, antes que «estar en el sujeto» (como una capacidad subjetiva o generado por formas *a priori* incardinadas en un sujeto transcendental), forma más bien parte del «medio», del mundo histórico y socio-natural, en que se encuentran ya de entrada las personas. Cabe recordar que en esta línea de pensamiento no se ha producido la escisión entre un sujeto cognoscente y un objeto a conocer que aparece con claridad en Descartes, consolidándose definitivamente en Kant. Este es el motivo por el que Gadamer (1975: 44-60) dedica una gran atención a la transformación que se opera con Kant en relación con el gusto. Al entender el gusto como un *a priori* en su estética, Kant (1991: 321 ss) lo saca de su ámbito mundano de conocimiento, de su papel en el contexto del sentido común dentro del medio socio-cultural de una comunidad sustancial. De aquí surgen consecuencias muy importantes (que posiblemente han afectado a la Sociología del Conocimiento y de la Cultura) en relación con la sociabilidad y el conocimiento. La primera es que una variedad de actividades que configuran la sociabilidad son rebajadas al nivel de mera «propedéutica», a un apéndice sobre metodología del gusto en la *Crítica del Juicio*, perdiendo su estatuto como actividades generadoras de conocimiento en el medio mundano. La segunda consecuencia es que el conocimiento generado desde las ciencias físico-naturales, así como los modos de entender la verdad y el método en estas ciencias, se convierten en paradigmáticos. Así pues, pienso que Kant no había dispuesto su filosofía de manera que enfrentara contundentemente aquella pregunta suya sobre los motivos de la «insociable sociabilidad» del ser humano pues, ya de entrada, la cuestión de la sociabilidad (y del «sentido común») ocupa un lugar secundario en su obra y no acaba de tematizarse propiamente. Esto no significa que Kant no haga comentarios de gran interés sobre aspectos particulares de la sociabilidad, como en el caso del humor, el cual vincula (de un modo que anticipa ciertas ideas de Freud y que se asocia con el énfasis en la sensibilidad, creada a partir de «afecciones» corporales, que es característica de los teóricos del sentido común) con una liberación de tensión que se había acumulado en el cuerpo, lo cual, según Kant (1991: 291 ss), contribuye a aumentar la salud.

Hasta aquí he situado mi perspectiva con la ayuda de ideas fundamentales de la hermenéutica. Ahora voy a insistir en algunos aspectos que me distancian de esta tradición, pero que sin embargo son fieles al espíritu de la línea de pensamiento del «sentido común» en relación con la sociabilidad. En primer lugar, la hermenéutica da un protagonismo exagerado al lenguaje, en detrimento de la sociabilidad misma, en cuanto al proceso de transmisión de la tradición. Comparto la ontología general del juego (y del arte) de la hermenéutica, pero no su exclusiva proyección en el lenguaje poemático como medio de transmisión de la tradición en el ámbito comunitario. En lugar del lenguaje, cabe situar a la sociabilidad misma (que incluye a la conversación) como medio de transmisión de la tradición. Como he señalado anteriormente, Simmel tiene una concepción de la sociabilidad, como una forma lúdica y artística de la existencia, que puede presidir la «ontología regional» de las relaciones de una comunidad con su mundo, en correspondencia con la ontología general del juego (y del arte). De este modo pueden incorporarse, para comprender la transmisión de la tradición, una serie de aspectos de la sociabilidad que había destacado la vieja línea de pensamiento del sentido común, y que la hermenéutica no enfatiza suficientemente como consecuencia de darle una excesiva preponderancia al lenguaje.

Esta propuesta teórica se sostiene en mi trabajo empírico sobre las tradiciones festivas, en las que, como señalé anteriormente, la sociabilidad festiva ocupa un lugar esencial como medio para su transmisión. Hace falta más trabajo empírico, sin embargo, para generalizar este papel de la sociabilidad para todas las tradiciones. No me cabe duda, sin embargo, que las actividades centrales de la sociabilidad —la conversación sociable, el humor, el juego (en la pluralidad de sus expresiones sociales), el comensalismo y el trabajo realizado para la tradición— pueden tener un lugar fundamental para explicar la transmisión de las tradiciones religiosas, festivas y culturales en el contexto de una comunidad que estructura su «mediación» con el mundo (y así renueva sus tradiciones) a través de la sociabilidad. Resumiendo, puede entenderse mi perspectiva como una corrección, y ampliación, del horizonte de la hermenéutica y de la propuesta presentada por Berger y Luckman (1968), realizada a partir de una interpretación del concepto de sociabilidad de Simmel. Esta ampliación de la hermenéutica —y de la fenomenología sociológica— puede así incluir aspectos de la sociabilidad que habían sido esenciales en la extendida tradición del «sentido común», como por ejemplo la importancia del humor, la comida colectiva o el «tacto» en la vida social. Además, la presencia del «trabajo» en el contexto de la sociabilidad permite buscar canales de aproximación entre la hermenéutica y la tradición hegeliano-marxista. Desde aquí, e incluyendo a otros autores y escuelas (como el psicoanálisis por ejemplo), se puede proponer un re-interpretación de la Sociología del Conocimiento y de la Cultura que atienda a esa eterna paradoja del ser humano: su peculiar «sociabilidad asocial». Una buena parte del contenido de este libro trata de responder a cuestiones, y estructuras de relevancias, generadas desde este horizonte interpretativo particular. Pero la revitalización del concepto de tradición también se ha producido en la sociología de la cultura y en la antropología social durante las últimas décadas.

4. SOCIOLOGÍA DE LA CULTURA, ANTROPOLOGÍA Y TEORÍA SOCIAL CONTEMPORÁNEAS

El trabajo de E. Shils (1971) sobre el concepto de tradición, que expliqué con detalle en un capítulo anterior, constituye probablemente la elaboración más fructífera como punto de partida para una Sociología de la Tradición. Así, por ejemplo, una gran variedad de temas que serán popularizados más tarde, como el del carácter innovador de la tradición, se encuentran ya explicitados en Shils.

Por otra parte, una serie de autores entre los que destaca Bellah, renuevan la antigua preocupación (Rousseau, Saint-Simón, Comte, Durkheim) por las tradiciones que incluyen religiones civiles, laicas o «de la humanidad». Como argumenté anteriormente, esta perspectiva se encuentra detrás de autores actuales como Habermas. Este autor, en gran medida a través de su discusión con Gadamer y con los historiadores alemanes sobre el papel de la tradición, ha contribuido a poner de relieve otra vez la necesidad del análisis crítico de la tradición en las ciencias sociales. Además, la revista *Telos*, en su nº 94 (1993) dedicado a la tradición, incorporaba la perspectiva de una variedad de autores, que incluían a figuras del pensamiento crítico, como era el caso de Adorno.

Pero en el ámbito de la nueva teoría social de impulso crítico es posiblemente Anthony Giddens el sociólogo que más ha insistido en la necesidad de revisar el concepto de tradición para hacer un uso fructífero en la teoría social contemporánea. Ya en sus primeras obras, Giddens (1979: 7) insiste en esta idea. En su libro fundamental, *Central problems in Social Theory*, donde expone por primera vez su «teoría de la estructuración», hace incluso una recomendación explícita, que entraña un compromiso político: «Intento mostrar la importancia esencial de la tradición y de la rutinización de la vida social. No debemos dejar la tradición abandonada a los conservadores». Posteriormente, la evolución de su teoría social corre paralela a un progresivo énfasis en esta idea, hasta llegar a su formulación más conocida en el análisis de la tradición que propone en «Living in a pos-traditional society».

La sociología y la antropología han producido, por otra parte, trabajos empíricos donde se observa el papel creativo de la tradición y su potencial para dialogar con la experiencia presente, así como en su capacidad de incluir aspectos fundamentales de la modernidad en el marco de su constante recreación. Los puntos de referencia más conocidos, pero no los únicos, son los volúmenes editados por Hobsbawn & Ranger (1988), *La invención de la tradición,* y por J. Boissevain (1989), *Revitalising European Rituals*. Estos estudios empíricos, junto con los elementos teóricos anteriormente reseñados y una variedad de transformaciones sociales recientes —entre las cuales cabe resaltar la constatación empírica de distintas «vías» de acceso e interpretación de la experiencia moderna por parte de las sociedades salidas de la colonización—, han generado un impulso nuevo para plantearse la relaciones entre tradición y modernidad. Este impulso comienza con la teorización de concepciones no necesariamente excluyentes entre estos conceptos, «tradición» y «modernidad», y las experiencias histórico-sociales que les están asociadas.

5. NUEVA ARTICULACIÓN ENTRE TRADICIÓN Y MODERNIDAD: TRADICIONES Y MODERNIDADES EN PLURAL

He discutido el concepto de tradición y su relevancia para la sociología en otros lugares (Costa 1996, 1999), pero es necesario presentar aquí algunos de sus rasgos esenciales. También hay que recordar que cualquier definición remite a una pluralidad de significaciones asociadas que, en el caso concreto de la tradición, es imposible atender ahora. Entiendo la tradición en su sentido clásico y «activo» de «transmisión de las cosas» que ha contribuido a recuperar la hermenéutica. Distinguiré analíticamente entre la «acción tradicional» y su producto objetivado socialmente, y en gran parte sedimentado, como «tradición».

Defino la acción tradicional como la actividad grupal o comunitaria —fundamentada en última instancia en la interacción entre individuos dentro del contexto de esta colectividad— destinada a *cuidar de la transmisión de las «cosas»* que el grupo quiere preservar, entendiéndolas como propias y características, para situarse como singularidad grupal en relación con el mundo presente (que así adquiere significaciones y un sentido como tal mundo) y para orientarse hacia el futuro a través de las generaciones. Esta actividad incorpora un recuerdo activo: mediante la acción tradicional el colectivo se re-conoce como tal singularidad a través de un ejercicio activo de la memoria histórica, la cual vincula pasado, presente y orientación de futuro mediante la repetición (recreación o «traducción» para el presente histórico-social) e imitación de esta misma actividad vital que atiende la transmisión. La acción tradicional se desarrolla en marcos dominados por la sociabilidad comunitaria; de aquí que la peculiar estructura de la sociabilidad de cada grupo dé cuenta de mecanismos fundamentales de la transmisión. Esta forma activa de cuidar las «cosas propias», al «recordar transmitiéndolas», está a su vez en la base (y al tiempo presupone la totalidad) del proceso simbólico de objetivación social que da como resultado la tradición como producto.

Por otra parte, la tradición es una totalidad dinámica: la re-producción dinámica de un conjunto de prácticas comunitarias que se entienden como potencialmente implicadas en el ejercicio de transmisión. No obstante, una buena parte de los elementos de la tradición se hallan «sedimentados» (en la cultura mundana y en las partes no conscientes, y corporales, del sujeto), pudiendo ser activados de nuevo mediante la acción tradicional al realizarse una tematización de un aspecto particular. La tradición es el producto dinámico de la acción tradicional, el resultado de una actividad vital que se ha «objetivado» socialmente, pero que queda de nuevo a disposición de los participantes, como «tradición cultural» parcialmente sedimentada, pudiendo ser activada de nuevo en las selecciones realizadas a partir de los contextos donde brota la acción tradicional.

La selección que implica la acción tradicional depende para su éxito de la sociabilidad, pero está condicionada también por otros factores, como el poder o los recursos materiales y simbólicos. Consiguientemente, la investigación particular de los procesos de selección implicados en la acción tradicional es fundamental para comprender la transformación de la tradición: los mecanismos de selección condicionan el modo en que las tradiciones persisten en estado cambiante a través del tiempo, desaparecen, se «olvidan», se manipulan ideológicamente con objetivos políticos, o se diversifican al ser sostenidas por grupos que proponen distintas selecciones. Finalmente, una tradición puede desagregarse de tal modo que genera una variedad de tradiciones singulares y sostenidas por grupos distintos en función de las diversas selecciones e interpretaciones.

Desde esta perspectiva, la tradición nos aparece como creativa, con capacidad para dialogar con el presente y con la posibilidad de incluir en sus fundamentos de sociabilidad —dentro de las actividades centrales de la sociabilidad del grupo que presiden las relaciones entre sus miembros y el discurrir de las generaciones— una variedad de aspectos de la experiencia presente que pueden incorporarse en la tradición a través de las selecciones realizadas a partir de la acción tradicional. De aquí que la tradición no se oponga necesariamente a la modernidad. Es más, desde esta aproximación a la tradición, la modernidad puede entenderse igualmente como una tradición más, susceptible de cambio y de diversificación a partir de la acción tradicional. Esta capacidad de la sociabilidad de incluir nuevos elementos en su contexto vital hace igualmente posible que una tradición pueda incorporar elementos de otra que encajan dentro de las estrategias de selección operadas a partir de la acción tradicional. Consiguientemente, una tradición puede producir una interpretación selectiva de otra tradición, e incluso apropiarse de ésta desde sus propias premisas.

Esta comprensión de la tradición nos permite, por tanto, entender que la modernidad no es necesariamente un fenómeno único, monolítico y uniforme. De hecho, la modernidad, se ha desarrollado, a lo largo de su evolución histórica, como una «multiplicidad de modernidades» distintas, que es posible entender hoy como diversas maneras de «hacer tradición de la modernidad», como diferentes tradiciones de la modernidad. Además, estas pluralidades han sido a su vez objeto de nuevas selecciones en interpretaciones realizadas a partir de las tradiciones específicas (religiosas, culturales, políticas, etcétera) existentes en una variedad de sociedades, que así acceden a su propio modo de comprender la experiencia moderna.

Por otra parte, aquella comprensión dominante, unilineal, de la modernidad ha reducido nuestra comprensión de la política. Hemos sufrido un proceso de reducción de la comunidad a una comunidad política intelectualizada, donde las personas se entienden como ciudadanos separados de sus dimensiones expresivas. Consiguientemente, esta comprensión monolítica de la modernidad ha restringido el concepto de identidad y de comunidad, que frecuentemente entiende de un modo esencialista, orientado desde una ideología o en función de parámetros cognitivistas. De aquí que sea necesario recurrir a otros campos, como la literatura y el arte, para comprender toda la riqueza de las formas de identidad y de comunidad que han sido restringidas. En este contexto, es necesario liberar al concepto de tradición del «trazado de fronteras» que ha generado el propio modernismo dogmático para auto-comprenderse y legitimarse. Apoyándose en una idea objetivista de la historia y del tiempo, la comprensión dominante de la modernidad entiende siempre la tradición como uno de sus «otros» opuestos a reducir o bien (en su versión romántica, aparentemente contraria pero, como mostró Gadamer, complementaria) como algo ya acabado y situado en un pasado «originario». En correspondencia con su propia auto-comprensión monolítica de la modernidad, la actitud modernista dominante, unilineal y dogmática, no atiende propiamente una variedad de tradiciones; más bien presupone una homogeneidad en «la tradición», que está caracterizada como «otro opuesto» de modo negativo. Así, no se aprecia la naturaleza creativa y diversa de la tradición, ni se observan sus variados procesos complejos de persistencia en relación con la experiencia presente. Por el contrario, se insiste en la naturaleza repetitiva e irreflexiva de la tradición en general como un «a priori» teórico. Sin embargo, lo que sí es necesario hoy en día es intensificar el estudio empírico de la transmisión real de las tradiciones para poder mostrar su naturaleza diversa y creativa, así como sus diversos modos de vincularse con la experiencia del presente, generando una multiplicidad de modernidades.

No existe, sin embargo, hasta donde llegan mis conocimientos, un estudio global, con una organización teórica sólida, de las formas en que las sociedades mediterráneas de la Europa del sur y la sociedades latinoamericanas, predominantemente católicas, han interpretado la experiencia de la modernidad a partir de sus tradiciones culturales, religiosas y políticas particulares. Este asunto, sin embargo, es fundamental para la auto-comprensión y tiene una multiplicidad de implicaciones para nuestra sociología. En nuestro contexto histórico- social es fundamental el tema de la dinámica religiosa y, en particular, la especificidad que tiene en cada caso el catolicismo.

6. SOCIOLOGÍA DE LAS TRADICIONES RELIGIOSAS

En esta sección me referiré únicamente a algunas de las líneas de investigación en sociología de las tradiciones religiosas que son compatibles con la perspectiva esbozada anteriormente y pondré especial énfasis en autores que han dedicado atención especial al catolicismo.

La mejor aproximación teórica al concepto de tradición religiosa, elaborada a partir de la fenomenología y la hermenéutica, es probablemente la obra de Carlo Prandi (2000) *La tradición religiosa*. El autor entiende la tradición como una trasmisión en el tiempo mediada por las generaciones y situada en un grupo. Distingue entre tradiciones explícitas e implícitas. Las primeras se caracterizan por la objetividad (que les da una naturaleza extrínseca), el poder coercitivo (delegado en una autoridad moral) y la historicidad. Las tradiciones implícitas se originan en la experiencia colectiva y su trasmisión es «inconsciente», habitualmente oral; estas tradiciones incluyen la religiosidad popular, la fiesta, el carnaval y el folklore (Prandi 2000: 35-62). Prandi otorga una gran importancia al ejercicio de la memoria de lo vivido, que se ejercita mediante el proceso mismo de trasmisión, contribuyendo a reproducir la identidad grupal.

Prandi pone en relación una diversidad de tradiciones religiosas —étnicas, de las religiones universales y del conjunto de iglesias cristianas— con la estructura social, la cultura y la política de una serie de sociedades y civilizaciones. En el caso del catolicismo subraya la importancia de la obra de E. Troeltsch y en particular su concepto de «compromiso», muy útil para explicar una religión (e institución) que integra una pluralidad de variantes (y organizaciones religiosas). En este aspecto, Prandi coincide con los autores francófonos más relevantes en el estudio de la sociología del catolicismo.

La reciente sociología francófona de la tradición religiosa católica se ha desarrollado especialmente como consecuencia de los múltiples vínculos existentes entre algunas instituciones de Canadá y de Francia. Los representantes más relevantes son Paul-André Turcotte y Jean Remy, que han trabajado en colaboración. Turcotte ha desarrollado los conceptos fundamentales de Troeltsch y ha realizado multitud de investigaciones empíricas. Su obra fundamental es *Intransigeance ou compromis: Sociologie et histoire du catholicisme actuel* (1994). En este libro elabora, a partir de Troeltsch, los conceptos de «compromiso», «mediación» y «transacción» para explicar las relaciones que se establecen en el seno del catolicismo. Remy ha dedicado una gran atención a la sociabilidad comunitaria para comprender los mecanismos más básicos de transmisión del catolicismo como tradición. En este sentido, ha desarrollado el concepto de sociabilidad de Simmel en relación con su sociología de la religión, impulsando la investigación en esta dirección. El trabajo de colaboración entre Turcotte y Remy se expresa en un programa de síntesis, que se encuentra resumido en un artículo conjunto, «Compromis religieux et transactions socials». En este marco teórico la sociabilidad (junto con el arte) tiene un papel fundamental en la «implicación colectiva» y en la sustentación de estructuras de «mediación» entre la vida ordinaria y la alteridad de lo sagrado, así como en las diversas «partes» que componen el catolicismo como «forma elástica» (según la caracterización de Simmel) (Remy y Turcotte 1997: 634). En este contexto, he mostrado que la sociabilidad festiva de la religiosidad popular, eje de la transmisión de las tradiciones, interviene en los procesos de «mediación» y «compromiso» con las formas oficiales del catolicismo (Costa 2001a).

Uno de los elementos más característicos de nuestra forma de comprender lo sagrado es la existencia y particularidad de la religión popular, que se superpone de forma compleja con lo que podemos llamar la «religión oficial». En este tema una diversidad de investigadores ha constatado una «coexistencia en tensión», generadora de ambivalencias complejas, en Europa y América (Benavides 1997, López Pulido 2000, Moreno 1993, Costa 1999a). En «Un modelo teórico para comprender la sociabilidad festiva en España y América» (Costa 2002c) establecí una serie de características distintivas de las asociaciones, españolas y americanas, que incorporaban elementos de la religiosidad popular en relación con el aparato institucional oficial de la Iglesia Católica. Las ideas que siguen son el resultado de una comparación entre las cofradías andaluzas (estudiadas principalmente por Isidoro Moreno, Salvador Rodríguez Becerra y Joaquín Rodríguez), las Fallas de Valencia y las comunidades de flagelantes de Nuevo México, en Estados Unidos, tal y como han sido investigadas por López Pulido en *El mundo de los Penitentes*. Estas características comunes serían las siguientes:

(1) Las asociaciones no son unidimensionales. Aparte de figuras religiosas y de una fe o creencias, existe una variedad de aspectos a considerar que tienden a pasarse por alto. Entre estos cabe resaltar el hecho de que hay una rica sociabilidad, una esfera pública peculiar y unos patrones muy fuertes de generación de

identidad. Existen también otros factores como el poder, las clases sociales o la ideología que, junto con los aspectos económicos, deben considerarse para comprender esta diversidad de elementos que forman parte de las organizaciones.

(2) Las redes sociales de las organizaciones son muy sólidas y tienen naturaleza permanente. Esto puede asociarse con la riqueza de la sociabilidad a que me he referido anteriormente. Hay aquí varios aspectos a considerar: (a) las organizaciones están históricamente consolidadas, tienen una larga tradición y una densa memoria colectiva; (b) son muy amplias socialmente, tanto en términos verticales (incluyen una variedad de posiciones sociales), como horizontales (en cuanto a su extensión geográfica); (c) tienen una gran capacidad para interactuar con otras instituciones, principalmente con la Iglesia Católica y el mundo cívico oficial, pero también con las escuelas, el comercio e incluso la industria; puede considerarse, por tanto, que gozan de una amplia presencia social que les da un cierto poder en el seno de la estructura social; (d) tienen una gran capacidad genésica, de multiplicación, y son muy versátiles para proyectar sus estructuras en otras instituciones.

(3) Hay una gran capacidad para la negociación, la transacción y el compromiso con otras instituciones. Aquí se produce una ambivalencia y estas asociaciones expresan diversos niveles de reflexividad con respecto a la misma. Por una parte, estas asociaciones son lugares potenciales para la manipulación, para ejercer el dominio ideológico, y así pueden ser útiles para el poder establecido; sin embargo, por otra parte, pueden ser lugares de desafío. Esto se expresa de modo distinto según las diferentes asociaciones y la forma en que estructuran relaciones con otras instituciones.

(4) Estas asociaciones poseen una singularidad que tiene que ver con el ejercicio de la sociabilidad festiva. Ésta genera formas específicas de comprensión de lo público, así como estructuras de identidad particulares que enfatizan el papel del cuerpo y de los sentidos, así como la inclusión de un sentido de lo efímero. Así pues, aparece en ellas la presencia de ciertos aspectos que podríamos agrupar en torno al «espíritu barroco», aunque una serie de elementos se remiten también al legado de la cultura popular europea del Carnaval y a otros elementos pre-cristianos.

Consiguientemente, el análisis comparativo de estas formas populares de religiosidad en el catolicismo ejemplifica empíricamente los conceptos del esquema teórico anterior éste tiene una gran capacidad de integración y de generación de diálogo, no exento de conflicto entre sus elementos, constituyendo una «forma elástica» cuyas partes, frecuentemente en tensión, deben recurrir constantemente a formas de compromiso y de mediación. Estas formas, no obstante, son renovadas de modo cotidiano por parte de los actores sociales y la sociabilidad juega un papel fundamental en su sustentación. En nuestro catolicismo específico la religiosidad popular y las tradiciones festivas ocupan un lugar central, entre otras cosas, para la integración social y para la generación de identidades colectivas.

Por otra parte, existe una tensión entre estas formas populares y oficiales, que da singularidad a nuestras sociedades. Las formas de sociabilidad festiva generan vías de transformación de la personalidad y del colectivo durante el ejercicio del ritual que ayudan a ganar una distancia reflexiva respecto a las identidades que se desarrollan a partir de las formas oficiales del cristianismo (en su diversidad de confesiones y legados) en Occidente, unas formas que cuajan en un «principio de individuación» dominante.

Evidentemente, una sociología del catolicismo no se agota con estos pocos elementos. Pero el caso de las tradiciones religiosas y festivas en las sociedades católicas sirve al menos para mostrar que es necesario ser conscientes de que es prioritario investigar la especificidad en términos de las tradiciones que configuran nuestro «suelo», nuestro mundo de la vida social y nuestra identidad, dando sentido a las preguntas que nos hacemos para poder ser reflexivos e innovadores en nuestra perspectiva sociológica y en la comprensión de nuestro modo de hacer la experiencia de hoy. De este modo, la caracterización de una multiplicidad de modernidades, y de la nuestra como modernidad distintiva, únicamente puede aparecer con claridad cuando se han caracterizado la pluralidad y singularidad de las tradiciones y de sus formas de trasmisión e interacción con la experiencia del presente.

7. CONCLUSIÓN

Decía al principio que entre nosotros persisten un conjunto de tradiciones religiosas y festivas que encuentran una parte de sus orígenes en las formas pre-cristianas de lo sagrado. El punto de atención en el orden empírico es aquí el de la relación, de coexistencia en tensión, entre la religiosidad festiva popular (que continua aquel legado ancestral) y las formas oficiales del catolicismo.

En el *Origen de la Tragedia* Nietzsche había señalado el hecho de que muchas fiestas populares son una herencia del espíritu dionisíaco griego. Con Dioniso se afirma la voluntad de (poder) afirmar la plenitud de la vida, y en el mundo griego esto significa también la conciencia del desgarro y a la vez unión respecto a la naturaleza y a los otros, manifestado en el saber del poder ir más allá del «principio de individuación» existente en un marco histórico-social dado. Este saber puede hacerse aún más reflexivo, apuntando hacia una teoría social que lo contemple. La re-moción existente en ese tránsito vital supone un poder moverse entre requisitos de individuación distintos. La teorización social resultante es así «mestiza», en el sentido de presuponer ya de entrada una diversidad de mundos sociales con «principios de individuación» distintos que pueden solaparse entre sí.

Capítulo 18
Tradiciones festivas

Este capítulo aborda el papel fundamental de la sociabilidad como ámbito de transmisión de las tradiciones festivas. En este sentido, elabora el concepto de «sociabilidad festiva» a partir de la noción de sociabilidad de Simmel (1971) y de la ontología y teoría de la fiesta de la hermenéutica. Esta sociabilidad de la Fiesta tiene una reflexividad, que es la base de la esfera pública de la tradición y constituye un ámbito de generación de prácticas y conocimientos que ponen en relación a la tradición festiva con la experiencia moderna. Un reciente estudio etnográfico sobre la Fiesta de las Fallas de Valencia (Costa 1999a) constituye el referente empírico de esta teorización.

En una primera sección señalo que los procesos de transmisión de la tradición han sido desatendidos en sociología y que en estos procesos juega un papel esencial la sociabilidad. A continuación explico los conceptos fundamentales de la ontología y de la teoría de la fiesta de la hermenéutica. En las dos secciones siguientes propongo el concepto de sociabilidad festiva y explico las características de sus agentes y actividades centrales (juego, humor, comensalismo y trabajo sociable festivo). Finalmente me ocupo de la reflexividad de la sociabilidad y de su capacidad para generar un espacio común de comprensión de la «cosa pública», una esfera pública popular.

1. EL DESATENDIDO ESTUDIO DE LA TRANSMISIÓN DE LA TRADICIÓN

Los sociólogos han dedicado una gran cantidad de trabajo a las expresiones institucionales y culturales de la modernidad, pero aún no han atendido adecuadamente una «sociología de la *tradición*». En particular, las formas específicas de la transmisión de la tradición no han sido objeto todavía de mucha atención por parte de los sociólogos. Edward Shils (1971), de modo excepcional, insistió en esta falta de

XAVIER COSTA

comprensión de los mecanismos y propiedades de la transmisión de las tradiciones. Dijo algo que probablemente sigue siendo válido hoy en día cuando señaló que, en contraste con la gran cantidad de estudios sobre el contenido sustantivo de las tradiciones y con el uso frecuente y ampliamente difundido de los términos «tradición», «sociedad tradicional», etc., había una relativa falta de interés en analizar el modo en que ese contenido «pasa de mano a mano», el *cómo* es transmitido y efectivamente reproducido. Así, Shils (1971: 124) indicó: «Los modos y mecanismos de la reproducción tradicional de creencias se dejan sin examinar». Sin embargo, estos mecanismos de transmisión son fundamentales pues, por ejemplo, se encuentran en la base de la persistencia de las tradiciones en medio de un contexto más amplio de cambio (Shils 1971: 122-124).

Esta falta de comprensión de la transmisión de la tradición afecta ciertamente al modo en que comprendemos las denominadas «sociedades tradicionales» (Shils 1971: 124). Considero, además, que dado que muchas tradiciones persisten, cambian y son reelaboradas en la vida contemporánea, esta falta de análisis de los mecanismos de la transmisión impide comprender el modo en que una tradición que persiste se vincula con la experiencia del presente en una determinada colectividad. La caracterización de cualquier «sociedad», colectivo o comunidad exige consiguientemente la clarificación de los mecanismos de transmisión de sus tradiciones. La sociedad actual es descrita desde distintas perspectivas como moderna, post-industrial, de capitalismo tardío, post-moderna, post-nacional, post-tradicional, avanzada, global, etc. Sin embargo, ¿cuántas de estas descripciones han sido capaces de explicar los mecanismos de persistencia y transformación de las tradiciones que se reproducen en las sociedades de que se ocupan? y ¿cuántas de estas nuevas etiquetas dan por supuesta la manera en que se transmite la tradición? Sin una clarificación de las propiedades y mecanismos de transmisión de la tradición estas perspectivas teóricas no pueden tratar de los tipos de experiencias, relaciones sociales y colectivos que, como es el caso de las Fallas, combinan prácticas tradicionales y otras modernas y contemporáneas. Consiguientemente, las propiedades y formas de la transmisión de la tradición deben ser tomadas en consideración por cualquier teoría social.

Esta ausencia de análisis de las formas de transmisión de la tradición tiene una obvia consecuencia. Al no comprender la complejidad de los mecanismos de transmisión no suelen apreciarse las capacidades de la tradición para el «diálogo» con el presente. Se asume entonces frecuentemente como *a priori* teórico un contraste, la mayor parte de las veces una fuerte y casi necesaria oposición, entre la tradición y la modernidad. Lo que me parece necesario, sin embargo, es realizar estudios empíricos para conocer mejor las relaciones particulares entre las formas de transmisión de las tradiciones y las características culturales e institucionales de la vida moderna. La comprensión de la tradición no puede basarse por más tiempo en el prejuicio, originado por el trazado de fronteras establecido desde la modernidad misma, de que se trata de una categoría y de una realidad residuales. La tradición se entiende así como representando meramente una repetición continua y no pensada, una noche oscura de los tiempos, que se contrapone claramente al alba de una modernidad caracterizada por su razonamiento, reflexividad y originalidad. La tradición, como señalé anteriormente y veremos con más detalle en este capítulo, siempre está relacionada con el presente, y es capaz de integrar en su propio esquema de desarrollo muchas de las características de la experiencia actual, algunas de las cuales son modernas. Además, las propiedades y formas de la transmisión son más flexibles y maleables de lo que a menudo se había pensado. De hecho, la tradición tiene su propia forma de reflexividad, que no está caracterizada por los criterios de la racionalidad, ciencia y tecnología modernas. Sin embargo, la reflexividad de la tradición puede incorporar muchos aspectos de la reflexividad moderna y contemporánea como una característica secundaria que ayuda a la tradición misma a ponerse al día.

Se ha dicho que esta interconexión entre pasado y presente puede entenderse como una «traducción» (Gadamer 1991). Quisiera señalar que esta «traducción» se produce a través de la sociabilidad, en el corazón mismo de las actividades «*sociables*». Esta traducción mediada por la sociabilidad no se realiza con el propósito de poner estas actividades en términos modernos, sino que debe verse en el contexto de la tradición misma, como un movimiento de transformación de la tradición al confrontar las consecuencias de su «diálogo» con la experiencia presente. En este trabajo vamos a observar que el núcleo de los mecanismos de transmisión de la tradición radica en la «sociabilidad» de la comunidad que cuida y sostiene esta tradición. Esta sociabilidad es al tiempo capaz de renovar reflexivamente la tradición gracias al ejercicio de una capacidad de «traducción» que vincula el pasado y el presente. Esta «traducción» se produce en el contexto de las actividades sociables desarrolladas en la comunidad y hace posible la incorporación de características de la modernidad, y de la experiencia contemporánea, en el propio marco de la tradición. El ejercicio, por parte de los actores festivos, de estas actividades centrales de la sociabilidad constituye las formas y *stocks* de conocimiento que sustentan la transmisión de la tradición festiva.

El núcleo central de mi perspectiva (Costa 1996, 1999, 2002b) sobre las tradiciones festivas está constituido por la teoría hermenéutica de la fiesta, particularmente en la versión presentada por Heidegger (1982) y Gadamer (1991). Interpreto sus conceptos fundamentales a partir de la teoría de la sociabilidad de Simmel (1971). No obstante, esta perspectiva incluye otros autores, en los que no puedo entrar aquí en aras a la brevedad, cuya aportación es útil para caracterizar las cualidades y actividades específicas de la peculiar manifestación de la sociabilidad en la comunidad festiva, que conceptualizo como «sociabilidad festiva». La idea central, que vincula los conceptos esenciales de la hermenéutica y de Simmel, es que la naturaleza lúdica y artística de la sociabilidad puede interpretarse como «sociabilidad festiva» cuando ocurre en una comunidad que cuida reflexivamente de la fiesta como una tradición.

En la siguiente sección me referiré a los conceptos fundamentales de la ontología y de la teoría de la fiesta de la fenomenología hermenéutica, tales como el Mundo o el Evento de Apropiación (*Ereignis*).

2. ONTOLOGÍA Y TEORÍA DE LA FIESTA DE LA HERMENÉUTICA

La fenomenología hermenéutica da un lugar prominente a conceptos que juegan un papel importante en la comprensión de las tradiciones festivas. Algunos de éstos son tradición, memoria, festividad, celebración, juego, arte y poética, lo sagrado, la comunidad, el cuidado y la cosa «común» (o «pública»). La hermenéutica tiene además un tratamiento de la Fiesta que es muy singular en un aspecto: la fiesta, como la tradición en general, no es solamente un tema que se constituya como objeto de pensamiento o estudio, sino que es esencialmente una condición del sentido de historicidad, una base de la pre-comprensión y un fundamento para acceder al Mundo. Consiguientemente, el modo festivo de acceder a las cosas, de «abrirlas» y comprenderlas, en conjunción con otras actividades asociadas como el juego, el arte y la poética, constituyen un modo de estar en el Mundo que tiene precedencia sobre el lenguaje científico, tecnológico e «informacional». La precedencia de estas actividades en cuanto al «acceso», y «pre-interpretación», concuerda evidentemente con los presupuestos ontológicos, el modo en que la hermenéutica entiende la misma realidad constituyente del Mundo.

La ontología de la hermenéutica, su modo de comprender cómo están constituidos las cosas y los seres, está basada en una concepción particular del «Mundo» y de su composición denominada «Cuaternidad del Mundo» o, simplemente, la «Cuaternidad» o los «Cuatro» (Heidegger 1994: 131), que son: la comunidad humana, lo sagrado, el cielo y la tierra. De este modo, el Mundo no se deriva exclusivamente, ni está compuesto únicamente, de los seres humanos y de sus acciones. De hecho, la hermenéutica se resiste a dar el protagonismo exclusivo a los seres humanos y a sus comunidades sociales como agentes de la re-producción del Mundo. Otros tres elementos interactúan entre sí y con la comunidad humana a través de múltiples relaciones de reciprocidad: la tierra, el cielo (la naturaleza) y las divinidades (lo sagrado). ¿Cómo son esas relaciones de reciprocidad entre los cuatro elementos de la Cuaternidad?

Las nociones científicas de causa y de efecto son ajenas a las relaciones primordiales de los Cuatro. El juego y el baile, el arte y la poética, la fiesta y otras actividades no instrumentales, se asimilan a estas relaciones primordiales y pueden «orquestarlas» para la comunidad, hacerlas presentes. Esta idea del mundo es holista: cada uno de los Cuatro manifiesta a los otros tres en sí mismo, incluyendo la globalidad de sus relaciones mutuas.

No me puedo extender en este contexto en una detallada explicación de la ontología hermenéutica de los Cuatro del Mundo[1], pero pondré dos ejemplos para mostrar que puede ser útil para comprender la fiesta. En el caso de las Fallas, la comunidad festiva incorpora a los Cuatro (y a su mutua vinculación en el Mundo). Podemos resaltar aquí solamente algunas de estas relaciones. Así, por ejemplo, la dimensión trascendente del fuego, que aparece especialmente en la Noche de San José, ya se ha hecho presente durante el año de preparación de la Fiesta en una variedad de aspectos que conciernen a la comunidad festiva. Por ejemplo, los muñecos del monumento artístico (que representan a la comunidad social) ya han sido construidos para ser consumidos por el fuego, y por eso son de materiales perecederos. Estos materiales proceden de la tierra. Ahora bien, para que tenga éxito el ritual de la cremación es necesario que se den buenas condiciones climatológicas, que dependen del estado del cielo. En otras fiestas ocurre otro tanto. Así, en el caso de la Fiesta de San Antonio Abad, los creyentes de la comunidad señalan

---

[1]   Para una explicación más detallada de esta ontología, véase Costa (1996, 1999).

que el Santo (junto con el fuego) favorece una purificación de los animales, que son parte de la tierra. En este contexto se desarrollan procesiones, pero también representaciones dramáticas y una variedad de actividades lúdicas. Este proceso tiene lugar en un determinado tiempo del año, y así depende de los movimientos que se producen en el universo.

A través de estos ejemplos observamos, además, que la fiesta muestra con una mayor claridad estas relaciones que se producen entre los Cuatro del Mundo. Para la hermenéutica esto se debe a que la Fiesta es básicamente el modo en que la comunidad social se hace eco de esta intensificación de las relaciones entre los Cuatro. Y este modo de hacerse eco tiene que ver fundamentalmente con el juego y con el arte que practica la comunidad. De aquí que, como sugiero en la sección siguiente, la sociabilidad, que es la forma lúdica y artística de la vida social, pueda también entenderse como parte de ese proceso de mediación entre la comunidad y los Cuatro del Mundo en la fiesta. Pero vamos a ver con más detalle qué es la fiesta para la hermenéutica.

La fiesta se entiende, en esta tradición de pensamiento, a partir de movimientos de intensificación, de aproximación y re-unión de los vínculos primordiales que unen a los Cuatro. La reflexividad y la memoria están conectadas con los ritmos del movimiento festivo que se hace más intenso durante los días de la fiesta. En ésta se constituye lo que Heidegger (1995: 243; 1982: 71,77) llama el «Evento de Apropiación», *Ereignis*, que también caracteriza a la obra de arte. El Evento Festivo es un movimiento mundano que aproxima y re-une a los Cuatro al tiempo que su acontecimiento conduce a cada uno hacia su fundamento propio. De aquí que las fiestas sean el lugar para «la relación recíproca entre las divinidades y la comunidad humana, que los conduce a una reunión que es también una vuelta a su base y fundamento propios». Esta relación se entiende también como un ofrecimiento mutuo entre la comunidad y las divinidades, que se expresa frecuentemente a través de rituales, particularmente en el sacrificio. La fiesta es por tanto el «fundamento de la alegría y del duelo» (Heidegger 1982: 71).

El Evento Festivo conduce a la comunidad social hacia su «fundamento». En este sentido el Evento genera el primer sentido de la reflexividad en la fiesta, que está vinculado con la memoria y el reconocimiento de la comunidad. Como decía, el Evento Festivo es un proceso, un movimiento que empuja hacia un «re-hacerse» y una nueva «re-unión» de los vínculos que conectan a los Cuatro; y esta re-unión tiene efectos para la comunidad. Este movimiento de intensificación de los vínculos que articulan a los Cuatro produce una nueva conciencia de lo que se es como comunidad en un doble sentido: (a) en relación con el pasado y (b) también en relación con los otros tres elementos de la Cuaternidad (esto es, en relación con el Mundo). Así, el Evento es para la comunidad un ejercicio periódico de re-conocimiento de sí misma. El movimiento festivo produce además un desafío para la comunidad, y tiene riesgos asociados. Al reelaborarse los vínculos que unen al Mundo también se «re-hacen», y se «re-mueven», las cosas. Podemos decir, forzando un poco el vocabulario, que la «coseidad» de las cosas puede aparecer entonces con mayor claridad. Además, la «cosa común», que afecta a todos y demanda conversación, sale a la luz de la consideración colectiva. En este sentido, el Evento Festivo es una oportunidad periódica para la construcción de la «cosa pública (común)», que puede manifestarse en crítica. Observemos pues que los rituales y la crítica no tienen porque oponerse desde la perspectiva hermenéutica de la «cosa pública». Más bien, y esto ocurre especialmente en la fiesta, se implican mutuamente, pues el Evento produce un cambio tanto en los rituales como en las cosas, incluyendo aquellas que se configuran como «comunes» o «públicas» para la comunidad. Así por ejemplo, como he explicado en otro lugar (Costa 1999a), la movilización del cuerpo durante los días de fiesta, que llamo «cuerpo en re-movida», incluye el tratamiento crítico de algún tema que concierne a todos como algo esencial para su presentación satírica, tanto en el monumento efímero como durante las cabalgatas y pasacalles.

La teoría de la fiesta de la hermenéutica, sin embargo, es limitada, en un aspecto al menos: el Evento únicamente cubre los días de la fiesta. Esta teoría no puede dar cuenta de toda la compleja estructura de la sociabilidad permanente de la comunidad festiva, de su «organización» y de la forma de «trabajo sociable», o «trabajo festivo», existente en la fiesta tanto en el transcurso del año como durante los días de fiesta. He intentado resolver este problema con ideas suplementarias procedentes de la propia hermenéutica, de G. Simmel y de G. Bataille, algunas de las cuales serán desarrolladas en la sección siguiente. Por el momento, me referiré aquí solamente al concepto de «cuidado», que Heidegger desarrolló especialmente para el arte y la poética de un modo general, para ajustarlo al contexto festivo y también al concepto de memoria de la hermenéutica. La relevancia de la memoria no tiene por qué quedar situada únicamente en el periodo del Evento. La hermenéutica dispone de una perspectiva sobre la actividad de la memoria en relación con las actividades cotidianas de índole no instrumental, entre las cuales deben encontrarse indudablemente las actividades centrales de la sociabilidad.

El concepto de «sociabilidad festiva», que desarrollo después a partir de la idea de sociabilidad de Simmel, permite reinterpretar este sentido del cuidado y de la memoria en el marco festivo. Las actividades de esta sociabilidad festiva permanente incluyen entonces una reflexividad, que es el fundamento del cuidado y de la memoria, que se ejercitan mediante la interacción sociable. El cuidado y la memoria, por tanto, no están restringidos solamente al periodo del Evento Festivo. Además, estas actividades centrales de la sociabilidad tienen también un lugar para el «trabajo sociable» en la fiesta, para otras estrategias de generación de recursos y también para los procedimientos administrativos que intervienen en su construcción y organización (Bataille 1991).

Interpreto el Evento Festivo, cuyo movimiento se desarrolla durante los días de fiesta, como el objeto principal del cuidado de la comunidad festiva. El Evento supone, por otra parte, una intensificación de la sociabilidad. El cuidado se entiende como ejercicio reflexivo de la sociabilidad permanente que practica esta comunidad. La sociabilidad festiva está viva durante todo el año, con lo que el cuidado se hace también permanente. De este modo, la comunidad cuida del proyecto festivo como de una obra de arte. Este cuidado de la comunidad es un conocimiento activo pues, como mostraré después, esta reflexividad se expresa a través de las actividades centrales de la sociabilidad festiva, que constituyen los ejes de la transmisión de la tradición: juego, conversación sociable, humor, comensalismo y trabajo sociable. Este es el segundo sentido de la reflexividad de la tradición festiva: se trata de un conocimiento activo que la comunidad festiva posee y transmite a través de su sociabilidad con el objetivo de cuidar de la construcción cíclica de la fiesta y de sus trabajos artísticos asociados. Por ejemplo, el ejercicio activo de la memoria y de la reflexividad se desarrolla también en la vida diaria de la sociabilidad del Casal, como también lo hace la esfera pública de la Falla, pues ambas conllevan debates colectivos sobre las cosas de interés público (común) en el barrio, en la ciudad y en otros ámbitos más amplios.

El cuidado comunitario está asociado con lo que Heidegger (1995: 67) calificó como un conocimiento «preliminar» y «reflexivo». Concierne al lugar de los artistas y a la estructuración del tiempo y del espacio, de tal modo que los participantes conocen la secuencia adecuada de los acontecimientos. Este conocimiento específico, depositado en el Mundo, incluye también un saber de la conexión entre lo que podríamos llamar la «marcha», «movida» o «movimiento» de las actividades sociables desarrolladas a lo largo del año y la «re-movida» del Evento Festivo durante los días de la fiesta, caracterizados por una intensificación de la sociabilidad. Un ejemplo de este conocimiento puede consistir en saber qué tipos de trabajo festivo pueden realizarse en cada momento. Esta forma de conocimiento es compartido por los participantes, aunque éstos difieren en cuanto al grado de *expertise*. El conocimiento en este sentido contribuye esencialmente a la formación de un «ideal» en la tradición festiva, como parte del mundo social. Los actores más viejos y experimentados, como señaló Shils, reúnen estas habilidades pues normalmente son practicantes altamente experimentados en cuanto al ejercicio de las actividades cotidianas características de la tradición.

Finalmente, debo atender a la comunidad festiva. Tanto Heidegger (1982: 61) como Gadamer (1991: 99 ss), cuando explican lo que consideran esencial en la fiesta, se refieren a un «acercamiento», un estrechamiento de los lazos entre las personas, una «re-unión» que se opone a cualquier forma de separación, segregación y aislamiento. Para Gadamer (1991) este proceso de reunión comunitaria que implica la fiesta representa a una comunidad que supera las tensiones conducentes a la segregación y a la división interna. La fiesta es comunidad, quizá en su presentación más completa como tal comunidad, pues la fiesta es siempre fiesta para todo el mundo. Entonces, señala, «decimos que «alguien se excluye» si no toma parte» (Gadamer 1991: 99). Este poder de la fiesta para reunir a la gente no es «coercitivo», sino que procede «de la intención que une a todos y les impide desintegrarse en diálogos sueltos o dispersarse en vivencias individuales» (Gadamer 1991: 101).

Poniendo en relación estos aspectos anteriores de la teoría de la fiesta de la hermenéutica —y anticipando el concepto de «sociabilidad festiva» que explicaré a continuación— podríamos sintetizar lo anteriormente dicho diciendo brevemente que la comunidad cuida de la construcción periódica del Evento Festivo mediante el ejercicio de la sociabilidad festiva, que es reflexiva y se basa en un conocimiento mundano preliminar. Este conocimiento pasa a ser constituyente de la tradición como resultado de una periódica activación y rememoración que se basa en formas sociables de cuestionar y tematizar las cosas. A continuación explicaré el modo en que el concepto de sociabilidad puede ponerse en el contexto de la teoría de la fiesta de la hermenéutica para elaborar el término de «sociabilidad festiva».

3. SOCIABILIDAD Y SOCIABILIDAD FESTIVA

Simmel (1971: 40 ss) encontró en la sociabilidad, una forma especial de la vida social, las mismas características del juego y del arte. La sociabilidad tiene una peculiar reflexividad, pues vuelve sobre sí misma: se tiene a sí misma como objeto de atención; y coloca los contenidos, objetivos y actividades instrumentales en un lugar secundario y dependiente. Esta característica de la sociabilidad lo es también del uso lúdico del lenguaje en un marco dominado por la sociabilidad. La «conversación sociable» se mantiene por el puro placer de hablar y sostener el vínculo interpersonal.

La sociabilidad es globalizante y su sentido del tacto, eje de su reflexividad, permite compatibilizar lo individual con lo grupal. Además, tiene un peculiar democratismo basado en un principio de igualdad. Finalmente, es terapéutica y su reflexividad, expresada en una capacidad que comparte con el arte y el juego, permite crear una distancia (y una nueva aproximación) respecto a la vida y al Mundo, constituyendo un buen *pharmacos* que además es emancipador.

Los agentes principales de la sociabilidad son fundamentalmente, la familia y la amistad. En este sentido, las Fallas gozan de una intensa sociabilidad festiva permanente, caracterizada por su capacidad para reunir a los participantes en el juego, el humor, el comensalismo y el trabajo realizado para la Fiesta. Familias, grupos de amigos y de vecinos constituyen sus células fundamentales.

El concepto específico de «sociabilidad festiva» descansa igualmente en la ontología de la hermenéutica. Se refiere a la sociabilidad practicada por una comunidad que cuida de una tradición festiva. Como decía anteriormente, la sociabilidad festiva es parte de los vínculos no instrumentales que re-unen a la comunidad y la ponen en relación con la Cuaternidad del Mundo. En este sentido es una forma social de mediación entre la comunidad festiva y su Mundo. La estrategia seguida hasta aquí es evidente. Por una parte, el vocabulario de Simmel sirve para clarificar, y para poner en clave sociológica, algunas de las ideas más densas de la hermenéutica. Por otra parte, se mantiene la ontología hermenéutica como núcleo inspirador de los trazos más básicos de una síntesis entre diversos autores que pueda dar cuenta de las tradiciones festivas.

Quisiera insistir en la idea que articula a Simmel con la hermenéutica: consiste en entender la forma de la sociabilidad como una configuración cuya naturaleza lúdica y artística puede entenderse como parte de los vínculos que unen a los Cuatro del Mundo (en la ontología de la hermenéutica). Estos vínculos se intensifican durante el Evento Festivo. La ontología de la hermenéutica es holista: cada uno de los Cuatro expresa a los otros, así como al conjunto de sus mutuas relaciones. De este modo, la sociabilidad (junto al arte y al juego) es una forma de «mediación» de la comunidad en relación con la naturaleza y lo sagrado; esto es, en relación con el Mundo. Se trata de un modo de aproximarse al Mundo (y al tiempo, de cobrar distancia respecto de éste) generador de un «arte existencial mundano», que caracteriza al modo festivo de estar en el Mundo, al «ser-de-la fiesta».

Esta interpretación anterior sirve para hacer más «operativos» para la investigación empírica los densos conceptos de la hermenéutica, pues la sociabilidad tiene su fundamento en la interacción generada entre los actores sociales. La sociabilidad festiva se manifiesta, y reproduce, mediante el ejercicio vital de formas de interacción situadas en actividades nucleares como el juego (en la multiplicidad de sus formas), el humor, el comensalismo y el trabajo realizado para la fiesta. De este modo, el Evento Festivo se traduce en términos sociológicos como una intensificación de la sociabilidad festiva. Los pasacalles y cabalgatas, los rituales y otras celebraciones, son parte central del Evento Festivo, constituyendo una manifestación simbólica de aquella intensificación de la sociabilidad. Esto supone una mayor vinculación entre los Cuatro del Mundo: una más estrecha relación de mediación sociable de la comunidad respecto a la naturaleza y lo sagrado. En este sentido, las cabalgatas, celebraciones y rituales incluyen una alta densidad de elementos del universo simbólico y un mayor acercamiento a los procesos y ritmos naturales. Sin embargo, vale la pena insistir en que estos aspectos del periodo festivo son posibles como resultado de unas prácticas y de un conocimiento que se encuentran en el ámbito de mediación de la sociabilidad; este conocimiento se desarrolla originariamente a partir de la sociabilidad permanente existente en la comunidad.

Por otra parte, el concepto de cuidado reflexivo comunitario, que Heidegger (1995) usó especialmente para la obra de arte, se entiende a partir de la reflexividad y el tacto característicos de la sociabilidad de un grupo (Simmel 1971): la sociabilidad festiva permanente de la comunidad que cuida de la tradición festiva. La reflexividad de esta sociabilidad está caracterizada por la creación de una distancia (y proximidad al tiempo), una «re-movida» en mi terminología, que es paralela a la que se produce en el arte y el juego, en relación con la vida y el Mundo (Costa 1999a: 42 ss).

La sociabilidad adquiere formas específicas en las tradiciones festivas. Denomino aquí «sociabilidad festiva» a esta sociabilidad de la fiesta. Puede comprenderse como un caso particular de la sociabilidad en los términos de Simmel puesto que, para él, cualquier actividad que incluya las características de la sociabilidad, teniendo una forma sociológicamente lúdica y artística, puede subsumirse bajo este concepto. La «sociabilidad festiva» tiene una naturaleza distintiva: su contenido y finalidad, las actividades de la celebración, suponen una intensificación de la sociabilidad. De hecho, como he mostrado en otro lugar (Costa 1999a: capítulo 4), la sociabilidad festiva radicaliza las características centrales de la sociabilidad.

Es necesario recordar aquí, sin embargo, que el concepto de «sociabilidad festiva» está construido situando las ideas de Simmel en el contexto básico de la hermenéutica, de su ontología y de su teoría de la fiesta. La conceptuación sociológica de Simmel me sirve así para «traducir» sociológicamente, para clarificar y complementar, algunos de los conceptos más «densos» de la hermenéutica. La idea central que sostiene esta síntesis es la interpretación del concepto de «forma» de Simmel como una «conformación» o «com-posición»[2] situada en la fiesta. De este modo, la rica sensibilidad de Simmel para la interacción sociable puede aprovecharse para especificar y dar detalle sobre eventos y actividades festivas que no solían tener una clara explicitación en términos de relaciones sociales concretas acontecidas en la fiesta. Estoy pensando en dos conceptos que pueden ejemplificar esto. El primero es el concepto de «efervescencia colectiva» de Durkheim, que difícilmente admitía una desagregación o un tratamiento sociológico de detalle que estuviese anclado en la interacción social. Esto hacía difícil ver las complejidades implicadas por el protagonismo de los agentes festivos, que son los que realmente construyen la fiesta y cuidan de su periódica realización. El segundo es el propio concepto hermenéutico de Evento Festivo, cuya dinámica no podía ser pormenorizada por la teoría hermenéutica de la fiesta. Estas dificultades están detrás de la imposibilidad de algunas teorías de la fiesta para comprender todas las fases de su construcción anual a partir de las actividades de una sociabilidad permanente. Dan

---

[2]   «Configuración» en el sentido de Heidegger (1995:72) y de Gadamer (1991:87).

cuenta también de las carencias de las teorías de la fiesta para explicar algunas actividades fundamentales, como es el caso del trabajo sociable realizado en el contexto de la comunidad festiva durante todo el año. Esta estrategia de síntesis, no obstante, hará necesario el concurso de otros autores para especificar mejor las características y actividades centrales de la sociabilidad festiva. Me referiré así a continuación a la comunidad que atiende a la fiesta y a las actividades nucleares de su sociabilidad específica.

4. AGENTES Y ACTIVIDADES CENTRALES DE LA SOCIABI-LIDAD FESTIVA

Los agentes de la sociabilidad festiva son familias vinculadas por relaciones de amistad y grupos de amigos. La hermenéutica da prioridad a la amistad (Heidegger, 1982: 66 ss) y al propio grupo festivo, entendido como una comunidad celebrante. Shils (1971:158) atribuía importancia a la transmisión de la tradición «hacia abajo», de los viejos a los jóvenes, realizada especialmente en la familia. Simmel se refiere también a los agentes de la sociabilidad, y su explicación incluye tanto la amistad como la familia. Pero, en general, los agentes de la sociabilidad son los actores sociales en tanto que sostienen interacciones sociales de naturaleza sociable, lo cual permite, en el caso de las fallas, situar también estas redes de sociabilidad en articulación con la relación de vecindad en un barrio.

Simmel (1971: 138) insiste en la mutualidad de estas relaciones, que son «del uno y del otro y para el uno y para con el otro», constituyendo así los mecanismos básicos para la reproducción de la sociabilidad, mientras que su contenido puede variar a lo largo del tiempo. A la hora de poner un ejemplo Simmel menciona la evolución de la sociabilidad en las comunidades de hermandades caballerescas, insistiendo en que fueron fundadas por *familias* patricias unidas por la *amistad*. En este sentido, los actores sociables se presentan agrupados básicamente en comunidades generadas por relaciones de familia y de amistad. Estas relaciones constituyen los ejes aglutinantes más poderosos, aunque evidentemente no los únicos, para la institucionalización de una forma de sociabilidad. Las comunidades-asociación tales como las Fallas añaden el factor territorial del vecindario a una red compuesta por familias unidas por vínculos de amistad y de vecindad y por grupos de amigos.

Como he mostrado anteriormente (Costa 1999a: capítulos 4 y 5), la sociabilidad festiva está anclada en una comunidad; esta sociabilidad vincula a las familias, a los amigos, a los vecinos y a los visitantes. Además, la sociabilidad articula los grupos de edad «verticales» y los grupos «horizontales» compuestos de participantes de origen local e inmigrantes[3] a través de sus fundamentos no-instrumentales, de su alegría compartida y de sus trabajos sociables. Las diferencias, y las fronteras, existen, pero hay una fuerza más poderosa que las pone en relación, algunas veces en tensión, pero siempre haciendo de éstas algo que importa positivamente, y que cuenta, para el desarrollo del proyecto festivo común.

Conviene especificar ahora las actividades centrales de la sociabilidad festiva. Simmel (1971: 134, 137) restringe su consideración únicamente a un ejemplo de juego, que entiende que ocupa «un amplio espacio en la sociabilidad de todas las épocas», concentrándose básicamente en el juego social. Esto no significa que no realice comentarios interesantes, como cuando señala que los premios son secundarios respecto al juego mismo. Muchos otros ejemplos se mencionan sin explicación alguna, como la narración de cuentos o de anécdotas. Sin embargo, como intento situar la sociabilidad en el contexto específico de una tradición festiva, es necesario dirigir la perspectiva hacia un abanico más amplio de actividades. Las actividades centrales de la sociabilidad festiva permanente de las Fallas son el juego (en la variedad de sus múltiples formas), el humor, el trabajo festivo y el comensalismo[4]. Estas actividades

---

[3]   En este sentido, la sociabilidad (que es más amplia que las creencias, y puede incluirlas) permite ver que la transmisión de la tradición tiene varios canales, y no puede reducirse, como pretendía Shils (1971), a «pasar hacía abajo» las creencias de los mayores a los niños. En otro lugar (Costa 1999a: 88 y ss, 2001b), he mostrado que la transmisión «hacia arriba» (de niños a adultos) y «horizontal» (entre personas de la misma generación) es fundamental en las Fallas, siendo especialmente importante en el caso de los inmigrantes, procedentes de otras partes de España, que se han integrado en la Fiesta.

[4]   En el lenguaje de la hermenéutica estas actividades centrales pueden denominarse «figuras», estando cada una de ellas compuestas por conjuntos de prácticas sociables, siempre ancladas en la interacción sociable, que pueden llamarse «rasgos». Este conjunto de figuras genera la con-figuración (o forma) de la sociabilidad festiva, que genera un potencial de «re-unión» y aproximación dentro de la comunidad y ejerce el papel de mediación entre la comunidad festiva y su Mundo. Véase Costa (1999: capítulo 4) para un análisis más extenso de estas actividades centrales de la sociabilidad festiva.

centrales, que incorporan además las otras características y principios más generales de la sociabilidad, mantienen las cualidades reflexivas y liberadoras de la sociabilidad, constituyendo las bases para la esfera pública de la Falla.

J. Huizinga (1972: 27-42) conecta el *juego* con la fiesta, así como con los rituales que constituyen el eje de las celebraciones festivas. Defiende que el juego constituye el fundamento antropológico básico que guía la reproducción cultural en general, diversificándose en una multiplicidad de manifestaciones específicas. Como en el caso general de la sociabilidad, el juego origina un ámbito específico, con espacio, tiempo y reglas propias, donde los jugadores se distancian de la vida corriente. El juego tiende a estructurar relaciones sociales que obedecen a sus reglas, dando lugar a asociaciones que preservan un misterio que ayuda a marcar la distancia respecto al mundo habitual. Este es el motivo por el que el disfraz es central en las actividades lúdicas asociativas (Huizinga, 1972:26). Esta preservación del misterio, vinculada a su capacidad de generación de una abstracción respecto a la vida corriente (que comparte con la fiesta), contribuirá a evidenciar el hecho de que la esfera pública festiva de las Fallas conserve el misterio y la ambigüedad de los mitos y del cuerpo grotesco en articulación crítica con los escenarios sociales de la vida actual.

Huizinga (1972: 63 ss) destaca el componente agonal, de lucha y competición, del juego. Uno de los aspectos más interesantes del trabajo de Huizinga para el presente estudio es el caso de los juegos humorísticos de rivalidad, así como otras competiciones que incluyen un *Potlach*. Éstas se encuentran profundamente enraizadas en varias culturas. Huizinga explica algunas de ellas como una forma de las muchas luchas y competiciones lúdicas que tienen lugar en los festivales de cambio de solsticio. La cultura satírica de las Fallas incluye las competiciones chistosas que los participantes denominan «piques» (Costa 1999a: 106 y ss). Además, el período del Evento Festivo, caracterizado por una intensificación de la sociabilidad festiva, puede entenderse, en cuanto a los aspectos organizativos (Costa 1999a: capítulo 6), en términos de un ofrecimiento caracterizado por el «gasto» (Bataille). En este contexto las Fallas comparten las características de la «Fiesta agonal» (Huizinga, 1972:66). Además, mantienen unas peculiares relaciones de rivalidad y de cooperación entre ellas, sobre todo si se encuentran espacialmente próximas.

Huizinga (1972: 67) comparte también con Simmel la comprensión de otra característica del juego y de la sociabilidad: se trata de realidades que se tienen a sí mismas como objetos. En el juego la finalidad es el propio decurso de la acción de jugar, y nos recuerda un conocido refrán alemán: «No importan las canicas, lo que importa es el juego». La fiesta se asimila también al juego en la medida en que incluye aspectos de origen lúdico que contribuyen a generar una distancia respecto a la vida corriente: la alegría, la broma y el banquete son esenciales en la celebración festiva (Huizinga, 1972: 35-38). Pero hay otros autores, cuyas ideas son compatibles con las de Huizinga, que pueden servirnos para situar el concepto de sociabilidad de Simmel en el marco de las actividades nucleares de la fiesta.

Freud (1988) y Bergson (1986) proporcionan una teoría del humor, de los chistes y de la risa que puede vincularse con las ideas previas sobre la sociabilidad, enfatizando sus cualidades lúdicas, artísticas y liberadoras. Bergson (1986:69) entiende la liberación producida por la risa como un poder de disolución de las «cristalizaciones» provocadas por las rutinas de la vida social. La risa puede poner en «cuarentena» a los presupuestos mecánicos y automáticos, algunos de los cuales se generan por los excesos racionalistas sobre la vida.

Su teoría de la risa es incorporada por Freud (1988 [1905]: 1.150). Los efectos liberadores del chiste, su amplia estructura comunicativa (que incluye el inconsciente) y su capacidad para distanciarse, tener en cuenta (y protegerse de) una elaboración estrictamente racionalista, son algunos de los aspectos explorados por el psicoanálisis. La teoría psicoanalítica tiene un papel en la síntesis que propongo: muestra que los chistes forman parte de los procesos reflexivos y liberadores de la sociabilidad. Los chistes se insertan en una dimensión social y colectiva de la memoria, cuyos procesos ponen en relación mediante un escrutinio jocoso hacia la «totalidad de la vida». Esto ocurre porque la narración de chistes y anécdotas humorísticas en los ámbitos sociables crea instantáneamente para los participantes, como Simmel había explicado para el caso general de la sociabilidad misma, una distancia entre el encuentro sociable (humorístico en la comunicación chistosa) y la vida corriente. De este modo la estructura comunicativa del chiste capacita para una doble penetración reflexiva en la totalidad del Mundo: activa la memoria colectiva en relación con un escrutinio de la vida corriente. Su modo sociable de «abrir mundo» genera una forma singular de atender y cuestionarse las cosas —esto es, una manera de elaborar tematizaciones sobre aspectos del mundo social— que incluye el inconsciente en las estructuras comunicativas. Consiguientemente los chistes muestran de nuevo las limitaciones de cualquier perspectiva restrictiva de la comunicación que, como en Habermas, asigne un papel excesivo a la argumentación moderna.

Recientemente, Peter Berger (1998), en sintonía con el sentido de reflexividad que Simmel asignaba en general a la sociabilidad, ha explorado la particularidad del chiste como creador de una realidad especial —interpretada como una de las múltiples realidades de Schütz— que establece una distancia con respecto a la vida corriente y que hace necesaria una transición. En este sentido puede situarse el chiste como parte de los procesos que generan la «remoción» vital característica de la sociabilidad festiva.

El comensalismo, que incluye una actividad fisiológica y una conversación que la acompaña, es central para la sociabilidad festiva. De hecho, uno de los ámbitos donde las características de la sociabilidad de Simmel se expresa con más claridad es en su tratamiento del comensalismo[5]. Para Simmel (1997: 130-135), la comida colectiva concilia la particularidad intransferible del comer de cada individuo, que no puede comunicarse, con una comunalidad general que origina estructuras sociológicas asociadas al encuentro de los comensales. Además, los hábitos de las comidas colectivas incluyen una regularidad temporal que estructura el tiempo grupal; la comida tiene una estética que viene dada por sus formas, reglas y etiqueta, que se manifiestan en la interacción, teniendo una dimensión supra-individual. Por otra parte, Simmel entiende la conversación de mesa a partir de las mismas características que tiene la conversación sociable. Por ejemplo, insiste de nuevo en que hay que descartar el prejuicio que tiende a situarla como una simple conversación banal, pues es sumamente difícil de realizar con gracia y sin interrupciones, de un modo armónico e interesante. De forma similar a Durkheim, Simmel señala que en los cultos antiguos, que reunían a pequeños grupos locales, la comida sacrificial estrechaba los lazos de una comunidad fraternal.

Estas características de la comida sociable se manifiestan con más intensidad si cabe en el comensalismo festivo. Como he explicado en otro trabajo (Costa 1999a: capítulo 4), las Fallas exhiben las características principales del «banquete popular» que describe Bakhtin (1987: 250 ss):

---

[5] Tanto es así que es probable que su ensayo *Sociología de la Comida* fuese concebido como una parte de su estudio sobre la sociabilidad, el cual fue compuesto también en 1910 (Frisby, D. «Introduction», en Frisby, D y Featherstone, M.(eds) *Simmel on Culture*, Sage, London, 1997, p.10).

su universalidad potencial, el sentido de la igualdad, la persistencia del *simposio*, etc. Bakhtin insiste, por otra parte, en una característica del banquete que es fundamental en la sociabilidad en general: el banquete hace posible una salida hacia un ámbito extraordinario, distinto al de la vida corriente. Como he observado en otro lugar (Costa 1999a: 115 y ss) los falleros se refieren explícitamente a esta cualidad del comensalismo festivo. Además, la intensificación de la sociabilidad festiva durante los días de Fallas produce unas transformaciones en la familia, en el espacio y en el tiempo, que se reflejan en otros tantos cambios en cuanto a la regularidad y a las características de los banquetes (Costa 1999a: capítulos 4 y 6).

La regularidad de la comida comunal semanal, como una comunión de los participantes que cuidan de la tradición festiva, anticipa y concretiza los acontecimientos y celebraciones del festival, reforzando al tiempo la esperanza y la fe de la comunidad en que el proyecto compartido será llevado a cabo con éxito. Esto significa que compartir una comida, como una asamblea efervescente construida mediante actividades sociables, refuerza también la energía colectiva que Durkheim (1982: 313) entendió como central para la reproducción y la renovación de la relaciones sociales del grupo. El concepto durkheimiano de «efervescencia colectiva» puede entenderse ahora desde la perspectiva de la interacción sociable, pudiéndose desagregar mediante el énfasis de Simmel en la interacción de los actores sociales. El banquete constituye un modelo de interacción sociable grupal; es el paradigma de la unidad del grupo y de la igualdad de sus miembros. Finalmente, el banquete festivo, que incluye la conversación y la tertulia, presenta estrategias altamente reflexivas que demuestran la relevancia para la comida de aquel «fino tacto» a que se refería Simmel como capacidad necesaria para el ejercicio del «ideal de la sociabilidad», consistente en hacer compatible lo individual con lo grupal. Entre estas estrategias destacan aquellas que conciernen a los movimientos y a la ocupación del espacio, de las mesas y de las sillas, que pueden observarse con mucha claridad en las Fallas (Costa 1999a: 116). Estos, y otros, mecanismos reflexivos del comensalismo conservan el viejo significado del banquete como «simposio», que es esencial para la comprensión festiva de la esfera pública.

El trabajo existe en el contexto de la fiesta. Trabajar en una atmósfera de sociabilidad festiva es, para los actores sociales, algo distinto del trabajo que realizan como empleados. La literatura relevante parece, no obstante, establecer un contraste entre el trabajo y la fiesta. Esta oposición no se corresponde con la realidad, al menos en el caso de las

Fallas. Mi participación en su preparación anual me mostró claramente que hay una estructura específica del «trabajo en la sociabilidad», que no es ni instrumental ni aislante, sino que constituye una de las actividades centrales del «cuidado» permanente con el que la comunidad festiva construye la fiesta. Este «trabajo sociable» es una omisión importante en la literatura sobre la fiesta.

Además, como he explicado anteriormente (Costa 1999a: 118 y ss), la comunidad festiva de hoy «pone al día» las formas de trabajo comunitario en el contexto de la rica sociabilidad de la fiesta contemporánea. Además, este trabajo colectivo incluye las capacidades que los participantes han generado en el marco de la moderna división del trabajo. Este trabajo, que podemos calificar como «sociable» o «festivo», es vital para el mantenimiento de la tradición, constituyendo el núcleo fundamental de la reflexividad de la tradición y de su potencial para dialogar con el presente, adaptándose a los cambios. Esta forma sociable de trabajar establece una síntesis peculiar de prácticas sociales que combinan las formas del trabajo tradicionales y modernas. En otros contextos (Costa 1999a: 121; 2000) me he referido también a otras características relacionadas con este trabajo sociable: sus formas de reflexividad y su capacidad para el cuidado de la tradición. Por ejemplo, he analizado las estrategias, altamente reflexivas, que tienen los falleros comprometidos y experimentados para prevenir la extensión de la práctica de quien se «escapa» (el *free rider*) de la demanda comunitaria de trabajo sociable.

El trabajo sociable festivo es también importante por otra razón: incluye un conocimiento activo de lo que llamaré, con Bataille (1991), la «parte operativa de la fiesta». Este componente «operativo» no fue explicado por la hermenéutica, que se concentraba básicamente en la celebración. Sin embargo, este aspecto vincula la sociabilidad festiva a los procedimientos económicos y administrativos existentes en el amplio marco de la sociedad. Ahora bien, la sociabilidad (en la multiplicidad de sus actividades de «cuidado») debe tener un papel anterior y predominante que crea el contexto para la generación de recursos y de los procedimientos administrativos, manteniéndolos subordinados al mismo tiempo. Como he explicado en otro trabajo (Costa 1999a: capítulo 6), la contabilidad racional y la organización formal son vitales para entender la globalidad del proceso anual de construcción permanente de la fiesta. De nuevo aquí, la tradición festiva incorpora elementos del acerbo de conocimientos de la modernidad, que interactúan con la tradición en el contexto de las actividades y *stocks* de conocimiento generados en los marcos dominados por la sociabilidad.

Resumiré algunas de las principales ideas de Bataille (1991:47 ss). La ambivalencia de la fiesta reside en que, por un lado, tiende hacia una regeneración de la unión (la «intimidad») de la comunidad con el mundo y la naturaleza y, por otro, se encuentra «limitada» por un marco social concreto «real», del cual obtiene incluso sus propios recursos para organizarse como tal celebración. Por tanto la fiesta no es necesariamente incompatible con los modos de generación de recursos existentes en la sociedad. La fiesta tiene unas formas operativas, y algunas de éstas ejercen el papel de bisagra con la cadena de «las cosas útiles». Bataille (1991: 59) entiende estas formas en relación con el trabajo y sus productos. Los recursos económicos y administrativos generados por los participantes para la construcción de la fiesta están subordinados, no obstante, a la propia fiesta y dependen de su propio «movimiento festivo».

El devenir de la fiesta culmina en un exceso de gasto festivo, una forma específica de donación de alto nivel de consumo que puede comprenderse como un *Potlach*. Lo que importa en general es el ofrecimiento sacrificial, cuyo ejemplo más característico es el sacrificio realizado mediante la intervención del fuego: «Esto es lo que la fiesta (el sacrificio incendiario, la cremación de las cosas) es conscientemente —subordinada a esa duración de la cosa común, que la impide a ella misma durar—» (Bataille 1991: 59). Esta última idea resulta útil para realizar una corrección en la teoría de la fiesta de la hermenéutica, la cual no incorporaba los procedimientos económicos y administrativos. Pero estos procedimientos son muy importantes si no queremos reducir la fiesta enteramente a esos «días de las celebraciones festivas», algo que la hermenéutica tiende a hacer. Por el contrario, necesitamos considerar a la fiesta como una actividad constante de construcción anual, con una forma permanente de sociabilidad que incluye, de un modo dependiente de ésta, la generación de recursos y de organización.

Bataille presenta no obstante una afinidad fundamental con la hermenéutica: la idea de Bataille consistente en considerar el ofrecimiento sacrificial como centro de la fiesta es compatible con el énfasis de Heidegger en el ofrecimiento como el núcleo de la «re-moción» que acontece en los Eventos Festivos. La consideración de la fiesta de Bataille, sin embargo, permite organizar el período festivo anual, el movimiento de «llegar a ser» o el «devenir» de la fiesta, en dos partes: una parte de «recolección» y otra de «consumo». Por otra parte, la incorporación de la conceptuación de la sociabilidad de Simmel en el esquema básico de la ontología (y de la teoría de la fiesta) de la hermenéutica posibilita una comprensión de ese movimiento festivo anual en términos del cuidado generado por la «sociabilidad festiva» permanente. De este modo, las transformaciones de la sociabilidad festiva a lo largo del período anual explican los cambios que se producen entre las fases de la «recolección» y de «consumo». Estas ideas constituyen el fundamento teórico que hace posible interpretar la organización de las Fallas y, además, ayudan a explicar tanto el universo simbólico de la Fiesta como su esfera pública (Costa 1999a: capítulos 6, 7 y 8 respectivamente).

5. REFLEXIVIDAD Y ESFERA PÚBLICA

Las actividades centrales de la sociabilidad (juego, humor, comensalismo y trabajo sociable) son reflexivas, contribuyendo a que los participantes consigan una mejor compresión de «la totalidad y las profundidades de la vida» (Simmel 1971). La «re-moción» existencial creada por la sociabilidad configura una realidad especial desde la cual se gana distancia y, al mismo tiempo, se genera una nueva proximidad respecto a la vida cotidiana.

La reflexividad de estas actividades sociables es una capacidad que procede de la práctica misma de la sociabilidad. Esta práctica, y aquel conocimiento, constituyen un ejercicio constante de una capacidad reflexiva que Simmel (1971) llamó «tacto fino». De este modo, los actores sociales realizan una actividad sociable constante de atención y cuidado de la tradición (Heidegger). Esta actividad incluye la memoria histórica, que se reproduce en los ámbitos regidos por la interacción sociable. La fiesta es así también, y fundamentalmente, una rememoración realizada a partir de las actividades centrales de su sociabilidad permanente.

Las actividades centrales de la sociabilidad festiva tienen una reflexividad que fundamenta un espacio público común. Primero, las cualidades del humor satírico se usan para ganar un sentido de las paradojas, conflictos y del «movimiento de las *cosas*», de lo que la espontaneidad de una fallera llamó «el *pique* de las *cosas*». La palabra «pique» se usa mucho para caracterizar las competiciones satíricas chistosas entre los participantes. Pero aquí «pique» se aplica a las *cosas* en general. Como dijo una fallera: «[El humor valenciano] es superlativo, un poco ácido pero saludable para encontrar el *pique de las cosas*, y nosotros sabemos cómo demostrar a la gente que nos reímos de nuestra propia sombra, nos reímos de nosotros mismos». Como he mostrado en otro lugar (Costa 1999a: capítulo 8), este humor crítico es el núcleo de la comprensión festiva de la esfera pública de las Fallas. El humor está presente en la sociabilidad, en el casal y en el taller del artista, así como en las demostraciones públicas al aire libre, en las cabalgatas satíricas y en los monumentos efímeros. En todos estos casos el humor es un instrumento para desvelar una parte de la *res*, la cosa, entendida como aquello que «es el caso», concierne a todos y debe ser atendido en un espacio común (Heidegger). La cosa deviene pública en un ámbito común de precomprensión del mundo vital de experiencias. La conexión existente en las Fallas entre el humor y la cosa pública evidencia que otras concepciones de la esfera pública —como la de Habermas, quien enfatiza la argumentación moderna— son restrictivas y no hacen justicia al antiguo sentido popular de la «cosa común». El desvelamiento y atención de la cosa no puede reducirse a la argumentación racional pues otros aspectos, como el humor, intervienen de un modo básico en la configuración de la «cosa común» como «cosa pública». Por otra parte, la reflexividad de la sociabilidad de las Fallas (que constituye los fundamentos de su esfera pública al cuidarse de desvelar y atender las cosas) tampoco puede reducirse únicamente a este humor crítico satírico. El juego, el comensalismo y el trabajo festivo constituyen otras formas de ejercicio de esta reflexividad.

En el juego los participantes diferencian entre las personas que son capaces de participar en una competición satírica y las que no lo son (siendo calificadas como «inflexibles»). Estos juegos satíricos, además, incluyen la referencia a temas comunes, y así son una forma de tratamiento de la cosa, constituyendo formas sociables de cuestionar un aspecto del mundo y de tematizarlo sin que se pierda el fundamento de la sociabilidad en el mismo proceso de realización de la actividad de cuestionamiento. Además, los participantes saben que estas actividades son terapéuticas, incluso para los estados más extremos de alocada desinhibición que llaman «desmadrarse». Es importante recordar aquí que los participantes son críticos y se autocuestionan. Son conscientes también de que están experimentando una transformación personal liberadora mediante la intensificación de estas actividades lúdicas.

En relación con el comensalismo, los actores festivos conocen el poder de la comida colectiva para generar una realidad especial que les permite conseguir un distanciamiento de la vida corriente, saliendo así de la monotonía de sus rutinas. Además, las «estrategias del comensalismo» revelan un fino tacto, consistente en compatibilizar lo individual con lo grupal, que es necesario para sostener la sociabilidad. De este modo, el comensalismo, base común de encuentro para las actividades de la sociabilidad festiva, crea una distancia respecto a las rutinas de la vida diaria y expresa la reflexividad del tacto en la sociabilidad (Simmel 1971, 1997) al tiempo que genera una aproximación y un reforzamiento de la unión entre los participantes (Durkheim). El banquete sitúa a la gente en un estado mental y en una «realidad» especial que, siguiendo la idea de Schütz de «multiples realidades» tal y como fue elaborada por Berger y Luckmann (1966: 39), comporta una transición que conduce a más allá de la rutinas de la vida cotidiana. Bajtin (1987: 253) insistió en esta especificidad del banquete festivo que incluye la conversación jocosa del viejo *simposium*.

Finalmente, en el trabajo sociable, los participantes son suficientemente reflexivos para orquestar modos que compensan los efectos negativos del *free rider* o para encontrar una manera de desarrollar su propio sentido de trabajo comunitario en diálogo con las condiciones del quehacer moderno. Los usos ancestrales del trabajo comunitario se ponen en relación, como parte de la tradición festiva (de sus mecanismos reflexivos de transmisión sociable), con las formas del trabajo contemporáneo. Una vez más, la tradición dispone de un saber que la pone al día en el mismo proceso de interacción con el presente.

Por otra parte, estas actividades centrales de la sociabilidad incluyen un conocimiento para elaborar una vía de cuestionar las cosas en el mundo que puede enriquecer la forma sociológica en que habitualmente se presenta la «tematización» fenomenológica. Además, esta manera de cuestionar las cosas, que denomino «tematización sociable», es capaz de ser suficientemente «amplia» y «flexible» para «resistir» la estrecha actitud de «resolución de problemas» que suele ser típica de aquel racionalismo restringido que se orienta siempre a contenidos y a objetos.

La actividad de la comunidad festiva se basa en una amplia experiencia de su Mundo. En el lenguaje de la fenomenología hermenéutica esto implica la posibilidad de realizar una «tematización» de un aspecto u otro que se da por supuesto, o que sale a presencia, en el mundo vital de experiencias. Esta tematización reflexiva presupone un conocimiento dado por supuesto en un mundo social. Pero aquí estoy intentando identificar un modo de comprender la «tematización» en un sentido amplio que no excluya el juego, el arte y lo festivo. En este sentido, esta forma de cuestionar no estaría restringida a ser una serie de meras preguntas y respuestas generadas por problemas particulares que surgen en el mundo social. Esta serie de intercambios, cuando existe una estrecha orientación racionalista, acaba perdiendo el tacto para la propia relación en cuanto tal, olvidándose de la sociabilidad misma. Las actividades centrales de la sociabilidad festiva cuidan de la tradición, y son capaces de transmitir su contenido, precisamente porque conservan un modo de cuestionar, la «tematización sociable», que no se somete a los imperativos de seriedad de la formalidad abstracta, a la lógica de la argumentación y a la cristalización de las rutinas sociales. Al contrario, la sociabilidad tiene mecanismos de autodefensa para ponerlas en «cuarentena». Por ejemplo, los desafíos lúdicos conocidos como «piques» (Costa 1999a: 106 y ss) o las cabalgatas críticas y satíricas (Costa 1999a: 251 y ss), son formas de hacer crítica que no pierden la base de la sociabilidad, la alegría y el fino tacto necesario para cuidar de la relación misma.

Las tematizaciones sociables son previas y más amplias que la oposición que habitualmente se establece en fenomenología social entre la actitud científica y la de la vida cotidiana. Las tematizaciones sociables no pierden su conexión con el arte y el juego. Son inclusivas, del mismo modo que la sociabilidad misma: tienen el poder para incluir muchos elementos en una totalidad, pero no toleran los excesos que pueden destruir la sociabilidad. Consiguientemente, las tematizaciones sociables pueden incluir las actitudes científicas y de la vida cotidiana, como partes separadas o secundarias, en el marco más amplio de su presentación. Pero también se protegen a sí mismas (y protegen reflexivamente a la sociabilidad) frente a los excesos de la instrumentalidad y de la actitud científica orientada hacia contenidos. Igualmente, como la risa, son suficientemente poderosas para disolver las rutinas procedentes del exceso de «cosificación» de las rutinas de la vida cotidiana. El caso ejemplar a tener en cuenta aquí es el chiste, aunque esto también ocurre en las otras actividades de la sociabilidad (Costa 1999a: capítulo 4).

El modo de cuestionar de la sociabilidad no tiene un propósito primordial de tipo cognitivo, argumentativo o de cálculo sobre decisiones. El objetivo principal de la «tematización sociable» es «afectar», «conmover» y «movilizar», como ocurre en el arte (y en la tragedia), al tiempo que sostiene y cuida de la sociabilidad misma. No intenta ser un imperativo formal ni es un acto «perlocucionario» o un poder del lenguaje. Se trata de una «re-movida» existencial, personal o colectiva que crea un espacio de reflexividad, emancipación y, quizás, como creía Simmel (1971), una vigorización basada en la alegría. La familiaridad con este espacio ayuda a ganar distancia respecto a la totalidad y las profundidades de la vida. Este modo sociable de afectar al público, indicando que hay alguna cosa que concierne a todos, es la base del sentido festivo de la cosa pública. La familiaridad con la «re-movida festiva», expresada mediante el modo sociable de cuestionar, es condición de la comprensión para el «ser-en-la-Fiesta».

6. CONCLUSIÓN

La sociabilidad de la fiesta constituye un ámbito fundamental para la transmisión de las tradiciones festivas. Consiguientemente, existe una primera consecuencia que tiene que ver con nuevas opciones para realizar estudios empíricos sobre la tradición. La consideración de los agentes y actividades centrales de la sociabilidad permite analizar esta transmisión con detalle en términos empíricos, pues la sociabilidad se fundamenta en la interacción generada entre los actores sociales. De este modo es posible desagregar, y hacer operativos para la investigación, otros conceptos que han sido predominantes en nuestra área de estudio, como el concepto de «Evento de Apropiación» (Heidegger) o la noción de «efervescencia colectiva» (Durkheim).

Por otra parte, cuando observamos la reflexividad de las actividades centrales de la sociabilidad festiva nos damos cuenta de que la tradición dispone de formas propias de reflexividad. Estas formas no son las características de la reflexividad de la modernidad, pero pueden incluirlas en el contexto de los marcos dominados por la sociabilidad. Se trata de una reflexividad artístico-festiva, la cual, como el arte, incluye un movimiento existencial que incorpora el cuerpo y las emociones en un proceso de generación de distancia (y proximidad al tiempo) respecto a la globalidad de la vida. Esta reflexividad es la base de un tratamiento popular de las cosas comunes, que devienen públicas en un espacio y en un mundo compartido.

Finalmente, las actividades centrales de la sociabilidad generan prácticas y conocimientos que sintetizan, mediante una reelaboración creativa, elementos de la tradición y de la experiencia del presente. De este modo, la tradición se «re-inventa» constantemente al «ponerse al día» mediante su diálogo con la actualidad.

Bibliografía básica

A) TEMAS DE INTRODUCCIÓN

Ariño, A. (1999). *Sociología de la cultura,* Barcelona, Ariel

Cuche, D. (1996). *La notion de culture dans les sciences sociales,* París, La Découvert, 1996.

Devos, G. (1981). *Antropología psicológica,* Barcelona, Anagrama, 1981.

Geertz, C. (1988). *La Interpretación de las Culturas,* Barcelona, Gedisa, 1988.

Gurvitch, G. (1969). *Los Marcos Sociales del Conocimiento,* Venezuela, Monte Avila Editores, 1969.

Harris, M. (1979). *El desarrollo de la teoría antropológica. Historia de las teorías de la cultura,* Madrid, Siglo XXI, 1979.

Horowitz, I. (1974). *Historia y elementos de la sociología del conocimiento,* Buenos Aires, Editorial universitaria, 1974.

Lamo de Espinosa, E. y otros (1994). *La sociología del conocimiento y de la ciencia,* Madrid, Alianza, 1994.

Merton, R. (1977). «Paradigma para la sociología del conocimiento», en *La sociología de la ciencia,* Madrid, Alianza, 1977.

Palao, A. (2001). «Cultura y sociedad», en J. L. Colomer (coord.), *Introducción a lo social,* Madrid, Laberinto, 2001.

Picó, J. (1999). *Cultura y Modernidad. Seducciones y desengaños de la cultura moderna,* Madrid, Alianza, 1999.

Rodríguez Ibáñez, J. (1998). *¿Un Nuevo malestar en la cultura? Variaciones sobre la crisis de la modernidad,* Madrid, CIS, 1998.

Stark, W. (1991). *The Sociology of Knowledge,* New Brunswick-London, Transaction Publishers, 1991.

Tufari, P. (1971). «Sociología del Conocimiento», en *Cuestiones de Sociología,* Barcelona, Ed. Herder, 1971.

B) PRECURSORES Y CLÁSICOS

Bendix, R. (1979). *Max Weber,* Buenos Aires, Amorrortu, 1979.

Beriain, J. y Iturrate, J. (eds.) (1998). *La teoría sociológica,* Pamplona, Verbo Divino, 1998.

Bottomore, T. y Rubel, M. (1978). *Karl Marx. Sociología y filosofía social*, Antología de textos, Barcelona, Península, 1978.

Crombie, A. (1974). *Historia de la Ciencia: De San Agustín a Galileo, Siglos XIII-XVII*, Madrid, Alianza, 1974.

Durkheim, E. (1966). *Montesquieu et Rousseau. Précurseurs de la Sociologie*, París, Série B: Les classiques de la Sociologie, 1966.

Durkheim, E. (1982). *Las formas elementales de la vida religiosa*, Madrid, Akal, 1982.

Freud, S. (1997). «El malestar en la cultura», en *Obras Completas*, Madrid, Biblioteca Nueva, 1997.

Freud, S. (1993 [1915]). «Los instintos y sus destinos», en *Obras Completas*, Buenos Aires, Hyspamérica, 1993.

García del Moral, M. A. y Palao, A.(2002). *Lo que el psicoanálisis enseña*, Valencia, Aletheia, 2002.

Granada, M. (1981). «La reforma baconiana del saber: milenarismo cientificista, magia, trabajo y superación del escepticismo, en *Teorema*, vol. XII/1-2, Valencia, 1981.

Horowitz, I. (1974). *Historia y elementos de la sociología del conocimiento*, Buenos Aires, Editorial universitaria, 1974.

Lamo de Espinosa, E. y otros (1994). *La sociología del conocimiento y de la ciencia*, Madrid, Alianza, 1994.

Picó, J. (1999). *Cultura y Modernidad. Seducciones y desengaños de la cultura moderna*, Madrid, Alianza, 1999.

Rodríguez Ibáñez, J. (1978). *Teoría crítica y sociología*, Madrid, Siglo XXI, 1978.

Rodríguez Ibáñez, J. (1982). *El sueño de la razón. La modernidad a la luz de la Teoría Social,* Madrid, Taurus, 1982.

Simmel, G. (1988). *Sociología*, vol. I y II, Barcelona, Edicions 62, 1988.

C) SOCIOLOGÍA CLÁSICA DEL CONOCIMIENTO Y DE LA CULTURA

Horowitz, I. (1974). *Historia y elementos de la sociología del conocimiento*, Buenos Aires, Editorial universitaria, 1974.

Lamo de Espinosa, E. y otros (1994). *La sociología del conocimiento y de la ciencia*, Madrid, Alianza, 1994.

Mannheim, K. (1963). *Ensayos de Sociología de la Cultura,* Madrid, Aguilar, 1963.

Mannheim, K. (1987). *Ideologia i utopia*, Barcelona, Edicions 62, 1987.

Meja, V. and Stehr, N. (ed.) (1999). *The Sociology of Knowledge*, Cheltenham-Northampton, 1999.

Scheler, M. (1973). *Sociología del saber*, Buenos Aires, Siglo Veinte, 1973.

Stark, W. (1991). *The Sociology of Knowledge*, New Brunswick-London, Transaction Publishers, 1991.

D) PARADIGMASCONTEMPORÁNEOS

Berger, L. (1963). *Invitation to Sociology*, Harmondsworth, Penguin Books, 1963.

Berger, P. y Luckmann, Th, (1968). *La construcción social de la realidad*, Buenos Aires, Amorrortu, 1968.

Beriain, J. y Iturrate, J. (eds.) (1998). *La teoría sociológica,* Pamplona, Verbo Divino, 1998.

Costa, X. (2001). «La Sociología Crítica», en J. L. Colomer (Coord.), *Introducción a lo social*, Madrid, Laberinto, 2001.

Hamilton, P. (1983). *Talcott Parsons*, London-New York, Routledge, 1983.

Lamo de Espinosa, E. (1981). *La teoría de la cosificación. De Marx a la Escuela Francfort*, Madrid, Alianza, 1981.

Lamo de Espinosa, E. y otros (1994). *La sociología del conocimiento y de la ciencia*, Madrid, Alianza, 1994.

Merton, R. (1977). «Paradigma para la sociología del conocimiento», en *La sociología de la ciencia,* Madrid, Alianza, 1977.

Merton, R. (1980). *Teoría y estructuras sociales*, México, FCE, 1980.

Moya, C. (1982). *Teoría sociológica*, Madrid, Taurus, 1982.

Parsons, T. (1999 [1959]). «An Approach to the Sociology of Knowledge», in V. Meja and N. Stehr (ed.), *The Sociology of Knowledge*, Cheltenham-Northampton, 1999.

Picó, J. (1999). *Cultura y Modernidad. Seducciones y desengaños de la cultura moderna*, Madrid, Alianza, 1999.

Rodríguez Ibáñez, J. (1978). *Teoría crítica y sociología*, Madrid, Siglo XXI, 1978.

Rodríguez Ibáñez, J. (1982). *El sueño de la razón. La modernidad a la luz de la Teoría Social,* Madrid, Taurus, 1982.

E) PARADIGMASACTUALES

Beck, U., Giddens, A. y Lash. (1994). *Reflexive Modernization*, Cambridge, Polity Press, 1994.

Beriain, J. y Iturrate, J. (eds.) (1998). *La teoría sociológica,* Pamplona, Verbo Divino, 1998.

Costa, X. (1996). *El lugar de la tradición en la sociología contemporánea* (Tesis Doctoral, Universidad de Valencia, 1996), Valencia, Universidad de València, 1998.

Gabás, R. (1980). *J. Habermas: Dominio técnico y comunidad lingüística,* Barcelona, Ariel, 1980.

Giddens, A. (1993). *Consecuencias de la modernidad,* Madrid, Alianza, 1993.

Kuhn, T. (1971). *La estructura de las revoluciones científicas,* México, FCE, 1971.

Lamo de Espinosa, E. (1981). *La teoría de la cosificación. De Marx a la Escuela Francfort,* Madrid, Alianza, 1981.

Lamo de Espinosa, E. (1990). *La sociedad reflexiva. Sujeto y objeto del conocimiento sociológico,* Madrid, CIS- Siglo Veintiuno, 1990.

Lamo de Espinosa, E. y otros (1994). *La sociología del conocimiento y de la ciencia,* Madrid, Alianza, 1994.

Merton, R. (1977). *La sociología de la ciencia,* Madrid, Alianza, 1977.

Picó, J. (1999). *Cultura y Modernidad. Seducciones y desengaños de la cultura moderna,* Madrid, Alianza, 1999.

Ureña, E. (1978). *La teoría crítica de la sociedad de Habermas,* Madrid, Tecnos, 1978.

F) TRASMISIÓN CULTURAL Y TRADICIÓN

Adrados, F. (1972). *Fiesta, Comedia y Tragedia. Sobre los orígenes griegos del teatro,* Barcelona, Planeta, 1972.

Álvarez, C., Buxó, M. J. y Rodríguez, S (Coords.) (1989). *La religiosidad popular,* vol. I-II-III., Barcelona, Anthropos, 1989.

Costa, X. (1996). *El lugar de la tradición en la sociología contemporánea* (Tesis Doctoral, Universidad de Valencia, 1996), Valencia, Universidad de València, 1998.

Costa, X. (1999) [2003]. Sociabilidad y esfera pública en las Fallas de Valencia, Valencia, *Biblioteca Valenciana (2003).*

Gadamer, H. G. (1991). *La actualidad de lo bello,* Barcelona, Paidós, 1991.

Hobsbawm, E., y Ranger, T. (1988). *L'Invent de la tradició,* Barcelona, Eumo,1988.

Moreno, I. (1972). *Propiedad, Clases Sociales y Hermandades en la Baja Andalucía,* Madrid, Siglo Veintiuno Editores,1972.

Moreno, I. (1985). *Cofradías y Hermandades andaluzas,* Granada, editoriales andaluzas unidas, 1985.

Moreno, I. (1993). *Andalucía: Identidad y Cultura,* Málaga, Ágora, 1993.

Bibliografía

Adorno, T. (1975). *Dialéctica Negativa,* Madrid, Taurus, 1975.

Adorno, T. (1980). *Teoría Estética*, Madrid, Taurus, 1980.

Adorno, T. (1999 [1953]). «The Sociology of Knmowledge», in V. Meja and N. Stehr (ed.), *The Sociology of Knowledge*, Cheltenham-Northampton, 1999.

Adrados, F. (1972). *Fiesta, Comedia y Tragedia. Sobre los orígenes griegos del teatro,* Barcelona, Planeta, 1972.

Aguirre, A. (ed.) (1982). *Los 60 conceptos clave de la Antropología cultural*, Barcelona, Daimon, 1982.

Álvarez, C., Buxó, M. J. y Rodríguez, S (Coords.) (1989). *La religiosidad popular. I. Antropología e historia*, Barcelona, Anthropos, 1989.

Álvarez, C., Buxó, M. J. y Rodríguez, S (Coords.) (1989). *La religiosidad popular. II. Vida y muerte: la imaginación religiosa*, Barcelona, Anthropos, 1989.

Álvarez, C., Buxó, M. J. y Rodríguez, S (Coords.) (1989). *La religiosidad popular. III. Hermandades, romerías y santuarios,* Barcelona, Anthropos, 1989.

Archer, M. S. and Vaughan, M. (1971). *Social Conflict and Educational Change in England and France 1789-1848*, Cambridge, 1971.

Archer, M. S. (1979). *Social Origins of Educational Systems,* London, SAGE, 1979.

Archer, M. S. (1980). «The Sociology of Educational Systems». En T. Bottomore, Sociology the State of the Art, and in ISA Research Committee Conference on "The Origins and Operations of Educational Systems", Paris, August 1980.

Archer, M. S. (1982). «Morphogenesis versus structuration on combining structure and action». The British Journal of Sociology 33, pp.455-483. 1982.

Archer, M. S. (1985). «Educational Politics». En Policy-making in Education. I. McNay & J. Ozga eds., 1985.

Archer, M. S. (1988). *Culture and Agency. The place of culture in social theory*, Cambridge, University of Cambridge, 1988.

Archer, M. S. (1995). *Realist Social Theory: the Morphogenetic Approach*, Cambridge, Cambridge University Press, 1995.

Ardoino, J. (1980). *Perspectiva política de la educación*, Narcea, Madrid, 1980.

Ariño, A. (1988). *Festes, Rituals i Creences*, Col.lecció Politècnica / 32, 1988.

Ariño, A. (1992). *La ciudad ritual. La fiesta de las Fallas*, Barcelona, Anthropos, 1992.

Ariño, A. (1999). *Sociología de la cultura,* Barcelona, Ariel, 1999.

Aristóteles (1972). *Metafísica*, Madrid, Espasa-Calpe, 1972.

Aristóteles (1976). *Ética Nicomaquea. Política*, México, Porrua, 1976.

Atkinson, P. (1985). *Language, Structure and Reproduction*, London, Methuen, 1985.

Bacon, F. (1999). «On the Interpretation of Nature and the Empire of Man», in V. Meja and N. Stehr (ed.), *The Sociology of Knowledge*, Cheltenham-Northampton, 1999.

Bajtin, M. (1990). *La cultura popular en la Edad Media y en el Renacimiento*, Madrid, Alianza Editorial,1990.

Ball, S. J.,(ed.) (1990). *Foucault and Education. Disciplines and Knowledge*, London, Routledge, 1990.

Bataille, G. (1974). *Obras escogidas*, Barcelona, Barral, 1974.

Bataille, G. (1987). *La parte maldita*, Barcelona, Icaria, 1987.

Bataille, G. (1989). *Sobre Nietzsche. Voluntad de suerte*, Madrid, Taurus, 1989.

Bataille, G. (1991). *Teoría de la Religión*, Madrid, Taurus, 1991.

Bataille, G. (1992). *El erotismo*, Barcelona, Tusquets, 1992.

Bauman, Z. (1988). *Freedom,* Britain, Open University Press, 1988.

Beck, U. (1992). *Risk Society*, London, SAGE, 1992.

Beck, U., Giddens, A. y Lash. (1994). *Reflexive Modernization*, Cambridge, Polity Press, 1994.

Beckford, J. (1975). *The trumpet of profecy. Jehova's Witnesses*, Oxford, Blackwell, 1975.

Beckford, J. (ed.) (1991). *New Religious Movements and Rapid Social Change*, London, Sage, 1991.

Beckford, J. (1995). «Popular culture as an element of popular religion» en Congreso Jaume I de Cultura popular valenciana, Feb. 1995, Universitat de València, 1995.

Bellah, R. (ed.) (1973). *Emile Durkheim on morality and society*, Chicago, University of Chicago Press, 1973.

Benavides, G. (1997). «Latin America Catholicism, Comprometido and Compromised, *Social Compass*, vol. 44 nº 4, London, Sage, 1997.

Bendix, R. (1979). *Max Weber*, Buenos Aires, Amorrortu, 1979.

Berger, L. (1963). *Invitation to Sociology*, Harmondsworth, Penguin Books, 1963.

Berger, P. y Luckmann, Th, (1968). *La construcción social de la realidad*, Buenos Aires, Amorrortu, 1968.

Berger, P. (1997). *Risa Redentora*, Barcelona, Kairós, 1997.

Bergson, H. (1986). *La Risa*, México, Porrúa, 1986.

Beriain, J. e Iturrate, J. (eds.) (1998). *La teoría sociológica,* Pamplona, Verbo Divino, 1998.

Berlin, I. (1973). *Karl Marx,* Madrid, Alianza, 1973.

Berlin, I. (1992). *Vico and Herder*, London, The Hogarth Press, 1992.

Bernstein, B. (1973). *Class, Codes and Control 1*, London, RKP, 1973.

Bernstein, B. (1974). *Class, Codes and Control 2*, London, RKP, 1974.

Bernstein, B. (1990). *The Structuring of Pedagogic Discourse. Vol. IV Class, codes and control*, London, Routledge, 1990.

Bernstein, J. (1985). *The Restructuring of Social and Political Theory*, London, Methuen & Co. Ltd, 1985.

Blau, P. (1987). «Contrasting Theoretical Perspectives». En The Micro-Macro Link. Alexander, J. C. et al. Eds.,1987.

Blázquez, J. (1989). *Eros y Tanatos; Brujería, hechicería y superstición en España*, Toledo, Arcano, 1989.

Boisssevain, J. (1989). *Revitalizing european rituals*, London, Routledge, 1989.

Bottomore, T. (1967). *Karl Marx. Sociología y Filosofía Social*, Barcelona, Península, 1967.

Bottomore, T. y Rubel, M. (1978). *Karl Marx. Sociología y filosofía social*, Antología de textos, Barcelona, Península, 1978.

Bourdieu, P. (1972). *Esquisse d'une théoriede la pratique, précéde de trois études d'ethnoogie Kabyle,* Genève, Droz, 1972.

Bourdieu, P. y Passeron, J. C. (1977). *La Reproducción. Elementos para una teoría del sistema de enseñanza,* Barcelona, Laia, 1977.

Bourdieu, P. y Passeron, J. (1990). *Reproduction in Education, Society and Culture,* London, Sage, 1990.

Bourdieu, P. (1991). *Language & symbolic power,* Cambridge, Polity Press, 1991.

Bourdieu, P. (1992). «Thinking about Limits», in Mike Featherstone (ed.), *Cultural Theory and Cultural Change*, London, Sage, 1992.

Browm, G. (1991). «Renovándose en la lección magistral». Taller realizado en el Congreso Internacional sobre Formación pedagógica del profesorado universitario y calidad de la educación. Universitat de Valéncia, Material fotocopiado, 1991.

Bryant, C. (1991). *Giddens' Theory of Structuration. A critical appreciation*, London, Routledge, 1991.

Buckley, W. (1967). *Sociology and Modern Systems Theory*, New Jersey, Prentice-Hall, 1967.

Caro, J. (1993). *Las brujas y su mundo. Un estudio antropológico de la sociedad en una época oscura*, Madrid, El Prado, 1993.

Cassirer, E. (1956). *El problema del conocimiento en la Filosofía y en la Ciencia modernas*, México, Fondo Cultura Económica, 1956.

Castro de Amato, L. (1971). *Centro de interés renovados*, Buenos Aires, Kapelusz, 1971.

Cencillo, L. (1988). *Interacción y conocimiento I. Discurso, Lenguaje y Procesos Cognitivos*, Salamanca, Amarú, 1988.

Cicourel, A. (1977). «The school as a mechanism of social differentiation», in *Power and ideology in education*, Karabel and Halsey (eds.), O.U.P., 1977.

Clark, J., Modgil, C. y Modgil, Sohan, (ed.) (1990). *Anthony Giddens. Consensus and controversy*, Britain, Falmer Press, 1990.

Cohen, I. J. (1989). *Structuration theory,* Britain, M,1989.

Colletti, L. (1975). *Karl Marx. Early Writtings*, London, Peguin Books, 1975.

Collins, R. (1992). «On the Sociology of Intellectual Stagnation: The Late Twentieth Century in Perspective», in Mike Featherstone (ed.), *Cultural Theory and Cultural Change*, London, Sage, 1992.

Costa, X. (1995). Mites, rituals i sentit tragi-còmic en la modernitat valenciana, Revista d'Estudis Fallers, nº 2, 1995.

Costa, X. (1996). *El lugar de la tradición en la sociología contemporánea* (Tesis Doctoral, Universitat de València, 1996) Ed. Universitat de València, Valencia, 1996.

Costa, X. (1998). «Las Fallas de Valencia: el arte de la consagración del fuego», en M. Ángeles Durán (ed.) *Arte y Sociedad*, CIS, Consejo Superior de Investigaciones Científicas, Madrid, 1998.

Costa, X. (1999a). *Sociability and the public sphere in the Fallas of València* (Tesis Doctoral). University of Warwick, 1999 (UK).

Costa, X (1999b). «Tranformacya tela v hode Festivala "Fallas" sv. Iosifa v Valencii», Rubezh nº 13-14, Syktyvkar.

Costa, X. (2000). «El treball sociable en Les Falles», Revista d'Estudis Fallers, nº 5, Valencia, 2000.

Costa, X. (2001c). «La Sociología Crítica», en J. L. Colomer (Coord.), *Introducción a lo social*, Madrid, Laberinto, 2001.

Costa, X. (2001a). «Festivity: Traditional and Modern Forms of Sociability», *Social Compass* 48-4, London, Sage, 2001.

Costa, X. (2001b). «La integración de los inmigrantes en las Fallas», Arxius de Sociologia, Valencia, 2001.

Costa, X. (2002a). *«Festive Identity: Personal and Collective Identity in the Fire Carnival of the "Fallas" (València, Spain)»*, Social Identities, vol. 8, nº 2, 2002, pp. 321-345.

Costa, X. (2002b). «Festive traditions in modernity: the public sphere of the festival of the "Fallas" in Valencia (Spain)», The Sociological Review, nº 50: 4, 482-504,

Costa, X. (2002c). «Un modelo teórico para comprender la sociabilidad festiva en España y América». Asociación Española de Americanistas. X Congreso, Sevilla, 8-12 julio, 2002.

Costa, X. (2002d). «La integración de los inmigrantes en la Fiesta de las Fallas», Arxius de Ciències Socials, nº 6, junio 2002, pp. 211-230.

Costa, X. (2002e). «El trabajo sociable en las Fallas», Revista Iberoamericana de Autogestión y Acción Comunal (RIDAA), nº 40, otoño de 2002, Madrid.

Costa, X. (2002f). «El ritmo de la sociabilidad festiva en las Fallas de Valencia», Revista Internacional de Sociología (RIS), nº 31.

Costa, X. (2003). Sociabilidad y Esfera Pública en las Fallas de Valencia, Valencia, Biblioteca Valenciana, Generalitat Valenciana, 2002.

Costa, X. (2004). «Antropología de la Religión», en José L. Colomer (coordinador) Estudios para la Antropología, Valencia, Universidad Politécnica de Valencia, 2004.

Costa, X. (2005). «Festivity and the sacred», E. Arweck (ed.) Materialising religion, London, Ashgate, 2005.

Craib, I. (1992). Anthony Giddens, Britain, Routledge, 1992.

Crombach, L. (1963). The transformation of school, Alfred A. Knopf, New York, 1963.

Crombie, A. (1974). Historia de la Ciencia: De San Agustín a Galileo, Siglos XIII-XVII, Madrid, Alianza, 1974.

Cuche, D. (1996). La notion de culture dans les sciences sociales, París, La Découvert, 1996.

Dawe, A. (1970). «The Two Sociologies». British Journal of Sociology 21 207-218. 1970.

Devos, G. (1981). Antropología psicológica, Barcelona, Anagrama, 1981.

Dilthey, W. (1997). Teoría de las concepciones del mundo, Barcelona, Altaya, 1997.

Dosse, F. (1991). Histoire du structuralisme, vol. I y II, París, Éditions La Découverte, 1991.

Douglas, M. (1996). Cómo piensan las instituciones, Madrid, Alianza, 1996.

Duncan, G. (ed.) (1983). Diccionario de Sociología, Barcelona, Grijalbo, 1983.

Durkheim, E. y Mauss, M. (1963). Primitive Classification, London, R K P, 1963.

Durkheim, E. (1966). Montesquieu et Rousseau. Précurseurs de la Sociologie, París, Série B: Les classiques de la Sociologie, 1966.

Durkheim, E. (1976). The Evolution of Educational Thought, London, Routledge, 1976.

Durkheim, E. (1977). *Educación y Sociología*, Madrid, Taurus, 1977.

Durkheim, E. (1982). *Las formas elementales de la vida religiosa*, Madrid, Akal, 1982.

Durkheim, E. (1983). *Pragmatism and sociology,* Cambrigde, University of Cambrigde Press, 1983.

Durkheim, E. (1987). *La división del trabajo social*, Madrid, Akal, 1987.

Durkheim, E. (1992). *Professional ethics and civic morals*, London, Routledge, 1992.

Eccles, J. C. (1974). «The World of Objective Knowledge». En *The Philosophy of Karl Popper.* Paul A. Schilpp (ed.) La Salle, 1974.

Elias, N. (1989). *Sobre el Tiempo*, Madrid, Fondo de Cultura Económica, 1989.

Elias, N. (1992). *The Symbol Theory*, London, SAGE, 1992.

Elias, N. (1994). *The Civilizing Process*, Oxford, Basil Blackwell, 1994.

Erikson, E. (1989). *Identidad. Juventud y* crisis, Madrid, Taurus, 1989.

Featherstone, M., Hepworth, M., and Turner, B. (eds.) (1991). *The Body. Social Process and Cultural Theory*, in M. Featherstone, M. Hepworth, and B. Turner (eds.), London-New York, Sage, 1991.

Ferrarotti, F. (1993). *Una fe sin dogmas*, Barcelona, Península, 1993.

Fielding, N.G. (ed.) (1988). *Actions and Structure*, London, Sage, 1988

Foucault, M. (1966). *El nacimiento de la clínica. Una arqueología de la mirada médica*, Madrid, Siglo Veintiuno, 1966.

Foucault, M. (1978). *Vigilar y castigar. Nacimiento de la prisión*, Madrid, Siglo Veintiuno, 1978.

Foucault, M (1987). *Historia de la sexualidad,* 3 vols., Madrid, Siglo Veintiuno, 1987.

Foucault, M. (1988). *Las palabras y las cosas. Una arqueología de las ciencias humanas*, Madrid, Siglo Veintiuno, 1988.

Foucault, M. (1990). *La Arqueología del Saber*, México, Siglo Veintiuno, 1990.

Foucault, M. (1991). *Historia de la locura en la época Clásica*, Madrid, FCE,1991.

Foucault, M. (1992a). *Nietzsche, la Genealogía y la historia*, Valencia, Pretextos, 1992.

Foucault, M. (1992b). *Enfermedad mental y personalidad*, Barcelona, Paidós, 1992.

Fourcade, R. (1979). *Hacia una renovación pedagógica*, Madrid, Cincel-Kapelusz, 1979.

Fowler, B. (ed.) (2000). *Reading Bourdieu on Society and Culture,* Oxford, Blackwell, 2000.

Frazer, G. (1963). *The Golden Bough*, London, Macmillan, 1963.

Freud, S. (1974). «El Yo y el Ello», en *Obras completas,* Madrid, Biblioteca Nueva, 1974.

Freud, S. (1993 [1915]). «Los instintos y sus destinos», en *Obras Completas*, Buenos Aires, Hyspamérica, 1993.

Freud, S. (1993 [1914]). «Introducción al narcisismo», en *Obras Completas*, Buenos Aires, Hyspamérica, 1993.

Freud, S. (1993). «Tótem y Tabú», en *Obras Completas*, Buenos Aires, Hyspamérica, 1993.

Freud, S. (1997 [1927]). «El porvenir de una ilusión», en *Obras Completas*, Madrid, Biblioteca nueva, 1997.

Freud, S. (1997). «El malestar en la cultura», en *Obras Completas*, Madrid, Biblioteca Nueva, 1997.

Friedman, J. (1994). *Cultural Identity & Global Process*, London, Sage, 1994.

Frisby, D. y Featherstone, M. (eds) (1997). *Simmel on culture*, London, Sage, 1997

Gabás, R. (1980). *J. Habermas: Dominio técnico y comunidad lingüística*, Barcelona, Ariel, 1980.

Gadamer, H. G. (1975). *Truth and Method*, London, Sheed and Ward, 1975.

Gadamer, H. G. (1991). *La actualidad de lo bello*, Barcelona, Paidós, 1991.

Galino, L. (1978). *Dizionario di Sociologia*, Torino, Utet, 1978.

Gane, M (ed.) (1992). *The radical sociology of Durkheim and Mauss*, London, Routledge, 1992.

Gaos, J. (1986). *Introducción al ser y el tiempo de Martin Heidegger*, México, FCE, 1986.

García del Moral, M. A. y Palao, A. (2002). *Lo que el psicoanálisis enseña*, Valencia, Aletheia, 2002.

Garfinkel, H. (1967). *Studies in Ethnomethodology*, New Jersey, Prentice-Hall, 1967.

Garfinkel, H. (1981). «Las propiedades racionales de las actividades científicas y del sentido común», en J. Rubio y J. Cucó (eds) *Problemas centrales de la sociología*, Valencia, Universidad de Valencia, 1981.

Geertz, C. (1988). *La Interpretación de las Culturas*, Barcelona, Gedisa, 1988.

Gehlen, A. (1980). *El hombre*, Salamanca, Ediciones Sígueme, 1980.

Gehlen, A. (1993). *Antropología Filosófica*, Barcelona, Paidós, 1993.

Gellner, E. (1992). *Postmodernism, Reason and Religion*, London, Routledge, 1992.

German, T. (1981). *Hamann on Language and Religión*, London, Oxford University Press, 1981.

Giddens, A. (1971). *Capitalism and modern social theory. An analysis of the writings of Marx, Durkheim and Max Weber*, Cambridge, Cambridge University, 1971.

Giddens, A. (1977). *El capitalismo y la moderna teoría social*, Barcelona, Labor, 1977.

Giddens, A. (1979). *Central problems in social theory. Action, Structure and Contradiction in Social Analysis*, London, McMillan, 1979.

Giddens, A (1992). *The Transformation of Intimacy. Sexuality, Love & Eroticism in Modern Societies*, Cambridge, Polity Press, 1992.

Giddens, A. (1993). *Consecuencias de la modernidad*, Madrid, Alianza, 1993.

Giddens, A (1994). «Living in a post-traditional society», en Beck, Giddens y Lash, 1994.

Giddens, A. (1995). *Beyond left and right. the future of Radical Politics*, Cambridge, Polity Press, 1995.

Gimeno, J. (1987). «La evaluación de programas socioeducativos». Ponencia presentada en el Simposio sobre Municipios y Servicios Sociales. Diputación de Valencia, Valencia, 1987.

Giner, S. (1975). «Sociología del conocimiento», en Salustiano del Campo y otros, *Diccionario de Ciencias sociales,* Madrid, Instituto de Estudios políticos, 1975.

Girard, R. (1972). *La violencia y lo sagrado*, Barcelona, Anagrama, 1972.

Giroux, H. (1981). *Ideology culture &The Process of Schooling*, Britain, Falmer Press, 1981.

Goethe, J. W. (1986). *Las Afinidades Electivas*, Barcelona, Bruguera,1986.

Gómez Arboleya, E. (1959). «Cultura», en *Terminología de las Ciencias Sociales*, Madrid, Instituto de Estudios políticos, 1959.

Granada, M. (1981). «La reforma baconiana del saber: milenarismo cientificista, magia, trabajo y superación del escepticismo, en Teorema, vol. XII/1-2, Valencia, 1981.

Gurvitch, G. (1969). *Los Marcos Sociales del Conocimiento,* Venezuela, Monte Ávila Editores, 1969.

Habermas, J. (1976). «¿Qué significa pragmática universal?», en *Teoría de la acción comunicativa: complementos y estudios previos*, Madrid, Cátedra, 1989.

Habermas, J. (1985). *Conciencia moral y acción comunicativa*, Barcelona, Provença, 1985.

Habermas, J. (1986). *Historia y crítica de la opinión pública,* México, Ediciones G. Gili, 1986.

Habermas, J. (1987). *Teoría de la acción comunicativa*, 2 vols., Madrid, Taurus, 1987.

Habermas, J. (1988). *Conocimiento e interés*, Madrid, Taurus, 1988.

Habermas, J. (1989a). *Teoría de la acción comunicativa: complementos y estudios previos*, Madrid, Cátedra, 1989.

Habermas, J. (1989b). *Ciencia y técnica como «idelogía»*, Madrid, Tecnos, 1989.

Habermas, J. (1990). *Pensamiento postmetafísico*, Madrid, Taurus,1990.

Habermas, J. (1991). *Escritos sobre moralidad y eticidad*, Barcelona, Paidós, 1991.

Hamilton, P. (1983). *Talcott Parsons*, London-New York, Routledge, 1983.

Hammersley, M. and Atkinson, P. (1983). *Ethnography*, Londres, Tavistock, 1983.

Hammersley, M. (1984). «Some reflections upon the micro-macro problem in the sociology of education» Sociological Review,(32,2 pp. 316-324),1984.

Hargreaves, A. (1987). «The Micro-Macro, Problem in the Sociology of Education», en *Controversies in Clasroom Research*. M. Hammersley (ed), Open University Press, 1987.

Harris, M. (1979). *El desarrollo de la teoría antropológica. Historia de las teorías de la cultura*, Madrid, Siglo XXI, 1979.

Harris, M. (1981). *Introducción a la antropología general*, Madrid, Alianza, 1981.

Harris, M. (1982). *El materialismo cultural*, Madrid, Alianza, 1982.

Harris, M. (2001). *Antropología cultural*, Madrid, Alianza, 2001.

Heers, J. (1988). *Carnavales y Fiestas de Locos*, Barcelona, Edicions 62, 1988.

Hegel, G. W. F. (1988). *Principios de la Filosofía del Derecho*, Barcelona, Edhasa, 1988.

Heidegger, M. (1982). *Gesamtausgabe,* vol.52, Vittorio Klostermann, Frankfurt am Main, 1982.

Heidegger, M. (1989). *El ser y el tiempo*, México, FCE, 1989.

Heidegger, M. (1994). *Conferencias y artículos*, Barcelona, Serbal, 1994.

Heidegger, M. (1995). «*El Origen de la Obra de Arte*». En *Caminos del Bosque*, Madrid, Alianza, 1995.

Herder, G. (1993). *Against Pure Reason*, Minneapolis, Fortress, 1993.

Heritage, J. (1984). *Garfinkel and Ethnomethodology,* Cambridge, Polity Press, 1984.

Hobsbawm, E., y Ranger, T. (1988). *L'Invent de la tradició*, Barcelona, Eumo, 1988.

Horkheimer, M. y Adorno, T. W. (1970). *Dialéctica del Iluminismo*, Buenos Aires, Sur, 1970.

Horkheimer, M. y Adorno, T. W. (1971). *Sociológica*, Madrid, Taurus, 1971.

Horkheimer, M. (1974). *Teoría crítica,* Buenos Aires, Amorrortu, 1974.

Horkheimer, M. (1976). *Sociedad en transición: estudios de filosofía social*, Barcelona, Península, 1976.

Horkheimer, M. (1999 [1930]). «A New Concept of Ideology?, in V. Meja and N. Sterh (ed.), *The Sociology of Knowledge*, Cheltenham-Northampton, 1999.

Horowitz, I. (1974). *Historia y elementos de la sociología del conocimiento*, Buenos Aires, Editorial universitaria, 1974.

Hoskin, K. (1990). «Foucault under Examination: The Crypto-Educationalist Unmarked», en Ball 1990.

Huizinga, J. (1972). *Homo Ludens*, Madrid, Alianza, 1972.

Humboldt, W. (1990). *Sobre la Diversidad de La Estructura del Lenguaje Humano y su influencia sobre el desarrollo espiritual de la Humanidad*, Barcelona, Anthropos,1990.

Humboldt, W. (1991). *Escritos sobre el lenguaje,* Barcelona, Península,1991.

Husserl, E. (1991). *La crisis de las ciencias europeas y la fenomenología transcendental*, Barcelona, Crítica, 1991.

Jarvie, I. (1972) . *Concepts and Society*, London, Routledge and Kegan,1972.

Jay, M. (1999 [1974]). «The Frankfurt School's Critique of Karl Mannheim and the Sociology of Knowledge», in V. Meja and N. Stehr (ed.), *The Sociology of Knowledge*, Cheltenham-Northampton, 1999.

Johnson, A. G. (1995). *The Blackwell Dictionary of Sociology*, Oxford, Blackwell, 1995.

Kant, I. (1991). *Crítica del Juicio*, Madrid, Austral, 1991.

Knorr-Cetina, K y Cicourel, A. V. (1981). *Advances in Social Theory and Methodology*, Boston, Routledge, 1981.

Korsch, K. (1975). *Karl Marx*, Barcelona, Ariel, 1975.

Kuhn, T. (1971). *La estructura de las revoluciones científicas*, México, FCE, 1971.

Kluckhohn, C. (1964). «Culture», in Gould, J. y Kolb, W. (ed.), *A Dictionary of the Social Sciencies*, New York, The Free Press, 1964.

La Mettrie (1987). *El Hombre Máquina*, Madrid, Alambra, 1987.

Lamo de Espinosa, E. (1981). *La teoría de la cosificación. De Marx a la Escuela de Francfort*, Madrid, Alianza, 1981.

Lamo de Espinosa, E. (1990). *La sociedad reflexiva. Sujeto y objeto del conocimiento sociológico*, Madrid, CIS- Siglo Veintiuno, 1990.

Lamo de Espinosa, E. y otros (1994). *La sociología del conocimiento y de la ciencia*, Madrid, Alianza, 1994.

Lehmann, J. (1993). *Deconstructing Durkheim. A post-post-Structuralist critique*, London, Routledge,1993.

Lévi-Strauss, C. (1965). *Tristes Tropiques*, Massachusetts, Atheneum, 1965.

Lévi-Strauss, C. (1996). «Boas, Franz», en Pierre Bonte y Michele Izard, *Diccionario de Etnología y Antropología*, Madrid, Akal, 1996.

Levine, D. (ed.) (1971). *Georg Simmel. On individuality and social forms,* Chicago-London, Universiy of Chicago, 1971.

López, A. (2000). *The sacred world of the Penitents,* Washington-London, Smithsonian Institution, 2000.

Luckmann, T. (1983). *Life-Word and Social Realities,* London, H E B, 1983.

Luhmann, N. (1984). *Religious Dogmatics and the evolution of societies,* New York, Edwin Mellen Press, 1984.

Lukács, G. (1985). *Historia y consciencia de clase I,* Barcelona, Orbis, 1985.

Lukács, G. (1985). *Historia y consciencia de clase II,* Barcelona, Orbis, 1985.

Llinares, J. (1970). «Al voltant de les teories antropològiques del sacrifici. Curso manuscrito de postgrado en «Humanitats Clàssiques: Religió, mite i literatura en el món clàssic». Dir.: Prof. A. Melero, 1970.

Llinares, J. (1996). *Materiales para la Historia de la Antropología,* Vol. II, Valencia, Nau Llibres, 1996.

Mair, L. (1970). *Introducción a la antropología social,* Madrid, Alianza, 1970.

Malinowski, B. (1970). *Una teoría científica de la cultura,* Barcelona, EDHASA, 1970.

Mannheim, K. (1963). *Ensayos de Sociología de la Cultura,* Madrid, Aguilar, 1963.

Mannheim, K. (1972). *Essays on the Sociology of Knowledge,* London, Routledge & Kegan Paul Ltd., 1972.

Mannheim, K. (1987). *Ideologia i utopia,* Barcelona, Edicions 62, 1987.

Marcuse, H. (1999 [1929]). «The Sociological Methoed and the Problem of Truth», in V. Meja and N. Stehr (ed.), *The Sociology of Knowledge,* Cheltenham-Northampton, 1999.

Martin, J. (1987). *Introducción a la fenomenología de la religión,* Madrid, Cristiandad, 1987.

Martínez, F. (1973). *Historia de la Filosofía. Filosofía antigua y medieval,* Madrid, Istmo, 1973.

Marx, K. (1978). *Sociología y filosofía social,* Barcelona, Península, 1978.

Marx, K. (1980). *Manuscritos economía y filosofía,* Madrid, Alianza, 1980.

Marx, K. y Engels, F. (1987). *La Ideologia Alemanya,* Vol. I-II, Barcelona, Laia, 1987.

Marx, K. (1988). *Escritos sobre Epicuro,* Barcelona, Editorial Crítica, 1988.

Marx, K. (1992). *Early Writings,* London, Penguin Classics, 1992.

Mauss, M. (1950). «Técnicas del cuerpo» en *Sociologie et anthropologie,* París, PUF, 1950.

Mauss, M. (1972). *A General Theory of Magic,* London, R KP, 1972.

Mauss, M. (1988). *The gift,* London, Routledge, 1988.

Mauss, M. (1991). *Sociologie et anthropologie*, Paris, PUF, 1991.

McCarthy, Th. (1992). *La teoría crítica de Jürgen Habermas*, Madrid, Tecnos, 1992.

Mead, G. (1990). *Espíritu, persona y sociedad. Desde el punto de vista del conductismo social*, Barcelona, Paidós, 1990.

Merton, R. (1977). *La sociología de la ciencia*, Madrid, Alianza, 1977.

Merton, R. (1980). *Teoría y estructuras sociales*, México, FCE, 1980.

Merton, R. (1999 [1945]). «The Sociology of Knowledge», in V. Meja and N. Stehr (ed.), *The Sociology of Knowledge*, Cheltentam-Northampton, 1999.

Mészáros, I. (1970). *Marx's theory of Alienation*, London, Merlin Press, 1970.

Montero, F. (1994). *Mundo y Vida en la Fenomenología de Husserl*, Valencia, Universitat de València, 1994.

Montesquieu (1983). *De l'esperit de les lleis*, Barcelona, Ediciones 62, 1983.

Moran, J. (ed.) (1986). *On the Origin of Language. Rousseau and Herder*, Chicago-London, University of Chicago, 1986.

Moreno, I. (1972). *Propiedad, Clases Sociales y Hermandades en la Baja Andalucía*, Madrid, Siglo Veintiuno Editores, 1972.

Moreno, I. (1985). *Cofradías y Hermandades andaluzas*, Granada, editoriales andaluzas unidas, 1985.

Moreno, I. (1993). *Andalucía: Identidad y Cultura*, Málaga, Ágora, 1993.

Moya, C. (1982). *Teoría sociológica*, Madrid, Taurus, 1982.

Musgrave, A. (1974). «The Objectivism of Popper's Epistemology», en *The Philosophy of Karl Popper*. Paul A. Schilpp (ed.) La Salle, 1974.

Nietzsche, F. (1980b). *El Origen de la Tragedia*, Madrid, Colec. Austral. Espasa-Calpe, 1980.

Nietzsche, F. (1984a). *Crepúsculo de los ídolos*, Madrid, Alianza, 1984.

Nietzsche, F. (1984b). *Así habló Zaratustra*, Madrid, Alianza, 1984.

Nietzsche, F. (1994). *Genealogía de la Moral*, Madrid, Alianza, 1994.

Nietzsche, F. (1996a). «Sobre verdad y mentira en sentido extramoral», en *Schopenhauer como educador y otros textos*, Valencia-Barcelona, Biblioteca universal, Círculo de lectores, 1996.

Nietzsche, F. (1996b). «De la utilidad e inconvenientes de la historia para la vida», en *Schopenhauer como educador y otros textos*, Valencia-Barcelona, Biblioteca universal, Círculo de lectores, 1996.

Palao, A. (2001). «Cultura y sociedad», en J. L. Colomer (coord.), *Introducción a lo social*, Madrid, Laberinto, 2001.

Pallach, J. (1973). *La explosión educativa*, Barcelona, Salvat, 1973.

Parsons, T., (ed.) y Shils, E. (1962). *Toward a General Theory of Action*, USA, Harper Torchbooks, 1962.

Parsons, T. (1966). *Societies. Evolutionary and Comparative Perspectives*, New Jersey, Prentice-Hall, 1966.

Parsons, T. (1968). *La estructura de la acción social*, Madrid, Guadarrama, 1968.

Parsons, T. (1970). *Social Structure and Personality*, London, Free Press, 1970.

Parsons, T. (1978). *Action Theory and the Human Condition*, New York, Free Press, 1978.

Parsons, T. (1999 [1959]). «An Approach to the Sociology of Knowledge», in V. Meja and N. Stehr (ed.), *The Sociology of Knowledge*, Cheltenham-Northampton, 1999.

Parsons, T. (1999 [1951]). *El sistema social*, Madrid, Alianza, 1999.

Pedraza, P. (1981). *Barroco efímero en Valencia*, Valencia, Ayuntamiento de Valencia, 1981.

Pérez Abril, J. J. (2002). «Estímulos y pulsiones en Freud», Manuscrito no publicado, Valencia, 2002.

Pérez Vilariño, J. (1997). «The Catholic Commitment and Spanish Civil Society», *Social Compass*, vol.44 nº 4, London, Sage, 1997.

Picó, J. (1999). *Cultura y Modernidad. Seducciones y desengaños de la cultura moderna*, Madrid, Alianza, 1999.

Pollner, M. (1987). *Mundane Reason*, Cambridge, Cambridge University Press, 1987.

Popper, K. (1972). *Objective Knowledge,* OUP, 1972.

Popper, K. (1974). «Autobiograhy», in *The philosophy of Karl Popper*, Paul A. Schilpp (de) La Salle, 1974.

Porpora, D. (1987). *The Concept of Social Structure*, New York, GreenWood Press, 1987.

Prades, J. A. (1987). *Persistance et Métamorphose du Sacré*, París, Presses Universitaires de France, 1987.

Prades, J. A. (1992). «Sobre el concepto de religión civil. Una relectura de la socio-religiología durkheimiana», Congreso Español de Sociología, Madrid, 1992.

Prandi, C. (2000). *La tradizione religiosa*, Roma, Borla, 2000.

Reid, I. (1978). *Sociological Perspectives on School & Education*, Somerset, Open books, 1978.

Remy, J. et Turcotte, P. (1997). «Compromis religieux et transaction socials dans la spère catholique», *Social Compass*, vol.44 nº 4, London, Sage, 1997.

Riesman, D. (1961). *The Lonely Crowd*, USA, Yale University Press, 1961.

Robbins, D. (1991). *The work of Pierre Bourdieu,* Milton Keynes, Open University Press, 1991.

Robbins, D. (2000). *Bourdieu & Culture,* London, Sage, 2000.

Rodríguez Ibáñez, J. (1978). *Teoría crítica y sociología*, Madrid, Siglo XXI, 1978.

Rodríguez Ibáñez, J. (1982). *El sueño de la razón. La modernidad a la luz de la Teoría Social,* Madrid, Taurus, 1982.

Rodríguez Ibáñez, J. (1998). *¿Un Nuevo malestar en la cultura? Variaciones sobre la crisis de la modernidad,* Madrid, CIS, 1998.

Rose, G. (1981). *Hegel Contra Sociology*, London, Athlone, 1981.

Rose, G. (1987). *Dialectic of Nihilism. Post-Structuralism and Law*, London, Basil Blackwell, 1987.

Rousseau, J. (1979). *El Contrato Social,* Madrid, Edaf, 1979.

Rousseau, J. J. y Herder, J. (1986). *On the origin of Language*, Chicago, Chicago University Press, 1986.

Rubio, R. (1975). «Cultura», en Salustiano del Campo y otros, *Diccionario de Ciencias sociales*, Madrid, Instituto de Estudios políticos, 1975.

Rubio, J. y Cucó J. (1981). *Problemas centrales de la sociología.* Vol.1, Valencia, Universitat de València, 1981.

Rubio, J. y Jiménez M. (1981). *Problemas centrales de la sociología.* Vol. 2, Valencia, Universitat de València, 1981.

Santos, A. (1991). «La investigación sobre la enseñanza universitaria. Sendero y destino». Ponencia presentada en el Congreso Internacional sobre Formación Pedagógica del profesorado universitario y calidad de la educación, Valencia, Universitat de València, 1991.

Scheler, M. (1973). *Sociología del saber*, Buenos Aires, Siglo Veinte, 1973.

Scheler, M. (1974). *El puesto del hombre en el cosmos*, Buenos Aires, Losada, 1974.

Schroeder, R. (1992). *Max Weber and the Sociology of Culture*, London, Sage, 1992.

Schultz, U. (1994). *La Fiesta. De las saturnales a Woodstock,* Madrid, Alianza Cien, 1994.

Schütz, A. (1970). *On Phenomenology and Social Relations*, Chicago, University of Chicago Press, 1970.

Schütz, A. (1972). *The Phenomenology of the Social World*, London, Heinemann, 1972.

Schütz, A. y Luckman, T. (1974). *The Structures of the Life-World*, London, Heinemann-London, 1974.

Schütz, A. (1990). *Collected Papers 1: The problem of social reality*, Dordrecht, Kluwer Academic, 1990.

Shils, E. (1971). «Tradition», *Comparative Studies in Society and History*, vol. 13.

Simmel, G. (1971 [1903]). «The Metropolis and Mental Life», en Donald N. Levine (ed.), *George Simmel On Individuality and Social Forms*, Chicago, Chicago University Press, 1971.

Simmel, G. (1971 [1904]). «Fashion», en Donald N. Levine (ed.), *George Simmel On Individuality and Social Forms*, Chicago, Chicago University Press, 1971.

Simmel, G. (1971 [1910]). «Sociability», en Donald N. Levine (ed.), *George Simmel On Individuality and Social Forms*, Chicago, Chicago University Press, 1971.

Simmel, G. (1988). *Sociología,* vol. I y II, Barcelona, Edicions 62, 1988.

Slater, P. (1980). *Origin and significance of the Frankurt School. A Marxist perspective*, London, RPK, 1980.

Stark, W. (1964). «Sociology of Knowledge», in Gould, J. y Kolb, W. (ed.), *A Dictionary of the Social Sciencies*, New York, The Free Press, 1964.

Stark, W. (1991). *The Sociology of Knowledge*, New Brunswick-London, Transaction Publishers, 1991.

Storey, J. (ed.) (1996). *What is Cultural Studies?*, London-New York, Arnold, 1996.

Talin, K. (1997). «Les ordres religieux féminins et le compromis catholique. Esquisse d'une recherche comparative France-Québec, *Social Compass*, vol.44 n⁰ 4, London, Sage, 1997.

Trías, E. (1984). *Filosofía y Carnaval y otros textos afines*, Barcelona, Anagrama, 1984.

Tufari, P. (1971). «Sociología del Conocimiento», en *Cuestiones de Sociología*, Barcelona, Ed. Herder, 1971.

Turcotte, P. (1994). *Intransigeance ou compromis. Sociologie et histoire du catholicisme actuel*, Québec, Fides, 1994.

Turner, B. (1992). «Ideology and topia in the Formation of an Intelligentsia: Reflections on the English Cultural Conduit», in Mike Featherstone (ed.), *Cultural Theory and Cultural Change*, London, Sage, 1992.

Turner, B. (1992). *Regulating Bodies. Essays in Medical Sociology*, London, Routledge, 1992.

Ureña, E. (1978). *La teoría crítica de la sociedad de Habermas*, Madrid, Tecnos, 1978.

Varela, J. (1983). *Modos de educación en la España de la contrarreforma,* Madrid, Piqueta, 1983.

Wagner, P. (1997). *Sociología de la modernidad,* Barcelona, Herder, 1997.

Weber, M. (1973). *Ensayos sobre metodología sociológica*, Buenos Aires, Amorrortu, 1973.

Weber, M. (1977). *La ética protestante y el espíritu del capitalismo*, Barcelona, Península, 1977.

Weber, M. (1979). *El Político y el Científico*, Madrid, Alianza Editorial, 1979.

Weber, M. (1988). *Ensayos sobre sociología de la religión,* 3 vols., Madrid, Taurus, 1988.